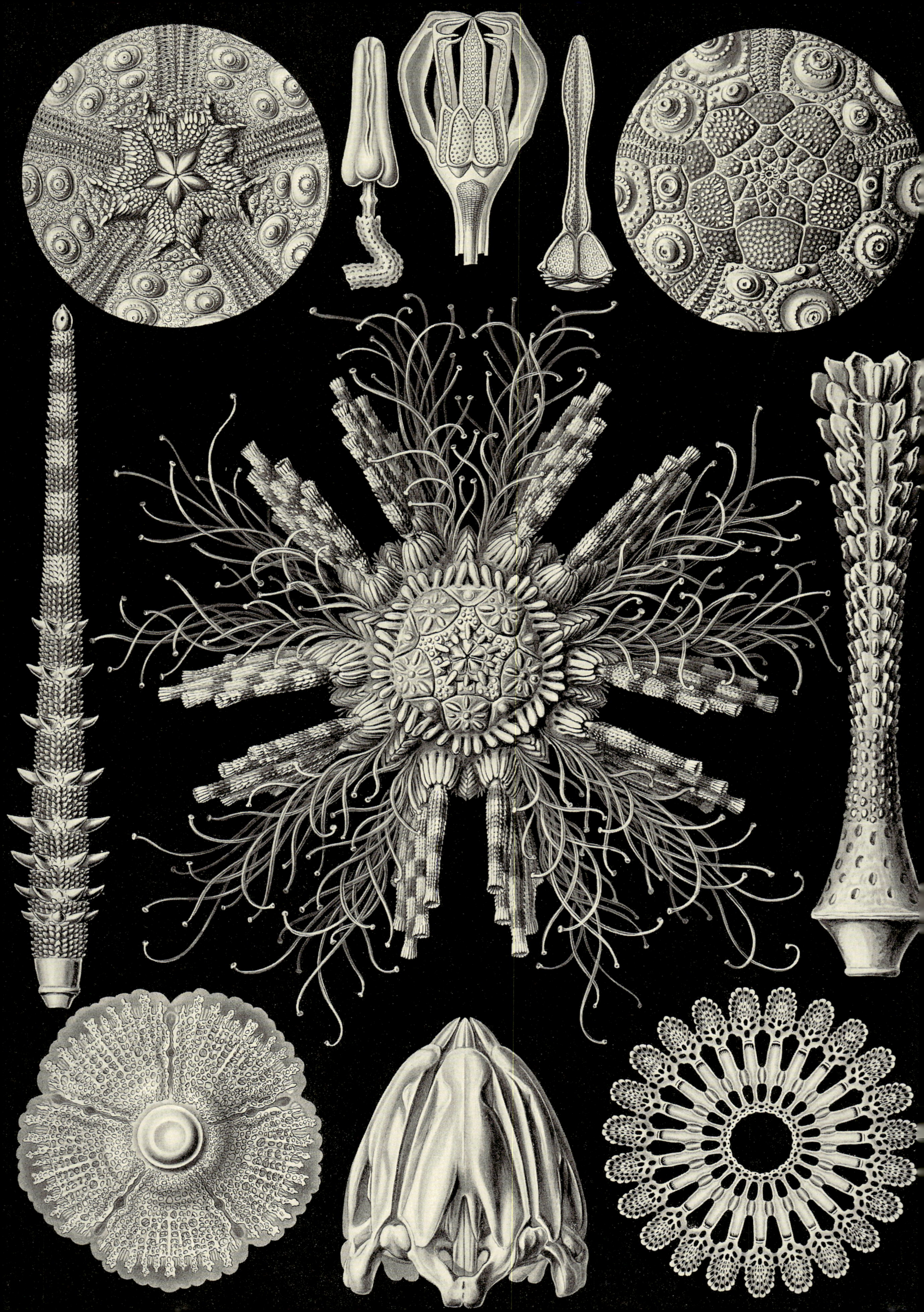

Olaf Breidbach

Ernst Haeckel
Bildwelten der Natur

Prestel
München · Berlin · London · New York

Inhalt

17 Vorwort

51 Einleitung

75 Ernst Haeckel – Der Evolutionsbiologe in Jena

99 Darwin und Haeckel

105 Die Generelle Morphologie von 1866

117 Das Biogenetische Grundgesetz

133 Bilderstreit

149 Natürliche Schöpfungsgeschichte und Anthropogenie

167 Kristallformen

183 Kalkschwämme

187 Arabische Korallen

195 Haeckels Selbstinszenierung

205 Haeckels Reisen

211 Die Challenger Reports

229 Haeckels Kunstformen der Natur

245 Weltanschauungslehren
253 Kunstformen der Kultur
265 Die Natur als Künstlerin
277 Naturphilosophie als Anschauungslehre – Haeckels Kristallseelen
285 Epilog: Die Anschauung des Selbst

Anhang

289 lebenslauf
294 Anmerkungen
296 Literatur
298 Register

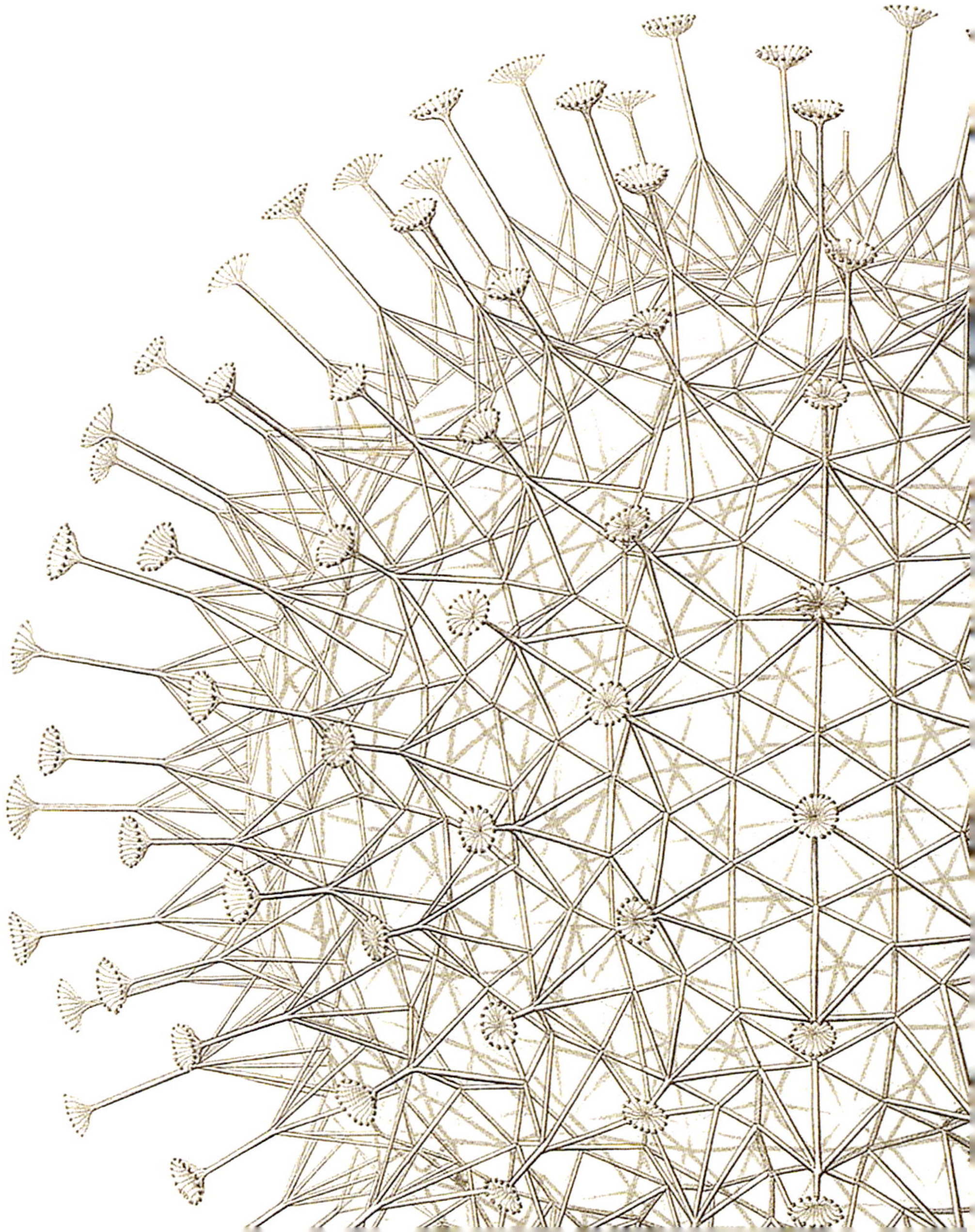

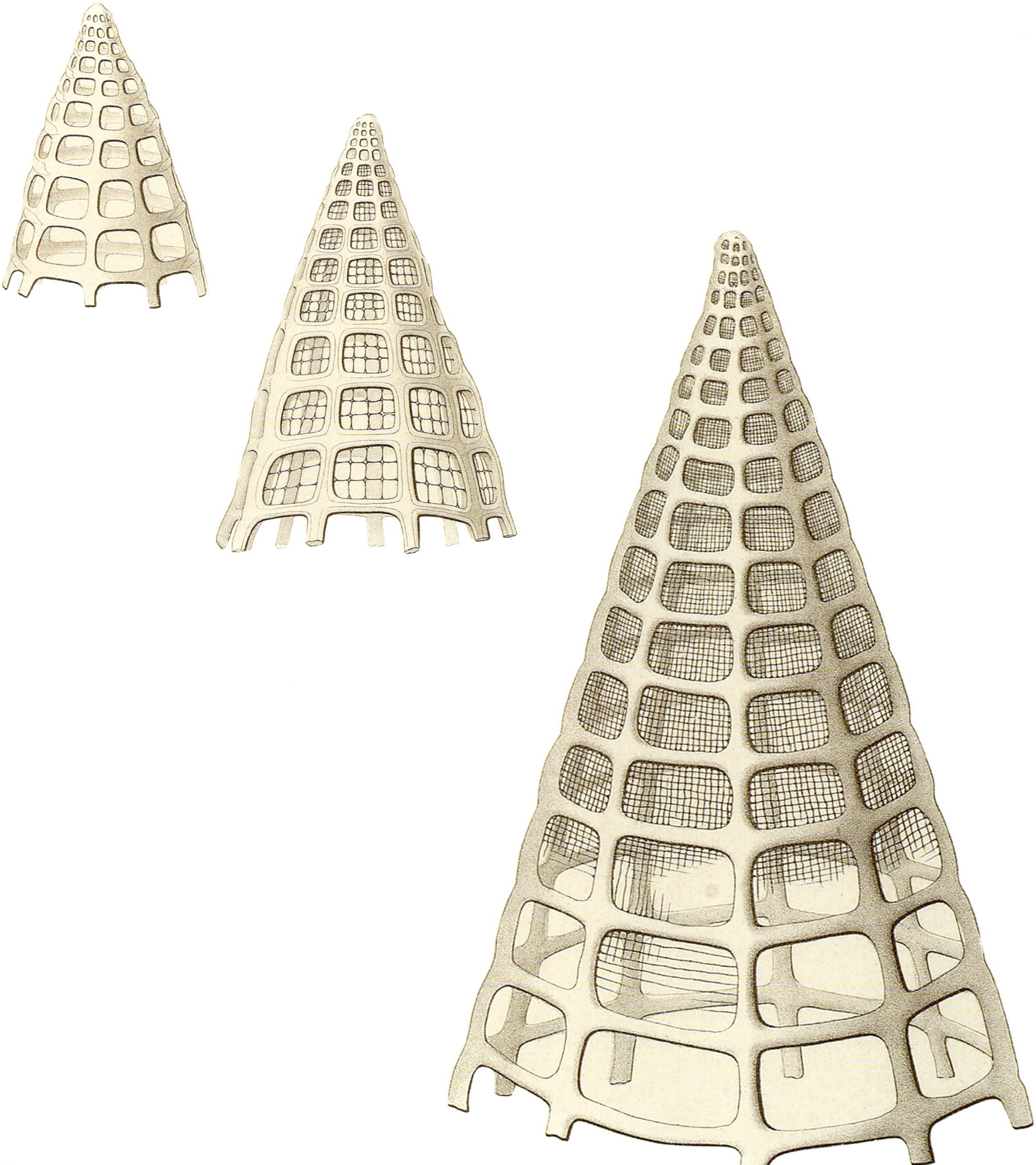

Vorwort

Naturanschauungen

Was ist Natur, und was ist meine Naturanschauung? Öffnet mir der Blick durch das Mikroskop einfach nur neue Welten, oder sehe ich in der Darstellung der Miniaturen die Mechanismen, in denen eine Natur zu begreifen ist? Für den Biologen Ernst Haeckel war die Antwort hierauf einfach, in der Tat war Naturerkenntnis Naturanschauung. Erfahrungswissen war für Haeckel Anschauungswissen. Dabei musste diese Naturanschauung für einen Naturforscher von wissenschaftlichen Prinzipien geleitet sein. Betrachtung, Darstellung und Begriff von dem, was Natur ist, greifen für Haeckel demnach nahtlos ineinander.

In der Situation um 1900, in der eine Naturästhetik zum Maßstab der neuen Anschauungen auch von Kunst und Kultur geronnen war, in der ein so renommierter Kunsthistoriker wie Alois Riegl mehr oder minder vorsichtig bei seinem Kollegen in der Physiologie nachfragte,[1] was das nun sein könne, das Schöne, musste eine solche Auffassung weite Resonanz finden. Naturwissenschaft war hier mehr als bloße Analysis. Auch die wissenschaftliche Natur bekam in Haeckels Illustrationen Farbe. Dabei waren in diesen Bildern Momente einer Ästhetik zu entdecken, die auch aus den Kulturformen der Zeit sprach.

Das Naturbild erschien als Naturdekor, die Formen der Natur als Elemente einer Dekoration (Abb. 1). Solche Naturbilder waren Kulturbilder nicht im einfachen Sinne einer Wahrnehmungs- und Abbildungskultur, die natürlich auch in den Wissenschaften immer nur so zu sehen vermag, wie es ihr die jeweiligen Brillen und Perspektiv-Vorgaben erlauben. Kulturbilder waren diese Naturbilder auch, da sie nun ihrerseits einen kulturellen Maßstab vorgaben. Schließlich bestimmten die symmetrischen Muster, die in der Natur zu finden waren, wie man nun auch in der Kultur die Bildmuster zu gestalten hatte (Abb. 2). Wenn so in den Ornamenten der Dekorateure Einzeller wiederzufinden waren, wenn Krebse und Langusten auf dem Silber- und Zinngeschirr der Zeit erschienen und sich die Buchrücken mit Medusenreigen umspannen ließen, so war damit nicht nur die Natur ästhetisiert, zugleich war auch die Ästhetik dieser Kultur naturalisiert. Sie war dies aber in einer sehr kultivierten Weise, da diese Naturformen ihrerseits immer schon als Dekorationen vor das Auge des Betrachters traten. Es war nicht die Qualle, die auf dem Buchrücken prangte, sondern die zarte, transparente Form eines Wasserwesens, das eher wie hingehaucht, ästhetisch und eben alles andere als bloß gelatinös erschien (Abb. 3–5).

1 **William Morris**

Windrush (Sturm), Wanddekoration, nach 1883, Leinen, bedruckt

Es scheint, als konnte eine Kultur, die ihren Fortschritt bisher eher in den nach neuen Formeln produzierten Kanonen fand, hier ihre Natur, und in dieser auch eine neue Naturwissenschaft entdecken. Nur wenige Jahrzehnte zuvor, kurz nach der Mitte

Fig. 38.
Assyrisches Bordürenmuster.

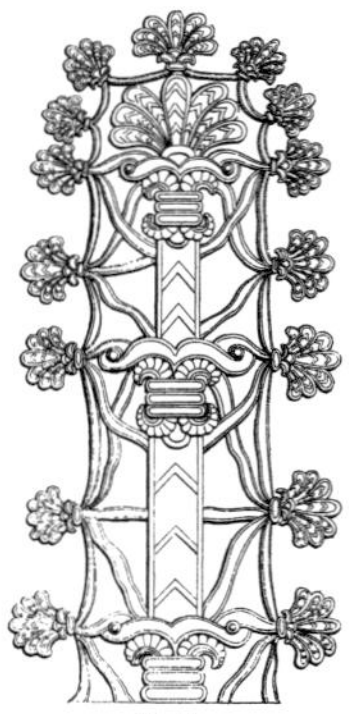

Fig. 39.
Sogen. heiliger Baum der Assyrer.
Steinskulptur aus Nimrud.

Fig. 58.
Gestanztes Goldplättchen. Mykenisch.

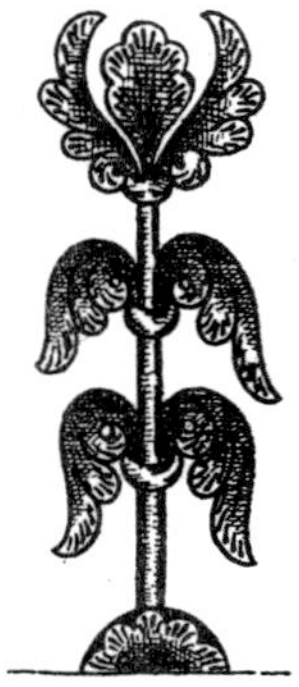

Fig. 176.

Fig. 196.
Kelchpalmette vom Mosaik der Omar-Moschee
zu Jerusalem.

Fig. 197.
Kelchpalmette und Rankenornament von einer Mossul-Bronze.

2 Alois Riegl, »Stilfragen. Grundlegungen zu einer Geschichte der Ornamentik«

Fig. 38: *Assyrisches Bordürenmuster*; Fig. 39: *Sogen. Heiliger Baum der Assyrer. Steinskulptur aus Nimrud*; Fig. 58: Gestanztes Goldplättchen. Mykenisch; Fig. 176: *Illustration entlehnt aus dem Codex Vigilanus im Escurial*; Fig. 196: *Kelchpalmette vom Mosaik der Omar-Moschee zu Jerusalem*; Fig. 197: *Kelchpalmette und Rankenornament von einer Mossul-Bronze*, 1893

des 19. Jahrhunderts, zeigte Jules Verne in seinen Romanen welches die Größen waren,[3] in denen vor 1900 die Öffentlichkeit die modernen Naturwissenschaften registrierte. Es waren die Leistungen des exakt vermessenden Ingenieurs, die größte Kanone, das schnellste Kriegsschiff und die beste chemische Fabrik (zur Produktion von Schießpulver) zu bauen, in denen sich die Macht eines Denkens zeigte, das so auch im Schrecklichen anschaulich wurde. Natur zeigte sich beherrscht und in der Gewalt der Technik bezwungen (Abb. 6, 7).

Der Auftrag »Macht euch die Erde untertan«, wie er im Alten Testament formuliert war, schien in einer neuen Art erfüllt.[4] H. G. Wells demonstrierte 1895 in seiner Geschichte vom Gott der Maschinen,[5] wie für den, der die Technik nicht in ihrer Physik, sondern nur in ihren Effekten beschreiben konnte, das neue Wissen in der Form des Ritus zu bannen war. Wissenschaft war für solch einen Ignoranten nur eine in neuer Form präsentierte Religion. Die Hohepriester des Wissens stellten die Statthalter des aus dem Theologischen ins Scientistische verlagerten Glaubens. Doch was sahen nun diese Hohepriester, wenn sie auf die Anzeigen ihrer Maschinen blickten? Sie registrierten Zahlenfolgen, Skaleneinteilungen und archivierten Messreihen. In diesen Formeln reproduzierten sie ihre Welt. In diesen Formen konturierte sich die Wirklichkeit derer, die solche Maschinen nutzen. So wurde – sei es an der Werkbank oder sei es in einem Labor – ein Ausschnitt der Welt gewonnen, der nicht mehr einfach in Bilder rückübersetzbar zu sein schien. In dieser Konzeption von Wissenschaft war wissenschaftliche Erfahrung damit nicht mehr einfach in der Naturanschauung zu finden. Die hier gewonnenen Anschauungen mussten erst in Skalen übersetzt werden. Anzuschauen sind nur die von den technischen Apparaturen produzierten Abbildungen, in denen sich Naturerscheinungen registrieren lassen. Hier wird die Natur nicht mehr in ihren Gestalten beschrieben, sondern vielmehr in Messreihen überschrieben.

Die Idee hinter diesen Bildern von Zahlenreihen und den Lineaturen der Apparate war die Idee der Mathematisierung des Wissens. Dieser Idee zufolge entzog sich das, was die Wissenschaft von der Natur darstellte, der Anschauung. Die gewonnene Welt des Wissens war eine Welt der Spezialisten, die in den Formeln der Mathematik für den Nichtspezialisten nur mehr Hieroglyphen formulierte, die dann auch – wie die berühmte Einsteinsche Formel – als bloße Chiffren in den Kulturbestand unseres Denkens Eingang fanden.

3 **W. Midgley / A. E. V. Lilley, »Studies in Plant Form and Design«**

Frontispiz, 1896

4 **W. Midgley / A. E. V. Lilley, »Studies in Plant Form and Design«**

Umschlaggestaltung, 1896

5 **William Morris / Edward C. Burne-Jones**

Friends in need meet in the wild wood, aus »The well at the world's end«, 1896, Holzstich, 27,8 × 19 cm

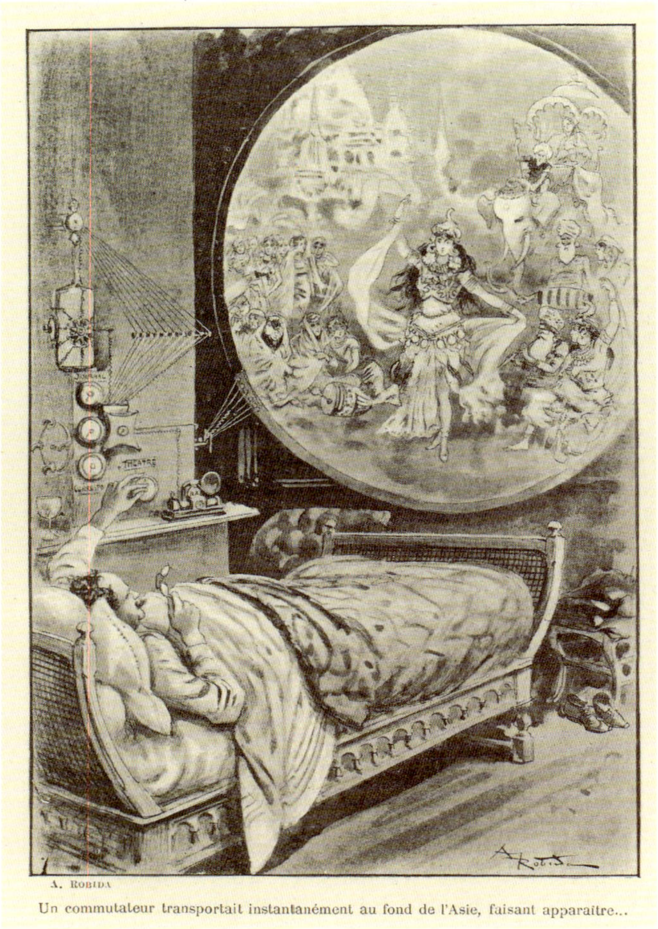

6 Camille Flammarion, »La Fin du Monde«

Luftschiffe, 1894

7 Camille Flammarion, »La Fin du Monde«

Television, 1894

Demgegenüber gewann mit den Arbeiten von Forschern wie dem sich so anschaulich präsentierenden Biologen Ernst Haeckel um 1900 eine Naturanschauung Konturen, die ganz anders geartet war. In ihr fanden sich die alten Formen der Naturgeschichte wieder. Nicht nur, dass sich in verschiedenen abgelegenen Bereichen einzelne dieser anschaulichen Naturbilder tradiert fanden. Um 1900 gewinnt diese Form der Naturwissenschaft erstmals ein wirklich breites, d.h. aus verschiedenen sozialen Schichten rekrutiertes Publikum. So wird diese sich anschaulich gebende Natur der Wissenschaften in ganz neuer Weise populär.

Haeckels Naturerfahrung

Der Autor, der für diese Form der Naturbildwelten um 1900 stand, war Ernst Haeckel. Naturillustrationen waren bei ihm nicht einfach nur ein Beiwerk seiner analytischen Naturbetrachtung. Für ihn war die Naturanschauung selbst die höchste Form der Naturerkenntnis: Die Illustration bildet das Wissen nicht einfach nur ab, in ihr findet sich das Wissen der Wissenschaft. Und der Wissenschaftler war der, der seine Naturanschauungen derart illustrierte, dass sie auch von dem geteilt werden konnten, der nicht in der Lage war, derartige Naturentdeckungen für sich selbst zu vollziehen (Abb. 8).

Sichtung, Anschauung und Illustration des Naturalen waren die Schritte, über die ein derartiger Naturforscher Wissen erarbeitete und vermittelte. Seine Naturerfahrung, die er ins Bild setzte, gewann damit etwas Unmittelbares. Es war eben die Anschauung, das, was er vor Augen hatte, in dem sich für ihn Wissen vermittelte. Haeckel machte dies in

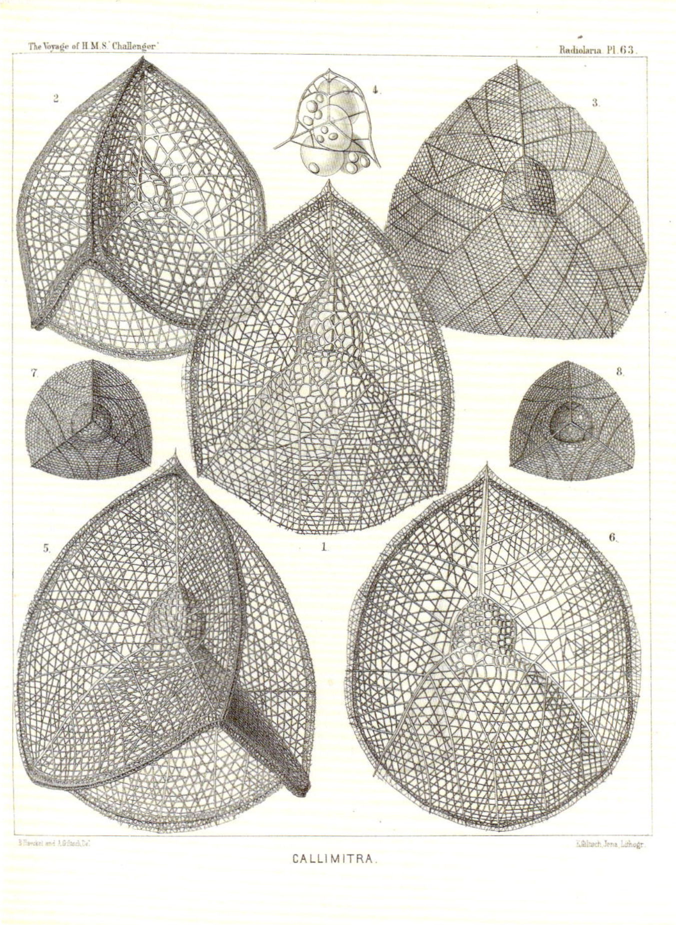

8 »Report on the Radiolaria Collected by HMS Challenger«

Radiolarienskelette, Tafel 63, 1887

der Korrespondenz mit seiner Braut einsichtig, in der er die methodischen Grundlagen seiner Naturerkenntnis unmittelbar und unverstellt beschrieb. Für ihn ist die Ästhetik der Naturdarstellung der Garant dafür, auch das in ihr erfasst zu haben, was die Natur ausmacht. Hier liegt die Haeckelsche Methode der Naturanschauung und darin unterscheidet er sich auch von Darwin:[6]

»Der glücklichste Tag – wahrscheinlich in wissenschaftlicher Beziehung der glücklichste für mein ganzes Leben – war der 10. Februar, wo ich, als ich früh wie gewöhnlich mit dem feinen Netz auf den Fang ausfuhr, nicht weniger als 12 (zwölf!!) neue Arten [von einzelligen Lebewesen] erbeutete und darunter die allerreizendsten Tierchen! Ein Glücksfang, der mich halb unsinnig vor Freude machte; ich fiel vor meinem Mikroskop auf die Knie und jubelte dem blauen Meere und den gütigen Meeresgöttern, den zarten Nereiden, die mir immer so herrliche Geschenke schicken, innigsten Dank zu, versprach auch, recht gut und brav zu sein und, dieses Glückes würdig, all mein Leben dem Dienst der herrlichen Natur, der Wahrheit und Freiheit zu widmen.«[7]

Forschen ist hier im naiven Sinne entdecken. Dabei erlauben es die Instrumentarien von Lupe und Mikroskop, auch kleinere und kleinste Dimensionen augenfällig zu machen und so neue Bereiche der Natur zu erschließen (Abb. 17). Die Wissenschaft offeriert die Techniken und Instrumentarien, Dinge neu zu sehen. Sie archiviert auch das Wissen über schon Bekanntes, so dass nur in Bezug auf sie das Neue als solches erkannt und auf Altes bezogen werden kann. Die Wissenschaft erlaubt so eine Systematisierung des Sehens, erarbeitet Kriterien, anhand deren die Erscheinungen zu katalogisieren und aufeinander zu beziehen sind. So wird der Wissenschaftler zum Systematiker.

Nach Haeckel erschloss sich in dieser Systematik nicht einfach eine von uns vorgegebene Ordnung, sondern der Prozess, in dem die Natur sich selbst zur Entfaltung gebracht hat: die Evolution. Diese war ihm auf diese Weise ansichtig. Die Formreihen, in denen er die Vielfalt seiner Radiolarien einband, erschienen ihm in der Idee einer Evolution als Reihe überhaupt erst einsichtig. Die Formreihe als Genea-Logik zu interpretieren, erlaubte es ihm, die Vielfalt als Einheit anschaulich zu haben, ohne dazu doch ein äußeres Prinzip bemühen zu müssen.[8] Es ist die Natur selbst, die sich so in ihrer Vielfalt zur Anschauung bringt. Insoweit sind die Formreihen die Schätze, in denen sie sich in dem ihr eigenen Reichtum offenbart. Genealogisch verstanden war die Reihe Resultat des Prozesses der Natur und nicht Konstrukt der Naturgeschichtler. Ästhetisch,

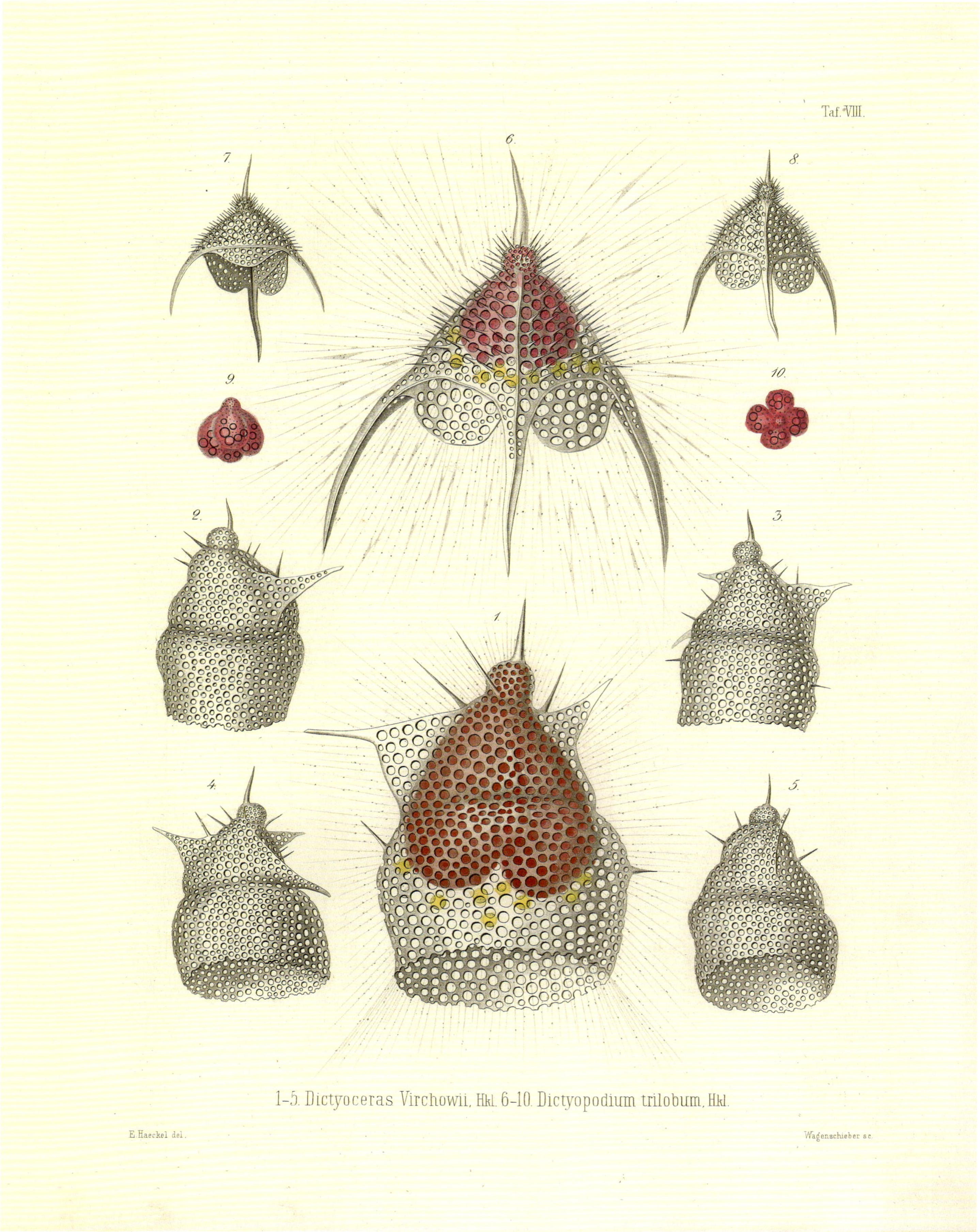

9 »Radiolarien-Atlas«

Tafel VIII, 1862

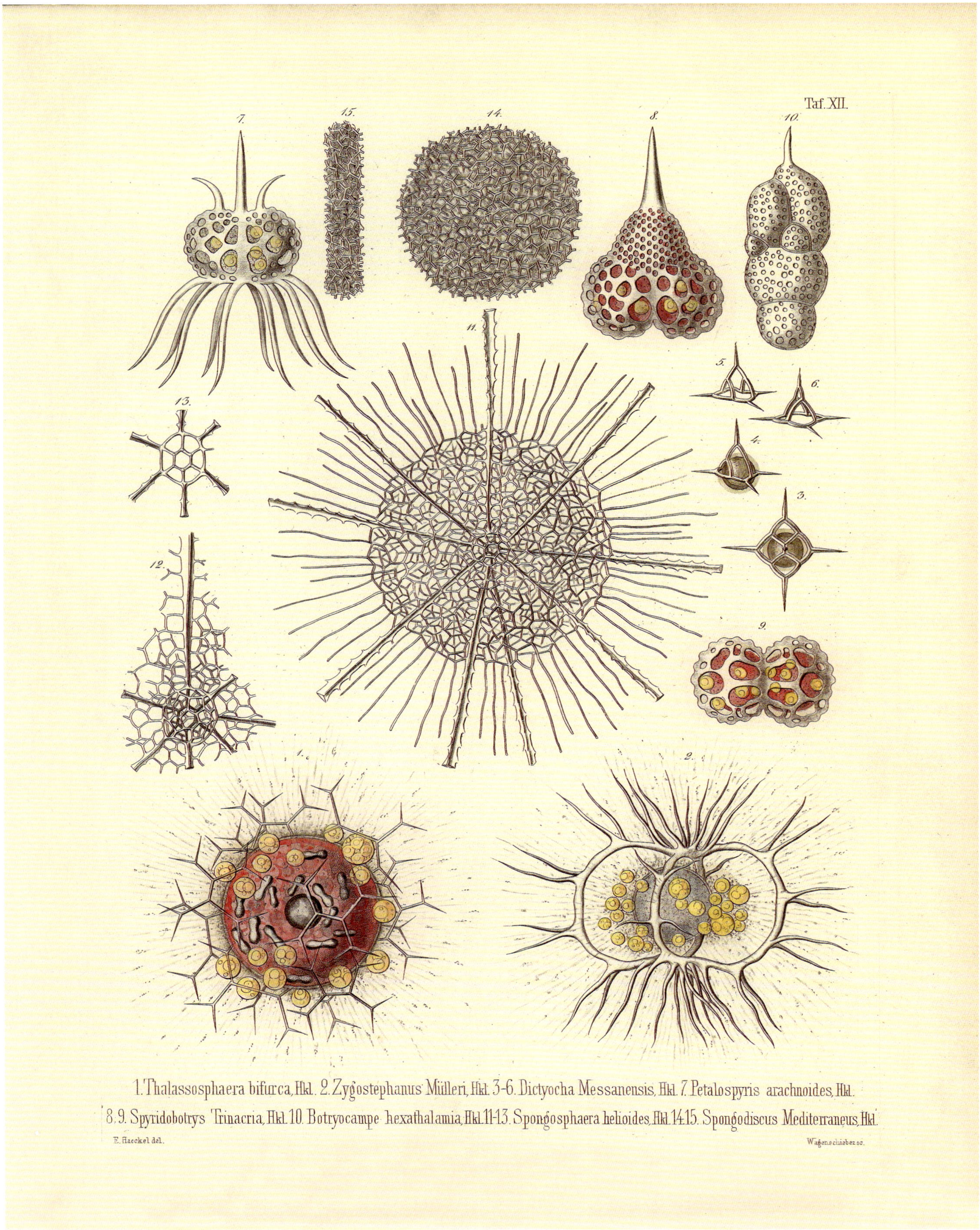

10 »Radiolarien-Atlas«

Tafel XII, 1862

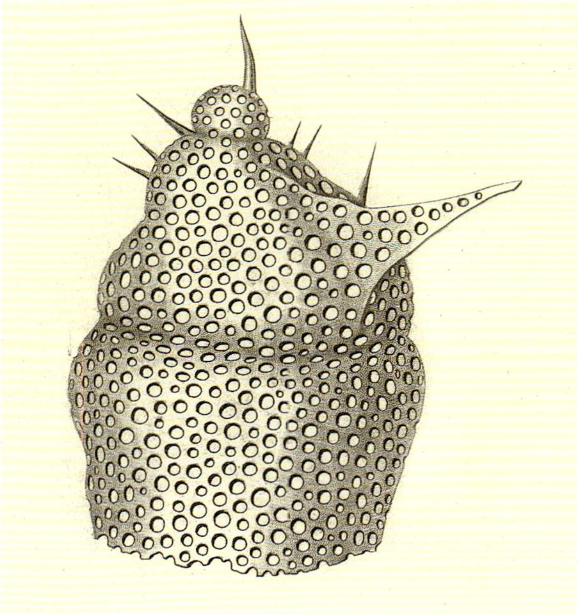
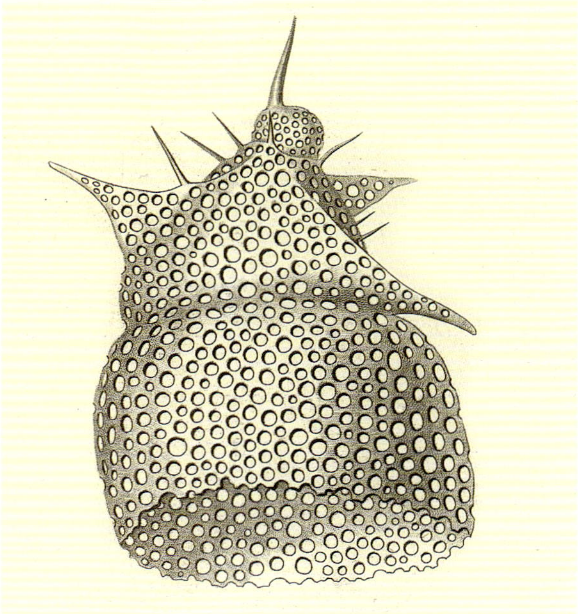

11/12 »Radiolarien-Atlas«

Details aus Tafel VIII, siehe Abb. 9

im Sinne einer in sich bestimmten Anschaulichkeit, wurde für Haeckel diese Formreihe demnach erst unter der Idee der Evolution, die sich so in der Anschauung auch selbst zur Anschauung brachte.

Natursicht ist somit eine ins Tiefste führende Einsicht. In der – wissenschaftlich geleiteten – Anschauung wird kenntlich, was die Natur im Eigentlichen ist: Prozess einer ungerichteten Entfaltung, Erzählung des der Natur Möglichen. Den Begriffen, Sätzen und Sentenzen dieser Erzählung entsprechen die einzelnen Formen, die Gattungen und Familien der Organismen und die in ihnen offenkundigen Gestaltungszusammenhänge.

Die Dokumentation dieser Geschichte der Natur ist Wissenschaft. Das Skelett solch einer Dokumentation bildet die Darstellung der Systematik. Die Formvielfalt des in dieser Evolution Entstandenen dokumentiert sich nach Haeckel am besten im Bild. Illustriert wird damit eine Beobachtung, die in ihrer Darstellung das Gesehene aber auch schon immer interpretiert. Dargestellt wird von Haeckel ja nicht einfach das Individuum, die hier und jetzt wahrgenommene Entität. Darstellung findet vielmehr das Individuum als Repräsentant einer Art. Wobei selbst auch die Art als Element eines Entwicklungsprozesses begriffen ist. Im Einzelnen exemplifiziert sich demnach das Prozessganze der Evolution, in dem das Einzelne ja immer als – temporäres – Resultat verstanden ist.

Dieses Ganze ist denn auch in der Anschauung des Einzelnen zur Geltung zu bringen. Daher setzt Haeckel seine Naturgestalten in einen Rahmen, er komponiert Bilder, in denen eine Vielfalt von Formen nicht einfach nebeneinander steht, sondern in ihrem Nebeneinander eine Serie und in dieser Serie die Evolution dokumentiert.

Damit interessieren ihn die Naturformen in ihren strukturellen Variationen. Sie sind dabei – wie benannt – als Momente eines Prozesses begriffen, der über die Evolutionslehre beschrieben werden kann. Demnach sind die Ausprägungen des Einzelnen nur das Dekorum einer Naturentfaltung, die im Ganzen ihre Form, im Einzelnen aber nur Variationen dieser Formierung erkennen lässt. Die Vielfalt des Naturalen gerinnt für Haeckel so zu einem Ornament. Im Einzelnen findet sich ganz im Sinne der Zeit das Dekorum, in dem der Prozess der Evolution selbst zu entdecken ist. Haeckel sieht die Naturformen demnach auch als Ornamente. Seine Naturbilder entsprechen damit nicht nur in ihrer Ausschmückung, sondern in ihrem tiefsten Gehalt der ornamental geleiteten Ansicht des Dekors seiner Zeitgenossen. Haeckels Bildwelten passen damit eben nicht nur in ihren Einzelheiten, sondern auch in ihrer Komposition in die Anschauungsmuster seiner Zeit.

Haeckels Darstellungen der Kunstformen der Natur stehen damit nicht einfach nur in einer zufälligen Passung zum Naturdekor seiner Zeit. Haeckel fasst die Natur als Dekor. So kann er dann auch, ohne sich etwas zu vergeben, seine Naturformen zur Dekoration der eigenen Wohnung nutzen (Abb. 14). Darin zeichnet sich die Ambivalenz seiner Naturdarstellung ab, die da, wo sie Wissenschaft ist, immer auch Kunst ist,

13 **Ernst Haeckel**

Messina. Hafen und Aspromonte von der Villa Guelfonia aus gesehen, Aquarell, 1897

14 **Ernst-Haeckel-Haus, Jena**

Deckenornament im ehemaligen Speisezimmer, *Scheibenqualle Toreuma bellagemma* nach Tafel 28 der »Kunstformen der Natur«

und die in ihrer Kunst, der ihr innewohnenden Ästhetik, nur die Gesetzmäßigkeiten des Naturalen ausdrückt. Die Kunstformen der Natur sind – das wird noch eingehender zu beschreiben sein – auch deren eigentliche Natur.

Diese erscheint uns nur deshalb so ästhetisch, da wir in ihren Formen die Prinzipien ihres Entstehens erkennen können. Ästhetik ist Einsicht. Und diese Einsicht ist ihrerseits immer auch der Reflex einer Wahrnehmungskultur, die in Haeckels Illustrationen ihren wissenschaftlichen Ausdruck fand. Kunst und Natur sind hier im Ornament verdichtet: Der Algenteppich wird wie die einzelne Qualle zum Dekorationselement einer Tapete. Natur ist damit für einen Forscher wie Haeckel eben genau da begriffen, wo sie zum Ornament gerinnt. Dies macht Haeckels Bilder so handhabbar und gab ihnen um 1900 eine nachhaltige Resonanz auch über den Rahmen der Wissenschaften hinaus. In der Passung von Dekor und Natur zeigte letztere sich auch da, wo sie für den Betrachter bisher unbekannte Formen offerierte, merkwürdig bekannt. Wenn die Fische der Tropen wie auch die Einzeller, die unter dem Mikroskop zu entdecken sind, sich nur mehr als Variationen eingängiger Natursymmetrien präsentieren, so erscheint diese Natur in jeder ihrer Formen gezähmt.

Die Natur wird zur Kultur, sie erscheint kultiviert. Es scheint ein Prinzip gefunden, in dem alles anzuschauen und nach dem alles zu ordnen ist. Dabei steht Haeckel mit seinen Bildwelten mitten in einer ganzen Bewegung, in der von verschiedenen Seiten die Natur in solch einfacher Form verfügbar gemacht und damit kultiviert wurde.

Erst um 1900 wird das Dunkel der Nacht vom elektrischen Licht durchdrungen.[9] Auch die Nachtseite der Natur war nunmehr anschaulich. Es ist kein Zufall, dass nahezu zeitgleich zu Haeckel die Wandervogelbewegung versuchte, eine nach 1900 in Europa nun aber weitgehend gezähmte, mit einem Netz von Wegen und Raststätten durchsetzte Natur zurückzuerobern. Die Freikörperkulturbewegung, der moderne Ausdruckstanz und der literarische Naturalismus finden in genau der Phase ihren Durchbruch, in der auch Haeckel mit seinen wissenschaftlichen Naturbildern eine breite öffentliche Reso-

15 AEG-Lichtgöttin

Replik, nach 1890, Überseemuseum Bremen

16 »Report on the Siphonophorae« (Challenger)

Lychnagalma vesicularia, Handzeichnung zu Tafel XVI, 1888

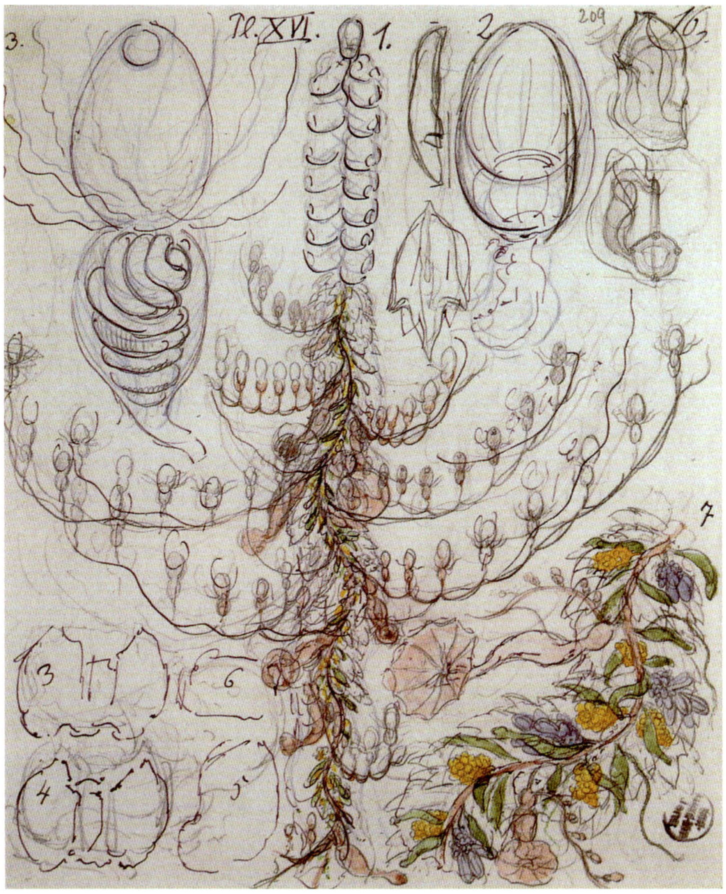

nanz fand. Hier setzte der Wissenschaftler etwas ins Bild, das anscheinend alle suchten: eine wohl geordnet erscheinende Natur. In deren einfach anzuschauenden Ordnung fand sich dann Kultur.

Gewonnen scheint so eine umfassende Perspektive, die die Natur kultiviert erscheinen lässt und andererseits die Kultur in der Natur begründet. In einer Phase, in der die vormaligen Wertesysteme zerbrochen scheinen, in der nationale, geschichtlich erwachsene Ordnungen kritisiert wurden, schon allein deshalb, weil sie sich nicht mehr klar voneinander abgrenzen konnten, sondern nunmehr, im endenden 19. Jahrhundert, untereinander im Wettbewerb standen, gewann der Verweis auf das Natürliche in neuer Weise Gehör. Hier schien etwas verbindlich zu werden, das sich aus der historischen Relativität enthob, da es natürlich (und damit nicht künstlich) erschien. Die Resonanz, die Haeckel erfuhr, ist aus dieser Situation zu verstehen; Haeckels Illustrationen machten etwas greifbar, das weit über die dargestellte Naturform hinausging. In seiner Art der Darstellung fand sich der Bürger in dem ihm schon bekannten Jugendstil wieder. Er konnte damit sich selbst und seine Anschauungsmuster in der Natur wiederentdecken. Damit war er dann auch mit der zunächst ja sehr viel radikaler gegen die überkommenen Normen und damit die eigenen Kultivierungen gesetzt erscheinenden Evolutionslehre zu versöhnen.

So gewann Haeckel im Beschaulichen seiner Bilder mehr als nur neue Naturansichten, er transportierte in diesen Bildern seine Weltanschauung, die er damit vermittelbar machte. Nicht zuletzt diese Idee, die Naturerkenntnis ins Bild zu setzen, bewirkte die enorme Resonanz seiner Auffassung gerade auch bei dem außerwissenschaftlichen Publikum und bestimmte dabei zudem von ihrem Ansatz her das Bildprogramm der populären Naturdarstellungen bis heute.

Zielstellung und Bildprogramm

Dieses Bildprogramm, aber auch die Bedingungen seiner Entstehung werden im vorliegenden Band anschaulich. Erstmals wird dabei eine Fülle von Skizzen publiziert, in denen Haeckel selbst seine unmittelbaren Naturerfahrungen fixierte. Im Gegensatz zu den geglätteten Illustrationen seiner Publikationen bleiben diese Skizzen lebendig. Es ist noch nicht das Ornament der Natur, das hier eingefangen ist, es sind noch die Lebensformen, die einzelnen Individuen, die dem Forscher vor Augen standen (Abb. 18–30). Erst in einem zweiten Schritt – ihrer vordergründigen Verdichtung für die Publikation – dünnen sich diese Naturbilder dann zu den gefälligen Illustrationen aus, die Haeckel so populär machten (Abb. 31–36). Ergänzt wird dieses Material durch Aufnahmen der Originalpräparate Haeckels. Somit ist eine ganze Bildwelt zu rekonstruieren, die, erweitert um die Skizzen zur unmittelbaren Wirkung Haeckels, auch über die Biologie hinaus und erweitert um eine Darstellung seiner Anschauungs-Ausbildung und seines visuellen Umfeldes, einen Horizont abstecken lässt, in dem das Bildschaffen Haeckels neu bewertet werden kann. Dabei reicht es aber auch, nur schlicht anzuschauen, bleibt doch das Suggestive der Haeckelschen Naturformen, das schon seine Zeitgenossen elektrisierte, auch noch nach mehr als 100 Jahren erhalten.

Der vorliegende Band ist keine Biographie und keine umfassende Darstellung des wissenschaftlichen Werkes von Ernst Haeckel. Hierzu ist eine Reihe von Studien erschienen oder in Arbeit. Auch fehlt bisher noch eine umfassende Darstellung, welche die wissenschaftliche Wirkung Haeckels im Detail und speziell auch bezogen auf seine Leistungen im Bereich der Morphologie und Systematik, besonders vor dem Hintergrund seiner wissenschaftspolitischen Bedeutung, nachzeichnet. Dabei wäre solch eine Analyse nicht auf seine innerfachliche Wirkung einzugrenzen. Haeckels Bedeutung für die Formen der heutigen Wissenschaftspopularisierung und die Idee einer naturwissenschaftlich geleiteten Ausbildung gesellschaftlicher Wertvorstellungen ist insbesondere in Blick auf die weitergehenden Entwicklungen biologistischer Denkmuster ein eigenes, und für ein Verständnis unserer heutigen Wissenschaftskultur hochbedeutendes Thema. Zu all dem finden sich im vorliegenden Band bestenfalls Andeutungen. Interessieren muss aber, dass Haeckel seine Wissenschaft und seine Ideen von Natur nicht nur in Wort und Schrift formulierte, sondern auch ins Bild setzte. Und um genau diese Bilder geht es hier. In diesem Band werden folglich Haeckels Natur-Bild-Welten zur Darstellung gebracht. Der Band versucht dabei, die Vielfalt von Haeckels Natur-Ansichten in einen Zusammenhang zu setzen. Damit zeigt er die Dimension und die Vielfalt von Haeckels Bildwelten der Natur.

Dank

Der hier vorgelegte Band lebt von dem Archiv-Bestand des Ernst-Haeckel-Hauses in Jena, der durch Dr. Thomas Bach in neuer Weise verfügbar gemacht wurde. Bilder sind dabei nur eine Seite dieses Bestandes, der auch in seinen Schriftquellen – so sind uns allein über 40.000 Briefe an und von Haeckel erhalten – für die Kulturgeschichte der Wissenschaften um 1900 wohl eine der ergiebigsten Quellen darstellt. Die vormalige, leider viel zu früh verstorbene Kustodin des Ernst-Haeckel-Hauses, Dr. Erika Krauße, hatte mit einer Bestandsaufnahme der Wirkungen dieser Bilder in den Jugendstil begonnen. Ihr, die ihr wissenschaftliches Leben in den Dienst der Bewahrung und Bearbeitung des Haeckelschen Erbes stellte, sei dieser Band gewidmet.

Zu danken habe ich meinen Mitarbeitern im Ernst-Haeckel-Haus, insbesondere den Herren Dr. Thomas Bach, Dr. Maurizio Di Bartolo, PD Dr. Uwe Hoßfeld, Dr. Heiko Weber, Dr. Gerhard Wiesenfeldt, Frau Rosemarie Nöthlich, Frau Karola Schrader, Frau Rita Schwertner sowie unseren Gästen und meinen Kollegen Michael Ghiselin und Federico Vercellone für Diskussionen, Kritik und Korrekturen. Mein Dank geht an den Lektor des Prestel-Verlages, Herrn Eckhard Hollmann, der diese Arbeit motivierte und betreute, sowie an die Graphiker und Drucker des Verlages, die es ermöglichten, die Ästhetik der Naturformen von 1900 mehr als 100 Jahre später wieder anschaulich werden zu lassen.

Olaf Breidbach, Jena im Mai 2006

17 **Ernst-Haeckel-Haus, Jena**

Das Mikroskop Ernst Haeckels

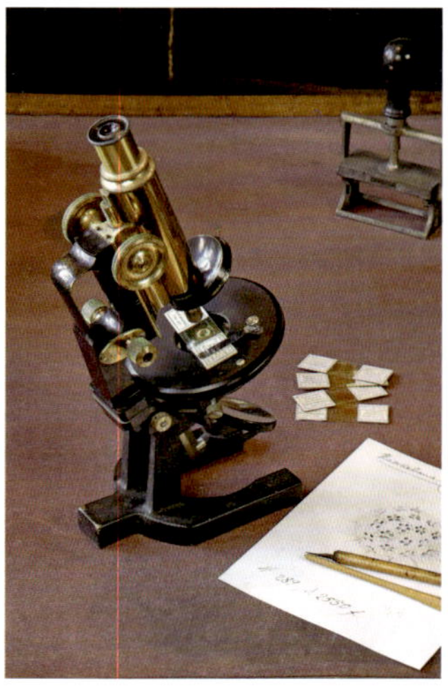

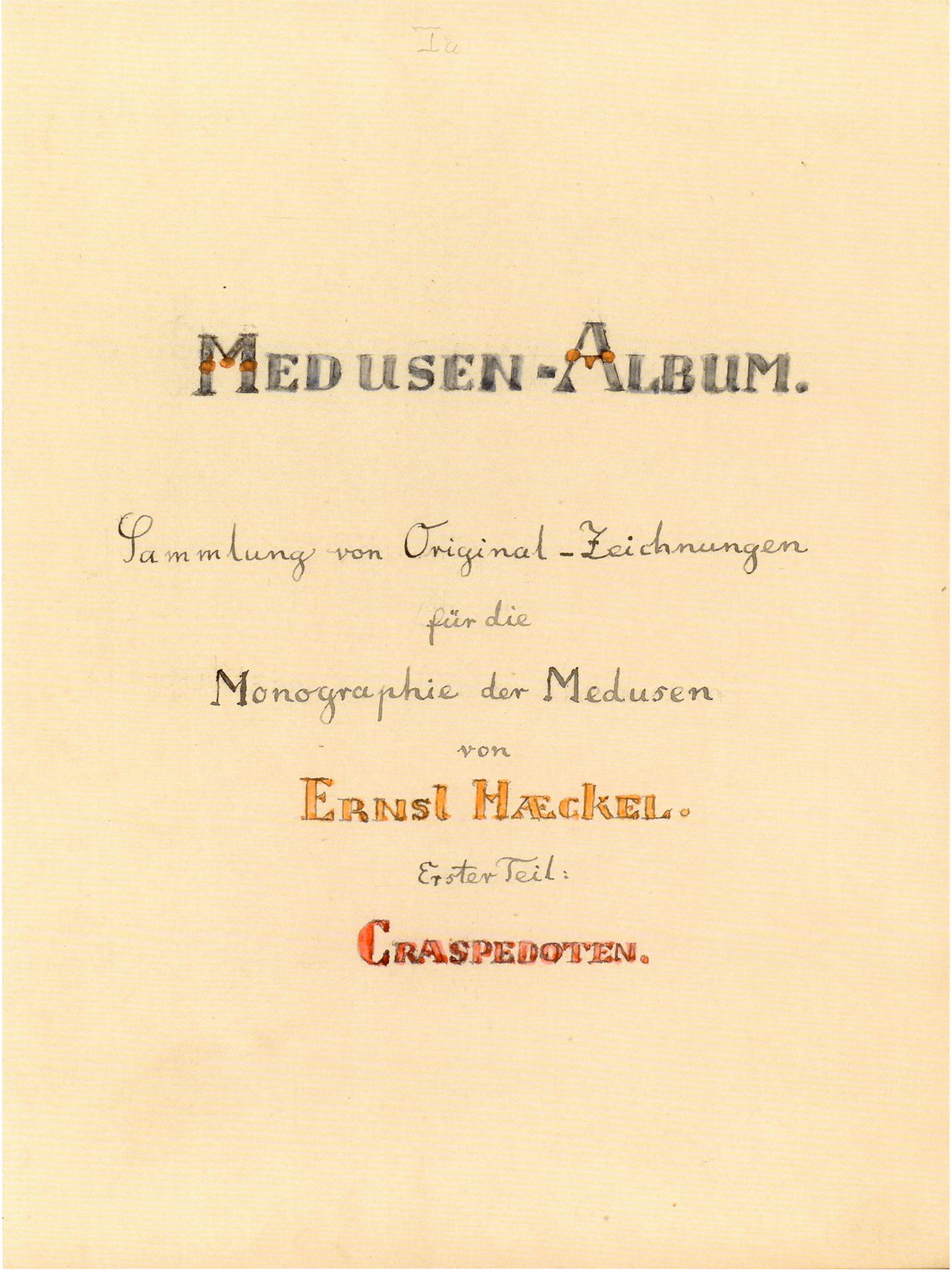

Medusen-Album.

Sammlung von Original-Zeichnungen
für die
Monographie der Medusen
von
Ernst Haeckel.
Erster Teil:
Craspedoten.

18 »Medusen-Album«

Titelblatt, um 1889

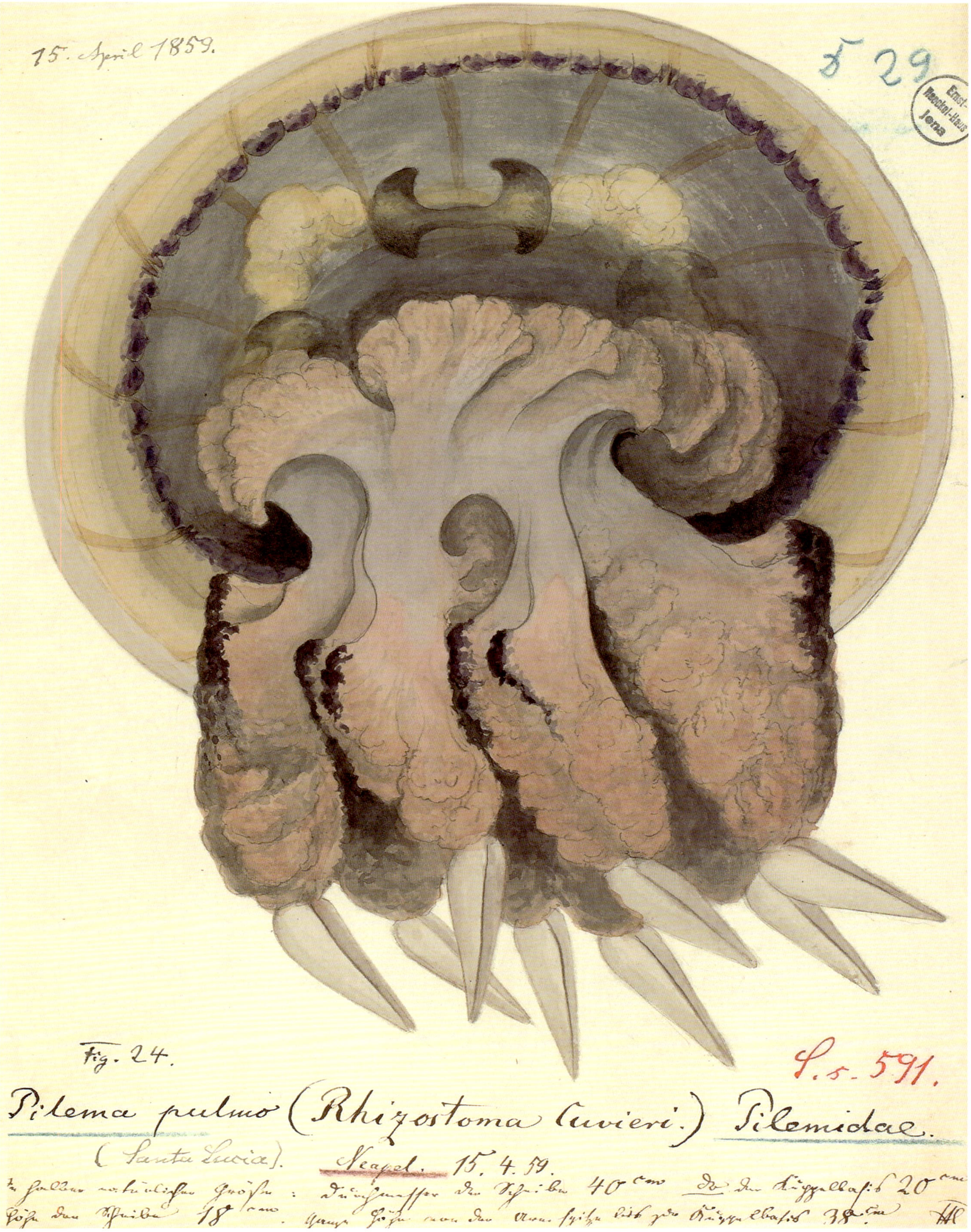

19 **»Medusen-Album«**

Handzeichnung, um 1859

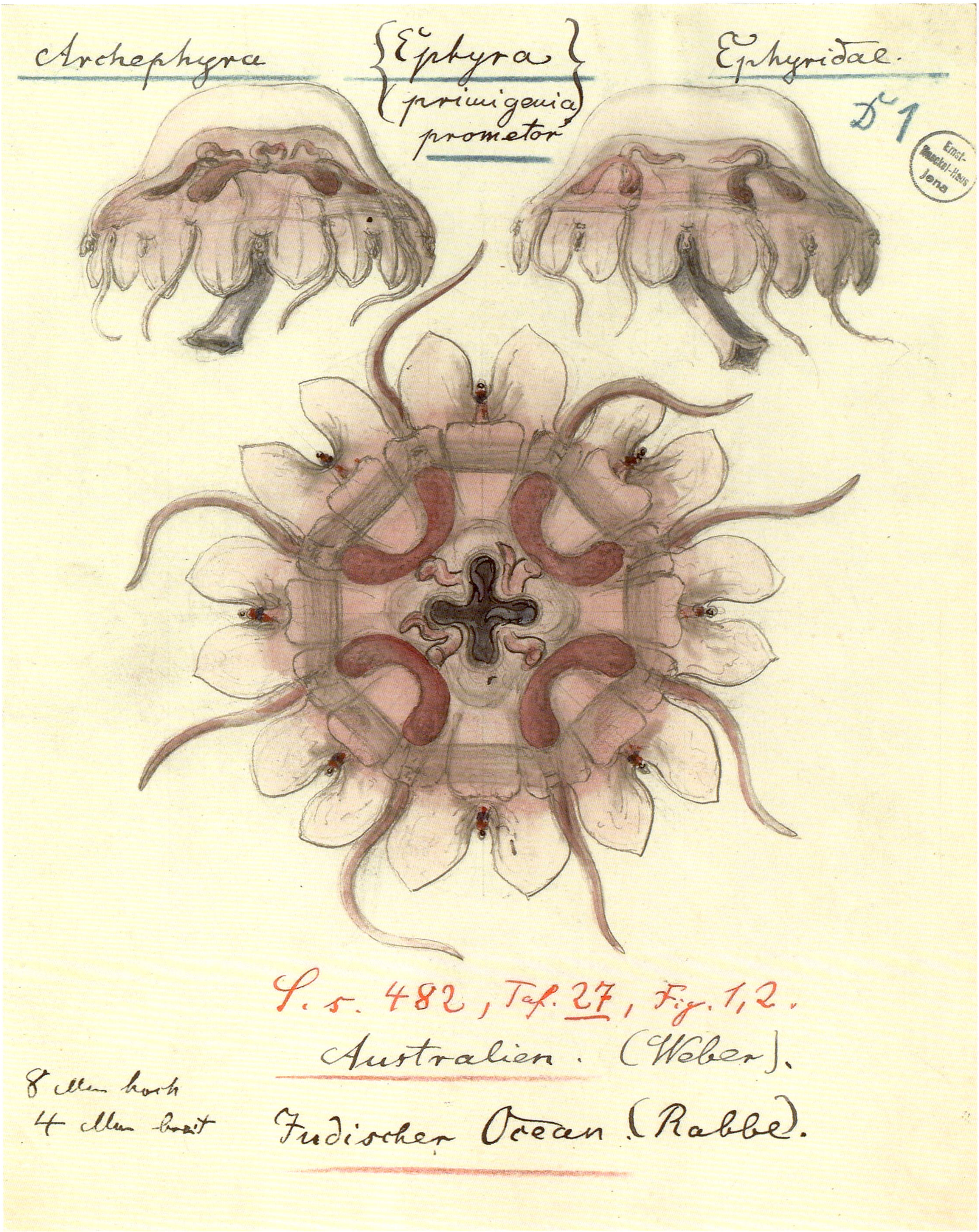

20 **»Medusen-Album«**

Handzeichnung, undatiert

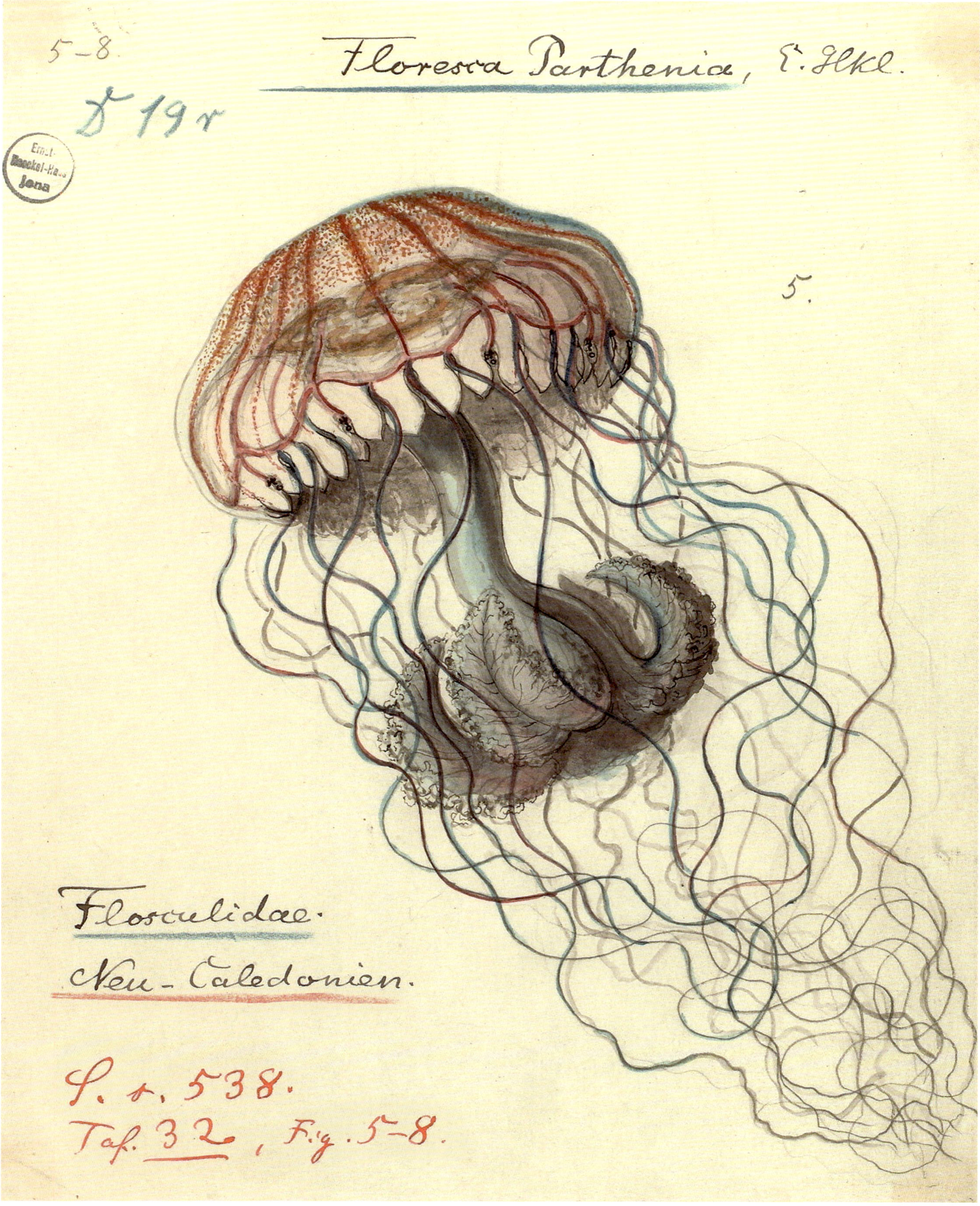

21 **»Medusen-Album«**

Handzeichnung, undatiert

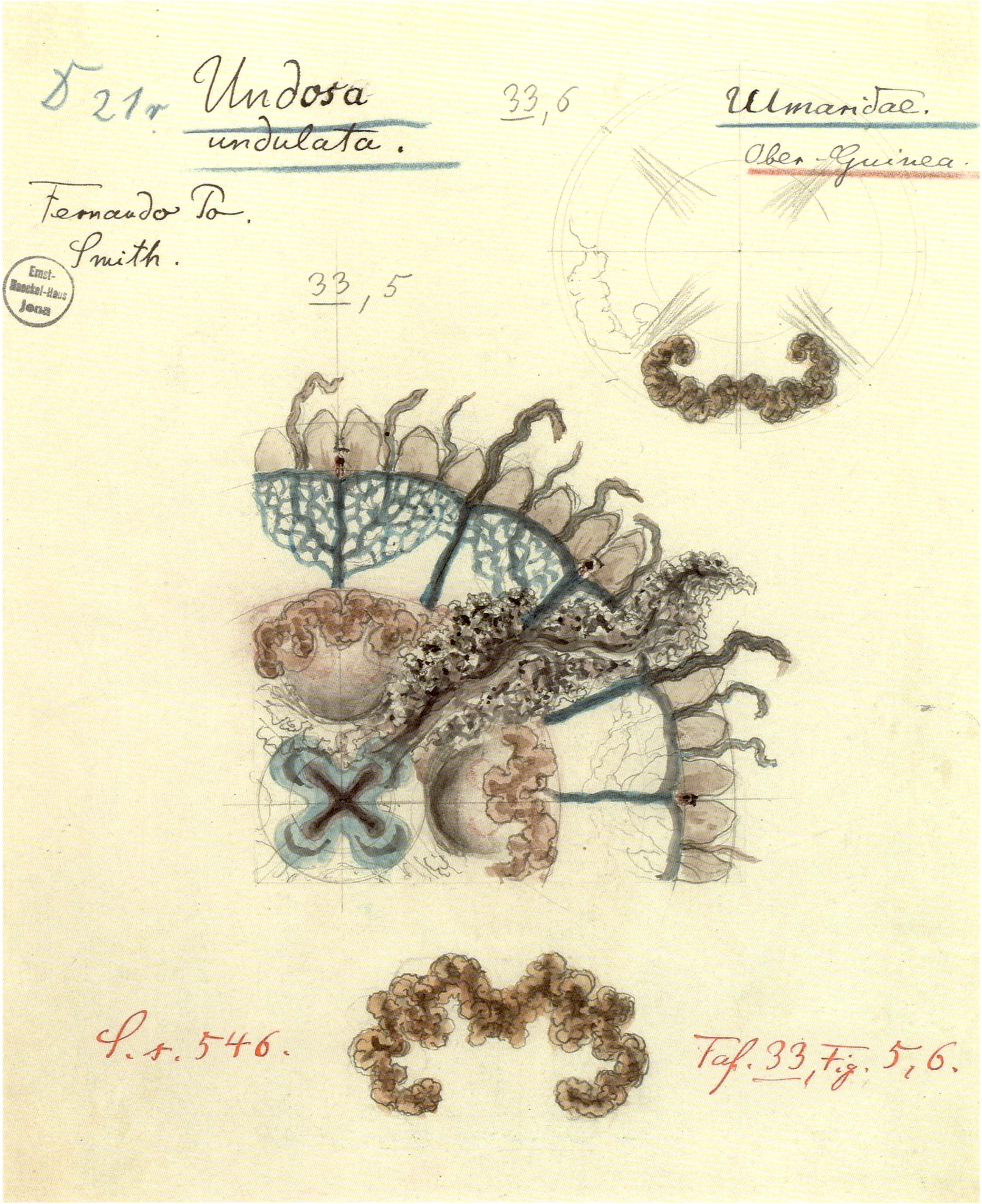

22 »Medusen-Album«

Handzeichnung, undatiert

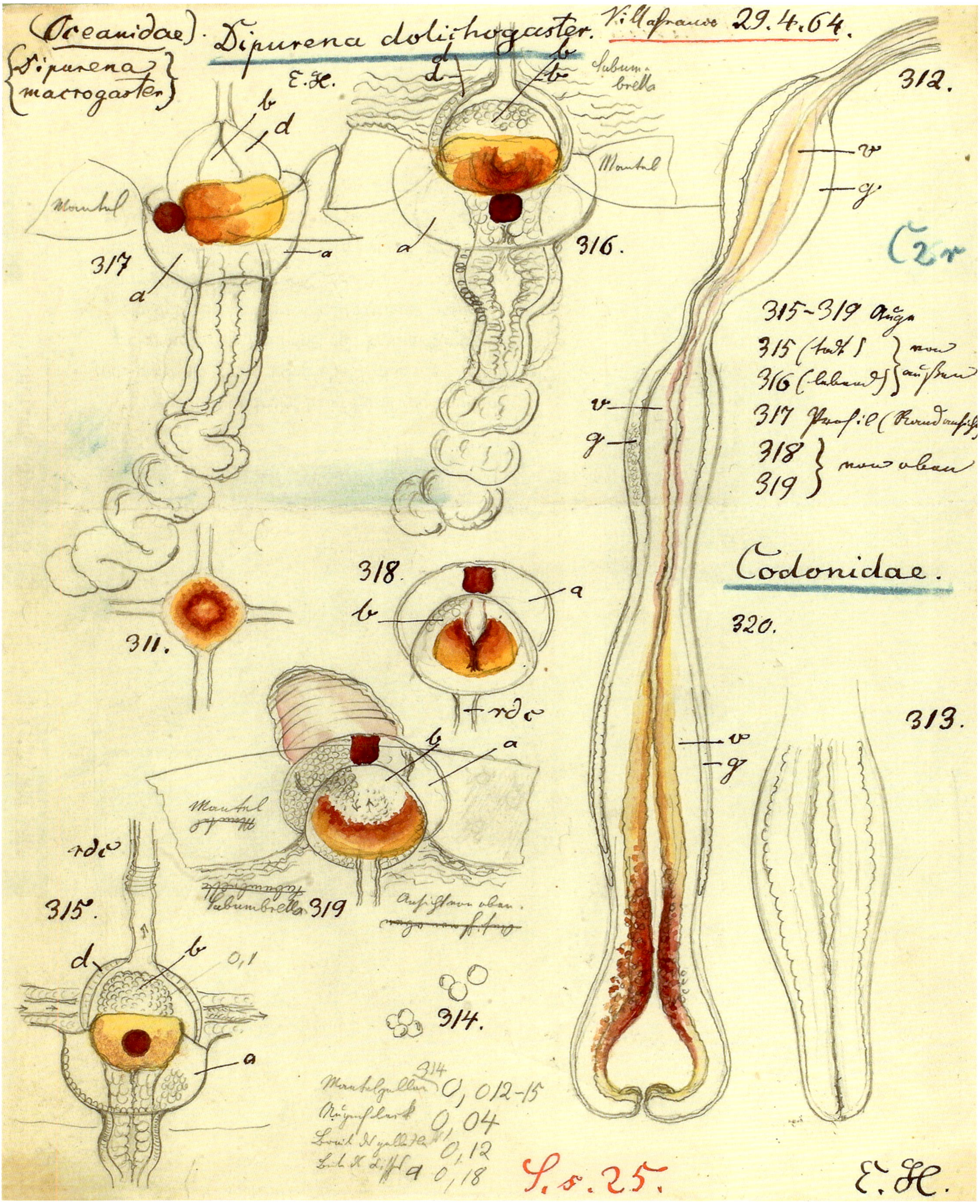

23 »Medusen-Album«

Handzeichnung, 1864

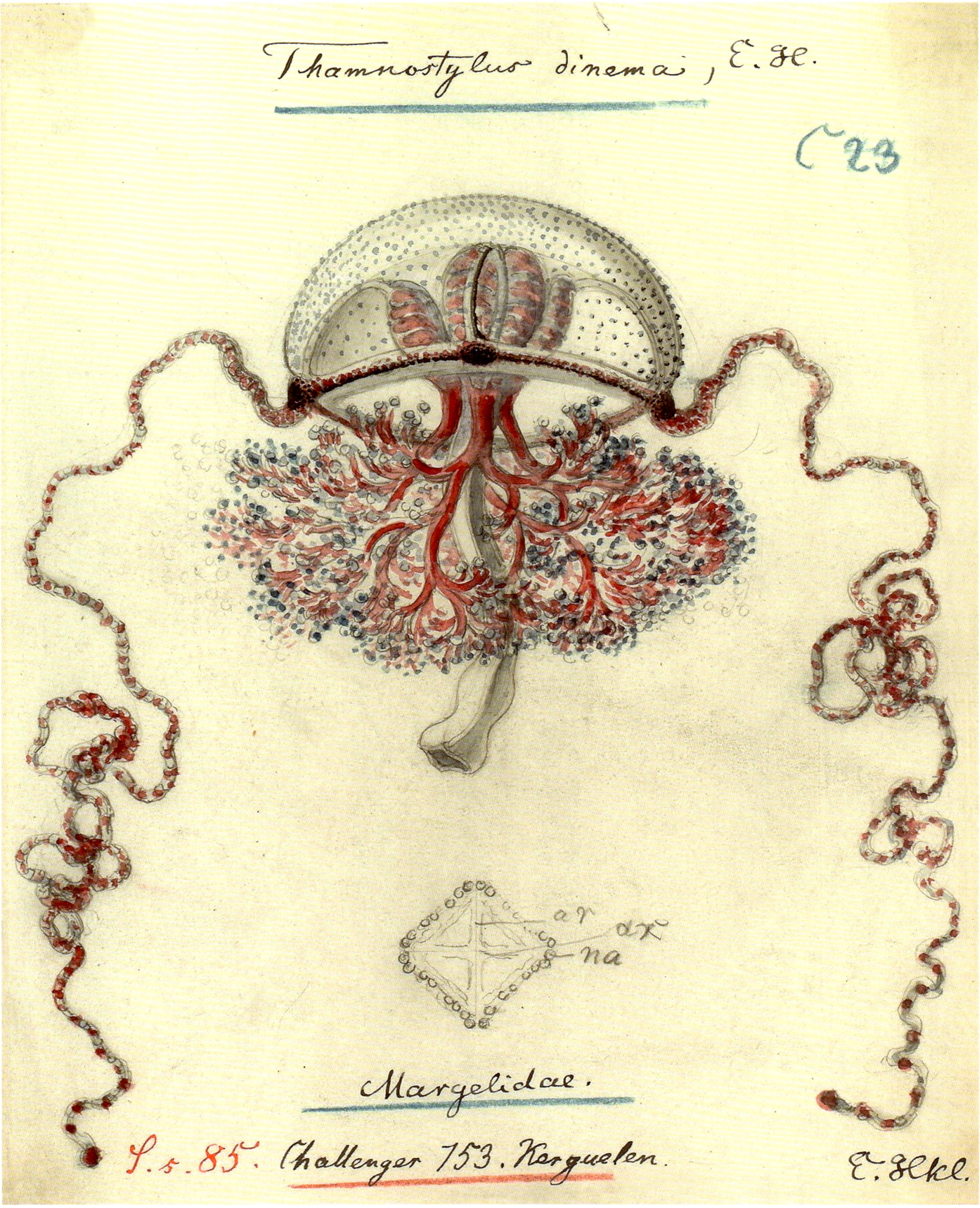

24 »Medusen-Album«

Handzeichnung, undatiert

25 »Medusen-Album«

Handzeichnung, undatiert

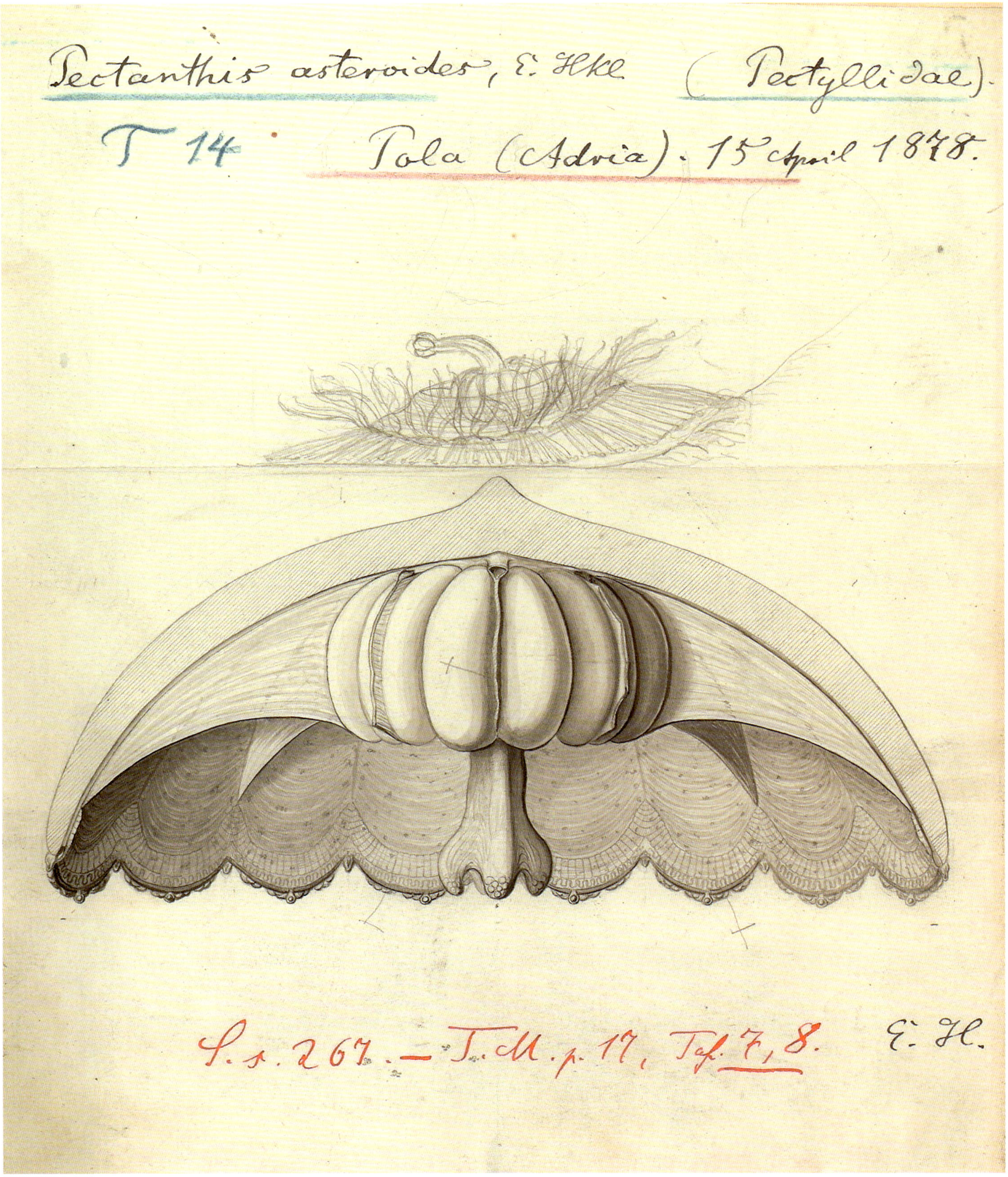

26 »Medusen-Album«

Handzeichnung, 1878

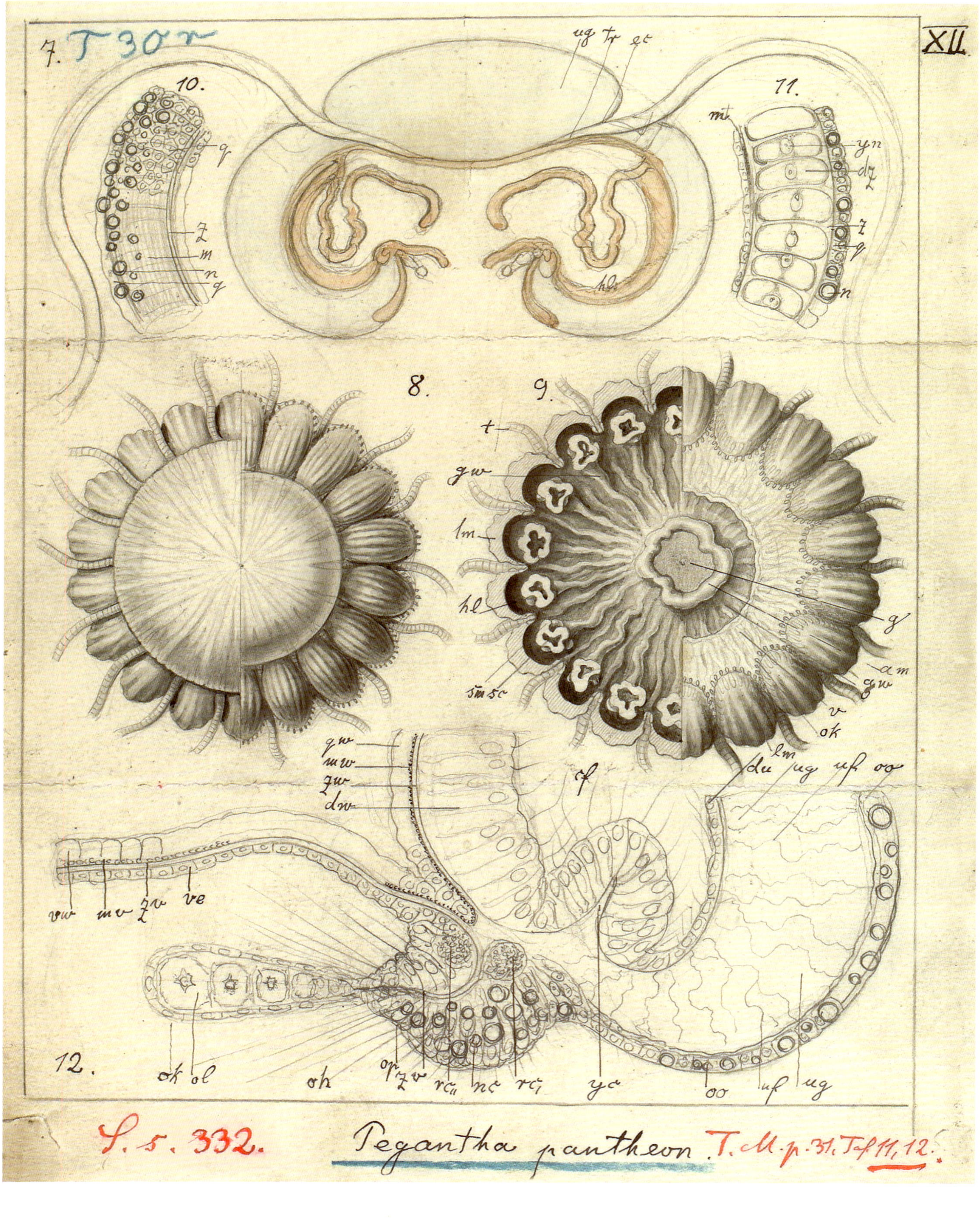

27 **»Medusen-Album«**

Handzeichnung, undatiert

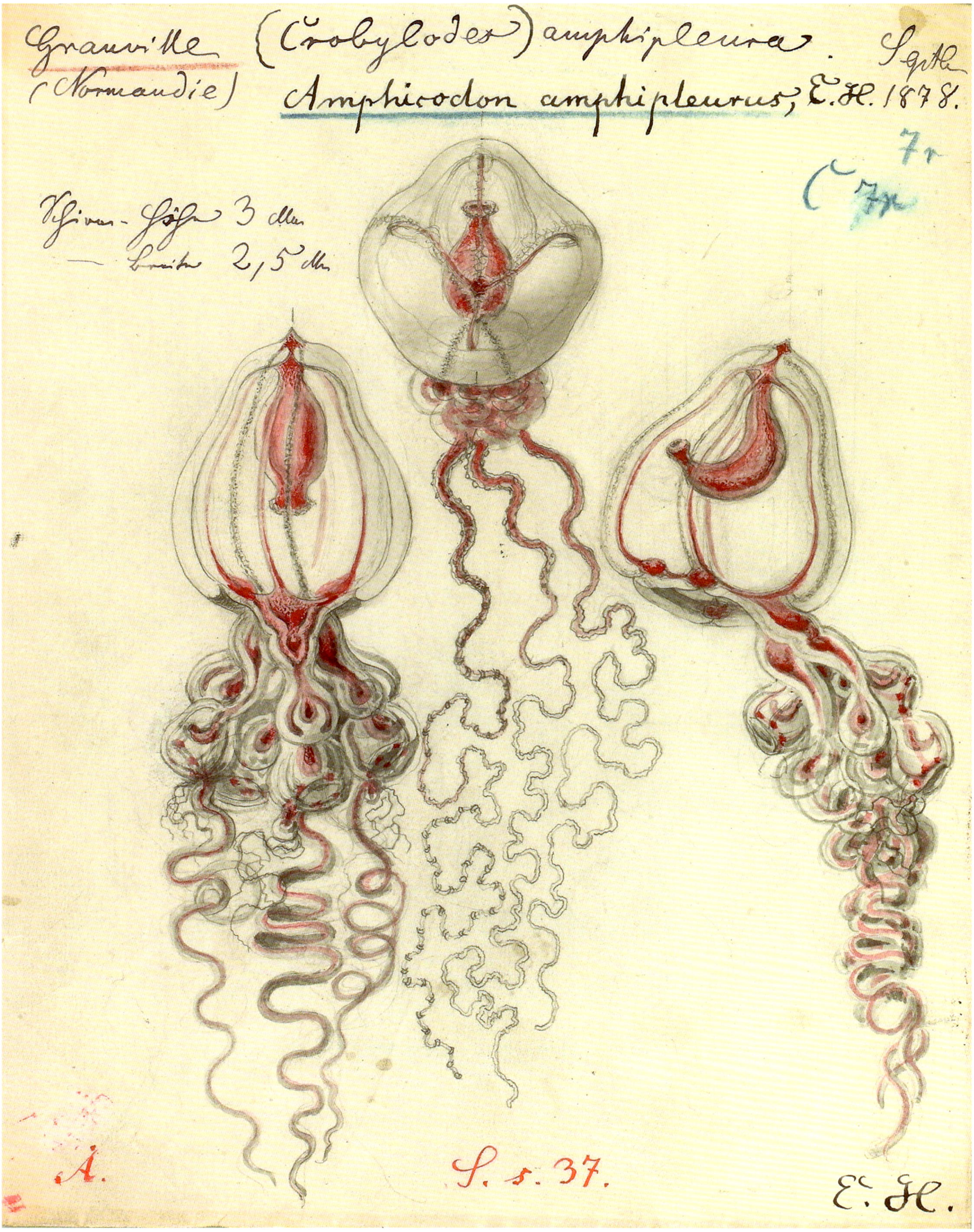

28 »Medusen-Album«

Handzeichnung, 1878

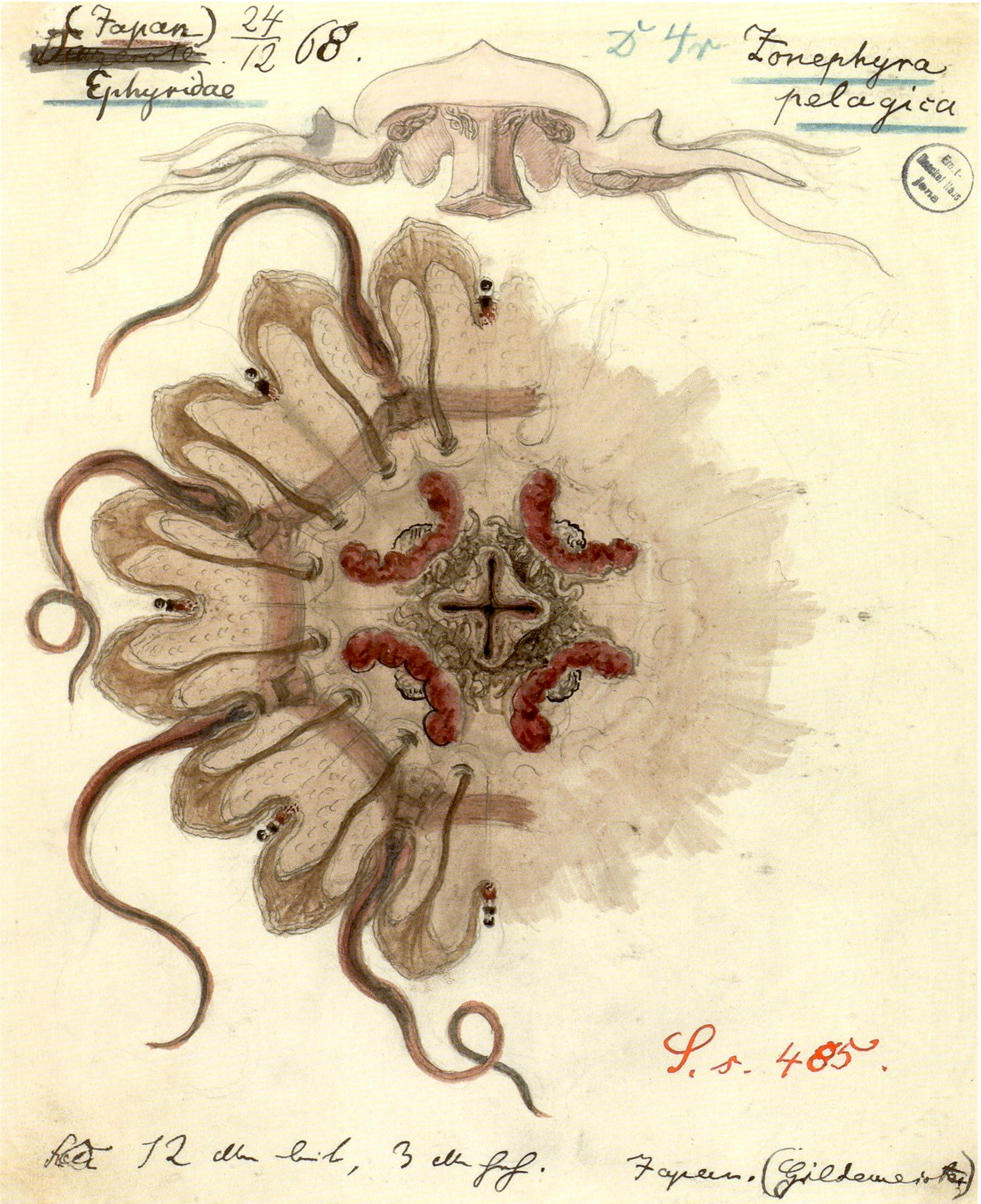

29 **»Medusen-Album«**

Handzeichnung, 1868

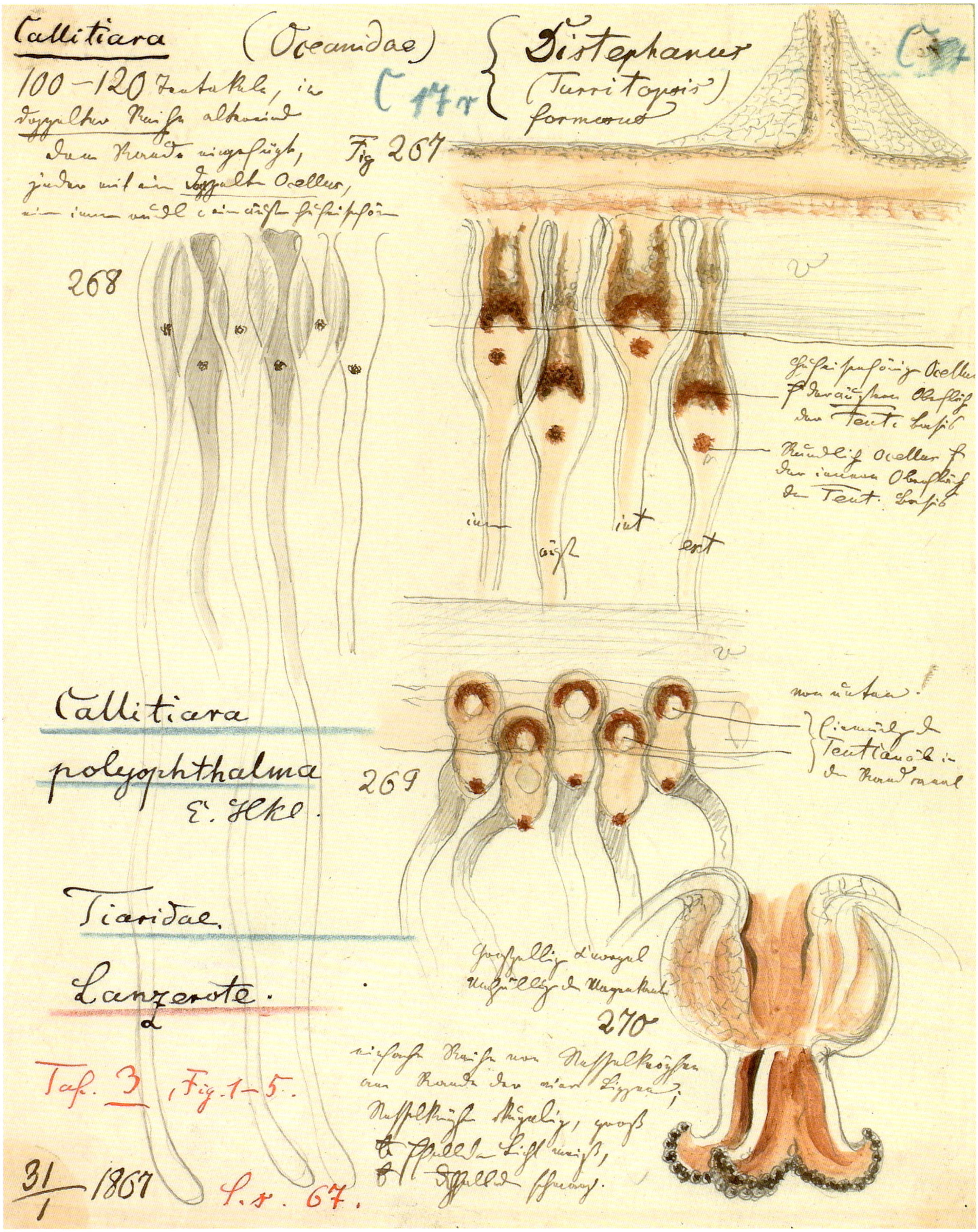

30 **»Medusen-Album«**

Handzeichnung, 1867

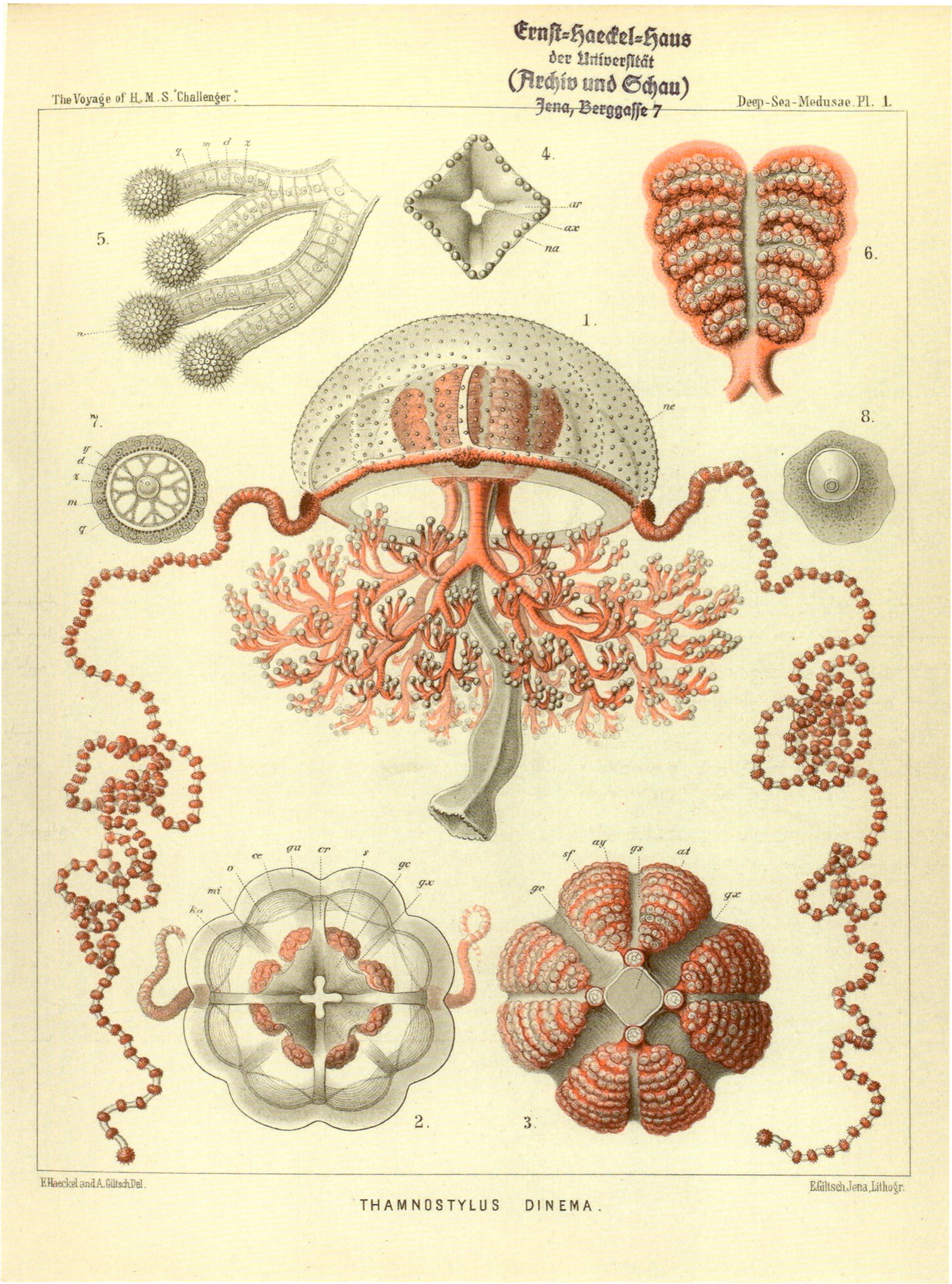

31 »Report on the Deep-Sea Medusae« (Challenger)

Tafel 1, 1882

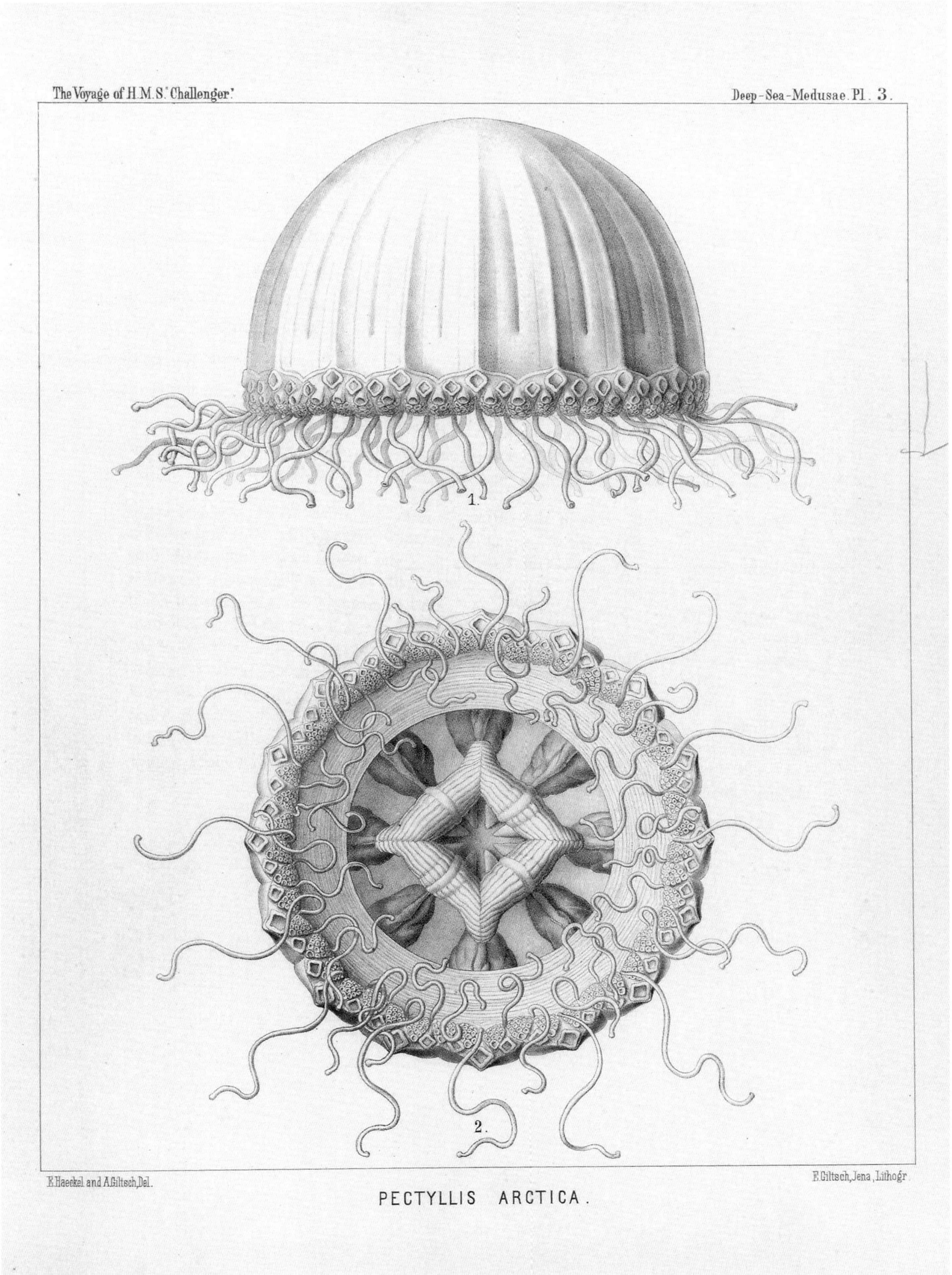

32 »Report on the Deep-Sea Medusae« (Challenger)

Tafel 3, 1882

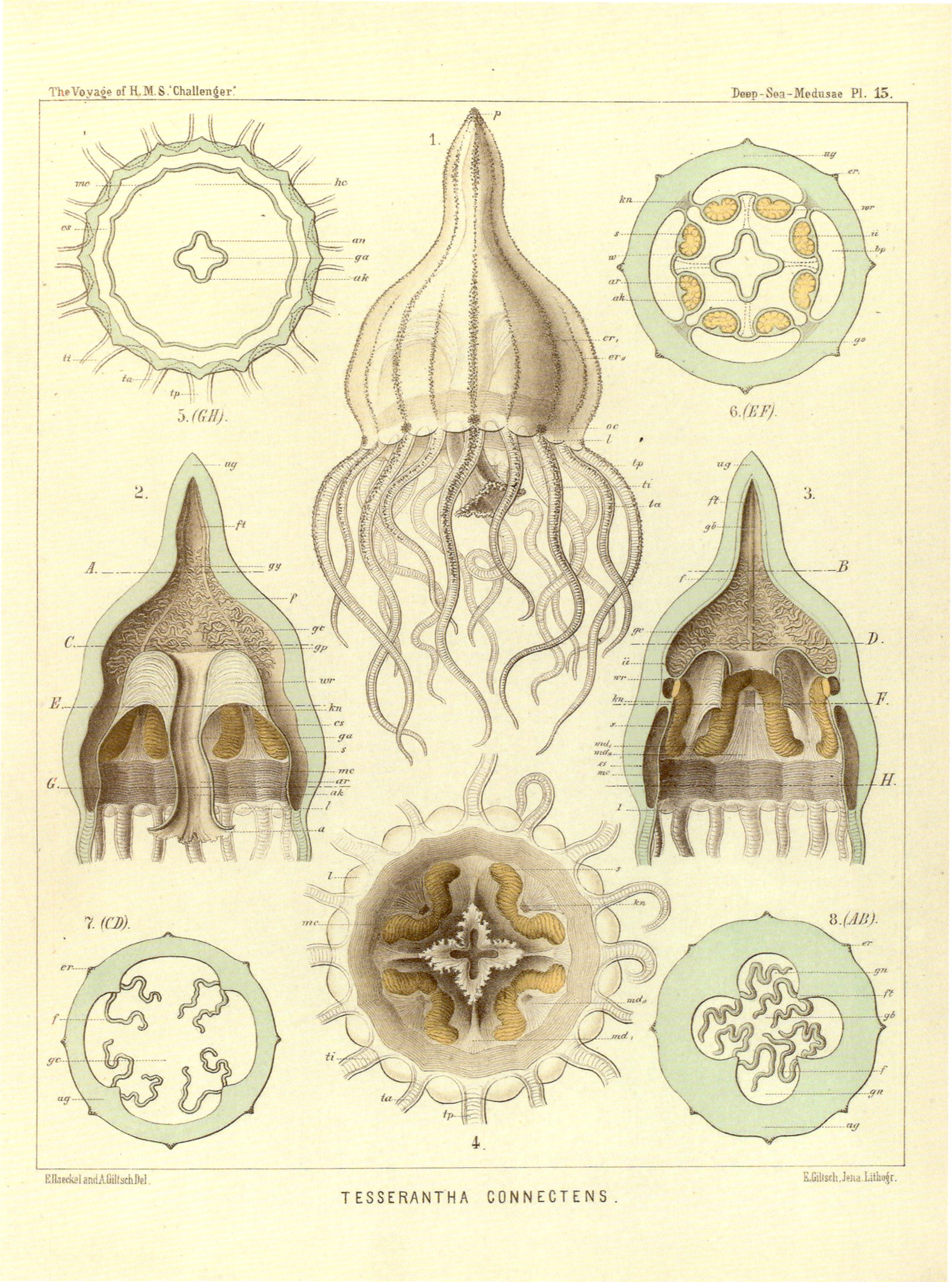

33 »Report on the Deep-Sea Medusae« (Challenger)

Tafel 15, 1882

34 »Report on the Deep-Sea Medusae« (Challenger)

Tafel 18, 1882

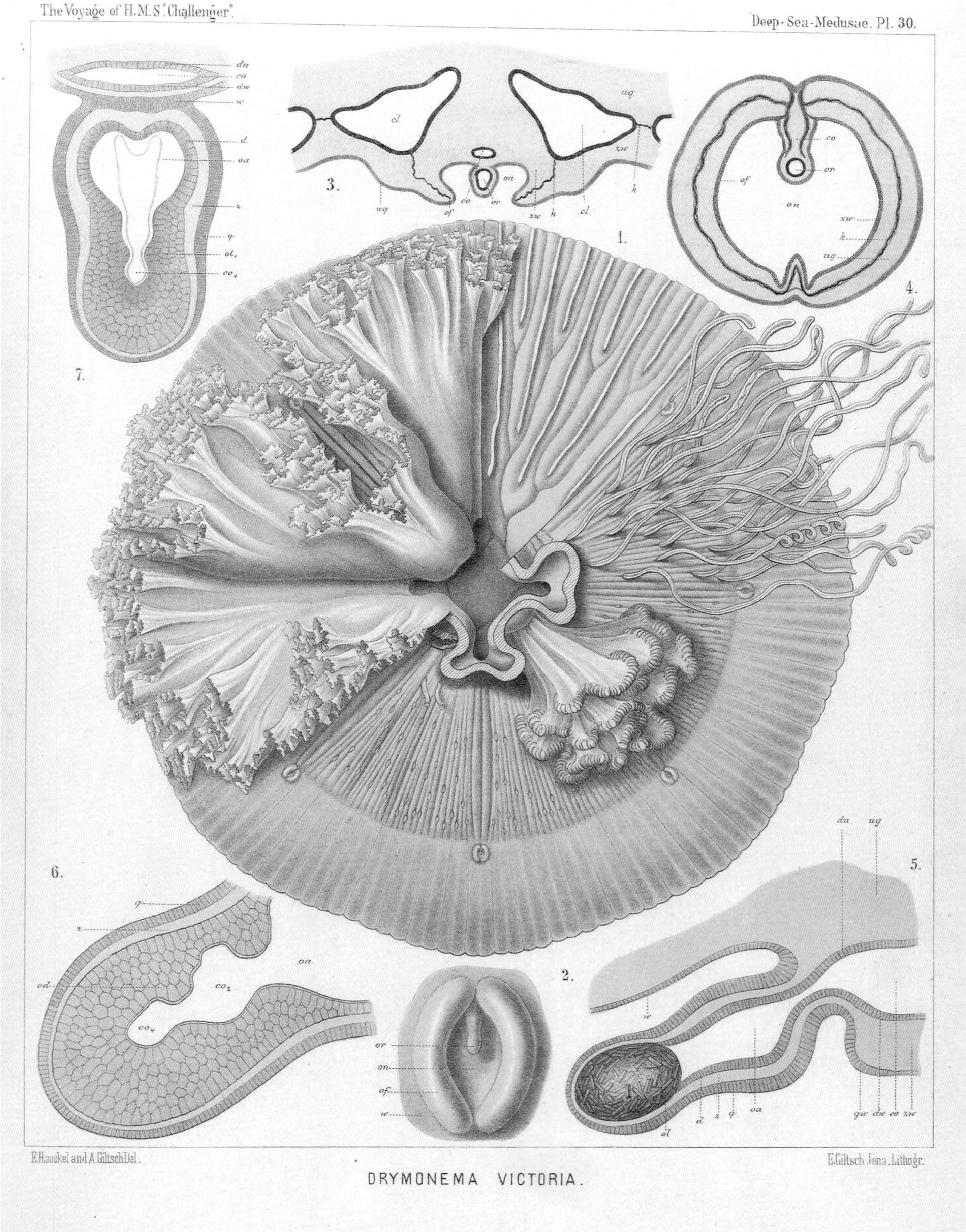

35 »Report on the Deep-Sea Medusae« (Challenger)

Tafel 30, 1882

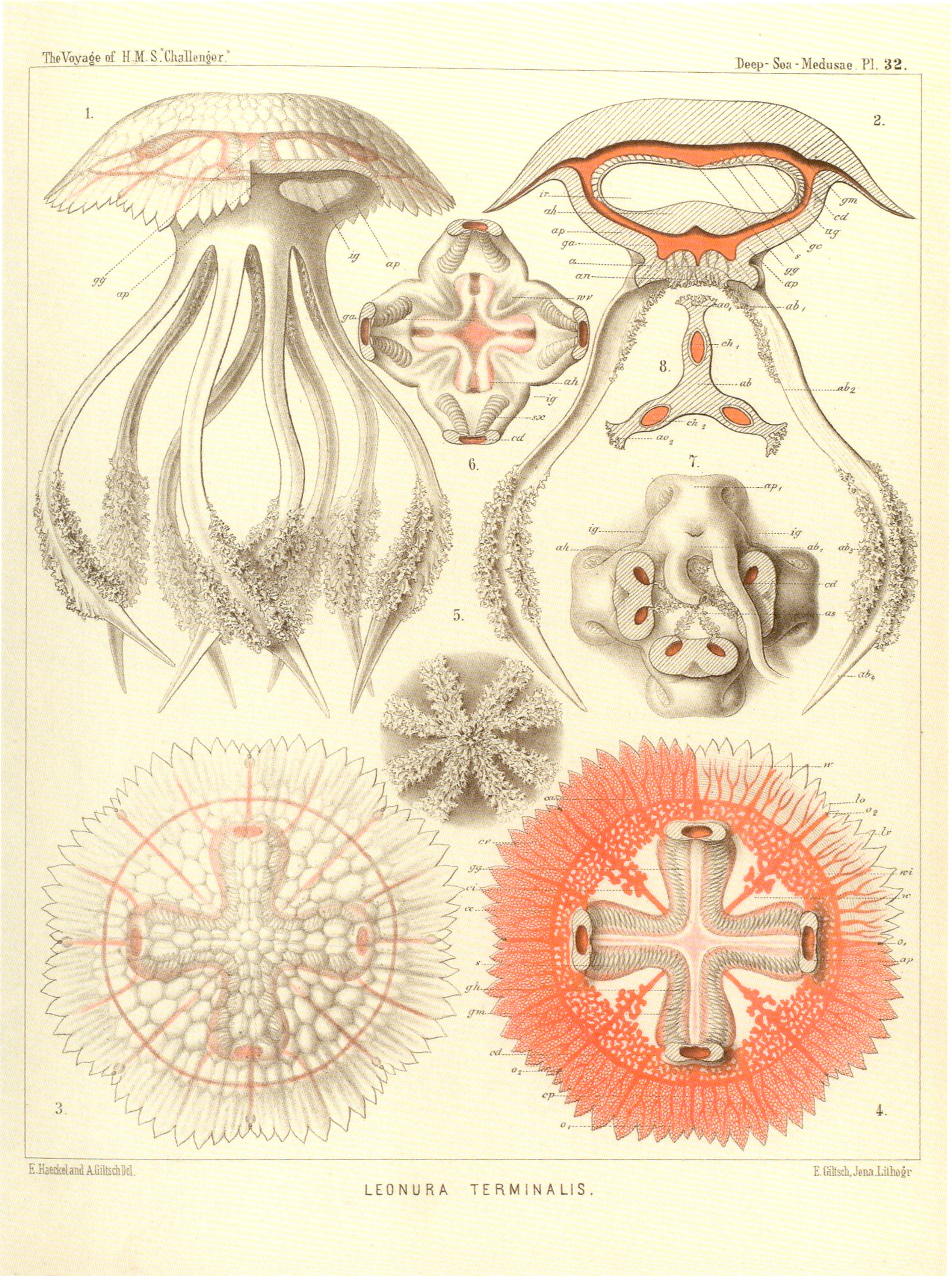

36 »Report on the Deep-Sea Medusae« (Challenger)

Tafel 32, 1882

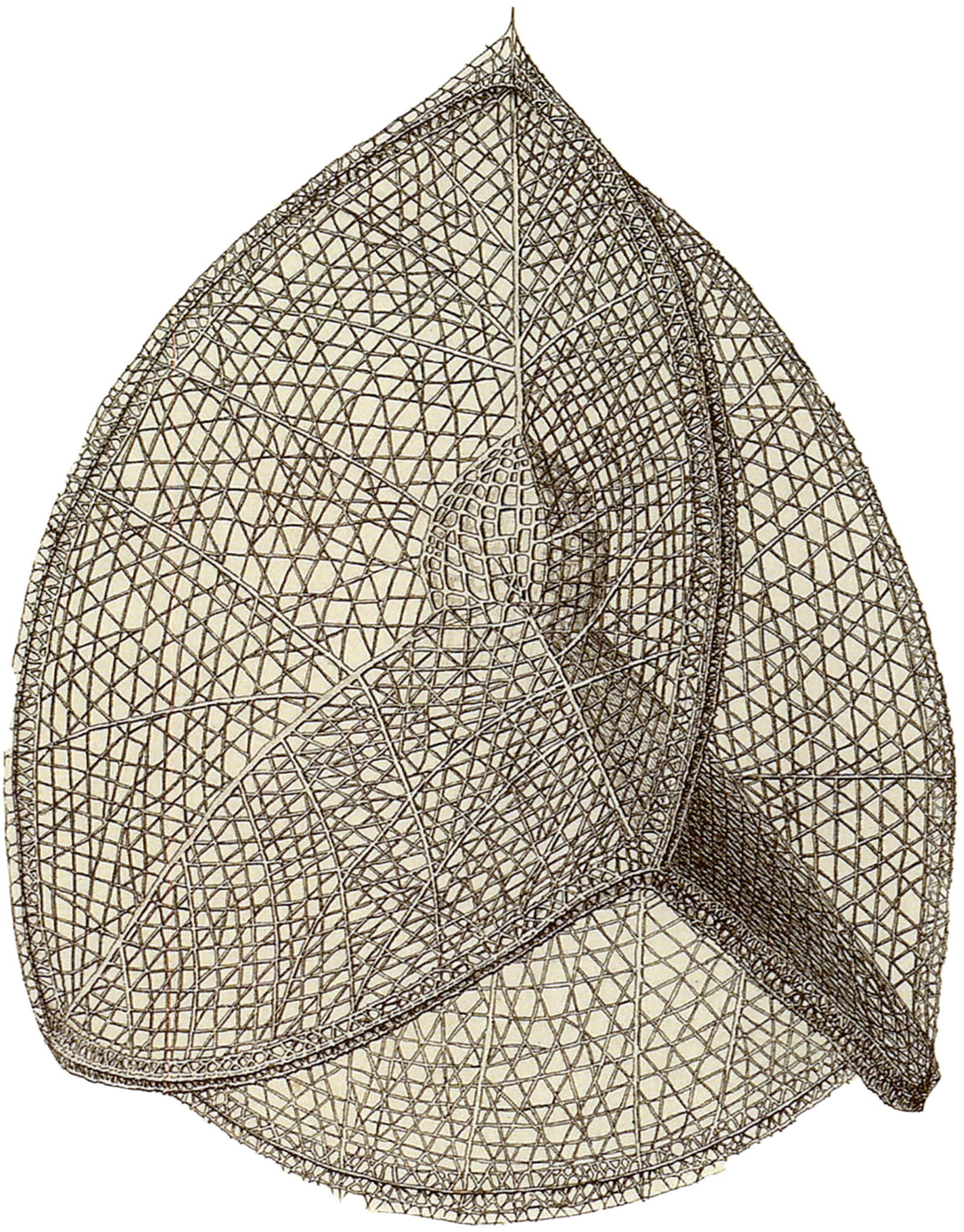

Einleitung

Voraussetzungen

Haeckels Bildwelten stehen in der Tradition der Naturgeschichte, die, aus dem 18. Jahrhundert überkommen, im 19. Jahrhundert noch einmal Konjunktur gewinnt. Auch Charles Darwins Evolutionslehre findet sich in dieser Tradition. Haeckel, der Hauptprotagonist dieser Lehre auf dem europäischen Kontinent, vertrat die Darwinschen Positionen im Rückgriff auf die durch die Naturgeschichte tradierten Denk- und Bildmuster. Damit war Darwins Idee nicht nur einem engeren Bereich von Spezialisten, sondern einer breiteren Öffentlichkeit anschaulich zu machen.

Haeckels Bilder gewannen in diesem Kontext hohe Popularität. Mit ihnen transportierte er die Inhalte seiner biologistischen Weltanschauung in breite Bevölkerungskreise. Schließlich passten die von Haeckel gezeichneten und gemalten Bilder auch unabhängig von der Darwinschen Theorie in das Anschauungsprogramm der Kultur um 1900. War in dieser doch schon seit der Mitte des 19. Jahrhunderts die Natur in ihrer Ästhetik ein Thema. Es waren nicht nur die Reiseberichte der Naturforscher, es war nicht nur der Entwurf des *Kosmos* von Alexander von Humboldt (Abb. 37) und ähnliche Werke,[10] sondern auch die sich in der Kunst selbst mehr und mehr ornamental organisierende Formensprache, die Anleihen im Naturalen suchte, fand und umsetzte. In solch einer Anschauungskultur waren biologische Anschauungen, die sich dann auch noch in den tradierten Bildwelten der Naturgeschichte verpacken ließen, besonders gut zu vermitteln.

Mit der Entstehung der modernen Naturwissenschaft um 1800 wurde die Epoche der Naturgeschichte schließlich nicht verabschiedet, sondern vielmehr erst eingeläutet. Die Bildwerke zur Naturgeschichte, die nach 1800 nun auch für das Bürgertum die Sicht- und Darstellungsformen der höfischen Kultur fortschrieben, öffnen sich damit Ende des 19. Jahrhunderts noch einmal einem neuen Publikum. Programmatisch schreibt der Jenaer Naturforscher und spätere Gründungsrektor der Universität Zürich, Lorenz Oken, in den 1830er Jahren eine *Naturgeschichte für alle Stände*.[11] Deren Tafelband präsentiert dann diesen neuen Adressaten der vormals höfischen Bildwelten ein Kompendium von Naturformen, das im Bilderbogen die vormaligen Naturaliensammlungen auch ins kleinbürgerliche Format zu übertragen erlaubte (Abb. 39–41).

Auf dem Frontispiz dieses Tafelwerkes findet sich die geheimnisvolle antike Naturgöttin dargestellt, die noch von einem Schleier umhüllt ist, den nur der Naturforscher abzustreifen vermag (Abb. 38). Lorenz Oken, der zugleich auch als einer der Vordenker des Liberalismus in Deutschland gilt, fand in der Naturforschung ein Medium, über das die Kultur einer Gesellschaft an alle ihre Mitglieder vermittelt werden konnte. Schließlich basiert die Naturerkenntnis auf Naturanschauung und ist deshalb auch an die zu

37 Otto Roth / Albert August Toller

Abbildung Alexander von Humboldts zu seinem 100. Geburtstag. In: »Daheim«, September 1869, S. 765, Sammlung Stadtmuseum, Berlin

38 Lorenz Oken, »Abbildungen zu Oken's allgemeiner Naturgeschichte für alle Stände«

Frontispiz, 1843

vermitteln, die keinen Zugang zu avancierteren philologischen und mathematischen Ausbildungsinstituten hatten.

Auch das bis heute immer wieder neu verlegte *Thierleben* Alfred Brehms entstand Mitte des 19. Jahrhunderts (Abb. 44, 45).[12] Brehm bezieht sich dabei in seiner Vorrede explizit auf Okens *Naturgeschichte*. Auch Brehm verbindet mit seinem Versuch einer neuen Form der Naturgeschichte die Idee, Bildung an breite Bevölkerungsschichten zu vermitteln. Alfred Brehm war von 1862–1867 der erste Direktor des Hagenbeckschen Zoos in Hamburg (Abb. 42,43). Nachdem er mit dem Verwaltungsrat des Zoos in Konflikt geraten war, kündigte er und übernahm dann bald darauf die Realisierung und (bis 1875) Leitung des Berliner Aquariums. Brehm öffnete so sowohl im Ausstellungsbereich wie in seinen Schriften die Naturanschauung einem breiten Publikum. Er selbst – Sohn eines im Umkreis von Jena tätigen Pfarrers und bekannten Ornithologen – hatte schon früh die Natur der verschiedenen Erdteile auf Entdeckungsreisen kennen gelernt und vermittelte diese Eindrücke nun über die ihm verfügbaren Medien. Die sich unter seiner Leitung kontinuierlich erhöhenden Besucherzahlen im Hamburger Zoo zeigen exemplarisch, dass diese Naturveranschaulichungen bei der Stadtbevölkerung seinerzeit auch angenommen wurden.

Die so neu organisierten Naturanschauungen standen dabei im Kontext eines für uns so kaum mehr greifbaren Angebotes, das über Schausteller und Dioramen bis hin zu derartigen festen Einrichtungen wie dem großstädtischen Zoo ein für breite Bevölke-

39 Lorenz Oken, »Abbildungen zu Oken's allgemeiner Naturgeschichte für alle Stände«

Haeringe, Tafel 55, 1843

40 **Lorenz Oken, »Abbildungen zu Oken's allgemeiner Naturgeschichte für alle Stände«**

Sternwürmer, Tafel 9, 1843

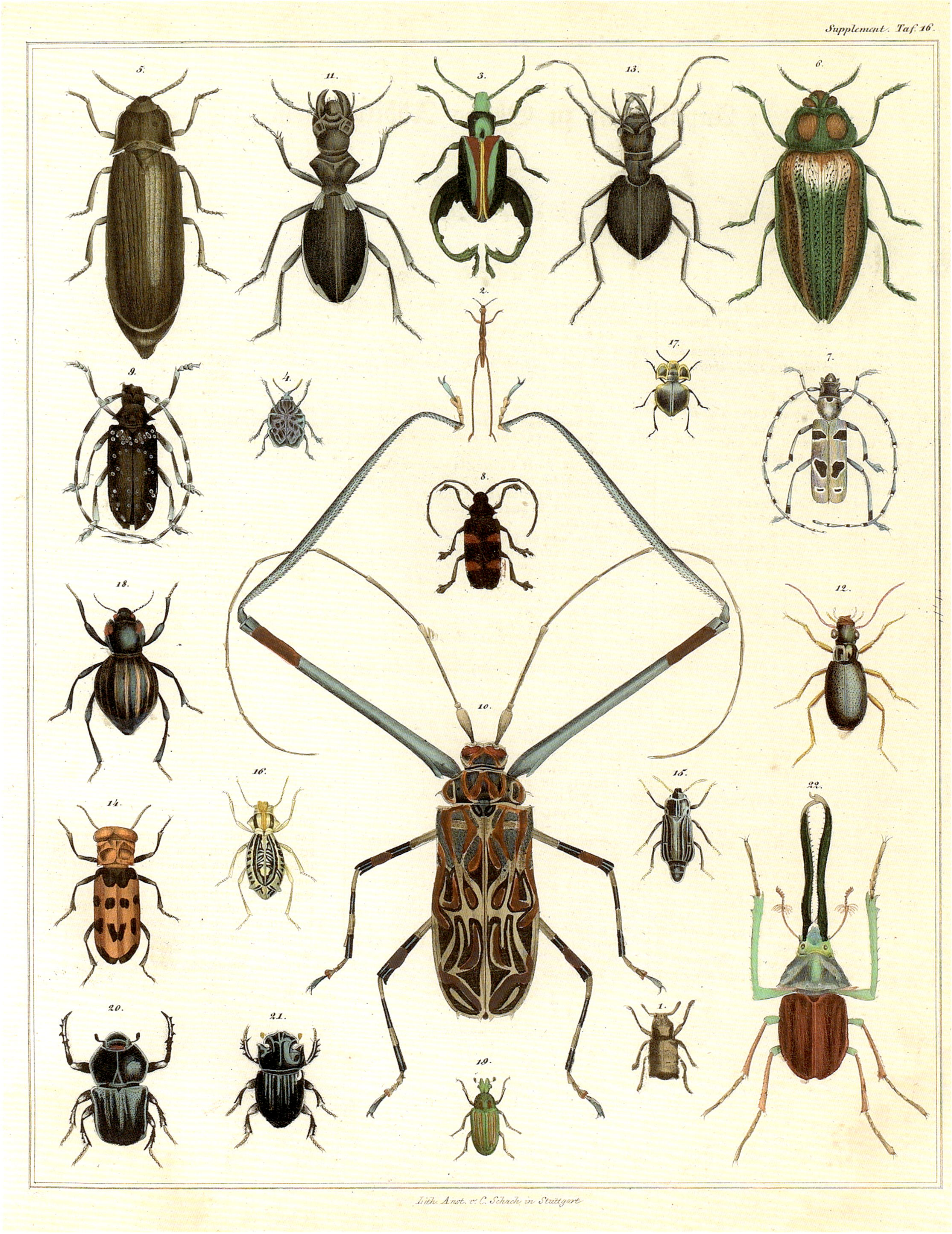

41 Lorenz Oken, »Abbildungen zu Oken's allgemeiner Naturgeschichte für alle Stände«

Käfer, Tafel 16, 1843

42 **Postkarte von Carl Hagenbecks Tierpark**

Überblick über den Tierpark vom Aussichtsturm

43 **Postkarte von Carl Hagenbecks Tierpark**

Nachbildungen vorsintflutlicher Tiere

rungsschichten ja sonst kaum einholbares Naturerleben zumindest in virtueller oder musealer Form ermöglichten.

Wichtig für unseren Kontext ist hierbei, die Zeitparallele zur Wirk- und Werkgeschichte Haeckels festzuhalten. Dessen wissenschaftliches Hauptwerk, seine *Generelle Morphologie der Organismen*, erschien 1866; in den folgenden Jahren stand Haeckel in massiven Auseinandersetzungen um die weltanschauliche Dimension des Darwinismus. Diese Diskussion führte er unter Nutzung des Bildprogramms der klassischen Naturgeschichte. In den 1870er Jahren entstanden dann seine prachtvoll illustrierten Monographien zu einzelnen Naturformen, die zum Teil direkt an seine schon 1862 publizierte Radiolarienmonographie anschlossen. Schon mit diesen Werken gewann er große Resonanz im Bereich von Kunst und Design. 1899 schließlich erschienen die ersten Lieferungen seiner *Kunstformen der Natur*, die den definitiven Durchbruch seiner Natur-Bild-Welten mit sich brachten.

All diese Arbeiten entstanden in einer Kultur, die in weiten Teilen durch eine neue Ästhetisierung der Natur geprägt war. Diese Formen einer direkten und indirekten Versicherung von Naturbildern konfrontierten den Betrachter, sei es im Zoo, im Museum oder vor einer mit Naturdesign geschmückten Tapete mit einer immer schon ornamental geglätteten oder im Diorama entschärften Natur. Diese designte Natur wird – über die benannten Medien und getragen durch eine breit ansetzende Publikationskultur, die in Arbeiten wie *Schuberts Naturgeschichte der Säugethiere* (Abb. 46)für die Schulen oder in illustrierten Reiseberichten der Zeit greifbar wird – in der Darstellung der Natur dominierend und gibt so ihrerseits die Vorgaben für eine auf dieser designten Natürlichkeit aufsetzenden zweiten Ebene der Natur-Kultivierung. Es sind die domestizierten Naturbilder und nicht die »harte« Natur selbst, die in den Publikationen, Ausstellungen und Sammlungen den Künstlern und Literaten vorgesetzt wurden. Die Natur dieser »Neuen Natürlichkeit« ist damit letztlich nur eine sich reflektierende Wahrnehmung einer ins Dekorative gesetzten Naturdarstellung. Die derart verpackte Natur dominierte mehr und mehr den Wahrnehmungskontext des Alltages und verdrängte damit das

44 **Alfred E. Brehm, »Brehms Illustrirtes Thierleben. Eine allgemeine Kunde des Thierreichs«**

Titelblatt, 1864

45 **Alfred E. Brehm, »Brehms Illustrirtes Thierleben. Eine allgemeine Kunde des Thierreichs«**

Der Pischu oder kanadische Luchs (Lynx canadensis), 1864, S. 301

46 **Gotthilf Heinrich von Schubert, »Naturgeschichte der Säugethiere«**

Floßenfüßer (Pinnipedia), Tafel XXVIII, 7. Aufl., 1876

Schreckliche und Unbekannte einer Natur-Natur, die bestenfalls in der Unbestimmtheit der uns möglichen Wetterprognosen etwas von dieser eigentlichen Natürlichkeit behalten hat.

Dem Naturforscher Haeckelscher Prägung galt es, diese Natur anschaulich zu machen, sie in ihren Formen vor Augen zu bringen. Es galt dafür zunächst die Natur auch in ihren Naturalia bekannt zu machen, das heißt Formenvielfalt zu vermitteln. Auch Haeckel stand dabei in seinen populär ausgerichteten Arbeiten in direkter Folge von Okens Idee, die Vielfalt der Naturformen und deren Systematik möglichst breit zu vermitteln. Es ging dabei nicht einfach um die Popularisierung einer ja auch noch nicht gänzlich etablierten Wissenschaft; es ging darum, in den Darstellungen der Naturformen mehr als nur eine einfache Idee von Wissenschaft, sondern vielmehr das wissenschaftliche Denken selbst zu vermitteln, und damit aus der Konzeption der Naturforschung heraus ein Modell zu entwerfen, wie überhaupt mit Wissen und der damit verbundenen Macht umzugehen sei. So gewann genau unter diesem Aspekt und explizit getragen von den im Weiteren noch zu besprechenden Popularisatoren Haeckels die Naturforschung gerade in den Arbeiterbildungsvereinen Interesse.

Die Darstellung der Naturgeschichte und die in ihr zu betrachtenden Formen verlangten – wie ausgeführt – keine philosophische Schulung oder ein ausgeprägtes mathematisches Wissen. Naturgeschichte war eine Anschauungswissenschaft, die allein eine Schulung der Beobachtung und eine Einführung in die Ordnungsprinzipien dieser Wissenschaft erforderte. Die Einführung in diese Naturwissenschaft förderte somit die Emanzipation einer sozialen Schicht, der die vorher benannten Qualifikationen in den ihr zugänglichen Bildungswegen meist versagt blieben. Zugleich war über die Diskussion um die von Charles Darwin 1859 propagierte Idee einer Evolution der Lebensformen die Naturgeschichte in einen umfassenden Kulturzusammenhang gestellt. Der Mensch selbst, mit seinen kulturellen Leistungen, wurde als Resultat einer Evolution angesehen. Nach Darwins Lehre war Kulturgeschichte gleich Naturgeschichte. Die daraus gezogenen Konsequenzen erlaubten es nun auch, Alternativen zu den überkommenen und gerade von den Arbeitern kritisch gesehenen Wertesystemen zu formulieren.

Darwin erhob seine Daten zudem teilweise in Rückgriff auf den Erfahrungsschatz von Laien, die als Tauben- oder Geflügelzüchter, als Gärtner oder als Reisende Naturbeobachtungen zusammengetragen hatten, die Darwin nun in seinem Interpretationsgefüge zu nutzen verstand. Die von ihm formulierte Wissenschaft war einerseits in ihrem Ergebnis umfassend und revolutionierte die Naturbetrachtung: Schon vor 1900 war klar, dass in dieser im Ansatz doch stark deskriptiv gehaltenen Theorie eine der zentralen Aussagen der neu entstehenden Naturwissenschaften formuliert war. Dennoch blieb – andererseits – diese Wissenschaft sowohl in ihrem Aussagengefüge wie auch in ihrer Methodik für einen Laien transparent, der sich ggf. mit seinen Vorstellungen hier direkt wiederfand. Damit war Darwins Theorie auch für einen Laien greifbar. Es waren Aussagen über Variationen in den Tier- und Pflanzenformen, die die Basis der Darwinschen Aussagen bildeten. Darüber hinaus war diese Theorie dann aber, wie angeführt, auch noch weltanschaulich bedeutsam.

Sie wurde zunächst sogar vornehmlich als Weltanschauung wahrgenommen. Darwin selbst hatte es nicht einfach, die Diskussion um seine Theorie in die wissenschaftliche Ebene zu leiten, da sie in England zunächst und vor allem in Bezug auf ihre religiösen und moralischen Dimensionen interpretiert und diskutiert wurde.

47 **Jenaer Volkshaus**

Aufwändige Ausstattung zu Haeckels Vortrag über »Das Menschenproblem und die Herrenthiere von Linné«, 1907 im Volkshaus Jena

In den Arbeiterbildungsvereinen wurde diese Art der Naturwissenschaft, die a) einfach zu vermitteln war, die b) an den Erfahrungen, die ein Arbeiter etwa mit der Geflügelhaltung oder der Taubenzucht gemacht hatte, anknüpfte und c) zudem noch weltanschaulich bedeutsam war, besonders interessant. Popularisatoren der sich im 19. Jahrhundert disziplinär organisierenden Naturforschung, wie der von Haeckel mit Material belieferte Wilhelm Bölsche (Abb. 142, 143),[13] sahen denn auch in der Vermittlung der modernen Naturgeschichte ein Mittel, die Grundlagen der neuen Wissenschaften breiteren Bevölkerungskreisen darzustellen. In der darin möglichen Neuorientierung an wissenschaftlich fundierten Wertmaßstäben fand sich damit in dieser Popularisierung ein Instrument zur Emanzipation des Proletariates von den traditionell vorgegebenen Autoritäten. Die Wunderkammern der Naturgeschichte, die Oken für das Bürgertum öffnete, wurden um 1900 zum Mittel, auch die unteren Gesellschaftsschichten an die neue Kultur Europas anzuschließen. Diese Kultur war geprägt durch die Diskussion speziell um die Biologie.

Die Vertreter einer Eugenik, die aus dem politischen Lager heraus propagierte, aber mit biologisch erscheinenden Argumenten unterfütterte Rassenlehre, aber auch die Abstinenzler, Blaukreuzer und die Suffragetten-Bewegung, alle diese verschiedenen gesellschaftlichen Strömungen, beriefen sich auf eine neue Biologie und die in den Wissenschaften offerierten Anschauungsräume.

48 **Naturhistorisches Museum in Wien**

Ansicht der Hauptfassade

49/50 **Naturhistorisches Museum in Wien**

Saal VIII der geologisch-paläontologischen Schausammlung

Diese waren – wie benannt – schon vor 1900 ein gesellschaftliches Thema. Die Naturästhetik hatte in der Theorie des Schönen die leidige Diskussion um die möglichen Ideale einer Kunst vereinfacht. Ab Mitte des 19. Jahrhunderts war das Naturornament, die pflanzliche und tierische Formen aufnehmenden Dekorationen, Teil einer neuen visuellen Kultur, die sich breiteren Gesellschaftsschichten vermittelte.[14]

Ihren Ausdruck fand sie in den Mustern der Papiertapeten, den Schmuckbändern, die mit Schablonen auf den Putz zu bringen und die so auch in einfacher eingerichteten Wohnungen zu finden waren, wie auch in den Ornamenten der Zeitschriften und der Ausstattung der etwas gehobeneren Bildbände. Die vorgefertigten Gusseisenpressformen, die neuen Porzellane und die Glasformen für Lampenschirme, Vasen und Schalen orientierten sich an dieser Naturästhetik, deren Formspiel Exotik und Internationalität zu vereinen vermochte, und die in ihrem Rückgriff auf das Naturale allen Problemen schnell wechselnder akademischer Moden entwachsen schienen (Abb. 51, 52). Dabei wurden in diesen Formen zugleich Momente des vormaligen höfischen Dekors und der vormaligen höfischen Wahrnehmungsmuster weitergetragen. Es war also nichts wirklich Neues, das hier gefunden war, es war vielmehr etwas, das mit Prestige und Traditionen zu verbinden war.

Nachdem sich die verschiedenen europäischen Metropolen schon lange ihrer Kultur im Museum versichert hatten, entstanden Ende des 19. Jahrhunderts dann auch natur-

51 **Ernst-Haeckel-Haus, Jena**

Eine mit Perlmuttintarsien der Qualle *Desmonema Annasethe* geschmückte Truhe, als Geschenk an Haeckel zum 80. Geburtstag vom Deutschen Monistenbund überreicht

52 **Hans Christiansen**

Vase, um 1898, Chromolith-Steinzeug, farbig bemalt, Höhe 24,6 cm, Institut Mathildenhöhe, Museum Künstlerkolonie, Darmstadt

kundliche Museen. Großbritannien demonstrierte mit seinem Naturkundemuseum imperiale Größe und Weltbeherrschung. Die vormaligen sehr viel bescheidener ansetzenden botanischen Gärten hatten demgegenüber nur versucht, Naturordnungen darzustellen. Mit dem Naturkundemuseum schuf sich nun aber ein Moment, die Ordnung der Natur in ganz anderer Weise, nämlich im Sinne einer Verfügbarmachung des Naturalen, zu demonstrieren. Museen wurden zu Repräsentationsorten der Wissenschaft, die hier ihre Wissensordnungen nicht mehr nur in den Ordnungen der Bibliothek, sondern in der Zurschaustellung der Naturformen demonstrierte. Diese Museen waren damit zum einen Schaukabinette, zum anderen aber auch Orte der wissenschaftlichen Selbstvergewisserung. Es waren dabei zugleich – teilweise von ihrer Entstehung her, aber auch in der späteren Aufstellung – Kuriositätenkammern, die nun im angemessenen architektonischen Rahmen zur Demonstration von Welt- und Naturbeherrschung genutzt wurden. Hier wurde und wird die Natur in der Ordnung der Sammlungskästen kultiviert. So gewann Wien vor der Jahrhundertwende ein Museumsensemble, in dem Naturkunde- und Kunstmuseum nicht nur direkt aufeinander bezogen, sondern architektonisch gleich gewichtet sind: Zwischen 1871–1881 wurde der ursprüngliche Entwurf des Architekten G. Semper von C. Hasenauer realisiert,[15] der zwei gleich große, gleich repräsentative und im gesamten Aufbau gleich gehaltene Bauten einander gegenüber stellte. Hier stehen nun Knochen der Dinosaurier, die Mineralien und die keltischen Relikte gleichberechtigt neben den Arbeiten von Thomas Gainsborough, Tizian oder Rubens (Abb. 48–50).

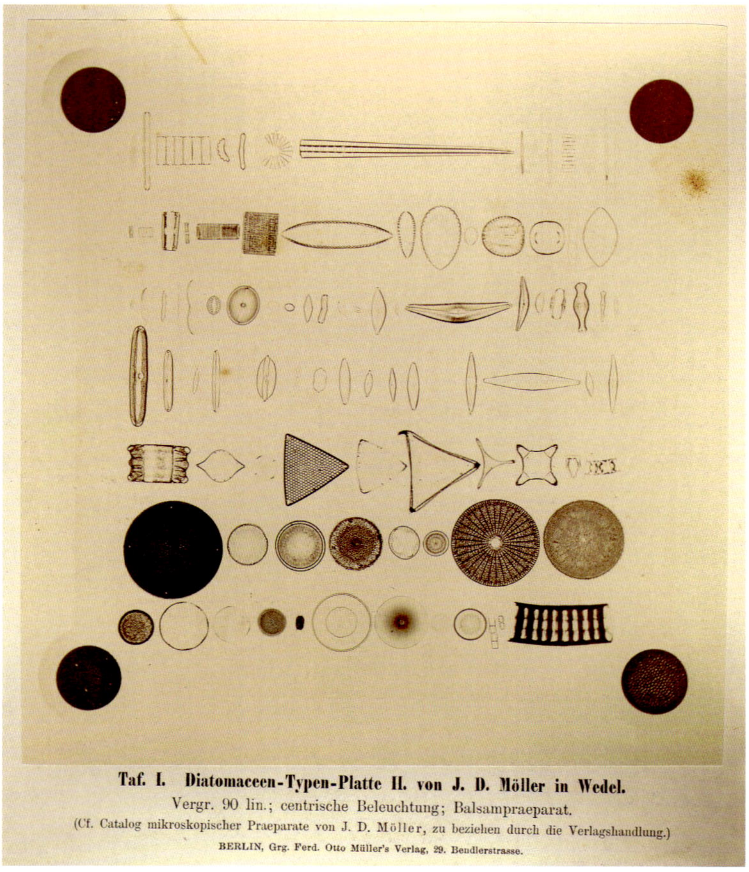
Taf. I. Diatomaceen-Typen-Platte II. von J. D. Möller in Wedel.
Vergr. 90 lin.; centrische Beleuchtung; Balsampraeparat.
(Cf. Catalog mikroskopischer Praeparate von J. D. Möller, zu beziehen durch die Verlagshandlung.)
BERLIN, Grg. Ferd. Otto Müller's Verlag, 29. Bendlerstrasse.

53 Gustav Fritsch / Otto Müller, »Die Sculptur und die feineren Structurverhältnisse der Diatomaceen«

Diatomaceen-Typen-Platte II. Tafel I, 1870

Das, was Haeckel demgegenüber in seinen Bänden vorlegte, wirkt bescheiden, und in Blick auf die Grandezza solcher musealer Naturpräsentationen fast beschaulich und vielleicht gar provinziell. Haeckel trägt die Anschauungsmuster des Museums in die Wohnzimmer des Kleinbürgertums. Genau aber hierin liegt auch der Charme solcher Arbeiten, die eine Natur nicht mehr aus der Sphäre des Alltäglichen abheben, sondern in diese einbinden. Haeckels in Buchform vorgelegte Bildwelten nimmt man in die Hand. Sie erreichen ein Publikum, das sonst kaum mit der an sich unkultivierten Natur, dem Wilden und Ungezähmten konfrontiert ist. In der sehr viel beschaulicheren In-Blicknahme dieser Natur-Kunstformen verdichten sich dann konsequenterweise schon um 1900 Vorlagen für Ohrringe, Halsketten und Badekacheln.

Haeckel demonstriert in seinen Bildern die kleinen Welten, die den Vorstellungen der Mikroskopisten zufolge schon im 18. Jahrhundert das Weltganze en miniature einzufangen erlaubten. Der nur über das Mikroskop verfügbare Mikrokosmos bot sich schließlich schon vor 1800 für solch eine Darstellung an. Allerdings waren diese Bildwelten auch nicht so ohne weiteres verfügbar; waren sie doch nur mittels eines teuren Gerätes zu erschließen. Dies fand sich zumeist im Meublement des Hofes. Die mit ihm eingefangenen Bilder waren somit nicht einfach dem Bereich einer akademisch verstandenen Wissenschaft zuzuschlagen, sondern gehörten zunächst zum Bestand der höfischen Unterhaltungskultur. Erst in zweiter Instanz gerann dieses Gerät – etwa in der Propagierung durch die Schriften eines Botanikers wie des Begründers der für die Biologie um die Mitte des 19. Jahrhunderts zentralen Zelltheorie, Matthias Jakob Schleiden (1804–1881) – zum Wappen einer analytisch vorgehenden Naturwissenschaft. Ihm zufolge stand das Mikroskop für die Vorstellung einer analytisch verfahrenden Wissenschaft. Nach Schleidens Vorstellung stand das Mikroskop für eine neue Naturwissenschaft, die in der Anschauung der Elemente naturaler Organisationen die Mechanismen ihrer Konstitution und darüber die Naturgesetze ihrer Bildung sichtbar machen konnte. Unter dem Dekanat dieses Matthias Jakob Schleiden wird Haeckel später zum Privatdozenten und außerordentlichen Professor an der Universität Jena.

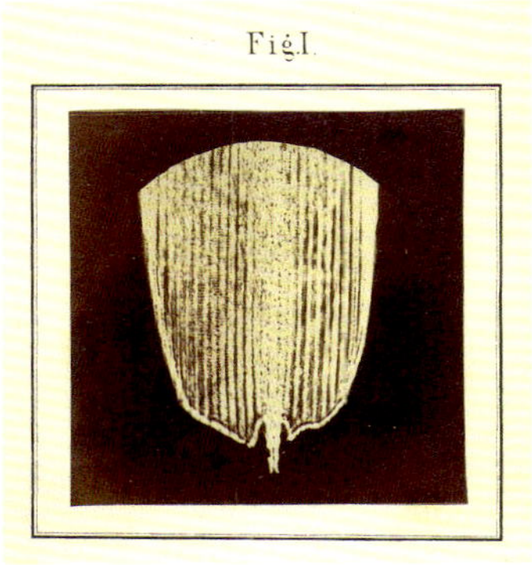

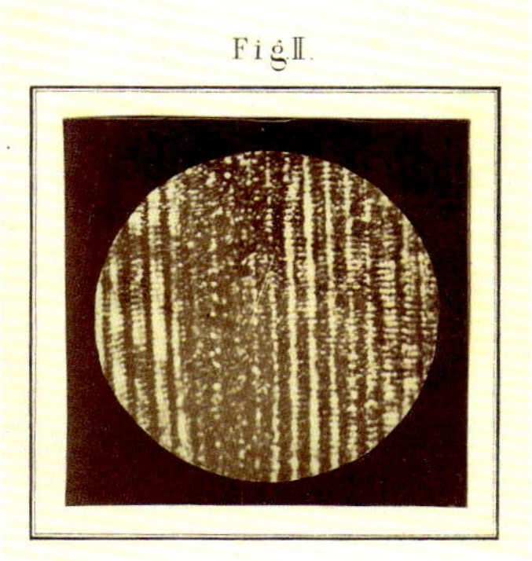

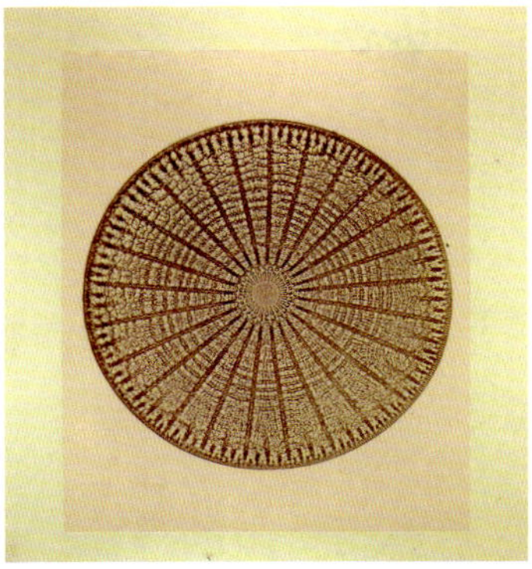

54/55 J. Gerlach, »Die Photographie als Hülfsmittel mikroskopischer Forschung«

Mikrophotographien, 1863

56 Gustav Fritsch / Otto Müller, »Die Sculptur und die feineren Structurverhältnisse der Diatomaceen«

Arachnodiscus ornatus. Ehrbg, Tafel II, 1870

57 Gustav Fritsch / Otto Müller, »Die Sculptur und die feineren Structurverhältnisse der Diatomaceen«

Pleurosigma angulatum. Sm., Tafel VIII, 1870

Selbst spätere mikrophotographische Tafelwerke, in denen um 1860 der Nutzen der Photographie für die Wissenschaft demonstriert werden sollte, knüpfen in ihrer Art der Präsentation an diesen Wahrnehmungsmustern des Hofes oder des großbürgerlichen Salons an, in denen die exquisiten (und damit teuren) Instrumente zur Darstellung des Mikrokosmos im 18. Jahrhundert zu finden waren. Diese Haeckel bekannten Darstellungen des Mikrokosmos schrieben insoweit ein klassisches Bildprogramm der Naturästhetik fort, in das sich Haeckels Illustrationen einreihten (Abb. 53 – 57).[16]

Christian Gottfried Ehrenbergs (1795–1876) großformatige Tafelbände zur Infusorienfauna des Süßwassers hatten hier auch in der Wissenschaft in den ersten Jahrzehnten des 19. Jahrhunderts Maßstäbe gesetzt.[17] In diesen bis über die Jahrhundertmitte publizierten Mitteilungen offerierte Ehrenberg seinen Kollegen die Vielfalt einer Kleinstlebewelt, die schon allein in deren Betrachtung Natureinsichten versprach. Es war eine Mikrokosmologie, eine Reise in die mikroskopischen Welten, die hier ihren Niederschlag in Bildern fand. Die exquisite Ausstattung vermittelte den so offerierten Schätzen zugleich etwas Aristokratisches und so in der Dignität der Bildpräsentation auch in der in ihrer sozialen Realität ja sehr viel kleinräumiger organisierten Wissenschaft etwas von dem Adel des Geistes, den Lorenz Oken nur wenige Jahre vorher als Ausdruck der Etablierung einer Wissenschaftskultur in Deutschland zu preisen suchte.

Neben seinem Doktorvater, Johannes Müller (1801–1858), und seinem engen Freund und Kollegen Karl Gegenbaur (1826–1903; Abb. 80) war wohl der zunächst nur akzidentell mit Haeckels wissenschaftlicher Biographie verbundene Matthias Jakob Schleiden eine der Haeckel in seinem Denken, speziell auch in seiner Verknüpfung empirischer und philosophischer Befunde, maßgeblich leitenden Gestalten. Obwohl es eher ein Zufall war, dass Schleidens Unterschrift die Ernennung Haeckels zum Privatdozenten besiegelte, war er für den in Jena arbeitenden Haeckel ein Vorbild. Dem von Schleiden formulierten Anspruch, in der mikroskopischen In-Blicknahme des Naturalen dessen Gesetzmäßigkeiten zu entsprechen, folgt Haeckel in seiner 1866 publizierten

58 **Matthias Jakob Schleiden, »Das Meer«**

Meeresalgen, 1867

Generellen Morphologie der Organismen. Schleiden wurde unter Einfluss des ebenfalls Jenenser Philosophen und Psychologen Jacob Friedrich Fries (1773–1843) zu einem der Vorkämpfer gegen spekulative Philosophien und religiösen Dogmatismus, der seine *Anthropologie* schon 1863 als evolutionäre Anthropologie im Sinne Darwins schrieb und hierbei auch die Kulturgeschichte als Kulturevolution auffasste.[18] Er wurde für Haeckel aber auch mit seinen populär gehaltenen Schriften zum Vorbild. 1850, in dem Jahr, in dem sein seinerzeit renommiertes, die Zelltheorie als wissenschaftliche Hypothese fundierendes *Lehrbuch der Botanik* in der dritten Auflage erschien, publizierte Schleiden unter dem Titel *Die Pflanze und ihr Leben* eine Folge populärer Vorträge.[19] Hierin wird sein Ansatz einer induktiven Botanik und seine Betrachtung der pflanzlichen Gestalt als ein zytologisch aufzulösendes Gewebegefüge einer breiten Öffentlichkeit vorgestellt. In einer ganzen Reihe entsprechender, verschiedene Bereiche der Naturforschung ansprechender Arbeiten erscheint dann 1867 seine Studie über *Das Meer*.[20] Hierin entwirft Schleiden ein umfassendes Bild dieses Lebensraumes, beschreibt Formen und offeriert in einer Folge von Tafeln einen Eindruck von der Ästhetik der weniger bekannten wirbellosen Tiere (Abb. 58–61). Wie später auch bei Haeckel finden in diesem Buch Einzeller und Medusen sein besonderes Interesse. In einzelnen Tafeln stellt Schleiden die Staatsquallen, aber auch die Entwicklung der Medusen dar und gibt hiermit Bildmuster vor, die sich in sehr viel ausgearbeiteterer Form später in Haeckels *Kunstformen* wiederfinden. Auch in technischer Hinsicht können die Tafeln als Vorläufer für die späteren exquisiten Arbeiten Haeckels betrachtet werden. Es sind Chromolithographien,

59 **Matthias Jakob Schleiden, »Das Meer«**

Borstenwürmer des Meeres, 1867

M. Lämmel, gem. Lith. Anst. v. C. Kirst, Leipzig.

ENTWICKELUNG DER EDELKORALLE.

Die Zahlen geben die Entwickelungsfolge an. 1.—9. Entwickelungsstadien der aus dem Ei hervorgegangenen Larve. 10.—14. Larve, wie sie sich festsetzt und zum Polypenstock entwickelt. 15. Ein Stück des Edelkorallenstockes. In A und B sind die Kelche aufgeschnitten, um die Eier und in B Samenkapsel und Ei zu zeigen. Die Polypen C und D enthalten aus dem Ei hervorgegangene bewimperte Larven, welche bei E als wurmförmige Körper zwischen den ausgestreckten Fühlern aus dem Mutterthier schlüpfen.

60 Matthias Jakob Schleiden, »Das Meer«

Entwickelung der Edelkoralle, 1867

12.
13.
14.
11.
10.
9.
8.
3.
2.
1.
4.
5.
6.
7.
M. Lämmel, gem.
Lith. Anst. v. C. Kirst, Leipzig.
DIE ENTWICKELUNG DER MEDUSE.
Die Zahlen geben die Reihenfolge der Entwickelung an. 1. 2. 3. Die Larve frei schwimmend. 4. 5. 6. 7. 8. Larve in festsitzenden Stadien. 9. 10. 11. Scheibenbildung und Trennung. 12. 13. 14. Entwickelung einer solchen Scheibe zur Meduse.

61 **Matthias Jakob Schleiden, »Das Meer«**

Die Entwickelung der Meduse, 1867

die die Arbeit Schleidens illustrieren. Diese Technik verwandte später auch der Lithograph der Haeckelschen Werke Adolf Giltsch (1852–1911; Abb. S. 292), erweiterte sie durch Einbindung von Mischtechniken und eine zum Teil sehr exquisite Zusammenstellung seiner Farbpalette. Schleidens Darstellung der Farbwelten des Meeres findet in Bezug auf die Komposition und den Farbaufbau des Bildes bei Haeckel ihren direkten Niederschlag in den Chromolithographien seiner *Arabischen Korallen*, die ebenfalls Lebensbilder, in diesem Falle des Roten Meeres – unter und über dem Wasserspiegel – illustrieren (Abb. 62/63).[21]

Wissen im Bild

Die Idee, die Welt in der immer feineren Auflösung des mit dem Mikroskop bewaffneten wissenschaftlichen Beobachters in den Blick zu nehmen, wie sie Schleiden formuliert hatte, finden wir in direkter Fortsetzung des Versuchs, die Lebensvorgänge auf ihren Chemismus hin und die Reaktionen auf der Ebene molekularer Interaktionen studieren zu wollen.[22] Als Perspektive finden wir diese Forderung schon in dem Lehrbuch zur Physiologie des Menschen formuliert, das der bedeutende deutsche Physiologe Johannes Müller, wohlgemerkt der Doktorvater von Ernst Haeckel, 1837/40 vorlegte. Methodisch entspricht dies einer Miniaturisierung der Perspektive. Faktisch führt es aber zur Fragmentierung der Beschreibungsansätze. Die Frage ist, ob es in dieser immer kleinräumigeren In-Blicknahme noch eine Sicht auf das Ganze geben kann. Dagegenzuhalten ist die Idee, in dieser immer feineren Zergliederung die Anschauung bis auf die Reaktionselemente zurückzuführen, in denen dann die Prinzipien der Reaktion des Naturalen augenfällig zu machen sind. Ernst Haeckel holt in der 1917 am Ende seiner wissenschaftlichen Karriere erschienenen Publikation zu den *Kristallseelen* dieses Problem aus seiner Perspektive ein.[23] Er demonstriert hier an einfachen, kleinen Objekten all das, was er für die Lebensvorgänge als charakteristische Elemente kennzeichnen möchte. Das Größere und das Komplexere sind dann nur Auswüchse dieses kleinräumigen Gefüges basaler Reaktionseinheiten, die unter dem Mikroskop für Haeckel direkt anschaulich werden. Dabei hat er in seiner Perspektive auch den Weg gefunden, in der Analyse der Einzelheiten das Ganze im Blick zu behalten: Er fragmentiert nicht Reaktionswege, er sieht Gesetze. In der Anschauung ist ihm die Natur in ihrer ihr eigenen Dynamik selbst präsent. Insofern ist für ihn die Natur im Objektiv seines Mikroskops unmittelbar anzuschauen.

Photoillustrationen

Wie ist nun aber diese Anschauung zu vermitteln? Der direkte Weg der mechanischen Reproduktion ist um 1860 schon gangbar. Die Mikrophotographie ist um 1860 tech-

62 »Arabische Korallen«

Arabisches Zeltlager bei Tur am Sinai, Tafel IV, 1876

63 »Arabische Korallen«

Tur und der Sinai bei Sonnenuntergang, Tafel V, 1876

nisch etabliert. In einer Zeichnung hat nun aber der Graphiker – auch wenn er eine Camera obscura benutzt – immer die eigene Hand im Spiel, die umreißt und nachzeichnet, was er zu sehen glaubt. Nur dann – so der Kunsthistoriker Jonathan Crary – wenn auch dieser Prozess der Reproduktion mechanisiert wird, gewinnt man ein in neuer Weise objektiviertes Bild des Realen. Diese Objektivierung liefert Crary zufolge die Photographie.[24] Hier ist das, was in den Beschreibungen nach wechselnden und somit unterschiedlichen Kategorien bestimmt ist, schlicht auf Schwarz-Weiß oder in einfache Farbreihen gebannt. Das, was sich in solch einem Photo abgebildet findet, wird zunächst aber selbst zum Objekt, das verschiedenen Interpretationen ausgesetzt werden kann. Dabei setzt es als Objekt, als etwas, das als Ding vor Augen liegt, nun aber seinerseits einen Standard. Alle Photographien einer bestimmten Apparatur folgen gleichen, durch die Technik bedingten Abbildungsnormierungen. Diese können von etwaigen Interpreten nur umschrieben, aber nicht verändert werden. Die Verflachung der Perspektive im zweidimensionalen Bild, die Eingrenzung der Beobachtung auf die Darstellung von Kontrastdifferenzen zeigen, inwieweit sich in diesem objektiven Medium selbst eigene Wahrnehmungseingrenzungen festschreiben, die aber nun nicht durch Vorgabe einer Theorie, sondern durch Vorgabe des der Maschine Möglichen bestimmt sind.

Die Pioniere der Photographie argumentierten im 19. Jahrhundert anders. Sie verstanden sich als Sachwalter der Objektivität. Das Photo dokumentiere in seiner mechanischen Reproduktion das, was vor dem Objektiv stand, ohne ein Subjekt zwischen dem Bild und der Photoplatte einzusetzen, wohingegen die Zeichnung in ihrer Objektivierung durch das Subjekt geführt sei. So wurden die Photographen in der Mitte des 19. Jahrhunderts zu den bildreichen Zeugen einer Auffassung, der zufolge erst Techniken, wie sie die Naturwissenschaften verwandten, die Natur in das ihr gemäße Bild zu setzen vermochten. Das Photo schien die Natur selbst zum Sprechen zu bringen. So nannte der Pionier der Photographie William Henry Fox Talbot (1800–1877) seine erste, die Photographie als neue Darstellungsform preisende Monographie *The pencil of nature*.[25] Das Photo – so Talbot – werde eben nicht von einem Zeichner, es werde von den Dingen gemacht. Nicht die vormaligen Wahrnehmungen, sondern die Realität selbst schien sich in diesen Photographien einzubinden. Dies mag erklären, warum in solchen Photographien nicht einfach eine Abbildung, sondern ein Teil der in ihr abgebildeten Welt gesehen wurde (Abb. 64, 65).

Frühe Anwendung fand diese Art der Darstellung der Natur nun insbesondere in der Mikroskopie. Schon in den 1850er Jahren erschienen wissenschaftliche Arbeiten mit mikrophotographischen Illustrationen. Aufgewiesen wurden hier – 40 Jahre vor Haeckels Versuch, die Kunstformen der Natur ins Bild zu fassen – Wunderkammern im Bildformat. Dabei fixiert das Photo einen ganzen Wahrnehmungskomplex. Es reduziert

64 William Henry Fox Talbot
Mimosoidea Suchas, Acacia, photogenische Zeichnung, um 1839

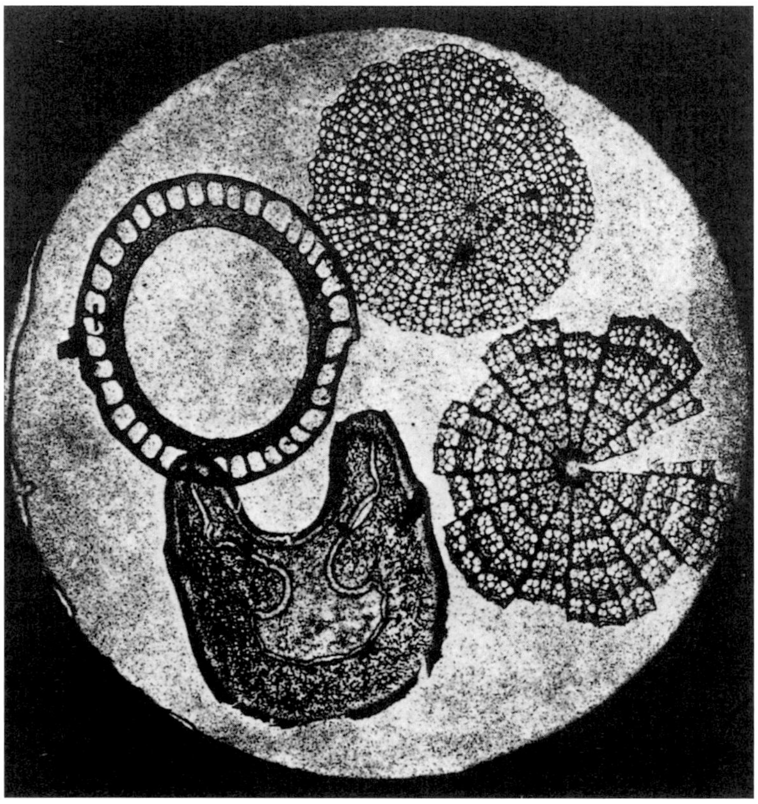

65 William Henry Fox Talbot
Photomikrographie von Pflanzenteilen, um 1839–1841

seine Darstellung im Gegensatz zur Zeichnung nicht auf Einzelheiten, sondern fasst diese Einzelheit in dem Formganzen, in das sie eingebunden ist. Entsprechend wird das Photo auch als eine Skizze solch einer Gesamtsituation genutzt. Bei Haeckel ist das anders. Er nutzt die Zeichnung, um Einzelheiten herauszustellen und schafft in deren Komposition neue Erfahrungszusammenhänge. Seine Natur-Bild-Welten wurden dabei in einer Phase publiziert, in der die Photographie sich als Dokumentationstechnik für naturwissenschaftliche Beschreibungen durchzusetzen vermochte. Insofern markieren seine Illustrationen nicht nur einen Höhe-, sondern auch einen Endpunkt der wissenschaftlichen Illustrationspraxis. Zugleich standen sie damit in ihrer Zeit in einem besonderen Spannungsgefüge.

Das Photo fixiert die Realität nicht, es bemisst sie. Wie im Experiment der Messvorgang automatisiert wird, wird in der Photographie der Beobachter an das Ende eines Prozesses gesetzt, der durch die benutzten Methoden vorstrukturiert ist, was aber selbst um 1900 zumindest den Photographen kaum bewusst war. Demgegenüber ist eine Zeichnung von vornherein als Resultat einer Interpretation beschrieben. Die Zeichnung offeriert nicht einfach eine Illustration eines Sehaktes, sie dokumentiert eine Interpretation des Gesehenen. Die Zeichnung ist immer auch schematisch, da sie in ihren Produktionsbedingungen diese Sichtweise und die mit ihr verbundene Interpretation einbringt.

Objektivierung und Ästhetisierung

Haeckels Darstellungen sind ästhetisch. Sie erscheinen schon in der Zeit teilweise zu schön, um wahr zu sein. Damit geriet Haeckel in eine Diskussion um die Qualität seiner Anschauungen. Seiner Auffassung gegenüber stand die Vorstellung, wonach eine Zeichnung so genau wie möglich das belegt, was ihr Natur ist, und nicht etwa zeigt, wie für den analysierenden Wissenschaftler ein Sachverhalt, den er empirisch registrierte, zu interpretieren ist. Die Rolle der Illustration als Dokumentation einer Interpretation oder als pure Widerspiegelung einer Perzeption wird in dieser Diskussion um die von Haeckel vermeintlich gefälschten Abbildungen der von ihm einander zugeordneten Embryonen bedeutsam. Zeigt sich hier doch ein neues Verständnis der Objektivierung qua Illustration, das um 1870 mit Verweis auf die vermeintlich objektivierende Kraft einer die Wahrnehmung stark einengenden Technik, die Photographie, gewonnen wurde.

66 **Johann Wolfgang Goethe**
Zwischenkieferdemonstration, um 1790, Goethe-National-Museum, Weimar

67 **Johann Wolfgang Goethe**
Zeichnungen zum Zwischenkieferknochen des Menschen, um 1790

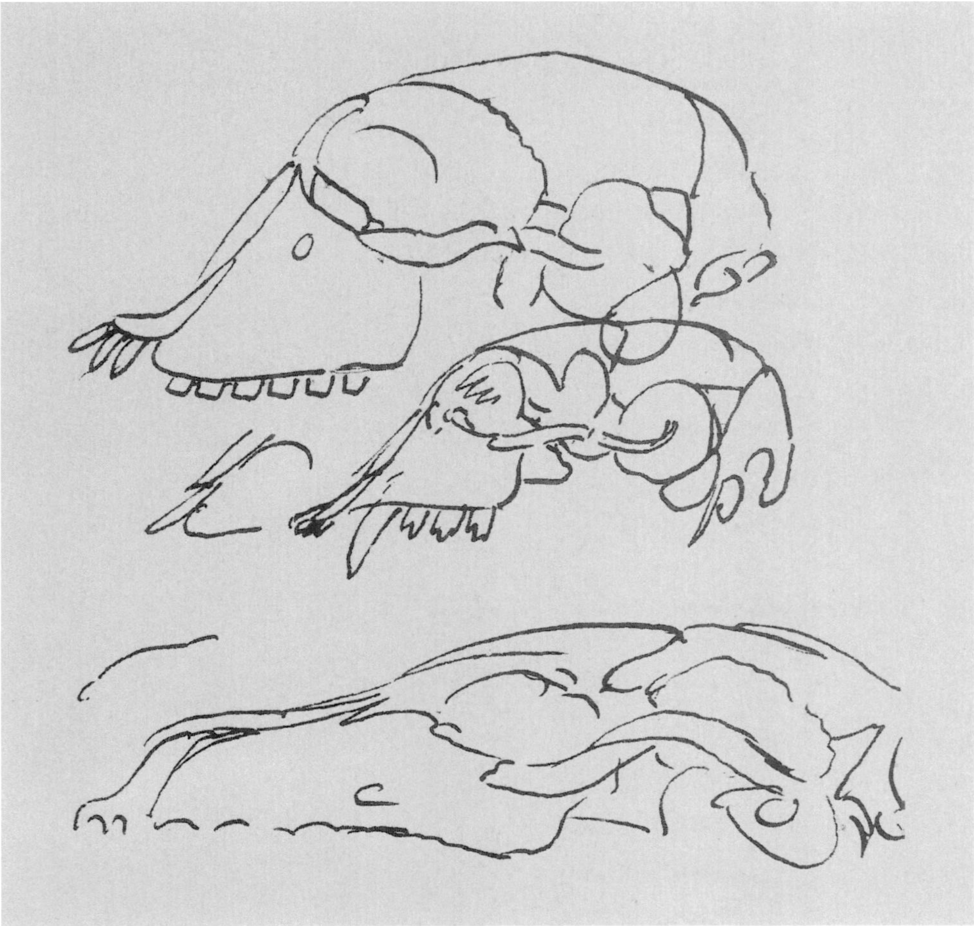

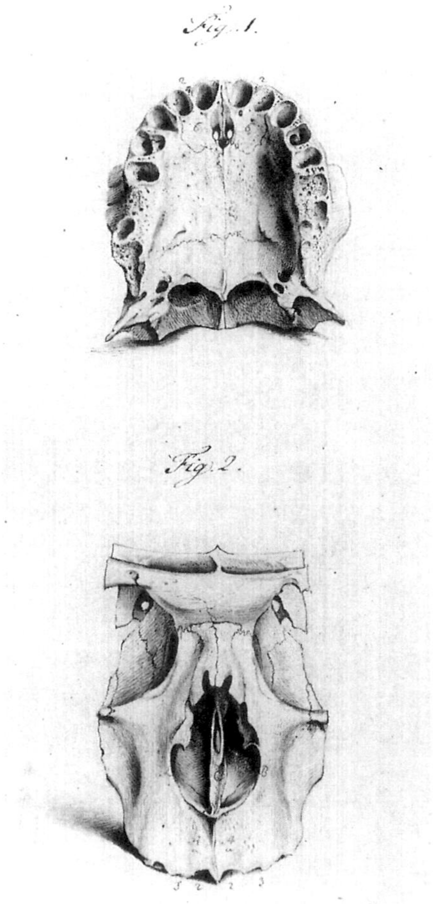

68 Ernst-Haeckel-Haus, Jena

Das Meer in Gestalt der Nereïde offeriert Haeckel seine Schätze; Votivtafel zum 70. Geburstage Ernst Haeckels am 16. Februar 1904

Die Techniken der Perzeption führen nicht zwangsläufig zur Objektivierung eines unmittelbaren Zugriffs auf die Natur. Von daher ist die seinerzeitige Auseinandersetzung des Physikers Helmholtz mit der Natursicht Goethes keineswegs nur die Abrechnung der Moderne mit ihren Vorläufern.[26] Die Auseinandersetzung zwischen dem registrierenden Physiologen und dem Ästheten wird vielmehr für den Physiker deshalb so scharf, weil er Momente einer Goetheschen Natursicht in seinem Horizont nicht mehr zu greifen vermag. Die Minimalsicht, wonach nur das, was in den derart reduzierten Horizont zu packen ist, wahr ist, ist nicht unproblematisch. Sucht sich diese derart minimalistisch ansetzende Naturwissenschaft doch zugleich dadurch zu objektivieren, dass sie die Unmittelbarkeit ihres Erfahrens reklamiert, dabei aber diese Unmittelbarkeit über eine technische Instrumentierung einholt.

Ernst Haeckel dachte hier fundamental anders. Er bezog sich in seiner Sicht der Naturgeschichte explizit auf Goethe. Er glaubte, in Analyse des Mikrokosmos das Ganze eben deshalb nicht zu verlieren, weil er im Einzelnen Mechanismen sah, die das Ganze der Natur konstituierten und so im Einzelnen dieses Ganze dann auch abbildeten. Insoweit musste er sich gegen die Berliner Physiologen wenden, die etwa mit Emil DuBois-Reymond (1818–1896) formulierten, dass die Natur selbst mit der sie konstituierenden Gesetzmäßigkeit gar nicht sichtbar zu machen sei.[27] Aber doch, musste hiergegen Haeckel formulieren, ist ihm diese Natur, von der DuBois-Reymond meinte nichts zu wissen und nichts wissen zu können, direkt augenfällig. Für Ernst Haeckel lag die Naturgesetzmäßigkeit in der Anschauung offen. Wo Physiologen Gesetze rekonstruierten, schaute Haeckel sie an. Seine Natursicht ist demnach nicht einfach Ästhetik, sie ist Aisthetik. Er sieht die Wahrheiten, die andere nur konstruieren. Er bildet damit in seinen Illustrationen nicht einfach nur Interpretationen und Schemata möglicher In-Bezug-Nahmen ab, in seinen Illustrationen ist zumindest für ihn die Wahrheit selbst abgebildet. Dass dem so ist, bezeugt für ihn die Ästhetik, die in sich stimmige Einbindung dessen, was er von der Natur illustriert. Die schöne Natur, die er im Einzelnen sieht, ist demnach nicht einfach nur ein »By-Product« seiner Sicht des Naturalen. Diese Ästhetik begründet vielmehr seine Natursicht als Einsicht. Für Haeckel offerierte – wie er seiner Braut denn auch aus Messina schrieb – die Natur dem beobachtenden Wissenschaftler in der Tat nicht nur Einzeldinge, sondern sich selbst.

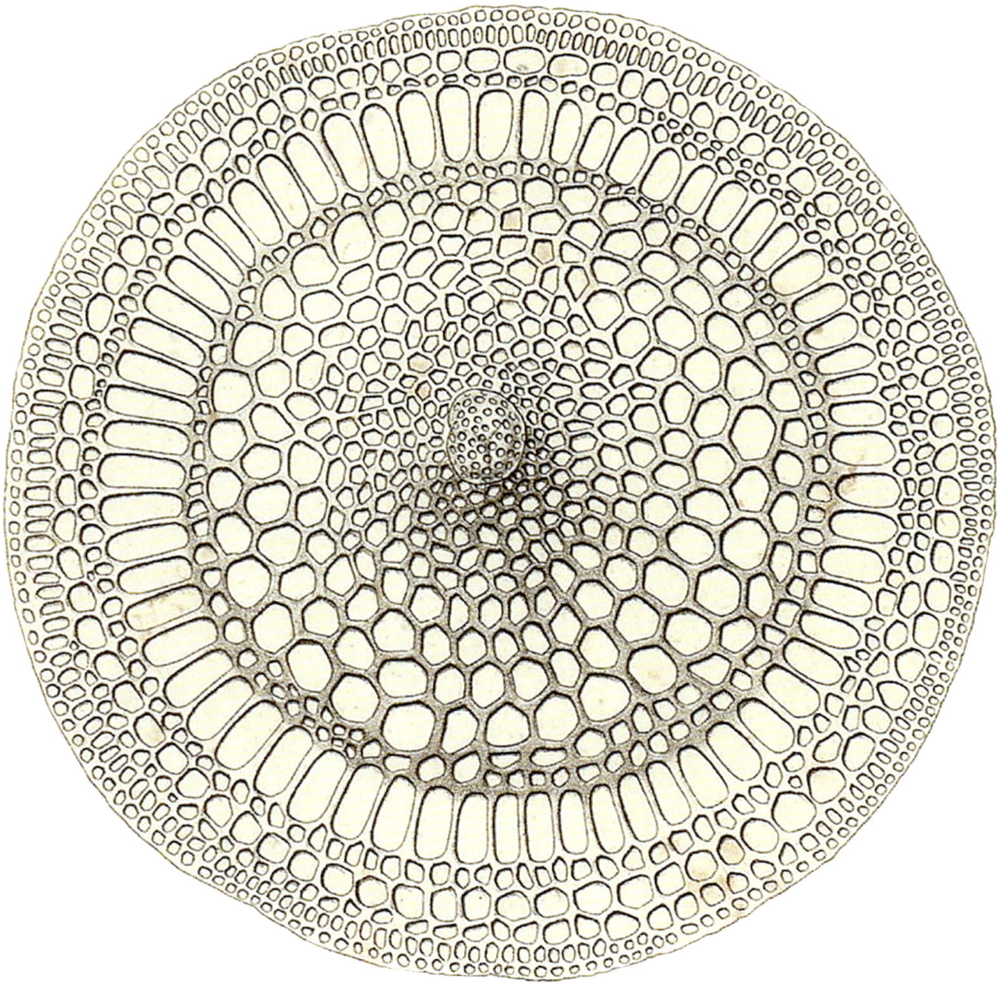

Ernst Haeckel – Der Evolutionsbiologe in Jena

Die Bedeutung Haeckels

Die renommierte Wissenschaftszeitschrift *Nature* leitete die Ausgabe zur Jahrtausendwende mit einem umfassenderen Artikel über die Entwicklung der Wissenschaften von 1900 bis 2000 ein. Dabei wurden programmatisch wichtige Wissenschaftler aufgeführt. Für das ausgehende 19. Jahrhundert benannte dieses Magazin nur einen deutschen Biologen: Ernst Haeckel. Haeckel steht dabei nicht nur für die umfassende Rezeption der Evolutionslehre Darwins. Er prägte durch seine konsequent auf eine breitere öffentliche Rezeption ausgerichteten Arbeiten das Naturbild um 1900 in entscheidender Weise. Es waren nicht die neuen Formeln der Mathematik, es waren die Bilder Haeckels, die das öffentliche Ansehen der Naturwissenschaften um 1900 prägten. Dabei wirkten seine Bilder weiter bis in das beginnende 21. Jahrhundert. Es ist zu weiten Teilen die Fortführung seiner Bildtraditionen, in denen uns die neuen Medien ihr Bild der Wissenschaften versichern. Haeckel steht dabei für die Möglichkeit, Natur in ihrer Anschauung zu erfassen.

Für Haeckel waren Naturgesetze nicht einfach nur Abstraktionen einer mit Formeln verfahrenden Wissenschaft. Er propagierte, dass die Naturgesetze zumindest in der Biologie anschaulich waren. Er sah Gesetzmäßigkeiten, illustrierte die Grundlagen der Systematik und fasste damit das ins Bild, was für ihn Wissenschaft ausmachte. In einer Phase der beginnenden Hochtechnisierung, der fortschreitenden Industrialisierung auch der Forschung – man denke nur an die vor 1914 entstehende Landschaft chemi-

69 **Ernst Haeckel**

Stadtansicht Jena, Aquarell, 1858

70 René Binet

Das Monumentaltor zur Pariser Weltausstellung 1900. Als Vorbild diente eine von Haeckels Radiolarienzeichnungen

scher Großunternehmen – und der zunehmenden Mathematisierung des technischen Wissens offerierte Haeckel – und dann auch noch im Verweis auf Goethe und dessen ästhetische Tradition einer Naturwahrnehmung – eine in sich stimmige, abbildbare und anschauliche Weltsicht.

In seinen durchweg malerischen Naturansichten, die er als Wissenschaftler produzierte, illustrierte er dabei – nach eigenem Bekunden – die letzte Konsequenz einer Naturwissenschaft, in der der Mensch selbst mit seinen kulturellen Leistungen definitiv und endgültig als Naturprodukt identifiziert und beschrieben werden konnte. Indem er somit seine Wissenschaft als Weltanschauung präsentierte, gewann er weiteste Resonanz. So wurde er schon zu seinen Lebzeiten zu einer Ikone. Über sein Charisma, seine Thesen und – nicht zuletzt auch – seine Bilder bestimmte er dabei nicht nur Diskussionen innerhalb seiner Wissenschaften, sondern zugleich auch maßgeblich die Konturen, in denen wir heute unser Bild der Naturwissenschaften zeichnen.

Er bestimmte die Art und Weise, wie sich uns diese moderne Wissenschaft vermittelt: eben im Bild. Auch dies wird schon seinerzeit greifbar. Die von ihm beschriebenen Formen des Lebendigen wirkten schon derart faszinierend, dass Architekten und Designer Haeckels Naturformen zum Vorbild ihrer Entwürfe nahmen. Die exquisite Darstellung von Ornamenten, Schmuckformen und der Dekoration von Gebrauchsgegenständen, die der nachmalige Architekt der Pariser Weltausstellung René Binet (1866–1911) vornahm, ist hier nur ein Beispiel in einer ganzen Palette von Haeckelrezeptionen im Bereich von Kunst und Design.[28] Dabei gewannen diese Formen für Binet eine derartige Bedeutung, dass er selbst für den Entwurf seines Eingangstores zu der Pariser Weltausstellung um 1900 eine Haeckelsche Radiolariendarstellung zum Ausgangspunkt nahm (Abb. 70).

Die Botschaft, die hiermit formuliert wird, ist eindeutig: Auf dem Weg zu den Errungenschaften der Moderne hat man die Haeckelschen Formwelten zu durchmessen.

Haeckel, der als Propagandist der Darwinschen Lehre nicht hoch genug einzuschätzen ist, war zugleich die Person, die in der zweiten Hälfte des 19. Jahrhunderts die Weichen dafür stellte, wie in einer Gesellschaft Wissenschaft wahrgenommen und vermittelt werden konnte. Es gilt zu ermessen, wie breit seine Wirkung war, und darzustellen, inwieweit die Darstellungen des Naturalen aus den Schreib- und Zeichenfedern eines Jenenser Professors unsere Moderne bestimmen.

71 **Ernst Haeckel**

Dr. med und approbierter prakt. Arzt in Berlin, Photo 1858

Frühe Biographie

Haeckel wurde am 16. Februar 1834 in Potsdam geboren. Er wuchs in Merseburg auf, studierte ab 1852 zunächst in Berlin Medizin und Naturwissenschaften. Von dort wechselte er an die Universität Würzburg, deren medizinische Fakultät insbesondere durch das Wirken des »Würzburger Kleeblattes«, des Chemikers Johann Joseph von Scherer (1814–1869), des Histologen Rudolf Albert von Kölliker (1817–1905) und des Pathologen Rudolf Ludwig Karl Virchow (1821–1902), attraktiv war. Von den eigentlichen Kernfächern des Medizinstudiums, das er auf Wunsch des Vaters aufgenommen hatte, fühlte sich Haeckel aufgrund seines unüberwindlichen Abscheus gegen das Krankhafte wenig angezogen. »Ich betrachte so die Anatomie rein vom naturhistorischen (nicht medizinischen!) Standpunkt, als Naturgeschichte des Menschen, und als solche kann sie mir, wenn ich später Mathematik und Naturwissenschaften studire, vielleicht noch einmal zustatten kommen.«[29] Neben einer Einführung in die Entwicklungsgeschichte des Menschen bei Franz von Leydig (1821–1908) – damals noch Privatdozent an der Würzburger Universität – war für Haeckel die Ausbildung in vergleichender Anatomie bei Kölliker bedeutsam. Wobei ihn insbesondere die Darstellungen der marinen Einzeller nachhaltig beeindruckten.[30] Er vertiefte die Gewebelehre bei Kölliker und durch ein Kolleg über pathologische Anatomie bei Virchow, der in eben diesen Jahren seine Zellularpathologie entwickelte. Nach der Lehre der Zellularpathologie war die Zelle als die organische Funktionseinheit aufzufassen, und entsprechend war die Entstehung der Krankheiten auf Störungen von Zellprozessen zurückzuführen, die der histologisch arbeitende Pathologe sichtbar zu machen vermochte. Haeckel war von dieser Zellanatomie fasziniert. Dennoch entschloss er sich – auf Anraten von Freunden – im Sommersemester 1854 zurück nach Berlin zu wechseln.

Anschauungsmuster

Kölliker, der wie auch Haeckel selbst vergleichend meeresbiologisch gearbeitet hatte – unter anderem auf Föhr, Helgoland, bei Messina und Neapel – hatte sich insbesondere auch mit dem Problem der Entwicklung und der Anatomie der wirbellosen Tiere beschäftigt. Diese Inhalte vermittelte Kölliker auch in seiner Ausbildung und nutzte hierbei die Zeichnung zur Darstellung der Grundeigenheiten organischer Gestalten. Haeckels Vorlesungsmitschriften zeigen in ihrer graphischen Ausarbeitung die Qualität dieser über Kölliker vermittelten Notation (Abb. 72–75). Deutlich wird hier, dass Haeckel in seiner nachmaligen Illustrationspraxis, die ebenfalls in einer durch Farbe und Strichführung hervorgehobenen Weise bestimmte Gewebelagen kennzeichnete und so in einem Schema die Grundbaucharakteristik eines Organismus aufwies, direkt an der Darstellungskultur seiner Ausbildung anknüpfte. Dabei erlaubte es die analoge farbliche Codierung bestimmter Gewebebereiche, die grundsätzlichen Entsprechungen im Aufbau auch solcher Formen graphisch zu erfassen, deren äußere Gestaltvariationen auf den ersten Blick eine entsprechende Zuordnung zu verbieten schienen. Dadurch, dass nun aber Gewebe, die sich entsprechen, graphisch in ähnlicher Weise gekennzeichnet waren, gewann das Auge einen Eindruck von der Variationsbreite in der Geweborganisation systematisch unterschiedlich einander zuzuordnender Formen. Die Mitschriften, die Haeckel von diesen Vorlesungen verfasste, weisen aus, dass er in sei-

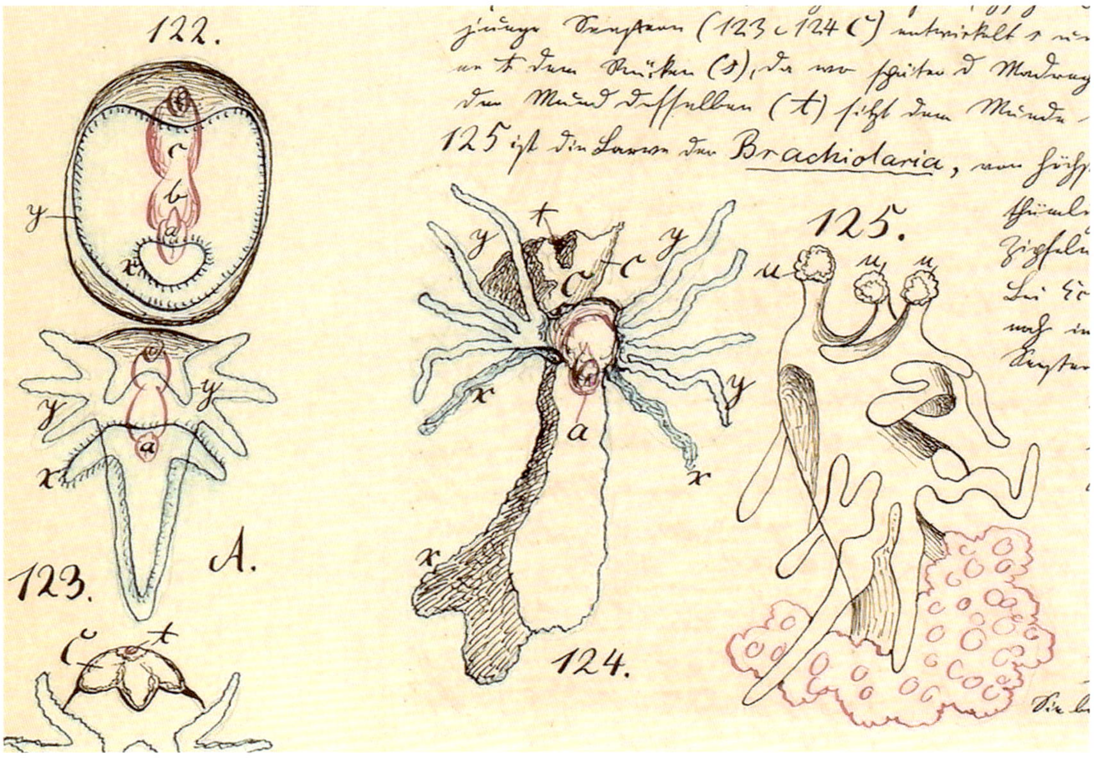

72 **Ernst Haeckel**

Handzeichnungen aus der Mitschrift der Kölliker-Vorlesungen, 1853

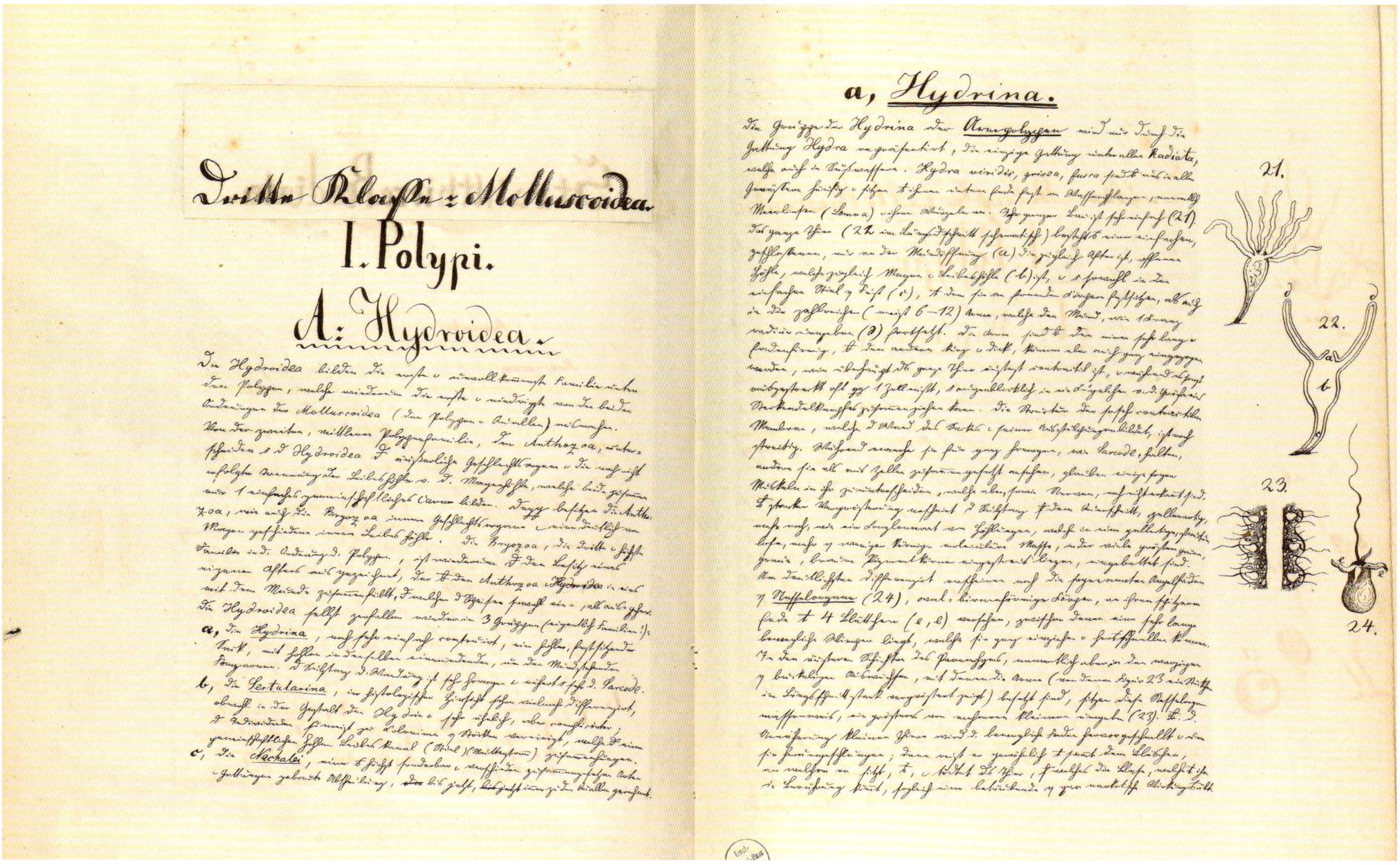
Dritte Klasse: Molluscoidea.
I. Polypi.
A: Hydroidea
a, Hydrina.

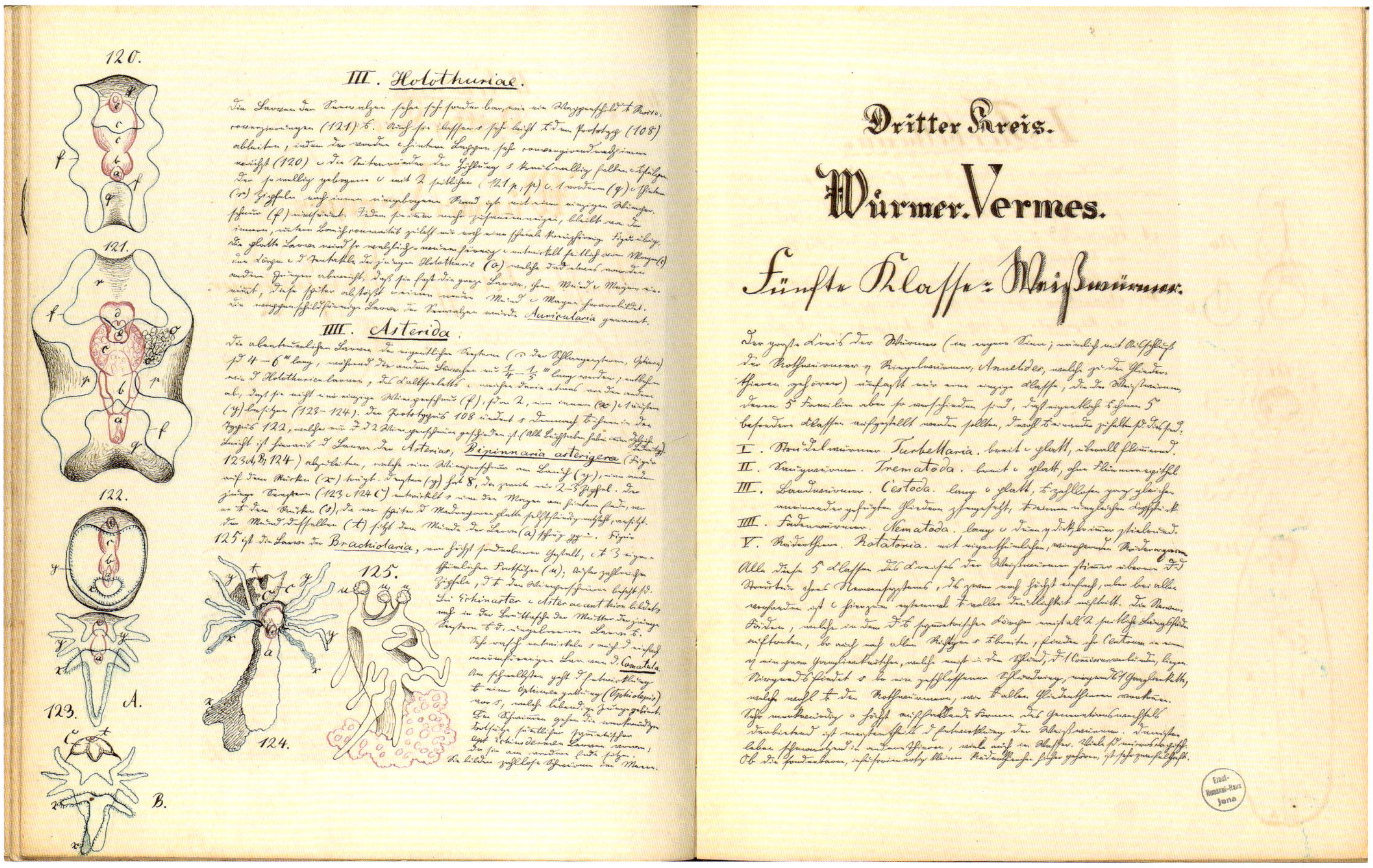
III. Holothuriae.
IIII. Asterida.
Dritter Kreis.
Würmer. Vermes.

73/74 Ernst Haeckel

Mitschrift der Kölliker-Vorlesungen, 1853

104.

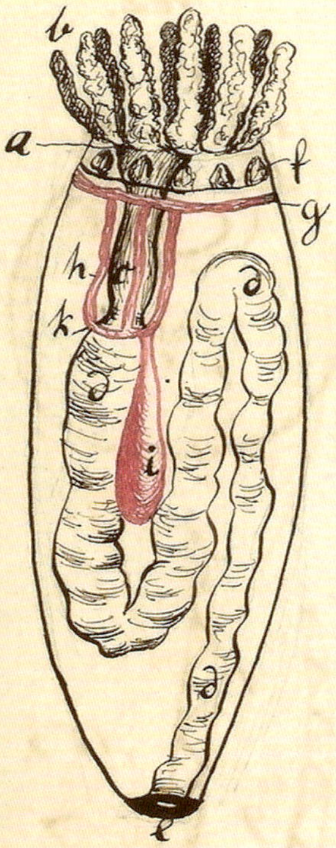

IIII. Holothurida.

Die Ordnung der Holothurien oder Seewalzen bildet den Übergang von den symmetrischen zu den regulären Thieren, indem der reguläre, strahlige Typus nur noch in der radiären Stellung der Fühler oder Tentakeln oder Fangarme um den Mund sichtbar ist. Auch die äußere Gestalt erinnert mehr an Würmer, als an Strahlthiere. Der weich-lederige, muskulöse, dunkel oder wenig [illegible] Hautmuskelschlauch [illegible] ist meist schmutzig braun oder gelblich und verleiht den Thieren im Verein mit der gleichmäßig walzen- oder wurmförmigen Gestalt (104) ein häßliches Aussehen. Meist kann man schon eine untere und obere Leibesfläche deutlich unterscheiden, von denen nur die erstere mit einer Masse kleiner, aber wenig ausgebildeter Saugfüßchen versehen ist; jedoch stehen bei einigen (Pentacta) diese kleinen Cylinderröhrchen noch in 5 regelmäßigen Strahlen um den ganzen eiförmigen Leib vom Mund bis zum After, der immer an d. entgegengesetzten Seite liegt, vertheilt. Dagegen ist das Muskelsystem sehr entwickelt und besteht außer vielen den ganzen Leib umspannenden Ringfasern, namentlich aus 5 sehr starken Längsmuskeln, welche inwendig als starke Bandstreifen vom Mund bis zum After verlaufen. Das Nervensystem besteht aus einem Ring um den [illegible] Mund herum und 5 von demselben abgehenden Fäden, und gleicht so sehr demjenigen der Echiniden, wo ebenfalls von einem Mundring 5 Fäden abgehen, die zwischen den Ambulacralreihen verlaufen. Die Verdauungsorgane sind ziemlich einfach. Der weite, trichterförmige, von 10–20 Strahlarmen (104 b) umgebene Mund (a) verengt sich in die sehr muskulöse Speiseröhre (c) und geht dann direct in den langen, sehr stark S förmig gekrümmten, gleichweiten Darm (d) über, welcher am hintern oder untern Leibesende durch ein einfaches Afterloch (e) mündet. Die [illegible] ist außerdem noch von 10 kleinen Kalkstücken (f) umgeben, welche die Andeutung eines äußeren Skeletts geben und sehr mit dem kalkigen Ring, welcher bei den Echiniden die 5 dreiseitig pyramidalen Zähne zur Laterne des Aristoteles verbindet, als auch diesen Zähnen selbst zu vergleichen sind. Ähnlich wie bei diesen, ist das Wassergefäßsystem, bestehend aus einem Ring (g) um den Mund, von dem 5 Strahlen oder Röhren bis zum After herabgehen, außerdem noch [illegible] diesen 5 kurze Strahlen (h), welche die Speiseröhre ziemlich [illegible] und an ihrem Ende in einen 2ten Ring (k) zusammenfließen. An diesen [illegible]

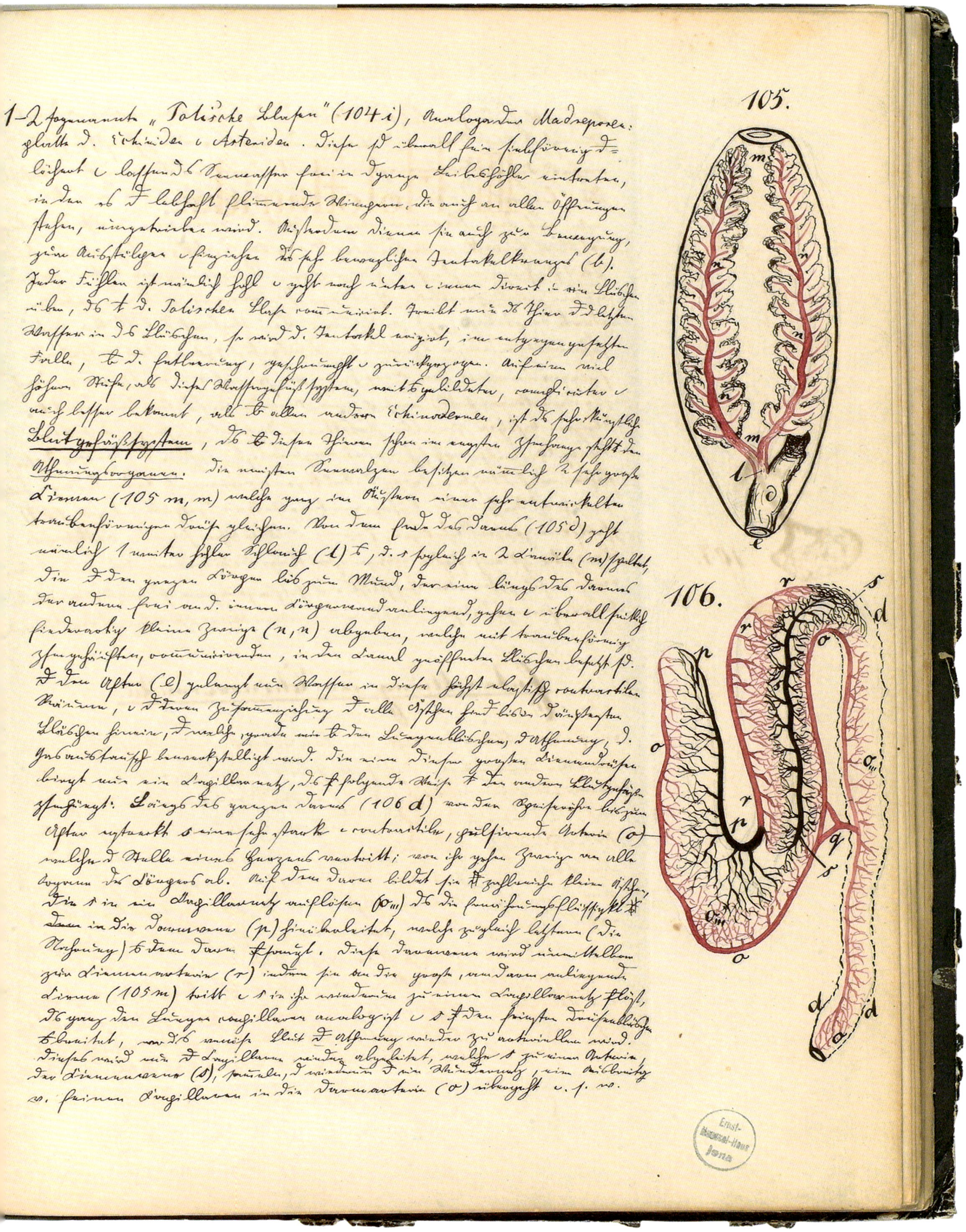

75 **Ernst Haeckel**
Mitschrift der Kölliker-Vorlesungen, 1853

nen graphischen Arbeiten in der Lehrtradition einer deutschen Zoologie stand, die ihm in exquisiter Form durch Kölliker vermittelt worden war.

In der Phase der engeren Anbindung Haeckels an Virchow entwickelte dieser die letzten Momente seiner Zellularpathologie. Die erste umfassende Arbeit zur Zellularpathologie aus Virchows Feder erschien 1855 in *Virchows Archiv*, die umfassende Monographie gleichen Titels erschien drei Jahre später in Berlin. Virchow legte hierin dar, dass Krankheiten durch Entartungen in der Zellphysiologie zu erklären seien. Therapien hätten demnach auf der Ebene der Re-Etablierung der physiologischen Grundeinheiten des menschlichen (und tierischen) Gewebes anzusetzen. Damit war – analog dem Vorgehen von Schleiden in der Botanik – die Zelle auch für den tierischen Organismus als Funktionsgrundeinheit beschrieben. Mit dieser Zellularpathologie war dann auch die schon Ende der 30er Jahre durch Schwann und Schleiden in ihren prinzipiellen Konturen beschriebene Zellehre etabliert.

Haeckels Mitschriften aus seiner Würzburger Studienzeit zeigen, wie Virchow seine mikroskopische Gewebelehre Mitte der 1850er Jahre in der Ausbildung vermittelte (Abb. 76–78). Die Darstellung der Zelltypen und der Zellentartungen in pathologischen Zuständen offeriert das empirische Material, über das Virchow seine These explizierte. Virchow trainiert seine Studenten am Mikroskop. Sie sollen dort die ihnen vorgestellten Gewebe möglichst exakt erfassen und in ihren morphologischen Besonderheiten registrieren. Haeckels Mitschriften auch dieses Kollegs stellen den Glücksfall dar, dass die Lehrpraxis eines bedeutenden Naturforschers des 19. Jahrhunderts in den Nachschriften eines nachmalig ebenfalls bedeutenden Wissenschaftlers zu rekonstruieren ist.

Es zeigt sich, dass die Ausbildungspraxis selbst auf eine Sehschulung zielte. Das Bild gab einerseits Anleitungen, visuell zu erfassende Formen in ihren essenziellen Strukturmerkmalen zu begreifen (Kölliker). Andererseits galt es in genauen Illustrationen einzelne Beobachtungen festzuhalten und in ihrer Essenz zu notieren. Dabei stehen beide Formen – das Schema, wie es in der Lehre benutzt wurde, um eine Grundstruktur der Organisation tierischer Formen zu vermitteln, und die Zeichnung in Form einer möglichst exakten Dokumentation eines Präparates (Virchow) – direkt nebeneinander. Haeckel führte in seiner Illustrations- und Darstellungspraxis beide Illustrationsstile fort.

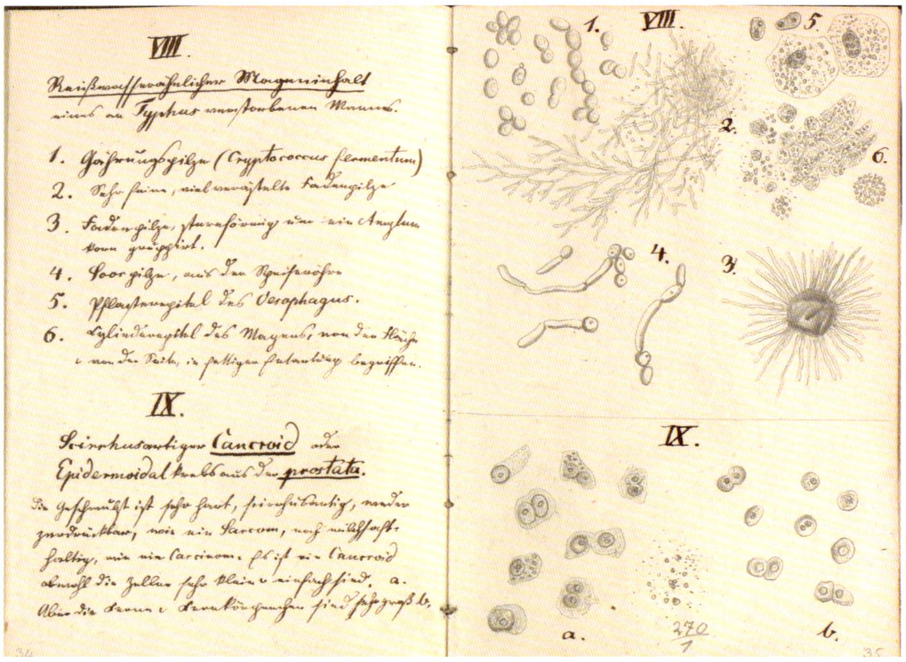

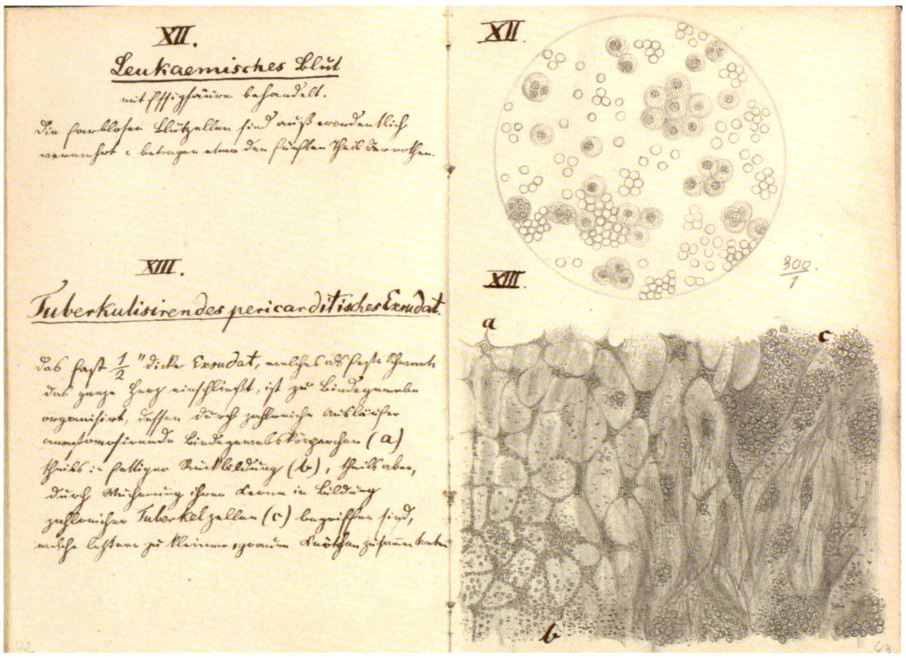

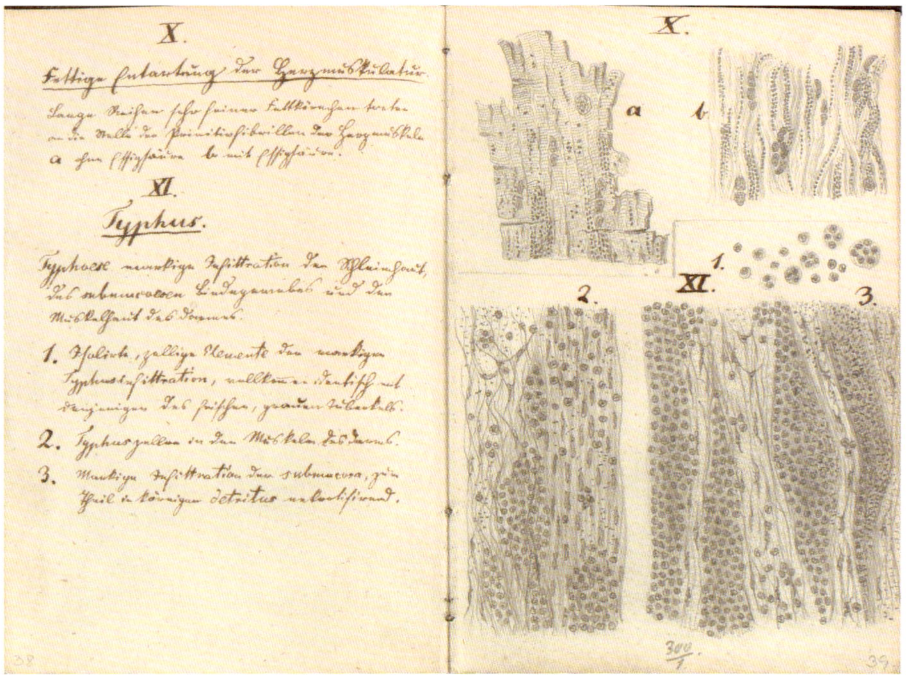

76–78 Ernst Haeckel

Mitschrift der Virchow-Vorlesungen, 1855/56

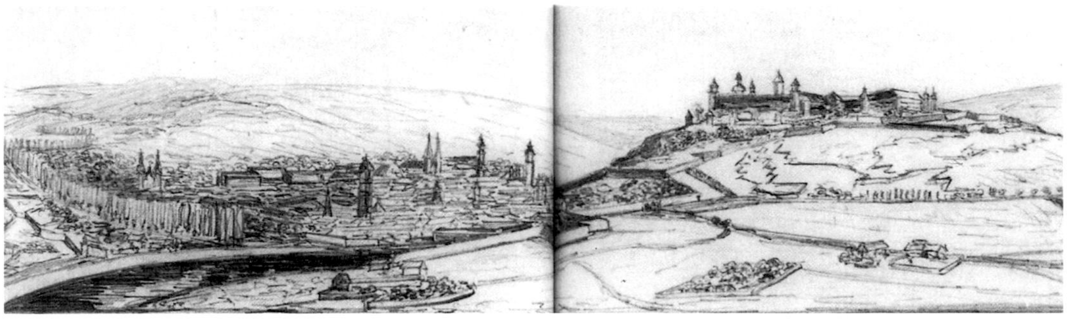

79 **Skizzenbuch**
Würzburg vom Stein aus gesehen (Norden) [6.5.1855]

Von Würzburg nach Jena

Ende 1854 wechselte Haeckel für drei Semester zurück nach Würzburg, um dort am Julius Spital seine Ausbildung in den klinischen Fächern fortzusetzen. Dabei besuchte er insbesondere die Kollegien von Virchow, der sein Talent bald erkannte und ihn motivierte, einige seltene Fälle seines Demonstrationskurses auszuarbeiten und in der *Wiener Medizinischen Wochenzeitschrift* zu veröffentlichen. Am 23.4.1856 wurde Haeckel dann als Assistent bei Virchow angestellt, erarbeitete aber dennoch seine Dissertation zu einem von Kölliker gestellten Thema: über die Histologie des Flusskrebses, die er 1857 in Berlin – wie schon erwähnt – bei Johannes Müller abschloss.[31] Darauf zog Haeckel nach Wien, wo er insbesondere die Veranstaltungen der Physiologen Ernst von Brücke (1819–1892) und Carl Ludwig (1816–1895) besuchte. Im August 1858 kehrte er nach Berlin zurück, um sein Staatsexamen abzulegen. Am 17.3.1858 wurde Haeckel dort zum praktischen Arzt approbiert, eröffnete seine Praxis aber nur pro forma und wollte unter der Anleitung von Johannes Müller seine vergleichend anatomisch-mikroskopischen Studien weiter betreiben.[32] Der plötzliche Tod Müllers – am 28.4.1858 – vereitelte diese Pläne.

Schon aus Würzburg kannte Haeckel den seinerzeitigen Privatdozenten Carl Gegenbaur (1826–1903), der 1855 als außerordentlicher Professor der Zoologie und vergleichenden Anatomie nach Jena berufen worden war und 1858 auch das Ordinariat für Anatomie übernahm. Bereits im März 1858 hatte Gegenbaur Haeckel nach Jena eingeladen und für eine gemeinsame meereszoologische Exkursion nach Messina interessiert. Anlässlich der Feierlichkeiten zum 300-jährigen Bestehen der Universität kam Haeckel erneut nach Jena. Es kam zu einer vertraulichen Besprechung mit Carl Gegenbaur und dem Kurator der Universität, Karl Julius Moritz Seebeck. Darin wurden Haeckel sichere Aussichten auf eine spätere akademische Lehrtätigkeit in Jena eröffnet.

Nach intensiver Vorbereitung reiste Haeckel dann aber doch am 28. Januar 1859 allein nach Italien. In Florenz erstand er in der Werkstatt des bekannten Physikers und Mikroskopbauers Giovanni Battista Amici ein leistungsfähiges Mikroskop, das mit einem Wasserimmersionsobjektiv eine Vergrößerung bis zu 1:1000 ermöglichte.[33] Haeckel verbrachte darauf fast fünf Wochen in der Kunststadt Rom und reiste erst Ende März nach Neapel, um mit seinen wissenschaftlichen Arbeiten zu beginnen.

Sein ursprüngliches Thema, in dem er eine von Johannes Müller angeregte Fragestellung weiterverfolgen wollte – die Anatomie der Echinodermen (Seegurken, Seeigel und Seesterne) – erwies sich als wenig praktikabel; es war ihm schlicht nicht möglich, geeignetes Tiermaterial zu erhalten. Nicht wenig verzweifelt flüchtete Haeckel in die reizvolle Landschaft Italiens. Zufällig traf er vor der Abfahrt zu einer 8-tägigen Exkursion nach Ischia den Kunstmaler Hermann Allmers (1821–1902; Abb. 83). »Durch ihn wurde mein eigener Zeicheneifer erst wieder recht ins Leben gerufen und ihm verdanke ich es hauptsächlich…, dass ich alles doppelt frisch und richtig erfasste und keine Ruhe hatte, bis nicht alle mir lieb gewordenen Landschaften im Skizzenbuch fixiert waren. Ja zuletzt hatte er es soweit gebracht, dass ich am Schluß unserer gemeinsamen Wanderzeit, in Messina, nahe daran war umzusatteln, die Naturforscherei ganz als Hauptstudium aufzugeben und Landschaftsmaler zu werden!«[34] (Abb. 81, 82) Als Haeckel dann auch noch den Monat August botanisierend und zeichnend auf der Insel Capri verbrachte, wies ihn sein Vater energisch in die Schranken.

Am 17.10.1859 trennten sich Ernst Haeckel und Hermann Allmers, und für Haeckel begann ein neuer, für seine wissenschaftliche Arbeit entscheidender Abschnitt seiner Reise. Über sechs Monate widmete er sich der Erforschung des Meeresplanktons im Golf von Messina, der wegen seines Reichtums an niederen Tieren bekannt war. Er untersuchte systematisch die vorkommenden Tiere. Als er dann auf eine Reihe bisher unbekannter Radiolarienarten stieß, wählte er diese Tiergruppe zur speziellen Bearbeitung aus. Damit war für ihn nun ein fruchtbares Themenfeld gefunden. Es gelang ihm, bis zu seiner Abreise aus Messina 120 neue Radiolarienarten zu identifizieren. Dieses Material nutzte er auf Anraten Gegenbaurs zu einer Habilitationsschrift, die ihm dann seine Anstellung in Jena ermöglichte.

80 Carl Gegenbaur (1826–1903)

Professor für Zoologie und vergleichende Anatomie in Jena

XVIII

81 **Ernst Haeckel**

Aquarell von Capri, 1859

LXXVIII

82 Ernst Haeckel

Aquarell von Rapallo, Villa Porticciolo, 1903

83 Hermann Allmers

1821–1902

Nachdem die Medizinische Fakultät der Universität Jena und die Erhalterstaaten der Universität Haeckels Antrag auf Zulassung zur Habilitation als Privatdozent für vergleichende Anatomie zugestimmt hatten, siedelte Haeckel am 24. Februar 1861 nach Jena über und habilitierte dort schon am 4. März mit einer 16 Seiten umfassenden Arbeit über die Grenzen und Ordnungen der Rhizopoden, die im wesentlichen dem Abschnitt IV seiner 1862 erschienenen Radiolarienmonographie entsprach. Nach seiner am 5. März gehaltenen Probevorlesung *Über das Gefäßsystem der Wirbellosen* war sein Habilitationsverfahren abgeschlossen. So begann Haeckel am 24. April vor neun eingeschriebenen Hörern seine zoologische Lehrtätigkeit. Am 3. Juni 1862 wurde er zum außerordentlichen Professor für Zoologie ernannt und konnte nun den Ordinarius Gegenbaur in diesem Tätigkeitsfeld entlasten. Zwei Tage später wurde Haeckel zusätzlich in das Amt des Direktors des Großherzoglichen Zoologischen Museums eingeführt.

Noch im gleichen Jahr erschien die seinen Ruf als genialer Morphologe begründende Radiolarienmonographie (Abb. 87–90). Führende Naturforscher wie Rudolph Leuckart (1822–1898), Franz von Leydig oder der englische Darwinist Thomas Henry Huxley (1825–1895) sprachen öffentlich ihre Bewunderung und Anerkennung aus. Aufgrund dieser Leistung wurde Haeckel dann schon am 20. Dezember 1863 in die Kaiserlich Leopoldino-Carolinische Deutsche Akademie der Naturforscher aufgenommen, und nur zwei Monate später wurde ihm auf Anregung des seinerzeitigen Präsidenten Carl Gustav Carus (1789–1869) die höchste von dieser Akademie zu vergebende Auszeichnung, die goldene Cothenius-Medaille, verliehen. Haeckel, der Vorkämpfer des Darwinismus, hatte damit als Zoologe reüssiert.

Haeckels Radiolarienmonographie blieb in seiner Forschergeschichte aber keine Einzelerscheinung. Haeckel war nicht nur der streitbare Darwinist und Biophilosoph. Als Wissenschaftler war er vor allem Taxonom und Systematiker. Er beschrieb in einer umfassenden Analyse eine Fülle verschiedener Meerestiergruppen.[35] 1872 erschien die dreibändige Monographie *Die Kalkschwämme*, 1879 und 1880 veröffentlichte er sein *System der Medusen*. 1887 publizierte er den zweiten Teil seiner Radiolarienmonographie, in dem er einen Grundriss der allgemeinen Naturgeschichte dieser Tiergruppe vorlegte. Und schließlich bearbeitete Ernst Haeckel für die Tiefsee-Expedition der HMS Challenger die Gruppen der Staatsquallen, der Tiefseemedusen, der Tiefseeschwämme und – natürlich auch – der Radiolarien. Die Vielfalt der Formen, die er so zusammenstellte, systematisierte, beschrieb und identifizierte geht ins Unermessliche, seine Systematik war richtungsweisend und ist – etwa im Bereich der Kalkschwämme, Medusen und Radiolarien – bis heute nicht nur in Reproduktionen seiner exquisiten Illustrationen präsent, auch die von ihm mit diesen dargestellten Ordnungsmuster blieben bis heute relevant.

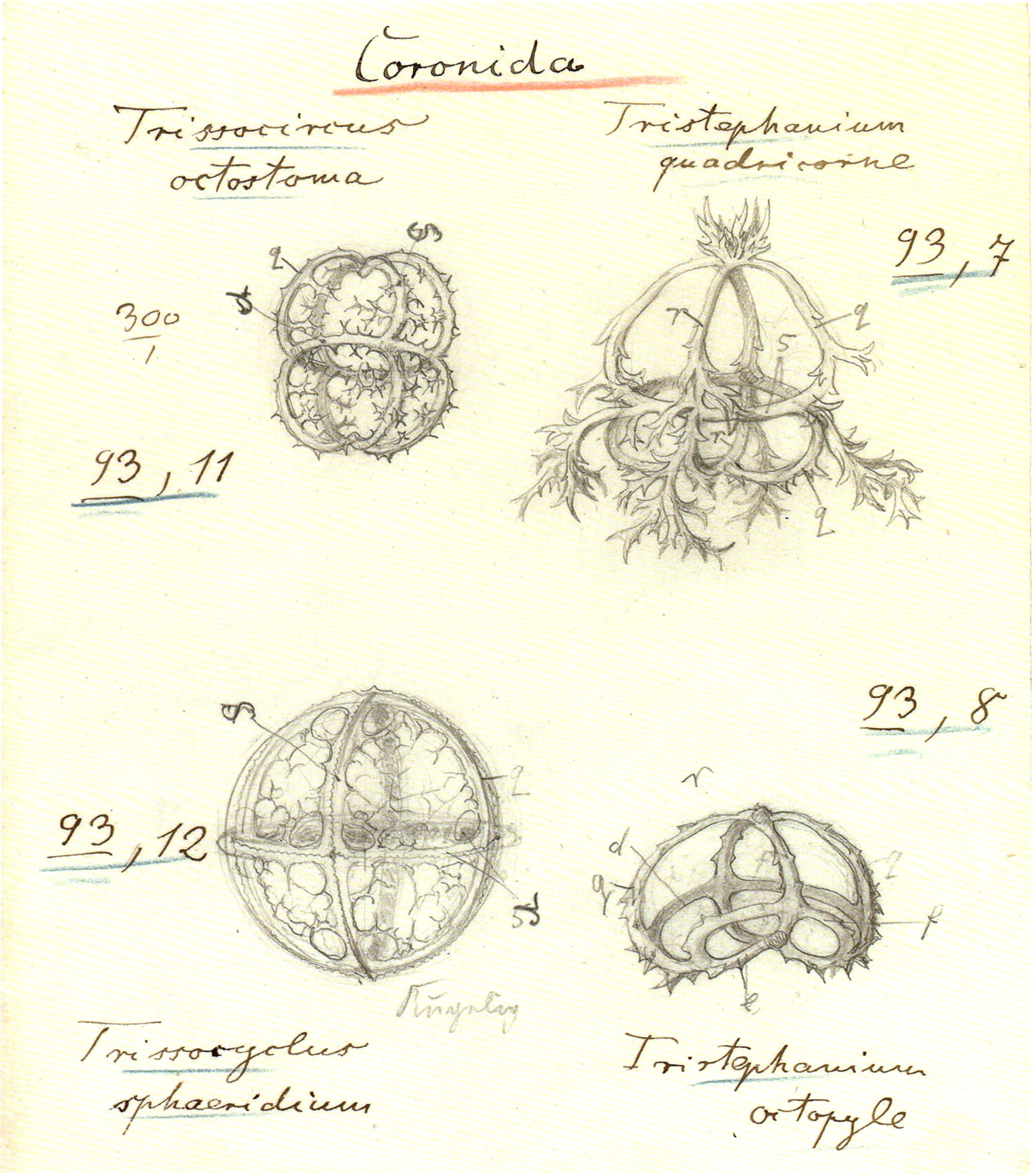

84 Radiolarien

Handzeichnungen, um 1862

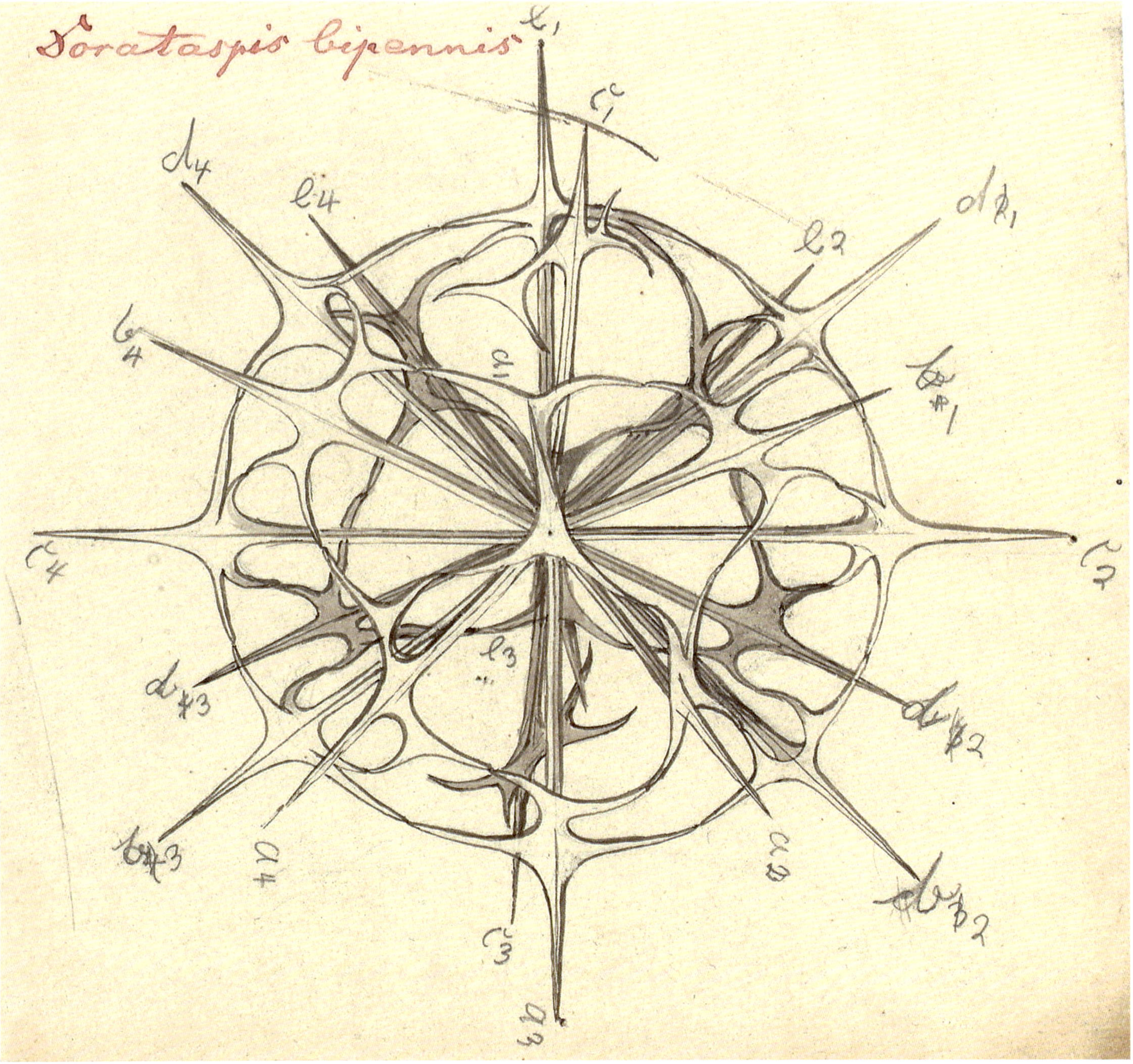

85 Radiolarie

Handzeichnung, um 1860

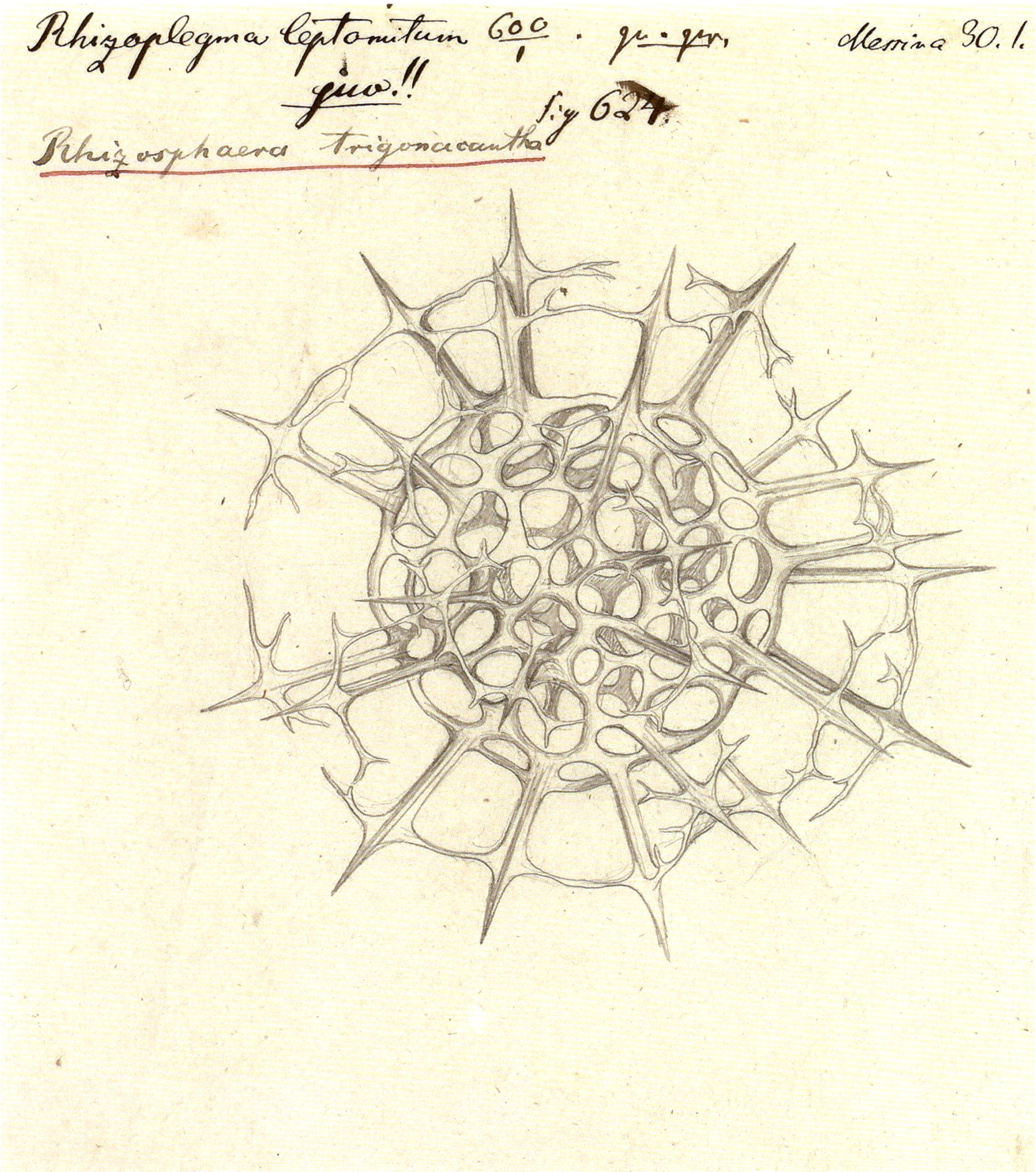

86 Radiolarie

Handzeichnung, 1860

87 »Radiolarien-Atlas«

Tafel VII, 1862

88 »Radiolarien-Atlas«

Tafel XIV, 1862

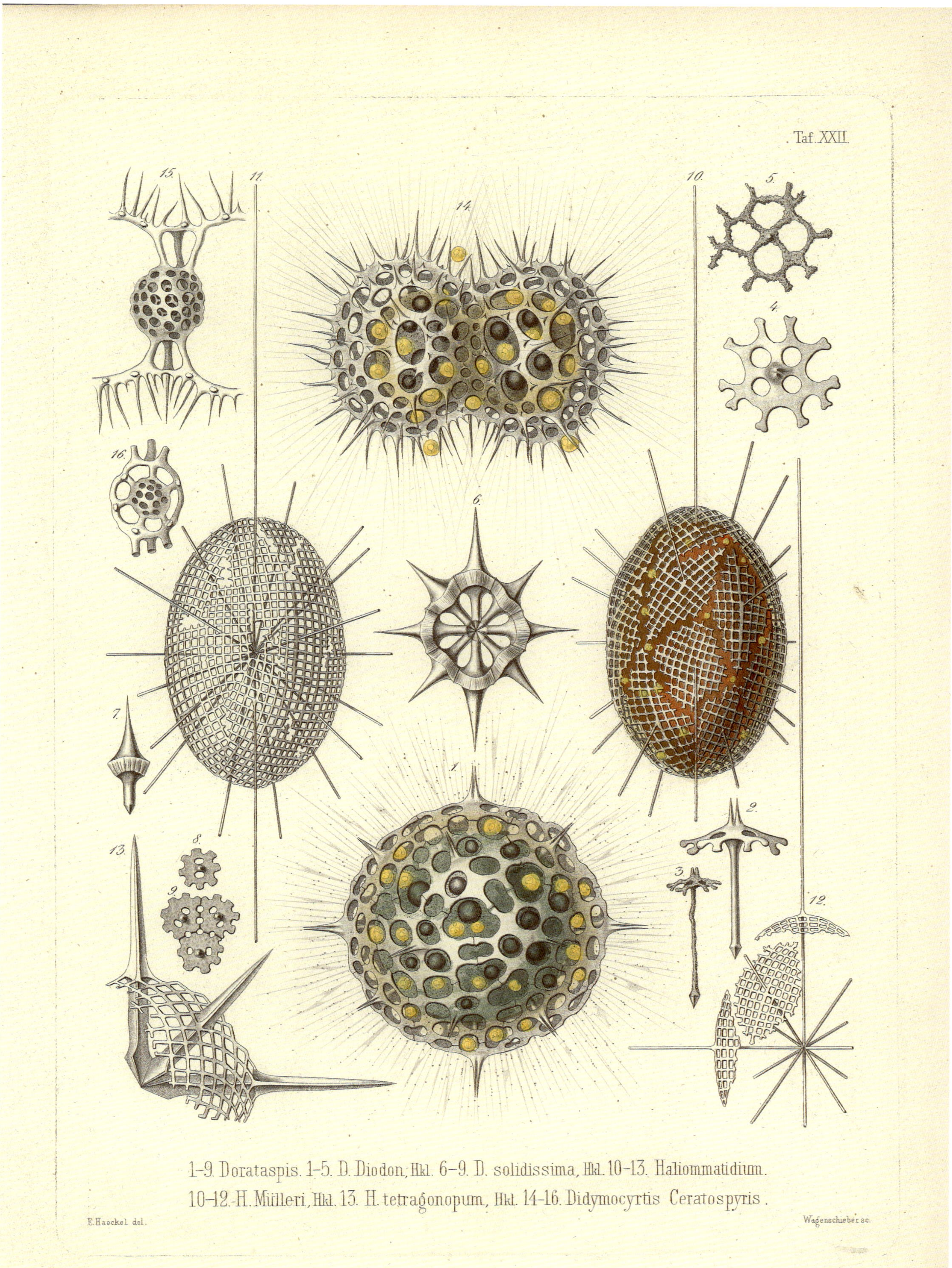
Taf. XXII.
1–9. Dorataspis. 1–5. D. Diodon, Hkl. 6–9. D. solidissima, Hkl. 10–13. Haliommatidium.
10–12. H. Mülleri, Hkl. 13. H. tetragonopum, Hkl. 14–16. Didymocyrtis Ceratospyris.
E. Haeckel del.
Wagenschieber sc.

89 »Radiolarien-Atlas«

Tafel XXII, 1862

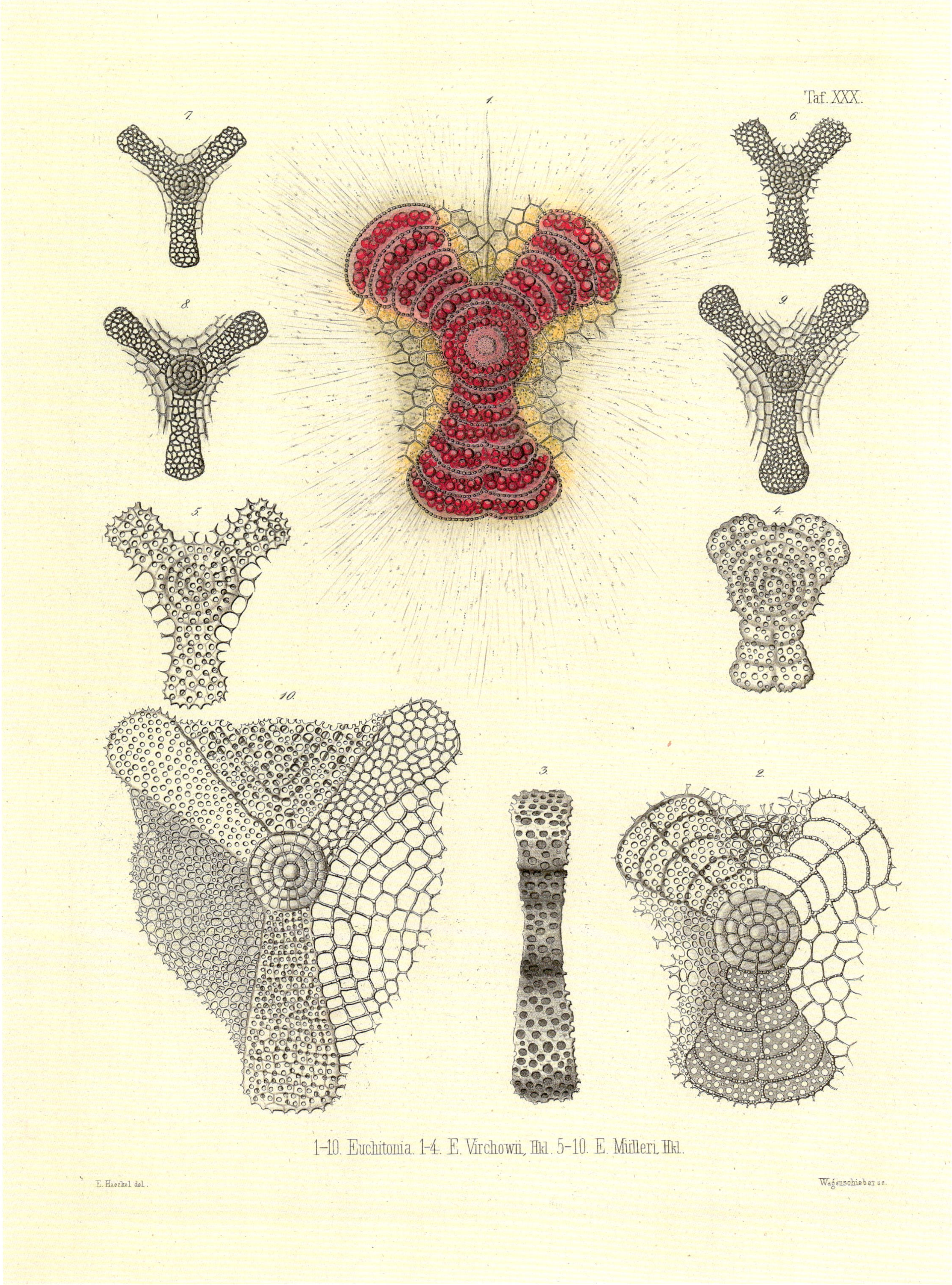

90 **»Radiolarien-Atlas«**

Tafel XXX, 1862

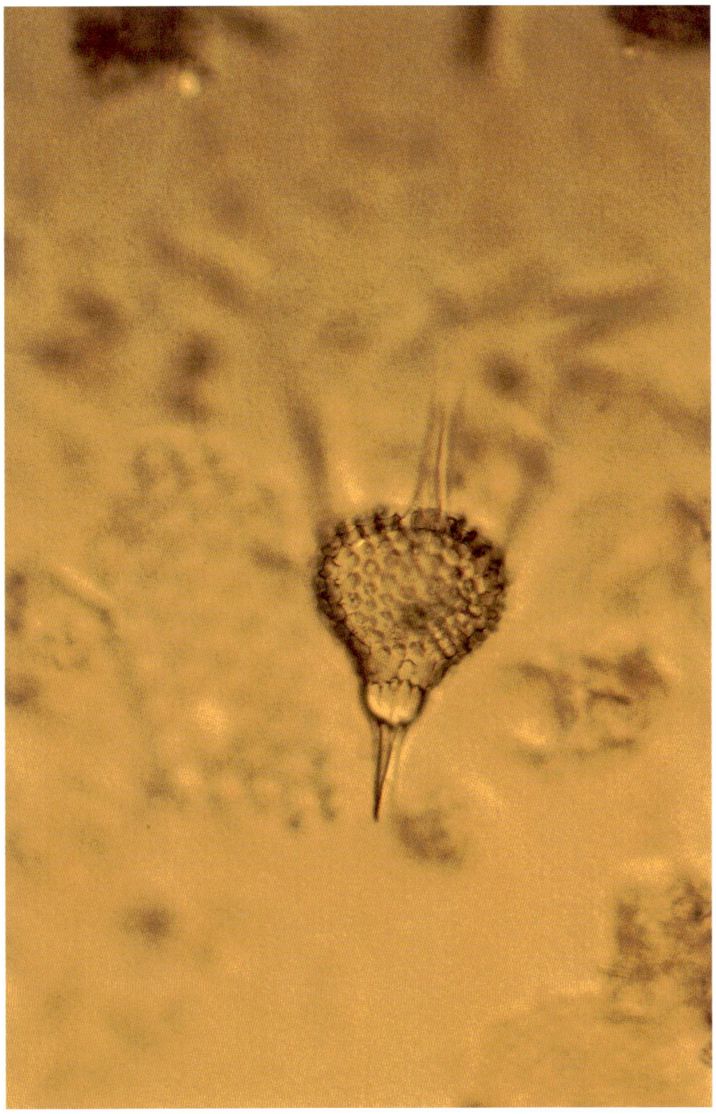

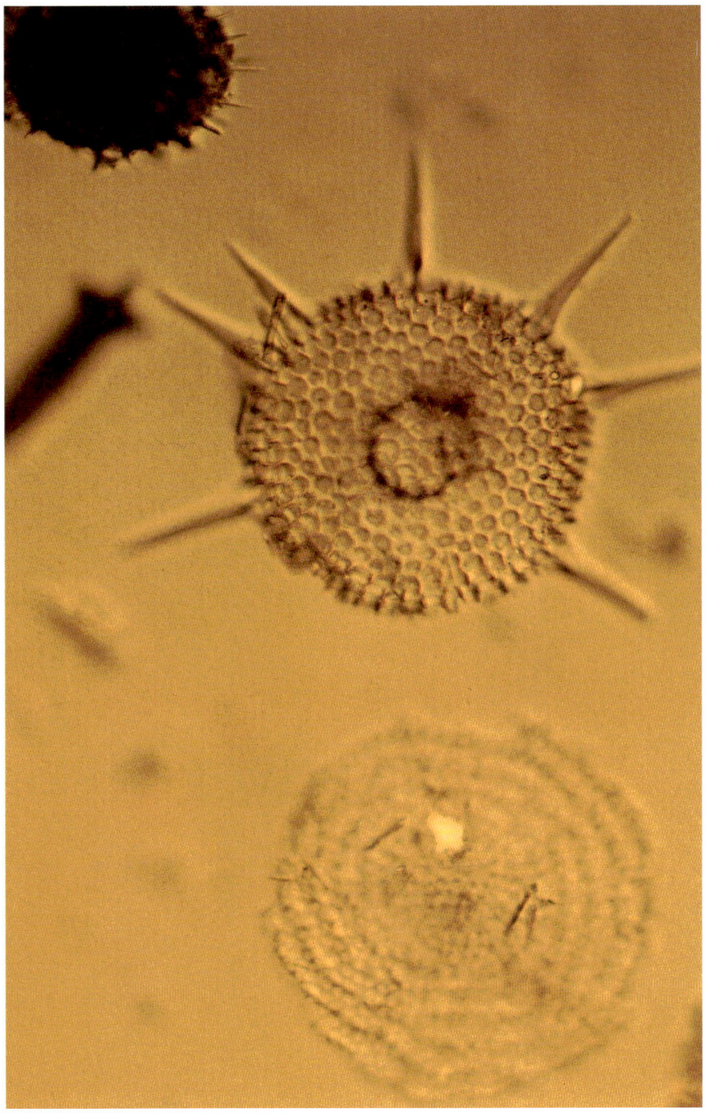

91–94 Messina-Dauerpräparat

Radiolarien, Mikroaufnahmen von Originalpräparaten Haeckels, um 1860

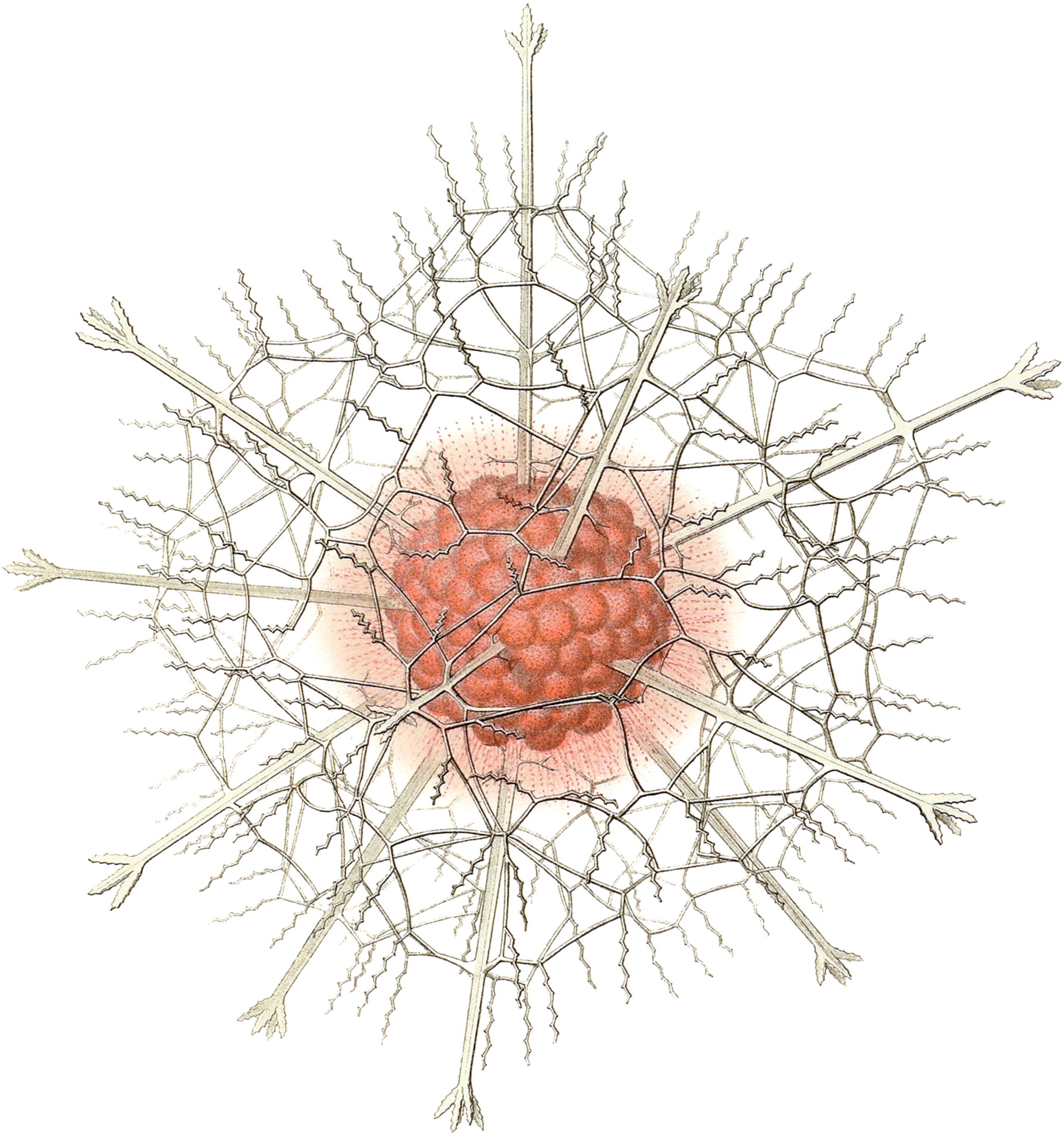

Darwin und Haeckel

Bereits Haeckels Radiolarienmonographie enthält ein offenes Bekenntnis zu Darwins Lehre.[36] Zwei Jahre nach dem Erscheinen besuchte Haeckel Darwin in seinem Heim in Down (Kent). 1876 trifft er dann zu einem zweiten Besuch bei Darwin ein, zu dem er einen offenen Briefkontakt hält und der ihn noch in den 1880er Jahren auch in Fragen der Drittmitteleinwerbung unterstützt. Dabei war der Bezug der beiden Biowissenschaftler keineswegs einseitig. Auch für Darwin war der ihm in seinen weltanschaulich ausholenden Schlüssen und seiner Konsequenz eher unerbittlich und ein wenig vorschnell erscheinende Haeckel wichtig. War in Haeckel doch ein Lehrstuhlinhaber des seinerzeit insbesondere auch in England gut angesehenen deutschen Wissenschaftsbetriebes für seine Idee gewonnen. Somit konnte Darwin in seinem Heimatland darauf verweisen, dass seine Theorie auf dem Kontinent innerhalb der Biowissenschaften diskutiert und keineswegs nur als Weltanschauungslehre gehandelt wurde. Inwieweit sich Haeckel selbst an die in den vorsichtigen Stellungnahmen Darwins durchscheinende geistige Disziplin hielt, ist eine andere Frage. Seine enorme Wirkung insbesondere in den romanischen Ländern – hierauf ist noch zurückzukommen – verdankt sich doch vor allem dieser weltanschaulichen Pointierung, die nun ausgerechtet der Akademiker Haeckel gegenüber dem – zumindest vom Status her – als Dilettant anzusprechenden Charles Darwin setzte.

Dessen epochale, die moderne Evolutionslehre begründende Schrift über die Entstehung der Arten war erst Ende 1859 erschienen. Haeckel selbst war im Sommer 1860 auf diese Arbeit aufmerksam geworden, die er in der soeben erschienenen, von Bronn besorgten Ausgabe las.[37] Darwin zufolge war die Vielfalt der Arten Resultat eines realen historischen Prozesses und nicht eines Schöpfungsaktes. Die verschiedenen Formen standen also in einem genealogischen Bezug. Die Systematik der Formen war demnach Ausdruck eines realen Abstammungsverhältnisses. Dabei entstand die Formvielfalt in einem Prozessgefüge aus Variationen, die in der Produktion neuer Nachkommen zu beobachten sind, und einer natürlichen Zuchtwahl, in der die jeweils besseren Formen sich gegenüber anderen durchzusetzen vermochten und so zur Fortpflanzung kamen. Darwin illustriert diese Idee in seiner Schrift am Beispiel der Neubildung von Haustierrassen. Auch hier werden durch den Züchter zufällig entstandene Merkmalskombinationen selektiert, wodurch neue Formspiele stabilisiert werden, sodass neue Rassen entstehen können. Analog dachte sich Darwin den Formbildungsprozess in der Natur, wobei er allerdings noch das Problem hatte, dass ihm der Mechanismus der Vererbung, über den sich Merkmalsbestände einer Art in der Generationsfolge erhielten, unklar war. Die Darwinsche Evolutionsbiologie kannte noch keine Genetik, sie war zunächst eine rein beschreibende Theorie.

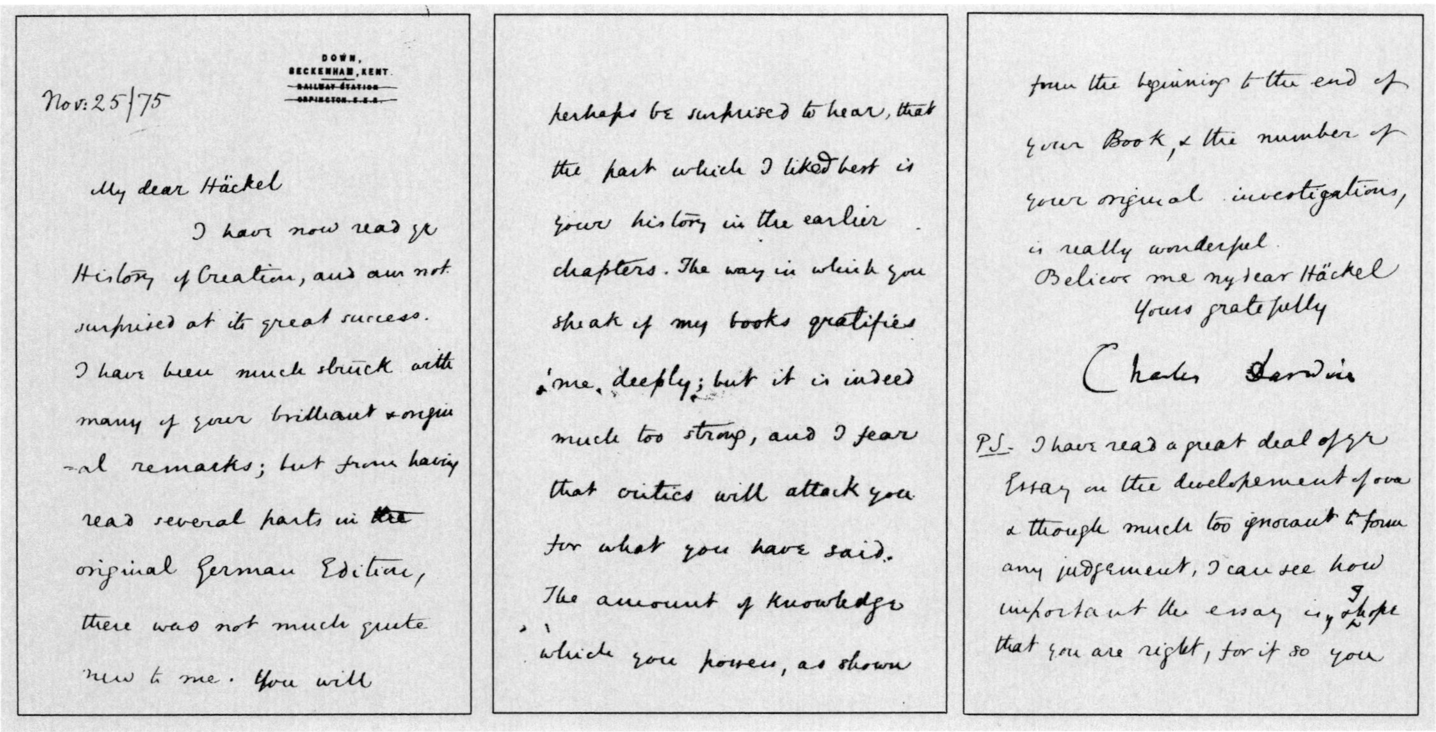

Down, Beckenham, Kent. Railway Station Orpington S.E.R.

Nov: 25/75

My dear Häckel

I have now read yr History of Creation, and am not surprised at its great success. I have been much struck with many of your brilliant & original remarks; but from having read several parts in the original German Edition, there was not much quite new to me. You will perhaps be surprised to hear, that the part which I liked best is your history in the earlier chapters. The way in which you speak of my books gratifies me deeply; but it is indeed much too strong, and I fear that critics will attack you for what you have said. The amount of knowledge which you possess, as shown from the beginning to the end of your Book, & the number of your original investigations, is really wonderful.

Believe me my dear Häckel
Yours gratefully
Charles Darwin

P.S. I have read a great deal of yr Essay on the development of ova & though much too ignorant to form any judgement, I can see how important the essay is, & I hope that you are right, for if so you

95 **Charles Darwin**

Brief an Ernst Haeckel vom 25. November 1875

Haeckel nahm nun den Ansatz Darwins, die Formvielfalt in einer Realgenese entstanden zu denken, auf. Damit bekommt für ihn die klassische Systematik einen neuen Sinn, ohne dass Haeckel neue Methoden einer vergleichenden Anatomie entwickeln muss, die es ihm erlauben würden, die Vielfalt der Formen als evolutiv entstanden zu denken. Insoweit zeigt er sich in seiner praktischen Arbeit als Naturforscher in der Tradition der Methoden und der Fragestellungen des ausgehenden 18. Jahrhunderts. Haeckel modernisiert diese überkommene Naturgeschichte allein durch die Adaptation des Darwinschen Programms. Darin bekommen die mit vormaligen Methoden rekonstruierten Ordnungen der Lebensformen eine neue, für Haeckel wegweisende Bedeutung. Die Strukturähnlichkeiten einzelner Formgruppen sind nicht mehr akzidentell, sie verweisen auf eine den verschiedenen Formen gemeinsame Geschichte. Die Idee eines Natürlichen Systems der Radiolarien hat in diesem Blickwinkel eine eigene, über die Intention der Botaniker in der Nachfolge des Botanikers Karl von Linné (1707–1778), der erstmals solch ein natürliches System proklamierte, weit hinausgehende Bedeutung:

»Ich kann nicht umhin«, schreibt Haeckel, »bei dieser Gelegenheit der hohen Bewunderung Ausdruck zu geben, mit der mich Darwins geistvolle Theorie von der Entstehung der Arten erfüllt hat ... Darwin selbst wünscht, ›dass seine Theorie möglichst vielseitig geprüft werde und blickt namentlich, mit Vertrauen auf junge und strebende Naturforscher, welche beide Seiten der Frage mit Unpartheilichkeit zu beurtheilen fähig sein werden. Wer immer sich zur Ansicht neigt, dass Arten veränderlich sind, wird durch gewissenhaftes Geständniss seiner Ueberzeugung der Wissenschaft einen guten Dienst leisten; denn nur so kann dieser Berg von Vorurtheilen, unter welchen dieser Gegenstand vergraben ist, allmählich beseitigt werden.‹ Ich theile diese Ansicht vollkommen und glaube aus diesem Grunde meine Ueberzeugung von der Veränderlichkeit der Arten und von der wirklichen genealogischen Verwandtschaft sämmtlicher Organismen hier aussprechen zu müssen. Obgleich ich Bedenken trage, Darwins Anschauungen und Hypothesen nach allen Richtungen hin zu theilen und die ganze von ihm versuchte Beweisführung für richtig zu halten, muss ich doch in seiner Arbeit den ersten, ernstlichen, wissenschaftlichen Versuch bewundern, alle Erscheinungen der organischen Natur aus einem grossartigen, einheitlichen Gesichtspunkte zu erklären und an die Stelle des unbegreiflichen Wunders das begreifliche Naturgesetz zu bringen.«[38]

1864 trat Haeckel, der im Wintersemester 1862/63 erstmals ein 15-stündiges Darwin-Kolleg gehalten hatte, nunmehr auch auf der Versammlung Deutscher Naturforscher und Ärzte in Stettin offen für die Darwinsche Lehre ein. Allerdings formulierte Haeckel – wie in England Thomas Henry Huxley – schon in diesem frühen programmatischen Vortrag die Evolutionslehre als Weltanschauung.[39] Er setzte sie dabei in die Tradition der romantischen Naturforschung und benannte mit Jean-Baptiste de Lamarck, Étienne Geoffroy St. Hilaire und Lorenz Oken die zentralen Vorläufer Darwins, die letztlich jeweils in Aspekten die Grundideen einer Naturanschauung Goethes aufgenommen hatten. Diese suchte Haeckel nun mit der Darwinschen Sicht zu vereinen. Ästhetik, im Sinne einer Naturwahrnehmungslehre, war damit von vornherein das methodische Credo des Haeckelschen Darwinismus. Seine berühmte Stettiner Rede, die weniger eine wissenschaftliche Analyse als ein flammendes Glaubensbekenntnis offerierte,[40] zeigt Haeckel in seinem, sein ganzes weiteres Wirken kennzeichnenden Versuch einer großen Synthese zwischen dem Programm des – wie es Kant mit eher negativer Perspektive im Vorgriff formuliert hatte – »Newton des Grashalms«, der mit Darwin gefunden war, und der Naturästhetik Goethes.[41] Damit öffnet sich Haeckel einem Spagat zwischen

96/97 Charles Darwin
1809–1882

dem analytischen Anspruch eines induktiv arbeitenden Naturforschers und der ästhetisierenden Betrachtungsweise in der Nachfolge Goethes. Diese Doppeldeutigkeit eines Forschungsunterfangens, die sich keineswegs einfach auflösen ließ, wurde auch für das Bildprogramm Haeckels kennzeichnend. Er offerierte nicht einfach nur einzelne Dokumente, sondern komponierte eine Bildfolge, die in den einzelnen Tafeln nicht etwa bloß dekorativ gesetzt ist, sondern in diesem Dekor selbst die Aussage einer ästhetisch bestimmten Ordnung des Naturalen vermittelt. In dieser wird das Einzelne nicht einfach als Manifest einer Idee, sondern als in sich bestehendes, und damit in seiner individuellen Tönung bestimmtes Moment eines Prozesses betrachtet, der eben nur an diesem Einzelnen und über das Einzelne darstellbar ist. Insoweit hatte Haeckel Goethe denn auch verstanden und so fühlte er sich derart eins mit Goethe, dass er sich – vielleicht unbewusst – selbst in dessen direkte Nachfolge setzte. Sein Wohnhaus, die »Villa Medusa«, errichtete er – wie er selbst betont – auf dem Lieblingsplatz Goethes in Jena.

Er selbst findet sich im Alter zusehends in Goethe wieder und zeichnet zu guter Letzt die Liebesbriefe, die er mit seiner Seelenfreundin Frida von Uslar-Gleichen austauschte mit: »Dein Wolfgang«.[42] Für die Rezeption der Evolutionslehre in Deutschland hatte diese Identifikation durchaus Bedeutung. Haeckel zufolge war der Darwinismus kein Bruch mit, sondern die Realisierung des Goetheschen Programms. Eine auf dieser Biowissenschaft aufbauende Kultur stand demnach zumindest in der Eigenwahrnehmung Haeckels mitnichten in der Spur eines einfachen Reduktionismus, der eben mit Bezug auf die Biologie die Qualität der Kultur und im Speziellen die Bedeutung der Weimarer Klassik zu leugnen hätte. War doch hier im Verweis auf die Klassik auch in den *Sciences* die Natur gefunden, die Goethe in seinen Kunstwerken beschworen hatte. Diese sublime Vereinnahmung der Kultur in der Biologie begründete zudem eine eigene, auf die Klassik zurückverweisende Linie. Hiermit konnte Jena gegenüber dem Berliner Anspruch punkten, wonach die in der Klassik gründende spezifisch deutsche Kultur schon mit Alexander von Humboldt, spätestens aber mit Hegel und Schelling, nach Berlin getragen worden war und nunmehr dort fortgeführt wurde. Mit Haeckel und seinem Versuch, die Naturphilosophie erneut, aber eben in der Natur neu zu begründen, war in seinem Verständnis das Programm dieser »klassischen« Phase der deutschen Kultur wieder nach Jena zurückgeholt worden. In der offeneren Atmosphäre der Provinz konnte zudem die Aura der Klassik dazu genutzt werden, Neues zum Strahlen zu bringen und so Momente der Klassik im besten Sinne zu »modernisieren«.

Haeckels Mitstreiter, der Leipziger Chemienobelpreisträger Wilhelm Ostwald, der sich gleich Haeckel für eine neue Wissenschaftsreligion auf Grundlage der neuen Resultate der *Sciences* einsetzte, sah sich explizit in der Nachfolge Schellings. Haeckel spannte eine Linie von der Naturphilosophie um 1800 mit Vertretern wie Lamarck oder Oken zu

Darwin. Kulturell wird diese Wiederaufnahme der klassischen Spuren Jena/Weimars durch einen Biologen durchaus auch in den weiteren Horizont des sogenannten »Silbernen Zeitalters« von Weimar zu stellen sein, in dem sehr bewusst die vormalige als klassisch herausgehobene Periode hypostasiert und kanonisiert wurde.

Auch Nietzsches Schwester wählte nach 1900 gezielt diesen Ort, um ihren schon umnachteten Bruder in die rechte Tradition einzubinden. Das Signal, das sich mit dem Bau der Villa Nietzsches mit deren Blick über Weimar (immerhin von van de Velde konzipiert) formulieren ließ, ist das Signal einer Fahnenübergabe von Goethe/Schiller an Nietzsche. Der Architekt der Nietzsche-Villa schuf dort einen sakralen Raum, ein Gefäß für den nur noch verehrbaren, aber nicht mehr selbst wirklich lebendigen Nietzsche. Nietzsche wie Haeckel reklamierten mit ihrer Präsenz in Weimar/ Jena einen Anspruch. Bei Haeckel war es der Versuch, die Positionen der Klassik in die schon disziplinierte Naturwissenschaft des ausgehenden 19. Jahrhunderts zu überführen und damit den Anspruch aufzunehmen, darin die Leitlinien fortzuführen, die mit der Figuration des klassischen Weimars vorgegeben waren. Es war der Anspruch, diese Kultur in der evolutionsbiologischen Konzeption aufgenommen und auf eine neue Ebene geführt zu haben. Auch Nietzsche konstatierte – allerdings eher resignierend – die Konsequenz einer Evolutionslehre, die den Menschen definitiv in die Natur verbannte. Seine Antwort auf diese Provokation jedes Ästheten war mitnichten biologisch eingetönt, sondern resultiert seinerseits in einer sich ins Fatalistische überhöhenden Ästhetisierung der eigenen Existenz, der so ja auch nichts anderes blieb, als nur auf sich selbst zu verweisen. Haeckel proklamierte die Biologisierung des Existenten und verklärte im Gegenzug die Natur zu einem sakralen Raum.

Biographisch ist dabei der Bezug von Nietzsche und Haeckel, die nie einen Brief ausgetauscht haben, dann wieder über die Ästhetik zu finden. Henry Clemens van de Velde, der Architekt von Nietzsches Weimarer Villa, war verheiratet mit Maria Sethe (1867–1947), einer allerdings sehr viel jüngeren Kusine von Haeckels erster Frau.

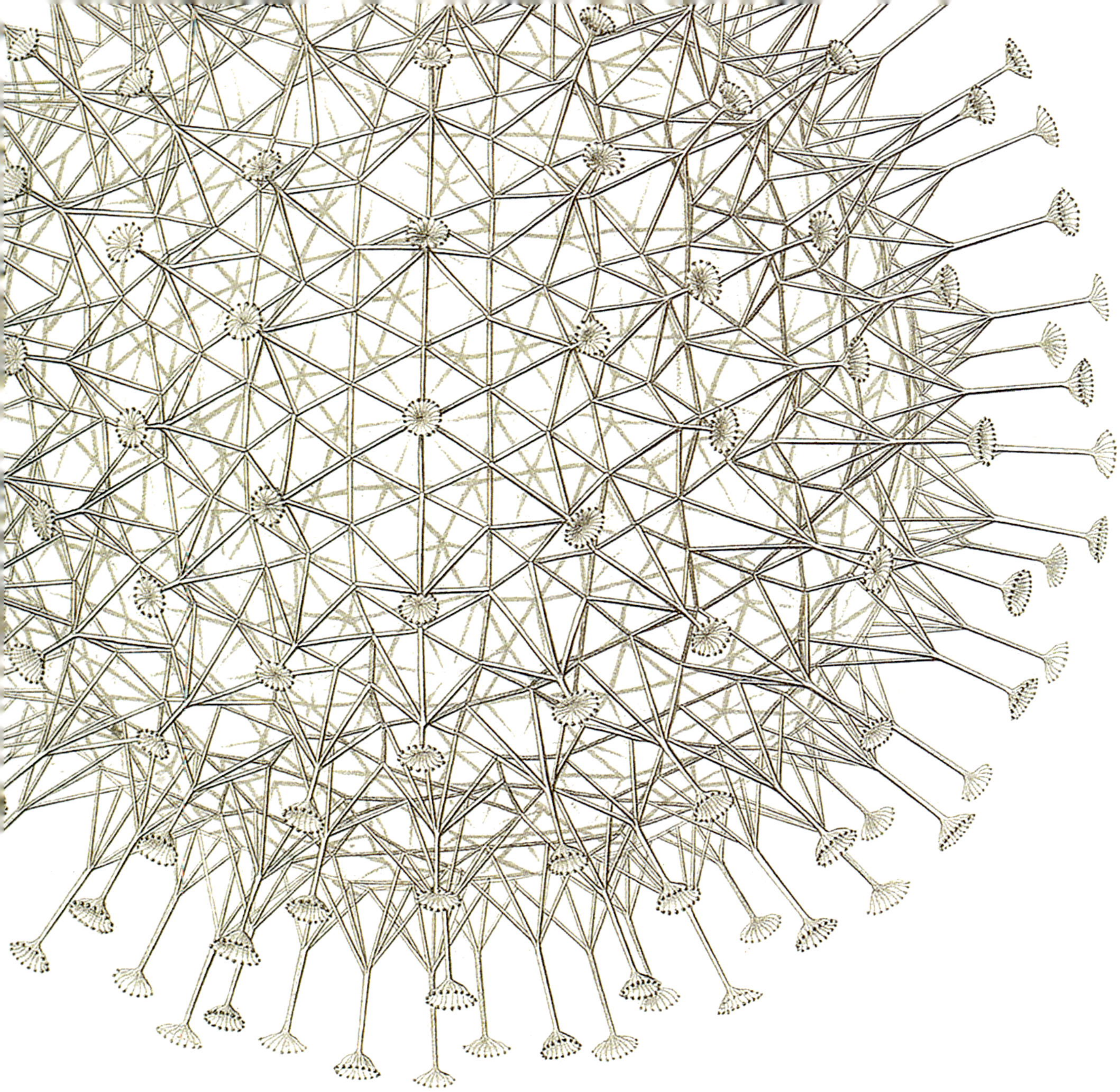

Die Generelle Morphologie von 1866

Phylogenetische Systematik

Haeckels erste Frau, Anna Sethe, starb 1864 an dem Tag, an dem Haeckel die Cothenius-Medaille der Leopoldina verliehen wurde, womit er wissenschaftlich reüssiert hatte. Haeckel war völlig verzweifelt und stürzte sich in die umfassende Arbeit einer vergleichenden Morphologie auf evolutionsbiologischer Grundlage. In wenigen Jahren entstand seine zweibändige *Generelle Morphologie der Organismen*.[43] Diese 1866 erschienene Arbeit enthielt detaillierte Stammbäume der Organismen, mit Einschluss des Menschen. Haeckel entwickelte hier ausgehend von seinen Radiolarienarbeiten die Vorstellung, dass die Entwicklung der unterschiedlichen Baupläne der verschiedenen Tierarten als eine sukzessive Entfaltung sich immer komplexer gestaltender Symmetriebeziehungen zu verstehen sei.

Die Entwicklung der Formen war so in einer sukzessiven Entfaltung von Symmetrieebenen darzustellen. Diese konnten zum einen die einzelne Gestalt insgesamt umfassen – wie bei den Einzellern – oder es waren einzelne Gewebebereiche, die sich nun – im Symmetriegefüge des Gesamtorganismus eingebunden – in solch einem Unterraum des Ganzen weiter entfalteten. So ließ sich etwa die Form der Gehörne von Antilopen, die Struktur der Schuppen bei Fischen oder die Form von Nase und Ohren bei Fledermäusen als Resultat solch einer sukzessiven Ausprägung von Formspezifika beschreiben.

Im Resultat erhielt Haeckel eine Fülle von Formserien, die einander mit Hilfe der in ihnen aufzuweisenden Formverhältnissen zuzuordnen waren. Diese Zuordnungen setzte er nun zugleich in einer Vielfalt von möglichen Entwicklungslinien nebeneinander, verband dabei die Linien, die einander ähnlich waren, und schuf so eine Abstufung von Formspezifizierungen, in denen die realen Verwandtschaftsverhältnisse der verschiedenen Formen ihren Ausdruck fanden. Haeckel entwickelte daraus Verzweigungsdiagramme, in denen die Verwandtschaft der Lebensformen als Ausdruck genealogischer Beziehungen in einem sich über die Zeit fortlaufend differenzierenden Formgefüge interpretiert wurde.

So entstand eine Folge von Stammbäumen, in denen in einer weit ausholenden Geste die Vielfalt aller Lebensformen in ein Ordnungsgefüge eingebunden erschien. Unterfangen wurde diese Gesamtdarstellung der Zuordnung von Lebensformen durch eine Art organischer Kristallographie. Analog der »Krystallographie« des Anorganischen rekonstruierte Haeckel die Architekturen der tierischen Körper, auf die sich deren verwickelte äußere Formen zurückführen lassen.[44] So ergab sich ein System der organischen Grundformen. Die insoweit anschaulichen Symmetriebeziehungen werden zur Richtschnur einer Zuordnung von Großgruppen. Diversifikationen dieser Symmetriebeziehungen erscheinen als kleinräumige Gliederungsmomente innerhalb dieser

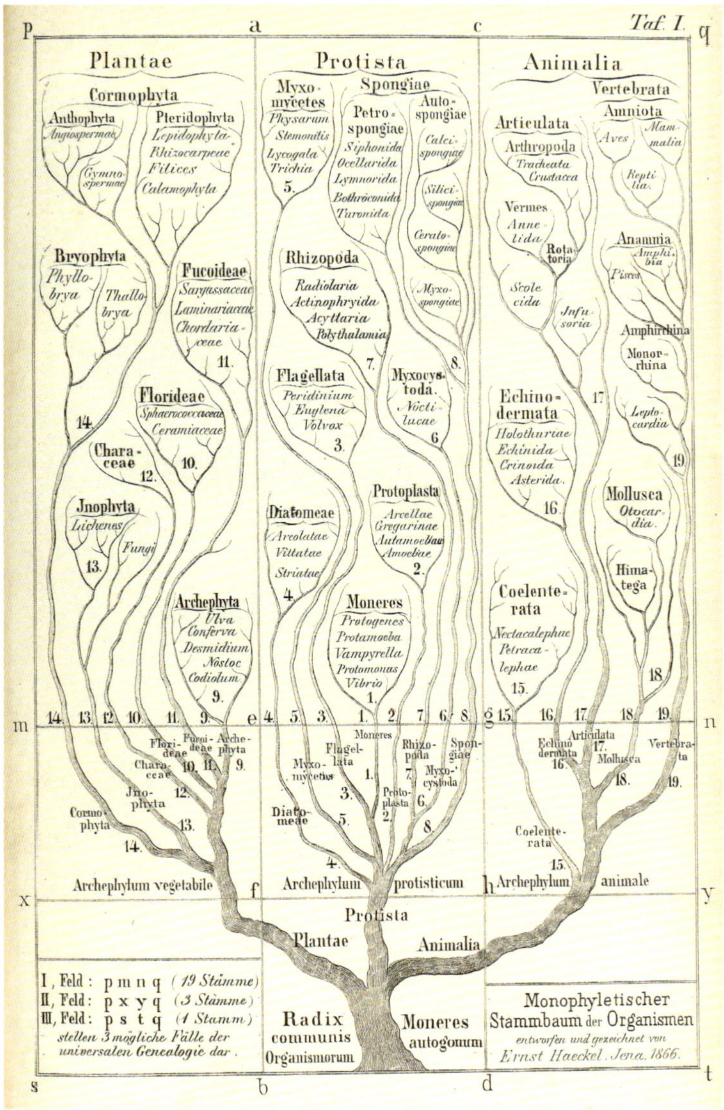

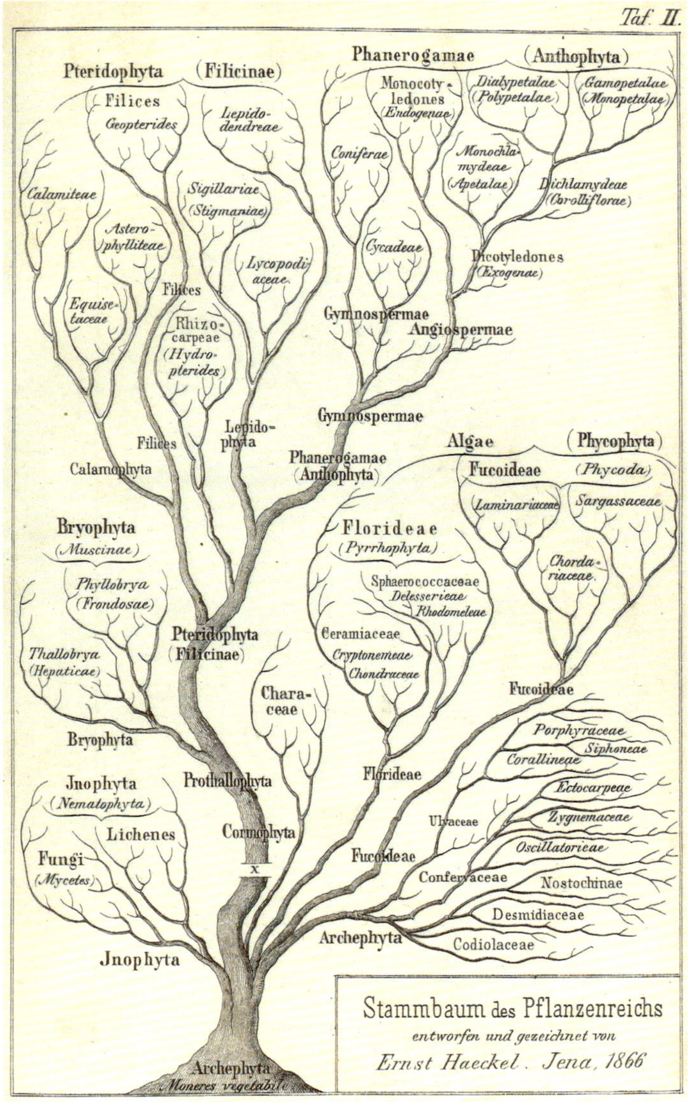

98 **»Generelle Morphologie der Organismen«**

Monophyletischer Stammbaum der Organismen, Tafel I, Bd. 2, 1866

99 **»Generelle Morphologie der Organismen«**

Stammbaum des Pflanzenreichs, Tafel II, Bd. 2, 1866

Grundsystematik der so gefundenen organischen »Krystallisationen«.[45] In der Vielfalt der so zu findenden Konstellationen explizierte sich für Haeckel die Evolution des Organischen.

Haeckel suchte dabei an Goethes Vorstellung einer Morphologie der Natur anzuknüpfen und diese mit dem Vorstellungsansatz Darwins zu synthetisieren. Goethe zufolge war die Natur als ein Gesamtprozess zu verstehen, der sich in einzelnen Formen materialisierte, in denen so aber immer nur Portionen des der Natur Möglichen ins Leben gesetzt wurden. Natur war das Ganze dieser sich ins Leben setzenden Formen. Die Serialität der verschiedenen Formen, die Goethe in seiner Metamorphose der Pflanzen beschrieb, war nichts als die Manifestation eines Prozesses. Dieser dokumentiert sich in den ontogenetischen Stadien, und nicht nur in der höchsten Form des der Natur Möglichen, dem Menschen, sondern erscheint in der Vielfalt seiner Realisationen als das, was Natur ist.

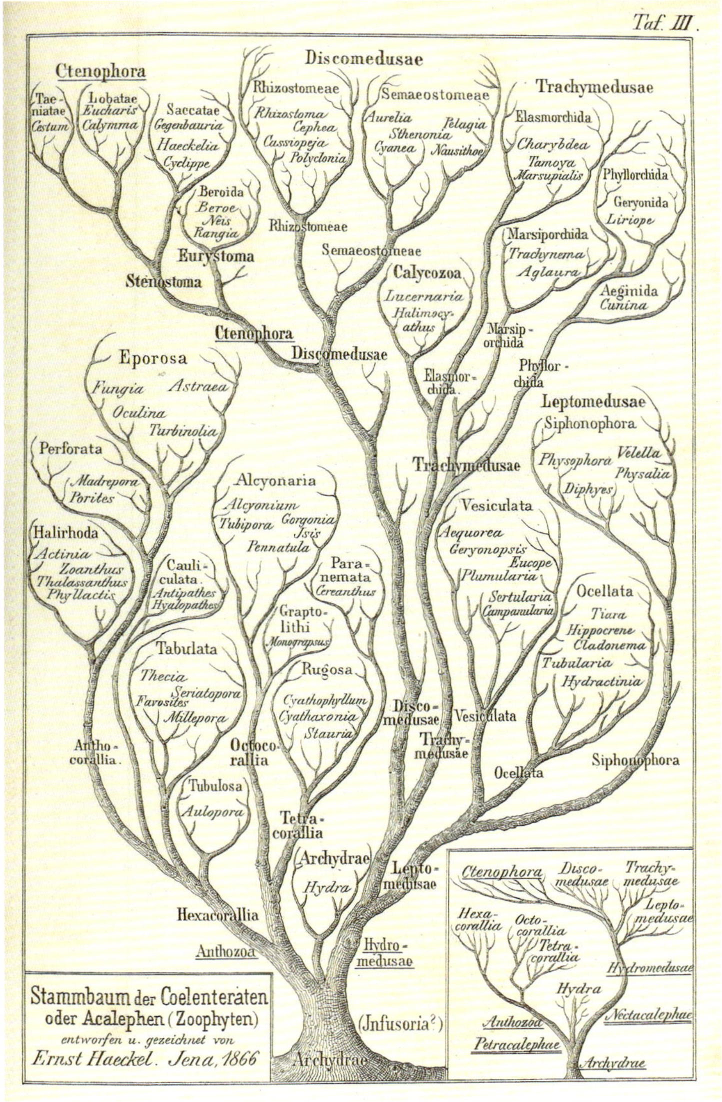

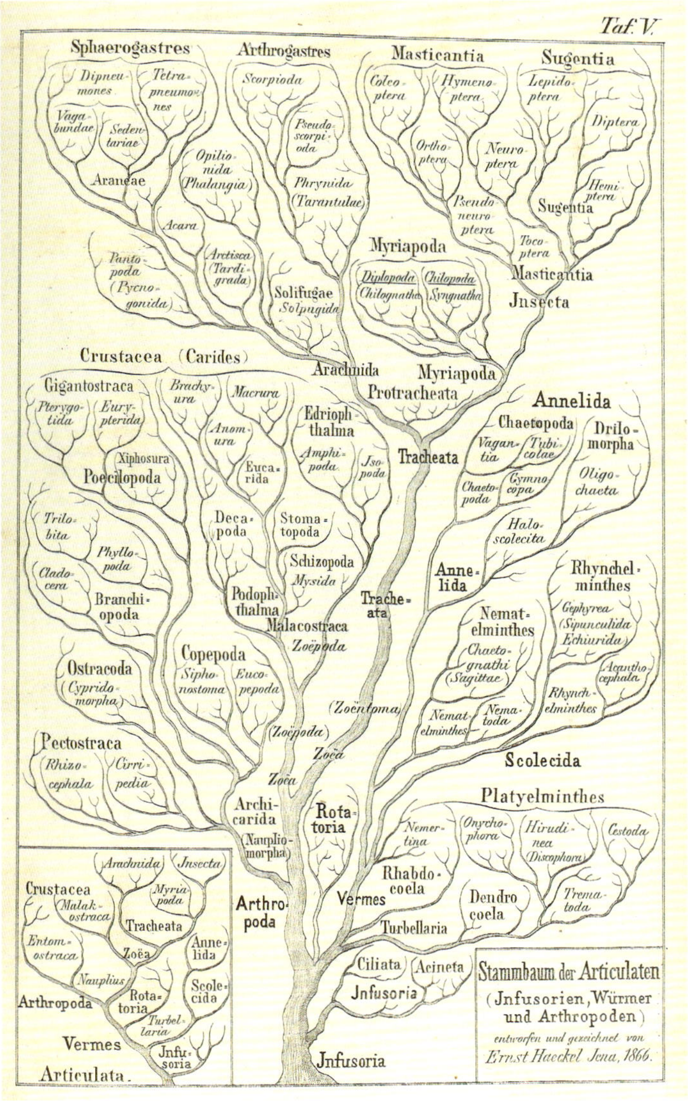

100 »Generelle Morphologie der Organismen«

Stammbaum der Coelenteraten oder Acalephen (Zoophyten), Tafel III, Bd. 2, 1866

101 »Generelle Morphologie der Organismen«

Stammbaum der Articulaten (Infusorien, Würmer und Arthopoden), Tafel V, Bd. 2, 1866

Goethes Formreihen sind demnach Darstellungen des der Natur Möglichen. Ihre Zuordnungen explizieren die natürliche Ordnung, in der sich die Natur selbst zur Erscheinung bringt. Haeckel suchte nun diese Abfolge der Formen einer sich derart in unserer Anschauung explizierenden Natur als Realgenese der Natur im Sinne der Vorstellungen Darwins zu deuten. Wie für Goethe lieferte dabei allein die Anschauung für Haeckel den Beweis für die Möglichkeit der Zuordnung seiner Formen. Die Möglichkeit, solch eine Ordnung aufzustellen, zeigte ihm diese Ordnung als Realität. Dass eine solche Vorstellung problematisch ist, ist einsichtig. Haeckel stand vor dem Problem, begründen zu müssen, warum aus dieser Vorstellung nicht ein typologisches Naturkonzept sensu Goethe, sondern die Vorstellung einer Entwicklungsmechanik des Naturalen sensu Darwin folgen musste. Haeckel argumentierte, dass er eine Folge von Abstufungen rekonstruieren konnte, die sich unschwer mit den Vorstellungen Darwins in Deckung bringen ließ. Seine Abbildungen zeigten, wie die Vielfalt der Formen so in eine Ordnung gebunden war. Diese Ordnung war ihm schlicht anschaulich.

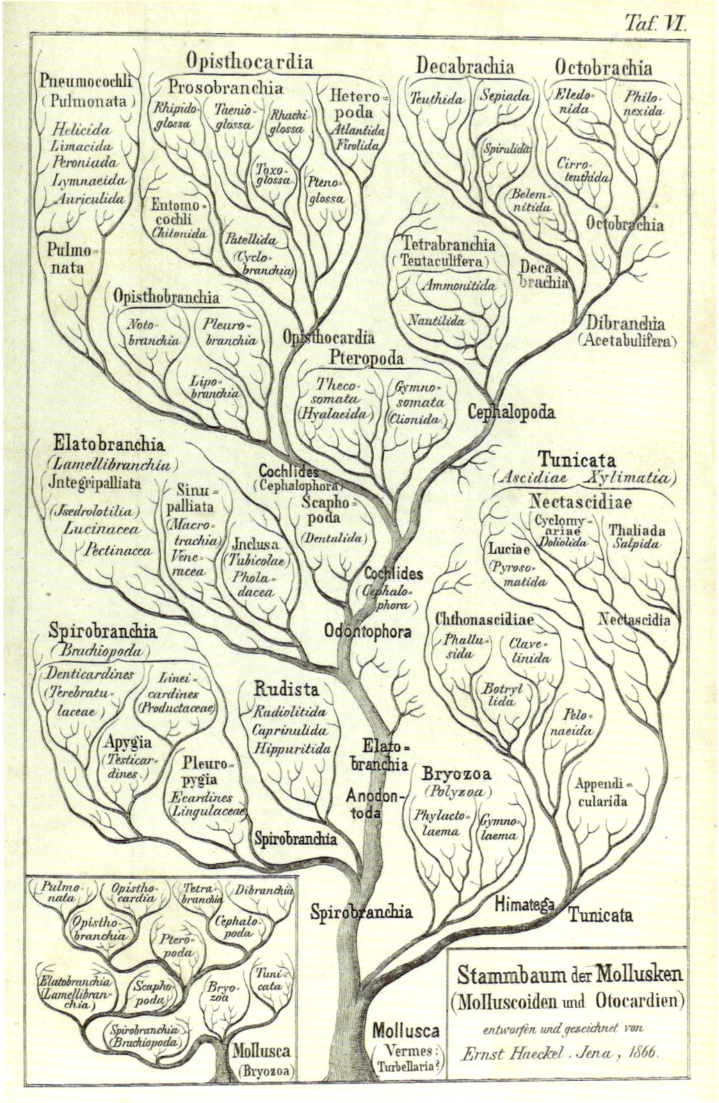

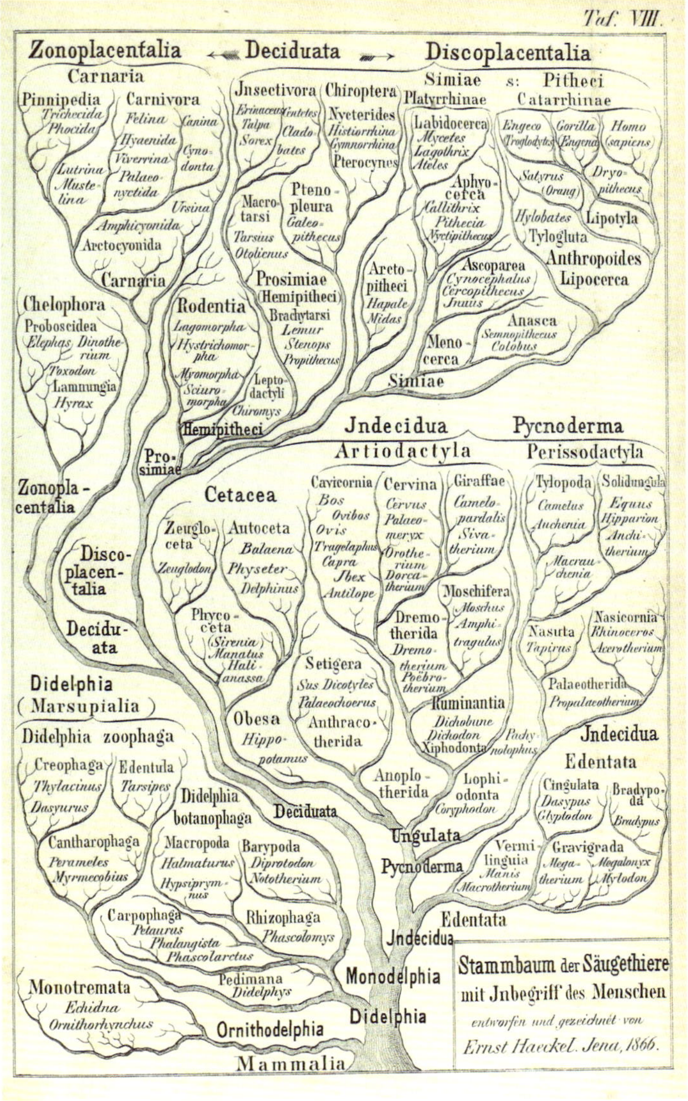

102 »Generelle Morphologie der Organismen«

Stammbaum der Mollusken (Molluscoiden und Otocardien, Tafel VI, Bd. 2, 1866

103 »Generelle Morphologie der Organismen«

Stammbaum der Säugethiere mit Inbegriff des Menschen, Tafel VIII, Bd. 2, 1866

»Die Morphologie oder Formenlehre der Organismen«, so schrieb Haeckel 1866, »ist die gesammte Wissenschaft von den inneren und äusseren Formenverhältnissen der belebten Naturkörper, der Thiere und Pflanzen, im weitesten Sinne des Wortes. Die Aufgabe der organischen Morphologie ist mithin die Erkenntniss und die Erklärung dieser Formenverhältnisse, d.h. die Zurückführung ihrer Erscheinung auf bestimmte Naturgesetze«.[46] Es gilt Ähnlichkeitsbeziehungen aufzuweisen und eine Vielfalt in einen Ordnungszusammenhang zu bringen. Die ohne erkennbare Ordnung durcheinander gewirbelten Steine oder sonstigen Kleinstformen des Ausgangsbildes eines Kaleidoskops erscheinen in der Wiederholung ihrer Positionen zueinander nicht mehr als Resultat einer rein zufälligen Streuung. Wird diese Vielfalt gespiegelt, ergeben sich Ordnungen; in der so gewonnenen Zuordnung erscheint die im Einzelnen noch einfach gestreute Zusammenstellung als eine Textur, als etwas, das einen Ordnungszusammenhang konstituiert. Es lässt sich nun in immer wiederkehrenden Spiegelungen ein immer komplexeres Gefüge von Zuordnungsmustern aufstellen, in denen sich die Ursprungs-

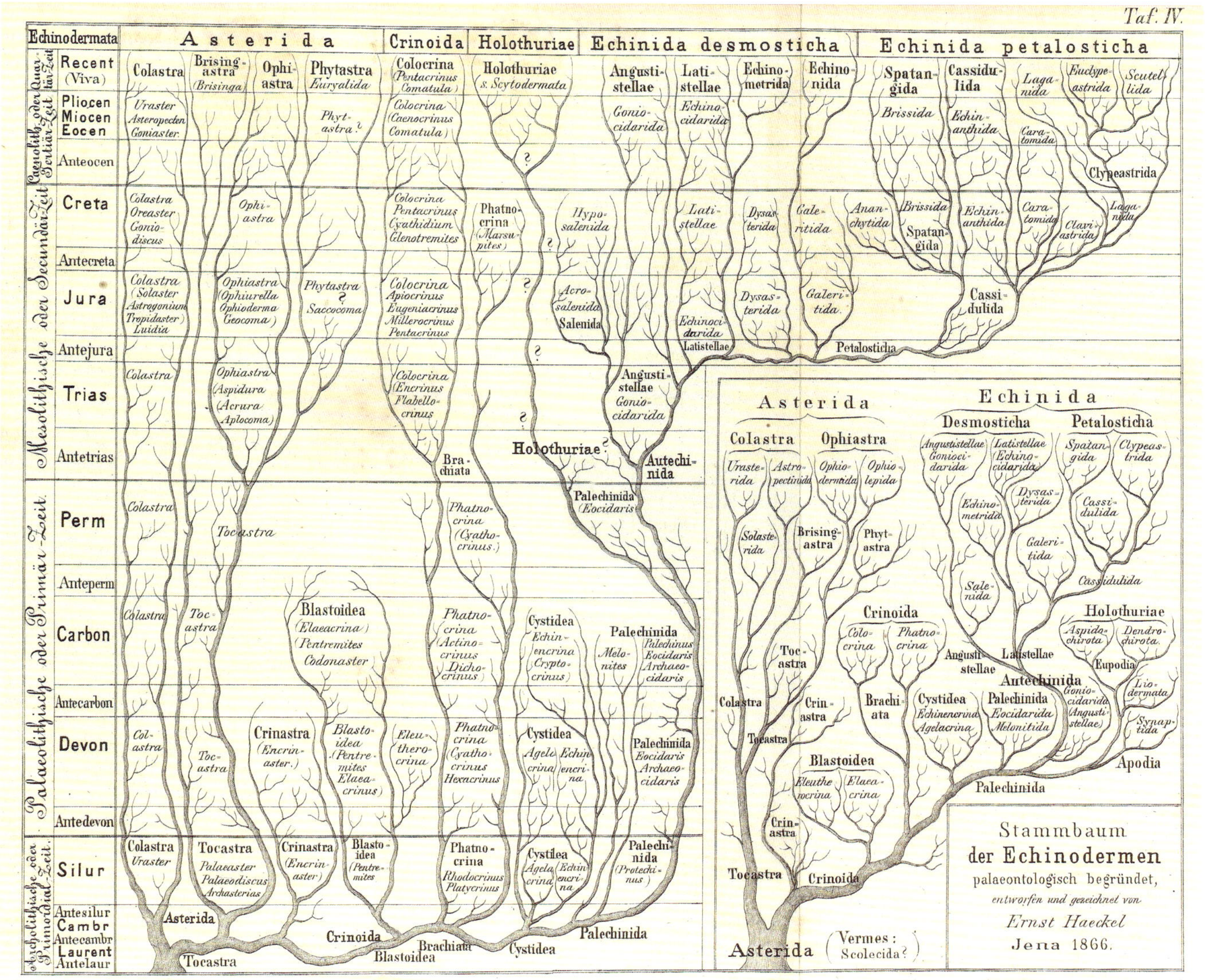

104 »Generelle Morphologie der Organismen«

Stammbaum der Echinodermen, Tafel IV, Bd. 2, 1866

konstellation zusehends differenziert. Schon in der bloßen Vervielfachung eines rein zufällig entstandenen, d.h. akzidentellen Gefüges erscheint so Ordnung.

Analog verfährt Haeckel. Er rekonstruiert in den Spiegelgefügen der sich in Symmetrien findenden Gestaltmuster die Gesetzmäßigkeiten einer sich sukzessive entfaltenden Ordnung des Naturalen. Die erste Anlage, das Grundmuster des auf diese Weise rekonstruierten Spiegelungsprozesses, ist die Grundform dieser so dargestellten Natur. Dadurch, dass sie derart als Beginn einer möglichen Entwicklung identifiziert ist, wird für Haeckel diese Entwicklungsvorstellung zur Realität. Das so identifizierte Einfache wird zu einem Grundgefüge, dessen Beziehungen das offenbaren, was die Natur in ihrer Vervielfältigung ausmacht.

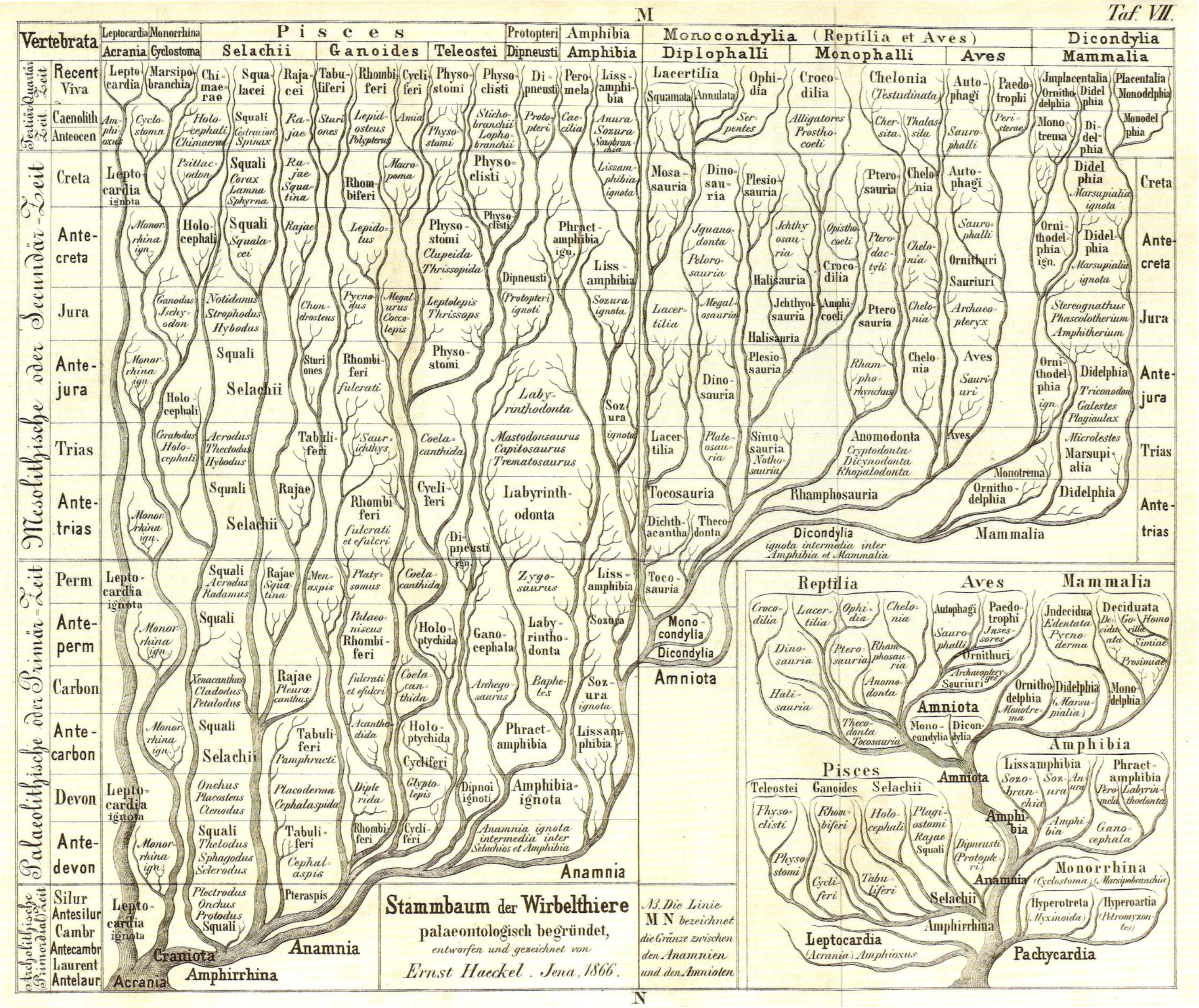

105 »Generelle Morphologie der Organismen«

Stammbaum der Wirbelthiere, Tafel VII, Bd. 2, 1866

Die Symmetrie, die anschaulich gemachte Ordnung, gewinnt für einen Naturhistoriker, der in der Vielfalt der Formen nicht die immer wiederkehrende Reaktion einer Natur, sondern das Kondensat einer Geschichte begreift, besondere Bedeutung. Ist Ordnung im Resultat einer Geschichte doch Ausweis dafür, dass der historische Prozess nicht völlig frei läuft, sondern eine innere Strukturiertheit expliziert. Haeckel ist einer der Hauptvertreter des Darwinismus im 19. Jahrhundert. Er ist also der Vertreter einer Theorie, der zufolge die Naturgestalt Resultat eines geschichtlichen, in seinem Verlauf ungesteuerten, d.h. zufälligen Prozesses ist. Dieser Prozess manifestiert sich aber in Produkten. Diese Produkte sind nicht immer wieder neu, sondern in einer Serie entstanden. In dieser Serie baut ein Objekt auf dem jeweils Neuesten auf. Das Neue erweitert das Alte. Es fügt der alten Ordnung etwas Neues hinzu. Wenn es möglich ist, die Abfolge der Ordnungen vom Einfachen zum Komplizierten aufzuweisen, so ist die Folge rekonstruiert, in der die Ordnung der Lebensformen erwuchs.

In der Darstellung der Formierungsgesetzmäßigkeiten gewann Haeckel das Bild, nach dem die Formvielfalt des Naturalen strukturiert werden konnte. Diese Art der Strukturierung, in der Ähnlichkeitsbeziehungen aufgewiesen und eine Vielfalt in einen Ordnungszusammenhang gebracht wurden, offerierte ihm Gesetzmäßigkeiten. Ein Gesetz war für Haeckel eine Strukturierungsfunktion. Gesetze ermöglichten, da sie in sich eine Ordnung nachstellten, eine Vielfalt von Einzelheiten in einen Zusammenhang zu bringen. Damit waren diese Einzelheiten als Momente eines Ganzen interpretierbar. War dieses Ganze in der Art der Ordnung augenfällig, erschien es – zumindest für Haeckel – auch einsichtig. Derart ins Bild gebracht, wurde das Gesetz in dem in ihm explizierten Ordnungszusammenhang erfahrbar. Die Regularität einer Wahrnehmung trug in dieser – etwas naiven Sicht – schon eine Erklärung in sich.

Symmetrieevolutionen

Ordnung, in der sich eine Vielfalt eingebunden findet, scheint in dieser Perspektive demnach etwas über die Formierungsmöglichkeiten und damit über die Struktureigenheiten der Prozesse auszusagen, in denen sich diese Geschichte ereignet hat. Das Augenfällige selbst demonstriert damit eine Gesetzmäßigkeit, die im Ordnungszusammenhang, d.h. in der Identifikation einer Einzelheit, als Struktur augenfällig zu machen war. Haeckel identifizierte nun Symmetrien in der Gestaltanlage der Organismen, die er in eine Reihe von einfachen zu immer komplexeren Formen zu bringen wusste. Das Modell für eine sich derart an Symmetrieprinzipien orientierende Systematik von Naturformen fand Haeckel in der kristallographischen Darstellung der Mineralogie. Diesem Konzept folgend war nach Haeckel jede Morphologie zu stricken.

Dabei zeigten ihm Symmetrien in ihrer Abfolge einen zunehmenden Grad von Komplexität. In der Darstellung ihrer Abfolge ergaben sich Stufungen von Einfacherem zu Avanciertem. In dieser Stufung bildete sich insoweit eine Klassifikationshierarchie ab. Es gab Grundformen, deren Variation eine Strukturvielfalt erklärbar werden ließ, in der die komplexeren Gestalten als Resultat einer realen Entwicklung gedacht wurden. Gewebe wurden als Kombinationen unterschiedlicher Symmetriekonstellationen beschreibbar. Das Individuum wurde in einer »Lehre von der Zusammensetzung des Körpers aus ungleichartigen Theilen« beschreibbar.[47] Dem derart vorgehenden Wissenschaftler eröffnete sich der Blick auf einen mannigfaltig differenzierten Kristall, der doch in all seinen Spezifizierungen die einfachen Grundformen, aus denen dieses Komplexe entstanden ist, erkennbar bleiben ließ. Durch – wie Haeckel schreibt – soziale Vereinigung mehrerer oder vieler Monokristalle entstehen Kristallvereine. Analog wurden dann auch die Gewebe zu in sich verwachsenen verschiedenartigen Agglomerationen solcher Kristallvereine, die eine Genese aus einfacheren Grundformen erklären lassen:

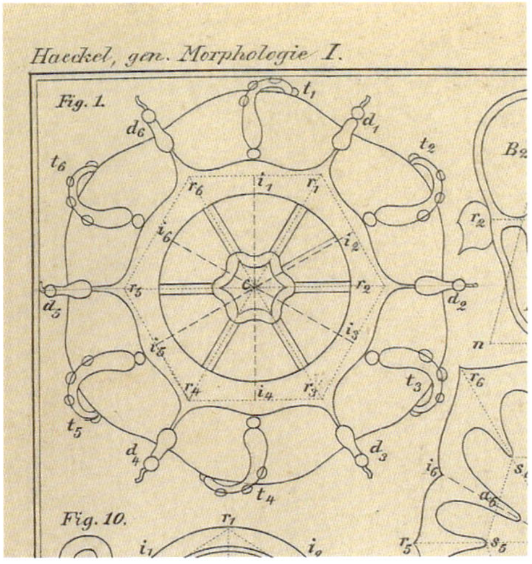

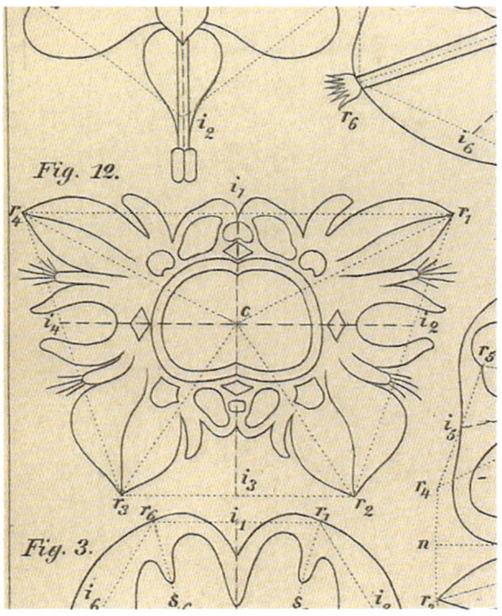

106–108 »Generelle Morphologie der Organismen«

Details aus Tafel I, siehe Abb. 112

»Alle Organismen und alle Anorgane welche unserer wissenschaftlichen Erkenntniss zugänglich sind, zeigen ganz übereinstimmend eine gewisse Summe von ursprünglichen allgemeinen Eigenschaften, welche aller Materie nothwendig inhäriren«.[48] Dies waren nach Haeckel zunächst grundsätzliche Eigenschaften jedes physikalisch darstellbaren Körpers. Dabei zeigte sich auch in der chemischen Zusammensetzung nach Haeckel – und hierin konnte er seinem Lehrer Johannes Müller folgen – keine grundsätzliche Differenz zwischen Organik und Anorganik. Auch seine Form wies den organischen Körper keineswegs als prinzipiell von der Anorganik gesondert aus. Das Lebendige war nur eine Fortschreibung der Grundanlagen der Natur, wie sie im Anorganischen zu finden sind. In seinen Formen war es nicht prinzipiell neu, sondern nur komplexer angelegt. Wir sehen nach Haeckel bei näherer Analyse, dass selbst »der Krystall durchaus kein homogener, in sich gleichartiger Körper ist, wie ein amorphes Anorgan, sondern vielmehr eine innere Structur besitzt, wie der Organismus; und den Theil der Krystallographie, welcher von dieser inneren Structur handelt, könnte man die Anatomie der Krystalle, oder besser noch Tectologie der Krystalle nennen«.[49] Nun setzte Haeckel umgekehrt eine Morphologie der Organismen als eine Art organischer Kristallographie an. Er ging dabei von den einfachsten Formen, den von ihm sogenannten Moneren, aus: Diese sieht er als Grundform einer Formierung von »Krystall-Stöcken«,[50] über die sich sukzessive eine immer komplexere Architektur miteinander verwobener und ineinander gewachsener organischer Kristalle aufbaute. Der Morphologe, der nach den Bildungsgesetzen des Organischen sucht, hatte diese Genese des sich immer komplexer strukturierenden organischen Gefüges aufzuweisen. Er konnte damit die Formtypen des Organischen in eine Reihe bringen, in der nunmehr die Klassifikationshierarchien des Typologen als Resultate einer Verzweigung historischer Prozesse interpretierbar wurden.

Resultat dieses Formspiels des Morphologen Haeckel sind seine Stammbäume, die die Formentfaltung der Organismen nach Art der hier nur in ersten Ansätzen skizzierten organischen »Krystallographie« oder vielleicht besser in der Art der Haeckelschen Symmetrielehre im Aufbau des Organischen widerspiegeln.[51]

Symmetriebeziehungen werden zur Richtschnur einer Zuordnung von Großgruppen. Erschlossen wurde so ein Reich von Symmetrien. Aufgeworfen und ersetzt in immer neu gebrochenen Konstellationen explizierte sich für Haeckel in diesem Kristallreich des Organischen die sich in ihrer Geschichte fortlaufend verbessernde Natur. Die Natur wurde für Haeckel zu einem sich kontinuierlich in seiner Formvielfalt entwickelnden Kristall. Die Gesetzmäßigkeit einer Struktur, die Prozesse ihres Werdens fanden sich derart in der Anschauung der Einzeldinge entdeckt. Ihr Erfassen, die Reproduktion des Erfahrens dieser Dinge setzte für Haeckel den Maßstab jedes Erkennens.

Die sukzessive Differenzierung der Symmetriebeziehungen wäre so das Muster, nach dem die Evolution der Formtypen des Organischen sich vollzogen hatte. Haeckel nahm damit offensiv für eine neue, auf der Grundlage des Darwinismus zu schreibende Biologie, Stellung.

Ein Jahr nach Erscheinen der *Generellen Morphologie* heiratete er erneut, und zwar Agnes Huschke (1842–1915), die Tochter des inzwischen verstorbenen Jenaer Anatomen Emil Huschke (1797–1858). 1868 erschien dann seine populäre *Natürliche Schöpfungsgeschichte*,[52] die bis 1920 allein in der deutschen Ausgabe zwölf Auflagen erlebte. Dieses Werk hat entscheidend zur Popularisierung des Darwinismus beigetragen. 1872 folgte seine Monographie *Die Kalkschwämme*, die seine Vorstellung des sogenannten Biogenetischen Grundgesetzes darzulegen suchte.[53]

109–111 »Generelle Morphologie der Organismen«
Details von Tafel II, siehe Abb. 113

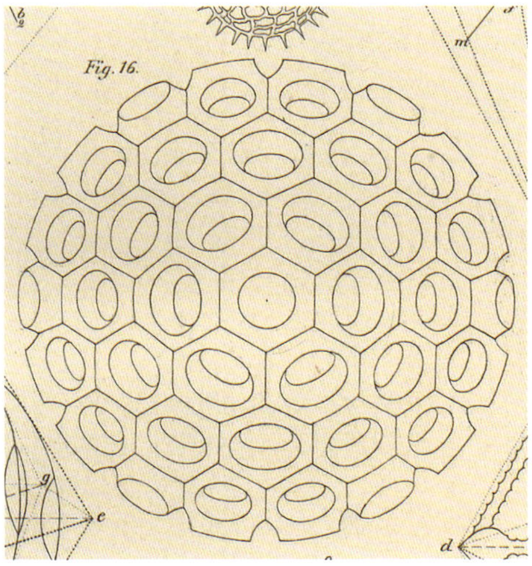

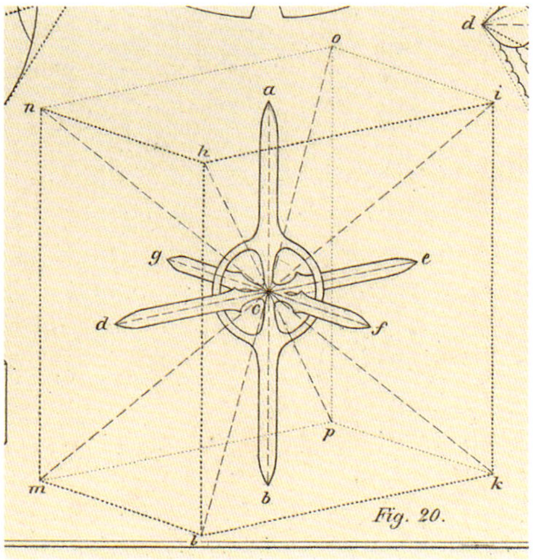

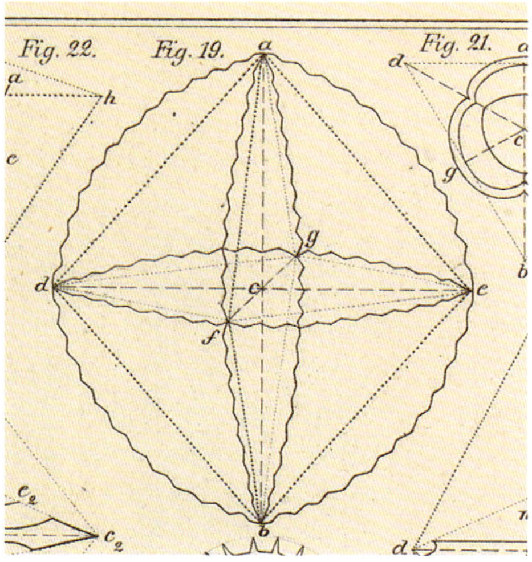

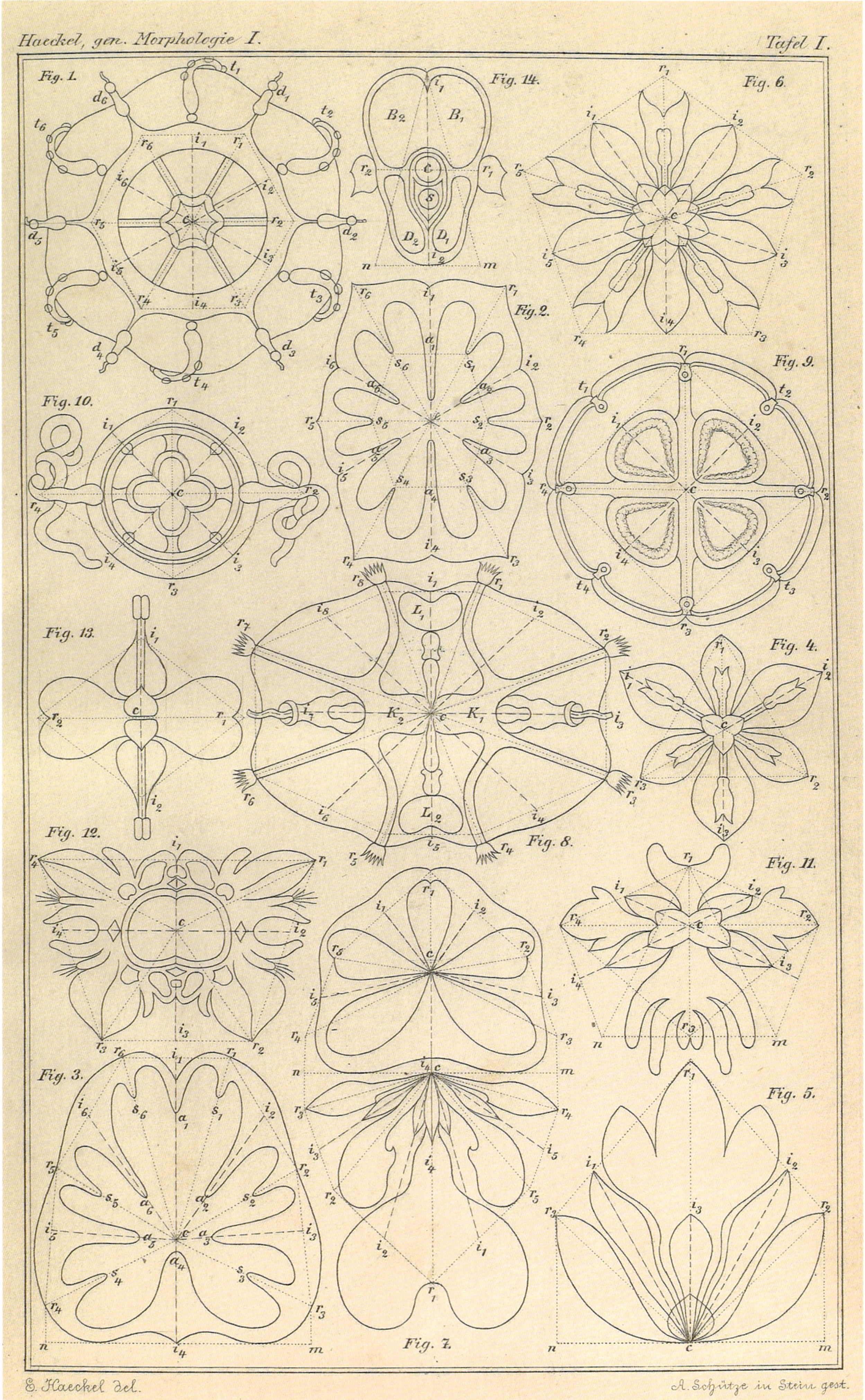

112 »Generelle Morphologie der Organismen«

Ideale Grundformen, *Heteropole Grundformen (Basen von Pyramiden)*, Tafel I, Bd. 1, 1866

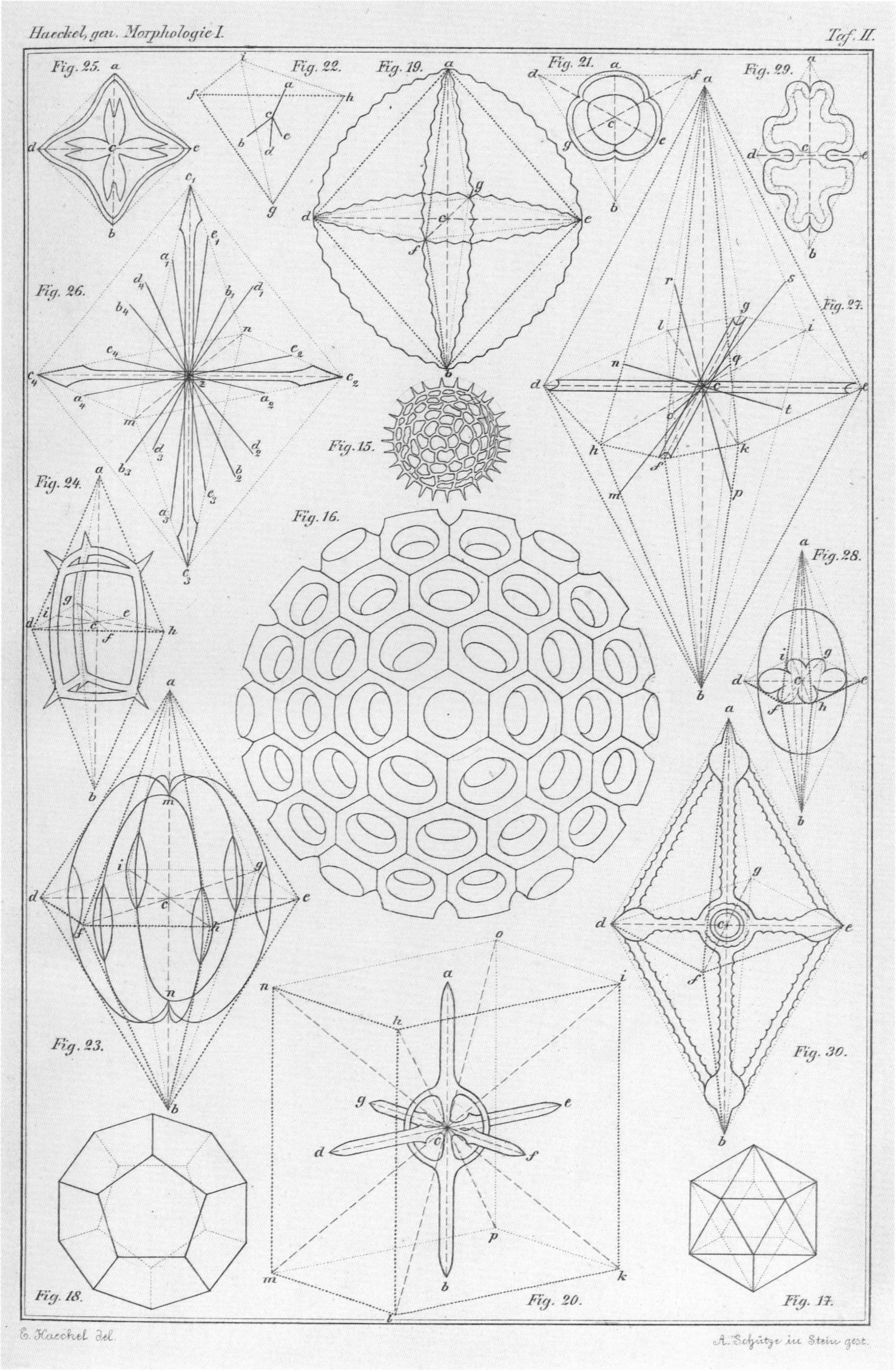

113 »Generelle Morphologie der Organismen«

Ideale Grundformen, *Polyaxonie und homopole Grundformen (Endosphaerische Polyeder und Doppel-Pyramiden)*, Tafel II, Bd. 1, 1866

Das Biogenetische Grundgesetz

Haeckel zufolge war die Entwicklungsgeschichte des einzelnen Organismus, seine Ontogenese, eine Rekapitulation von dessen Stammesgeschichte, der Phylogenese. Auf Grundlage dieses Postulates suchte Haeckel nun im Vergleich der Ontogenesen, die Phylogenese – oder Stammesgeschichte – darzulegen. 1874 erschien sein populäres Werk *Anthropogenie oder Entwickelungsgeschichte des Menschen*.[54] Es folgten weitere Arbeiten, so die *Studien zur Gastraea-Theorie*, in denen er seine schon 1866 geäußerte Grundthese, dass die Stammesgeschichte der Organismen in deren Ontogenese, deren individueller Entwicklungsgeschichte abzulesen sei, weiter ausbaute (Abb. 116–126).

Hier sind die Grundformen der Körperorganisation abzulesen, die zwar im Prinzip schon vor Haeckel formuliert waren, nun aber prägnanter umschrieben und ins Bild gesetzt wurden. So fanden sich hier zum einen die Muster der Illustrationskultur der Schulbiologie, zum anderen aber auch in derart plastischer Darstellung die noch nicht genetisch unterstützte Evolutionsbiologie – in den Augen vieler Fachkollegen das zentrale Argument für die Akzeptanz der Evolutionslehre. Haeckel ging dann auch schnell so weit, seine Vorstellung von der Parallelisierung der Stammesgeschichte und der individuellen Lebensgeschichte als »Biogenetisches Grundgesetz« zu formulieren. Die Idee, dass die Stammesgeschichte in der individuellen Lebensgeschichte des Organismus wiederholt würde, der Organismus also in seiner individuellen Entwicklung seine Stammesgeschichte rekapituliere, war die Grundaussage des Haeckelschen Biogenetischen Grundgesetzes. In der Situation der Biowissenschaften vor 1900 wurde, zumindest in der Auffassung Haeckels, das Postulat dieser Gesetzmäßigkeit zentral für einen Begründungsversuch der Evolutionsbiologie. Zwar hatte Mendel nahezu zeitgleich mit Darwin seine Vererbungsgesetze entdeckt. Diese blieben jedoch bis nach 1900 der Forschung nahezu unbekannt. Zudem war mit den Vererbungsregeln noch nicht die Erbsubstanz charakterisiert, die als Träger solcher Vererbungsvorgänge anzunehmen war. So war es auch noch nicht möglich, den Vererbungsprozess als chemische Reaktion, und damit im strikten Sinne mechanistisch zu verstehen. Folglich stand die Evolutionsbiologie vor dem Problem, allein damit argumentieren zu können, dass durch sie die Systematik der Lebensformen konsistenter begründet werden konnte. Diese Begründung war aber keineswegs zwingend, zumal die evolutionsbiologisch fundierte Systematik keine eigene Methodik entwickelte, sondern weiter auf der überkommenen Systematik aufbaute, an die sie nahtlos anschloss. Das bedeutete, die Evolutionsbiologie war nicht konstitutiv für eine entsprechende Systematik. Was machte es zwingend, sie als zusätzliche Theorievorgabe mitzuführen und nicht – stattdessen – einfach wegzulassen? Was blieb, war das Material der Paläontologie. Aber auch hier war die Befundlage keineswegs eindeutig. Kennzeichnend ist, dass sich etwa in der deutschen Paläontologie die Evolutionslehre erst nach dem ersten Drittel des 20. Jahrhunderts durchsetzte und noch bis in die 1950er Jahre Paläontologen einen antidarwinistischen Darstellungsansatz verfolg-

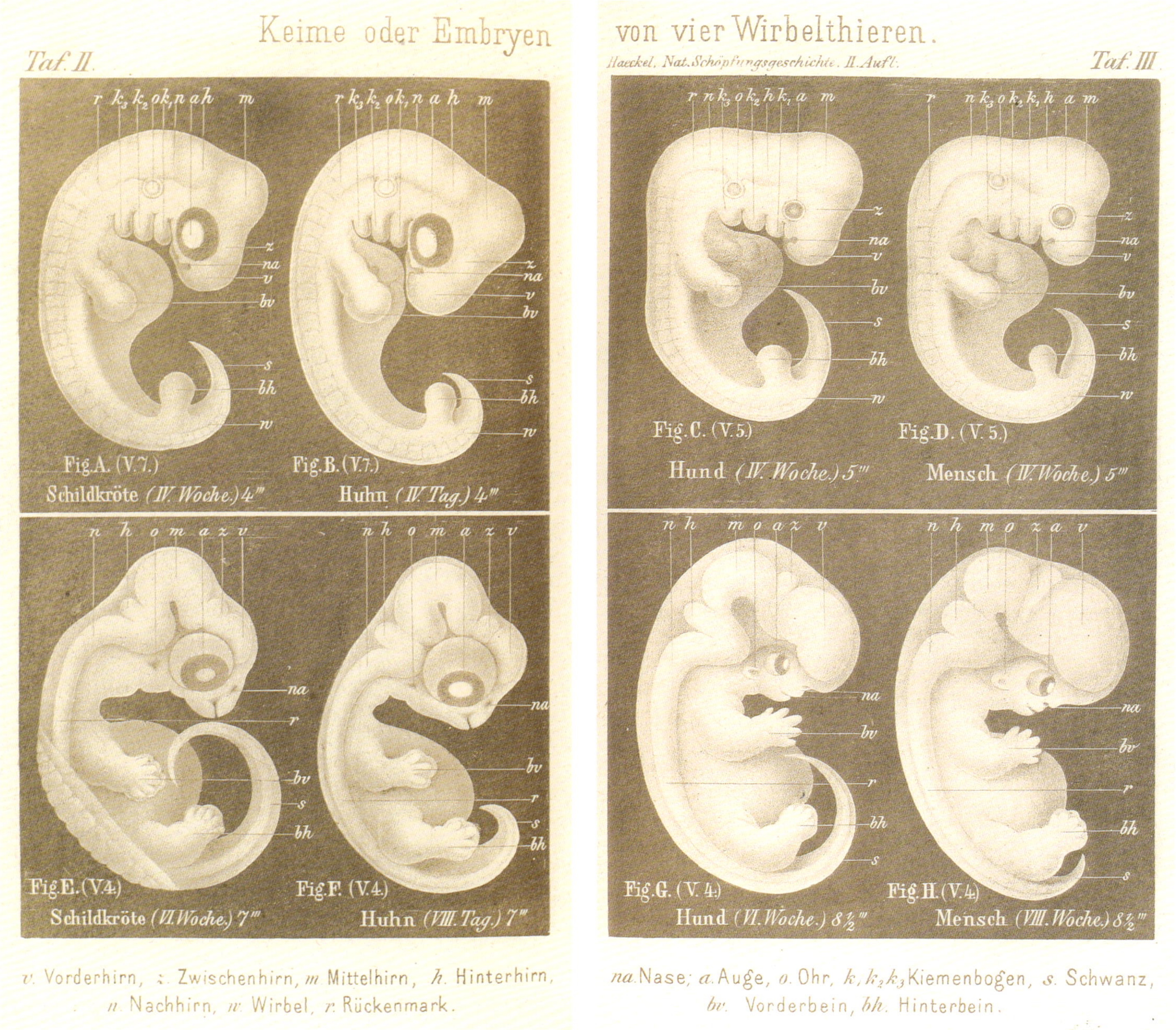

114/115 »Natürliche Schöpfungsgeschichte«

Keime oder Embryen von vier Wirbelthieren, Tafel II und III, 2. Aufl. 1870

ten. Was also blieb Haeckel zur Begründung der Evolutionslehre? Für ihn galt, ganz wie es schon Darwin unternommen hatte, eine immer weiter anwachsende Menge von Befunden zu erheben, die er als mit der Darwinschen Lehre in Einklang stehend bewerten konnte. Was er nun unternahm, war schlicht, die Goethesche Metamorphosenlehre, nach der die Natur sich in einem fortlaufenden Naturprozess immer wieder neu in der ihr vorgegebenen Struktur entfaltete, darwinistisch umzudeuten.

Goethe und parallel zu ihm der Mediziner Johann Friedrich Meckel (1781–1833) hatten dargestellt, dass in der Entfaltung der Formen über die Embryogenese zunächst die einfachen Organisationen durchmessen wurden, in denen sich ein in Entwicklung befindlicher Organismus in seinem Bau sukzessive komplexer gestaltete. Goethe hatte aus dieser Individualmetamorphose eine Typenreihe erschlossen, in der er nun auch die Vielfalt der ausgewachsenen Formen ordnete. Die Ontogenese gab also das Muster, nach dem die Typenreihen des Systematikers zu ordnen wären. Auch der Entwicklungsbiologe Karl Ernst von Baer (1792–1876) hatte im beginnenden 19. Jahrhundert darauf hingewiesen, dass sich einzelne verwandte Formen nicht nur in den Gestalten der Erwachsenen, sondern im Prozess ihrer Entwicklung besser entsprechen als systematisch weiter auseinander liegende Formen. Haeckel überführte nun diese Konzeptionen in ein darwinistisches Denkmuster. Deutlich wird dabei schon aus dieser Parallele in den Aussagen der vordarwinistischen Entwicklungsbiologen und dem darwinistisch denkenden Haeckel, dass auch dieses Material nicht zwingend darwinistisch zu interpretieren war; wohl aber konnte Haeckel zeigen, dass die darwinistische Lehre es erlaubte, diesen Problemkomplex zu erklären. Haeckel selbst ging aber anders vor. Die individuelle Entwicklungsgeschichte konnte er beobachten. Er konnte damit die Reihung der Formen direkt darstellen, die er als phylogenetisch arbeitender Systematiker erst mühsam erarbeiten musste. Demnach, so folgerte Haeckel, war in der Ontogenese die Evolution abgebildet. In der Tatsache, dass sich die einzelnen Lebensformen sukzessive in ihrer Typik entfalteten, war dann auch eine evolutive Entfaltung der Typik auszulesen. Damit war für Haeckel die Evolution anschaulich geworden. Er konnte so die Prinzipien der Entwicklung, nach denen er seine evolutionäre Systematik aufbaute, zur Anschauung bringen. Die Formenreihen der Systematik waren als Dokument einer Realgenese darstellbar. Die Gesetzmäßigkeiten ihrer Zuordnung, die der Systematiker mühsam erarbeitete, waren augenfällig. Also – schloss Haeckel – war das Biogenetische Grundgesetz schlicht anschaulich. Es war als Gesetz da, weil es in seiner Gesetzmäßigkeit zu sehen war. Und damit – so folgerte Haeckel weiter – war dann auch die Evolutionslehre in der Anschauung bewiesen.

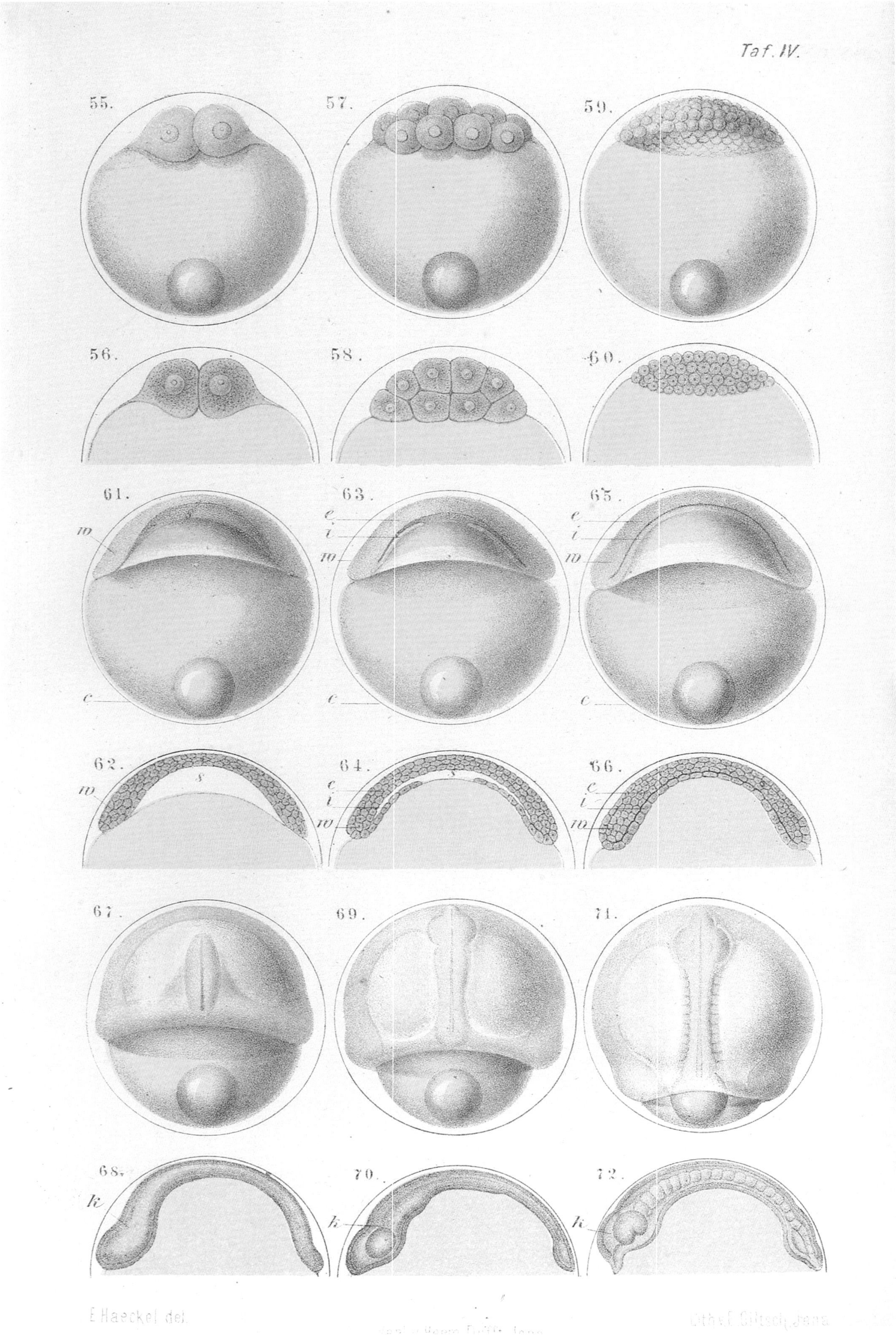

116 »Studien zur Gastraea-Theorie«

Discoidale Furchung und Discogastrula eines pelagischen Knochenfisches, Tafel IV, 1874

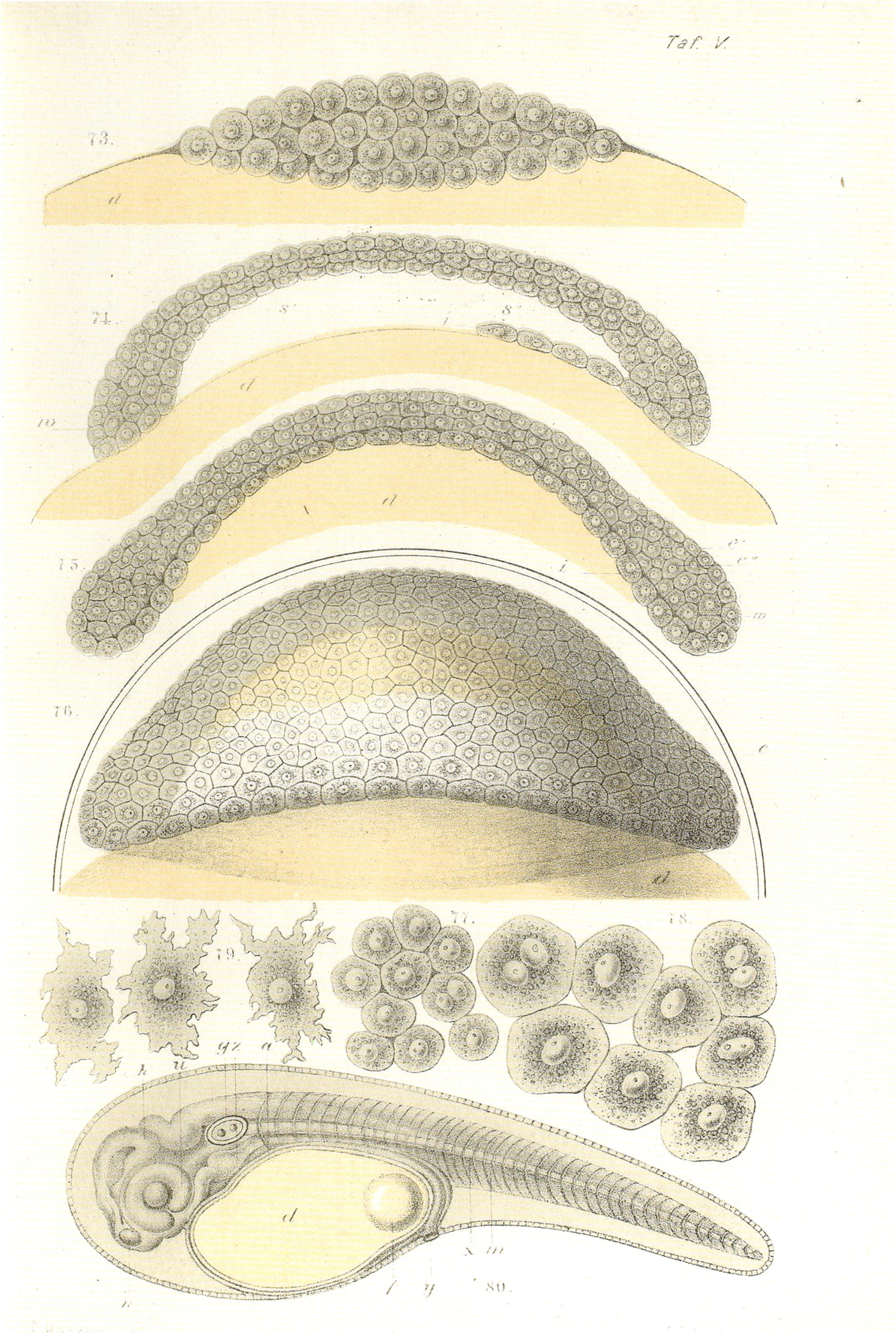

117 »Studien zur Gastraea-Theorie«

Discogastrula desselben pelagischen Knochenfisches, Tafel V, 1874

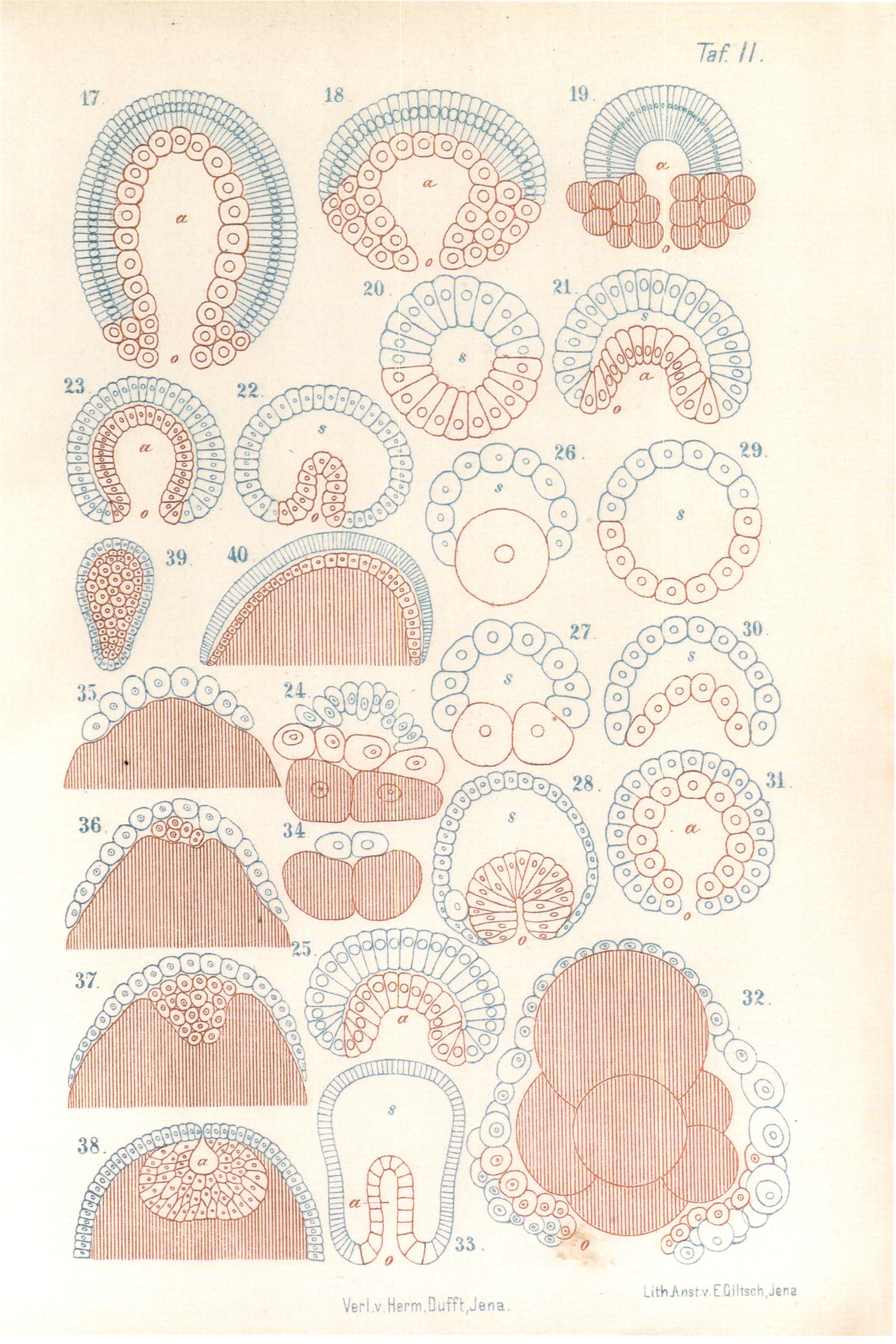

118 »Studien zur Gastraea-Theorie«

Eifurchung und Gastrula verschiedener Wirbellosen, Tafel II, 1874

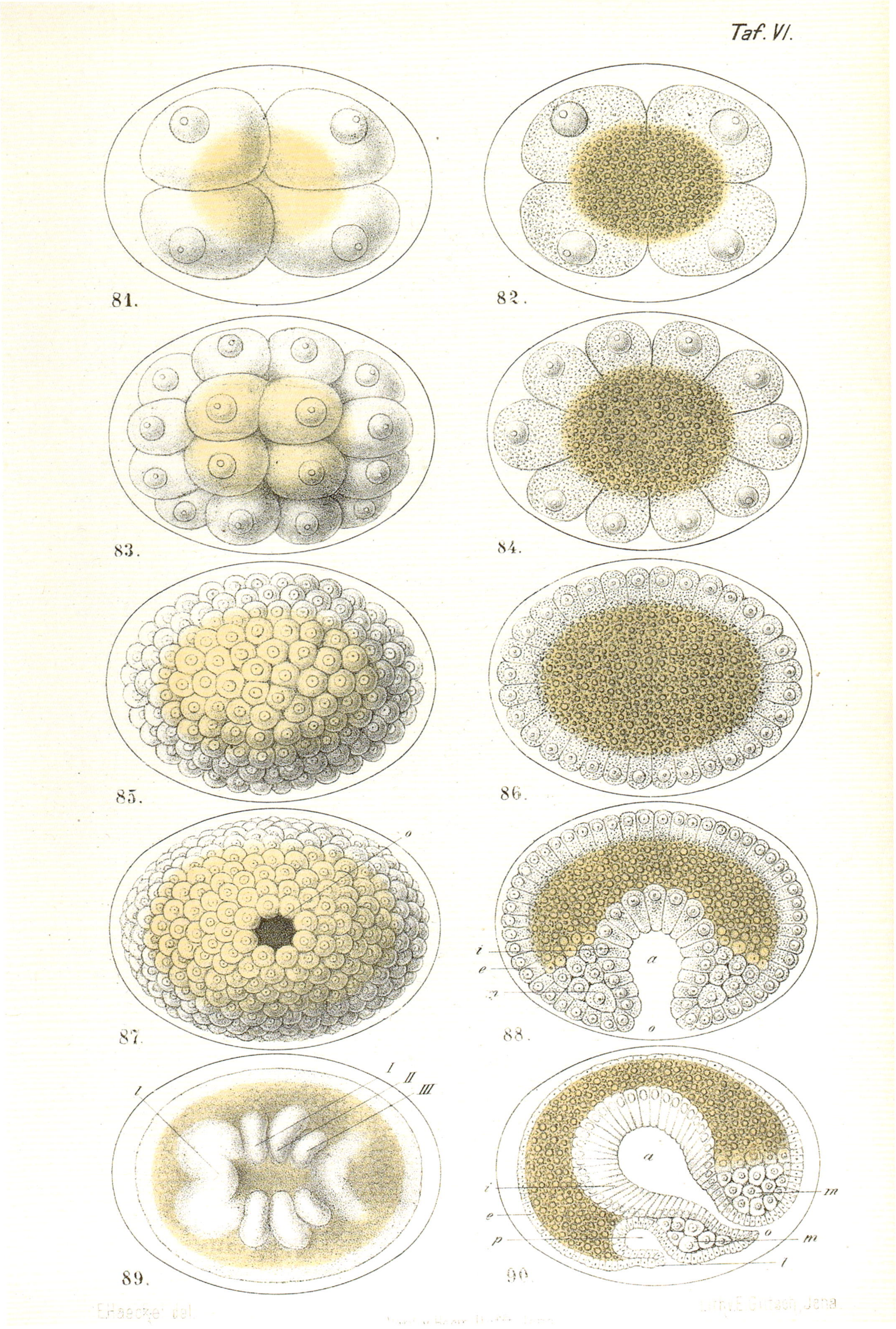

119 »Studien zur Gastraea-Theorie«

Superficiale Furchung und Perigastrula eines Crustaceen, Tafel VI, 1874

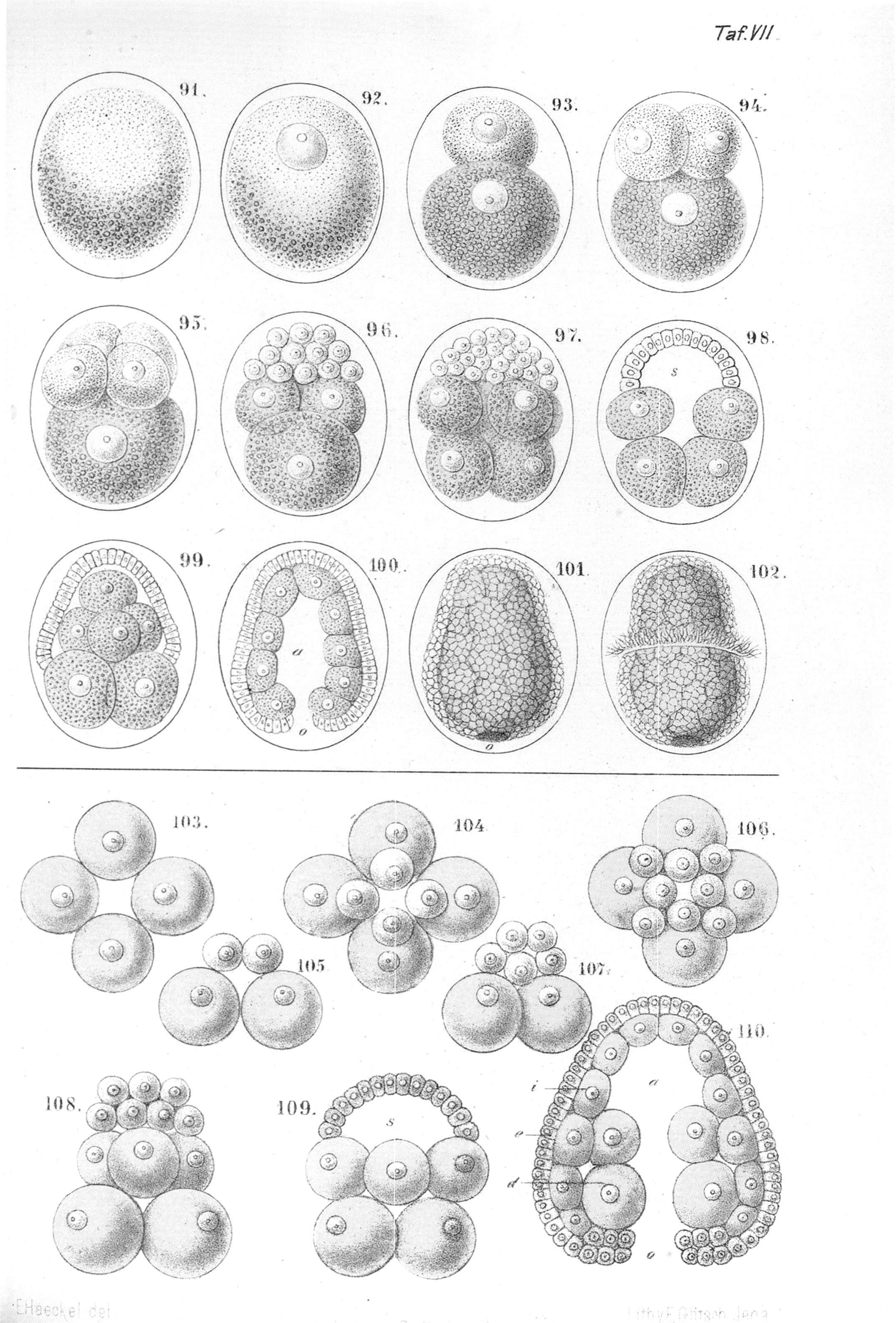

120 »Studien zur Gastraea-Theorie«

Inaequale Furchung und Amphigastrula, Tafel VII, 1874

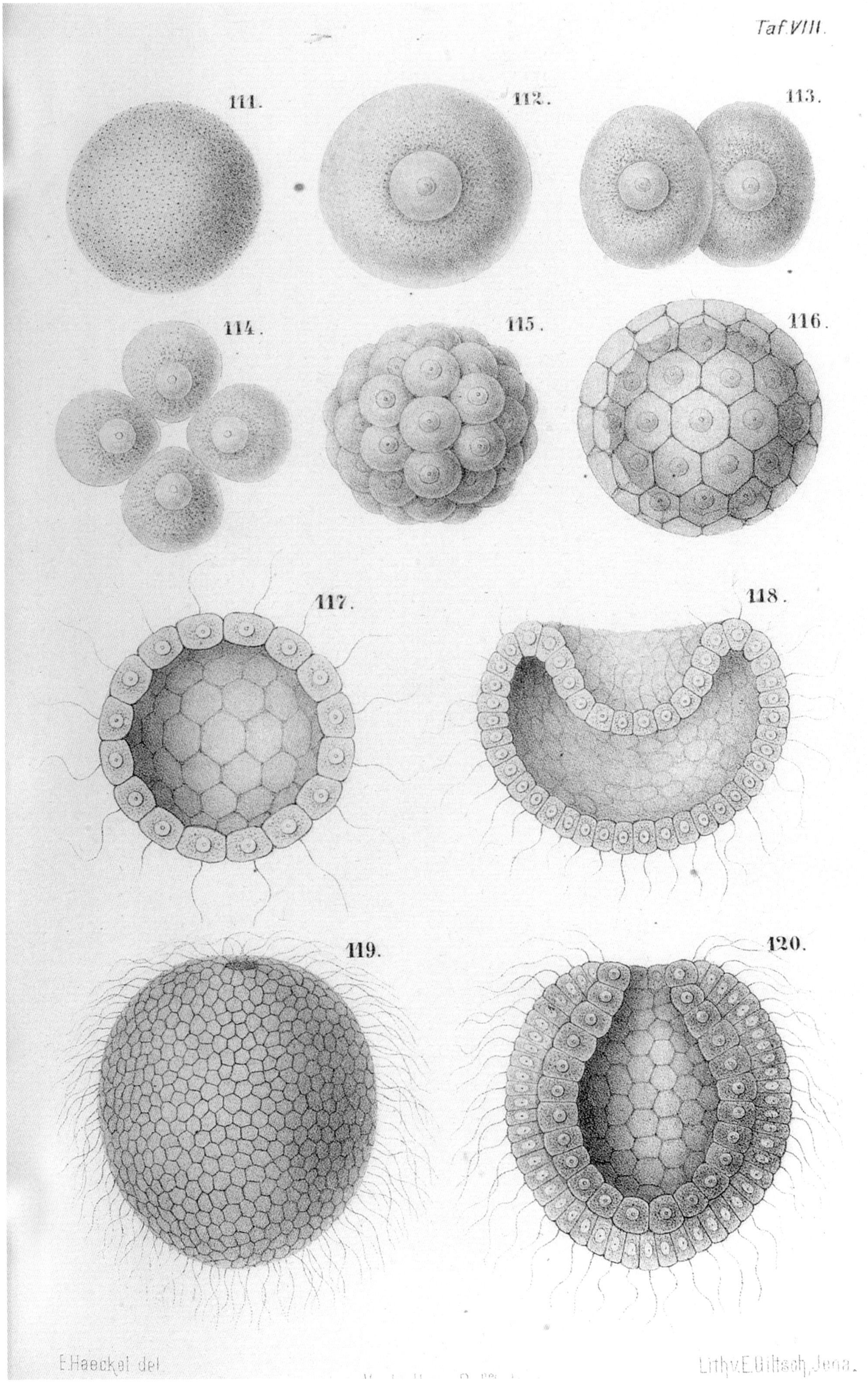

121 »Studien zur Gastraea-Theorie«

Primordiale Furchung und Archigastrula von Gastrophysema, Tafel VIII, 1874

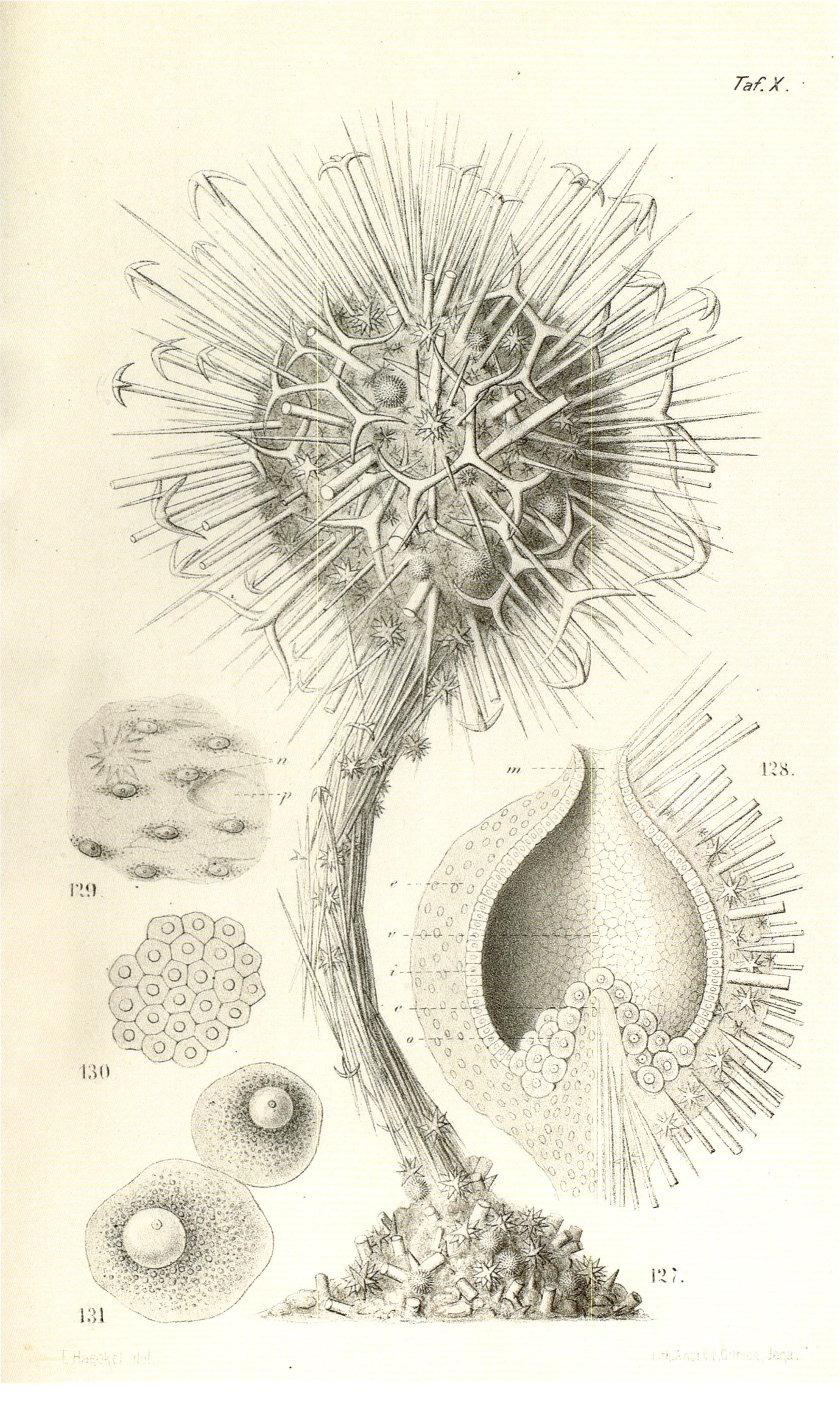

122 »Studien zur Gastraea-Theorie«

Haliphysema echinoides, Tafel X, 1874

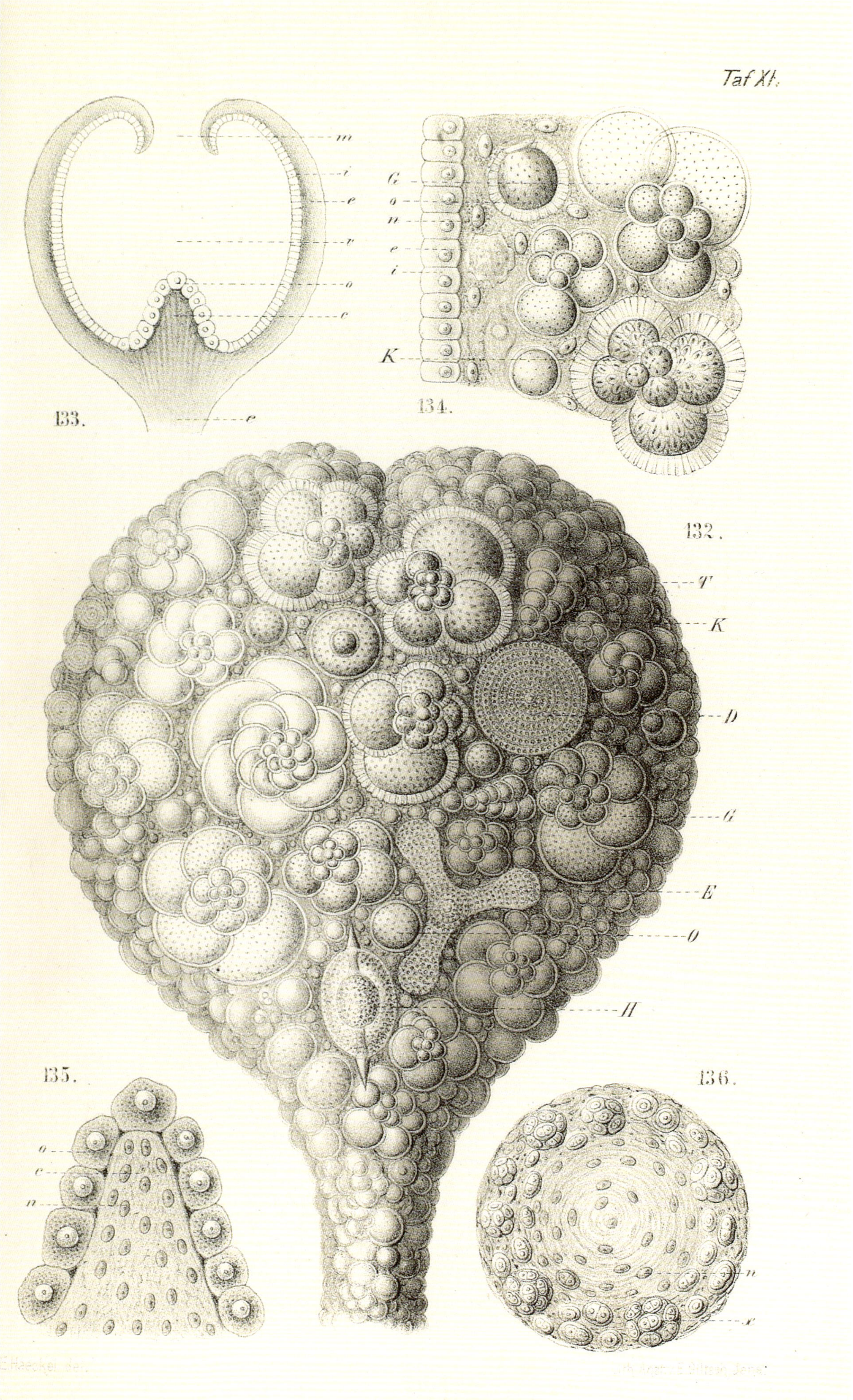

123 »Studien zur Gastraea-Theorie«

Haliphysema globigerina, Tafel XI, 1874

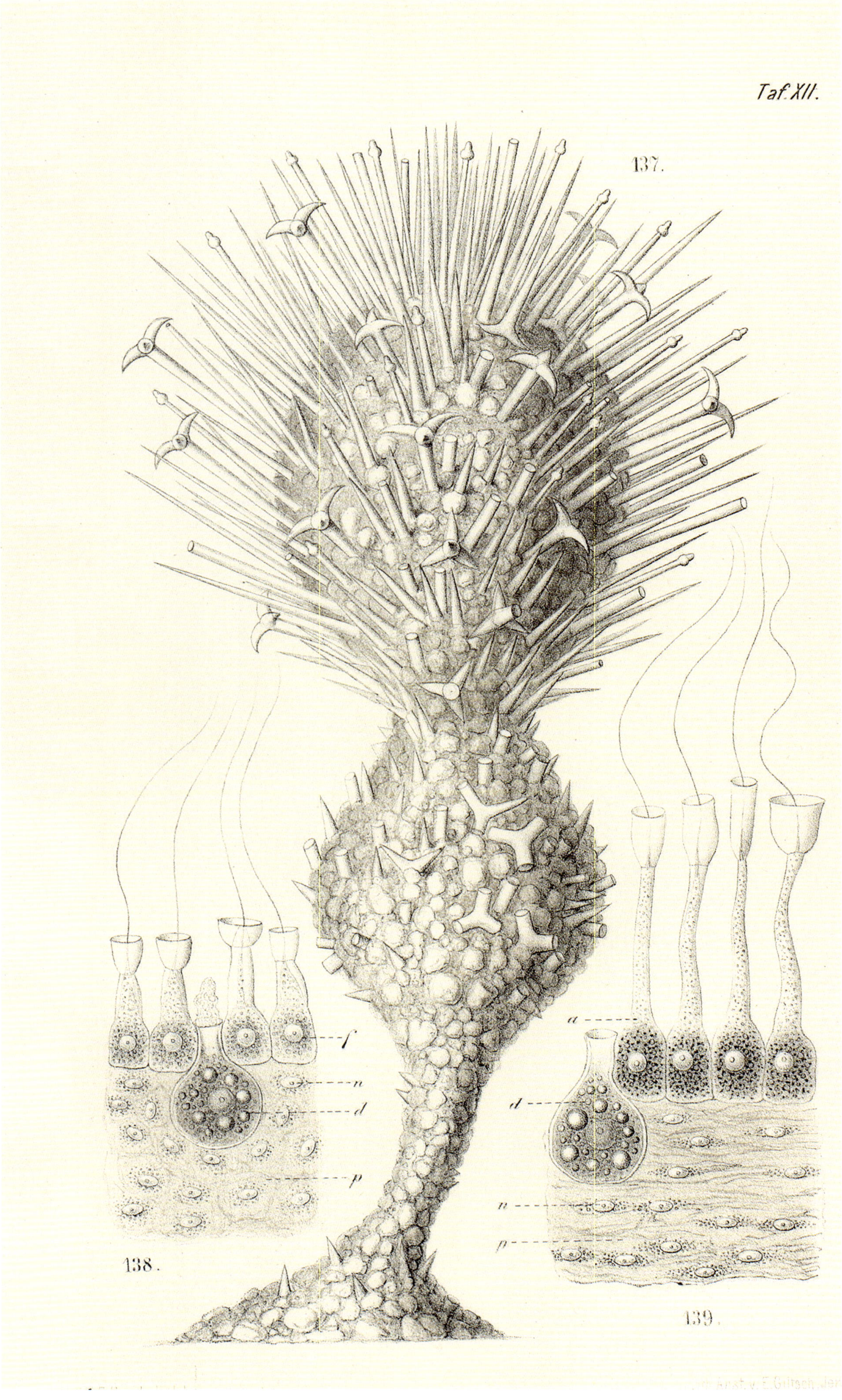

124 »Studien zur Gastraea-Theorie«

Gastrophysema dithalamium, Tafel XII, 1874

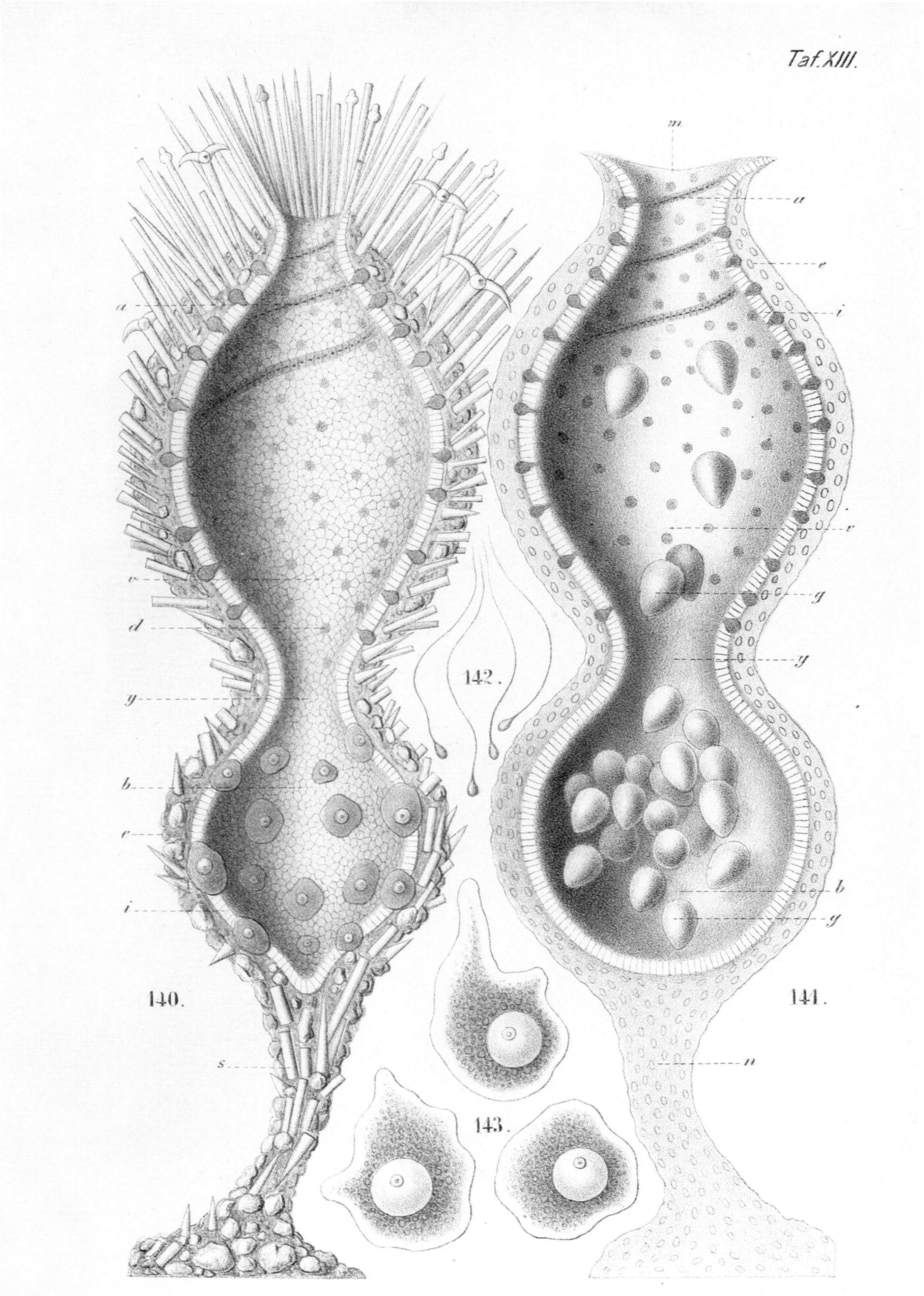

125 »Studien zur Gastraea-Theorie«

Gastrophysema dithalamium, Tafel XIII, 1874

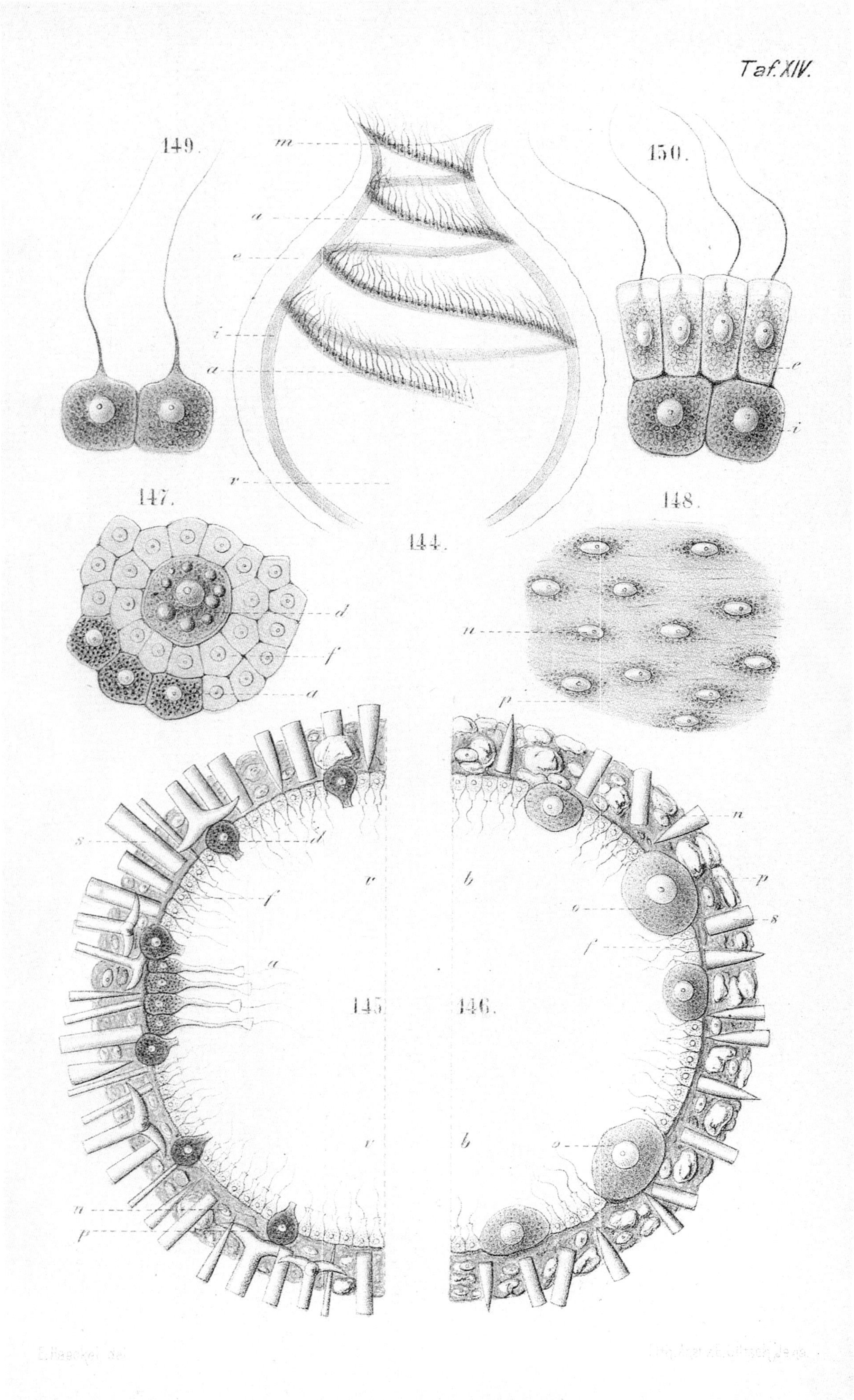

126 »Studien zur Gastraea-Theorie«

Gastrophysema dithalamium, Tafel XIV, 1874

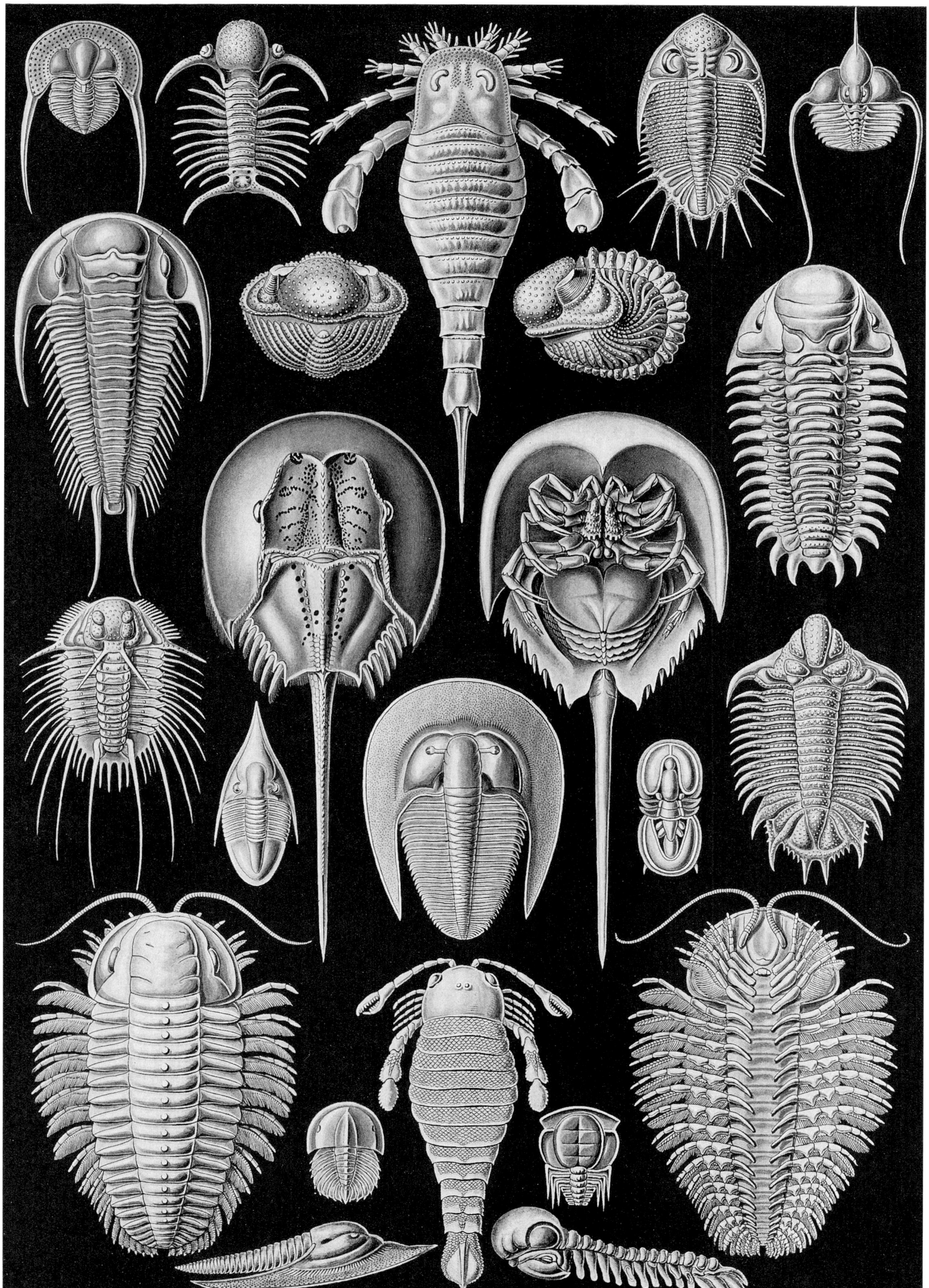

127 **»Kunstformen der Natur«**

Aspidonia (Schildtiere), fossile und rezente (Limulus) Formen, Tafel 47, 1899–1904

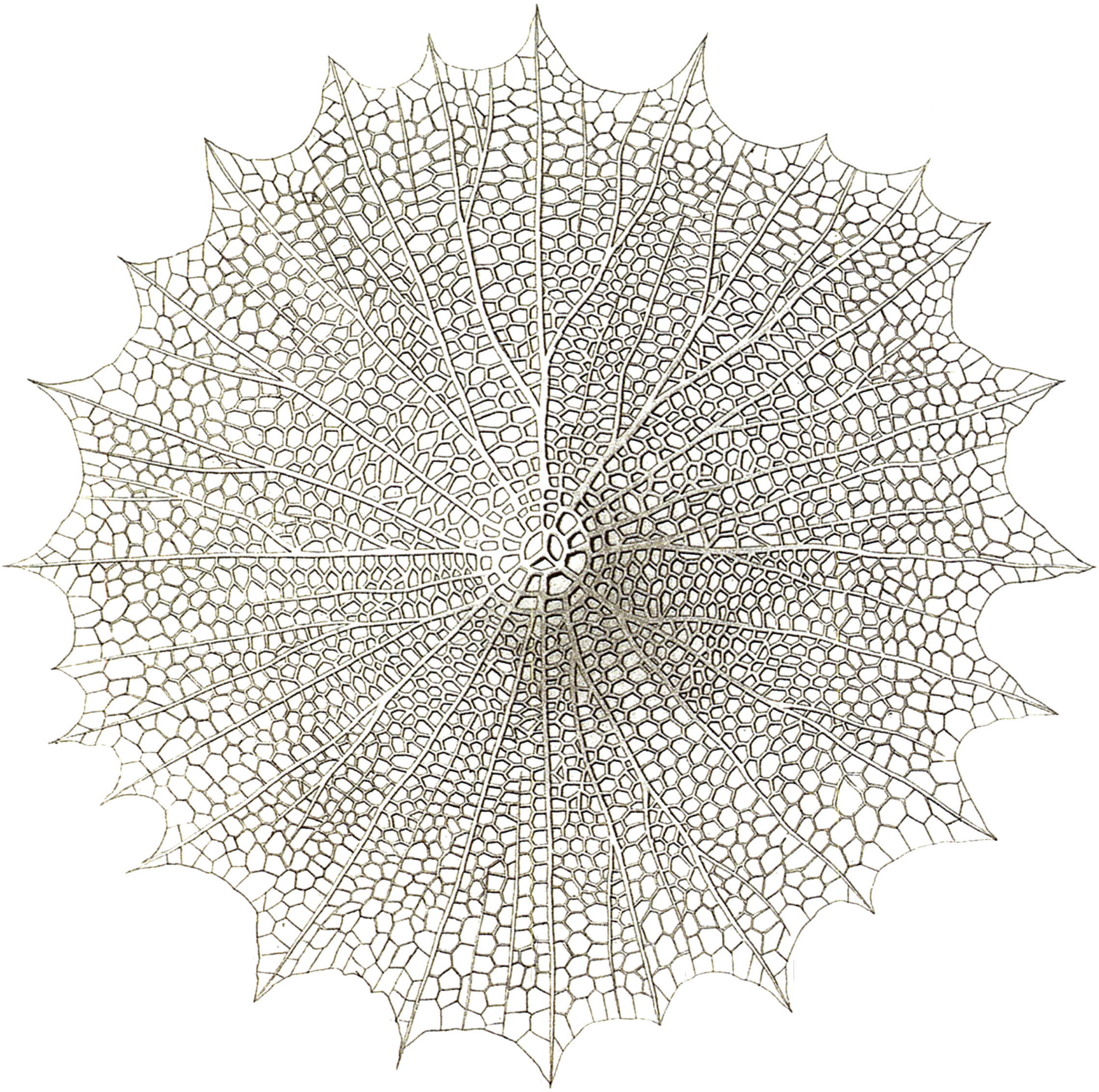

Bilderstreit

Das Bild wird bei Haeckel zum Argument. Dass dieses dann zu schematisieren ist, um in ihm aufzuweisen, wie eine adäquate Anschauung zu bilden sei, ist konsequent. In der derart an und mit Bildern verfochtenen Argumentation verhaken sich die differenten Ansprüche der Illustration: a) zu dokumentieren, was in der Natur schlicht da ist, und b) zu interpretieren, wie das, was da ist, zu betrachten sei.

Im Resultat stand Haeckel in einem Streit um seine Abbildungen, in dem ihm seine Gegner vorwarfen, im Schema Aussagen zu transportieren, die nicht Daten, sondern Interpretationen waren. Haeckel konterte, dass es für ihn eben darum ginge, aufzuweisen, wie das zu sehen sei, was zu sehen ist.

Die Grenze dieses Bilderstreites wurde von Haeckel allerdings schon im Beginn, in der ersten Auflage der *Natürlichen Schöpfungsgeschichte* überdehnt. Hier hatte Haeckel formuliert, dass sich die Evolution der Arten auch in deren Embryogenese widerspiegele. Und so benennt er als schlüssiges Argument für die Evolutionslehre, dass sich auch die Embryonen so verschiedener Arten wie die eines Vogels, des Menschen und eines anderen Säugers in ihren ersten Stadien derart entsprechen, dass morphologisch kein wirklicher Unterschied festzustellen ist. Diesen zunächst verbalisierten Befund suchte er mit Illustrationen zu erhärten. Dabei hat er dann nicht einfach ein für alle drei Tiergruppen gültiges Schema gezeichnet. Vielmehr hatte er die entsprechenden morphologischen Ausprägungen in dem frühen Embryonalstadium für alle drei Arten separat und nebeneinander illustriert. Benutzt hatte er dabei aber für alle drei Tiergruppen-Illustrationen dieselbe Druckplatte (Abb. 128–130).

Der dreimal wiederholte Abdruck des Gleichen offenbarte nun aber nichts als Bildrhetorik. Diese kam dabei nun auch noch im Gewand der Dokumentation daher. Für Haeckels Kontrahenten war der Streit um seine Darstellungspraxis damit entschieden. Für den Entwicklungsbiologen Wilhelm His (1831–1904) hatte sich Haeckel mit dieser Bildrhetorik aus dem Kreis der verantwortungsbewussten Naturforscher schlicht herauskatapultiert.[55] Der daraus erwachsene Streit um die Haeckelschen Embryonentafeln schoss dann aber seinerseits aus dem Rahmen des Tolerierbaren heraus. Haeckel wurde vorgeworfen, in seinen Tafeln die Bilder der dort abgebildeten Embryonen zu vereinfachen, anzugleichen und dabei Proportionen zugunsten eines einheitlichen Bildes der verschiedenen Formen abzugleichen. Hier wurde verkannt, was Abbildungen in einem Lehrbuch bedeuten. Sie sind didaktisches Mittel der Explikation; sie sind, wie der Text, interpretierend. Sie dokumentieren nicht einfach, was da ist, sondern unterweisen einen Leser in der Art, wie er die Naturformen adäquat – zumindest nach Meinung des Autors – zu interpretieren hat. Bis in die Jahre um 2000 zog sich dieser Streit hin. Noch dort wurden den Schemata Haeckels einzelne Aufnahmen entgegengestellt, die dann

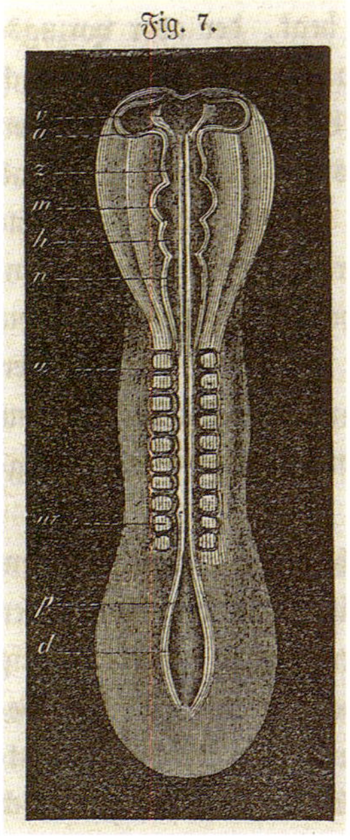

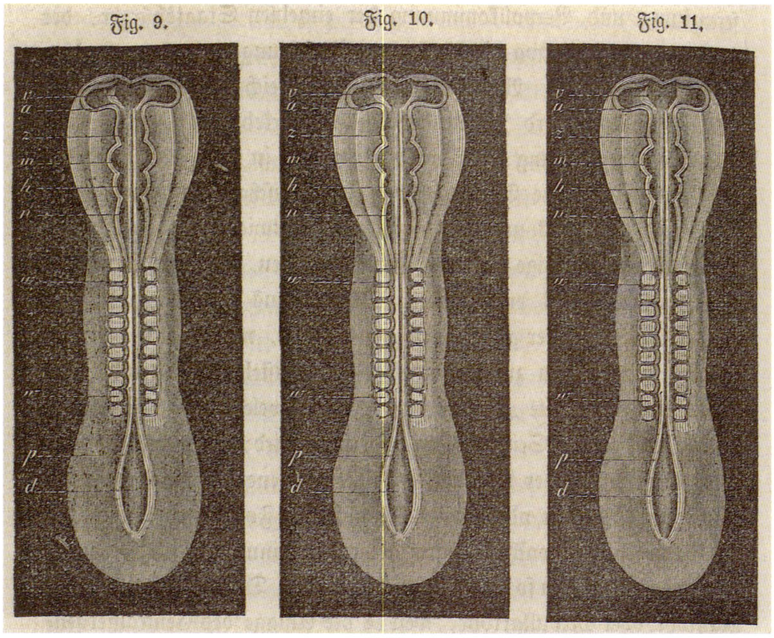

128/129 »Natürliche Schöpfungsgeschichte«

Embryonen von Wirbelthieren, Fig. 7: Säugethier oder Vogel, 2. Aufl., 1870
Fig. 9: Hund, Fig. 10: Huhn, Fig. 11: Schildkröte, 1. Aufl., 1868

130 Druckstock

zu »Natürliche Schöpfungsgeschichte«, 1868

jeweils klar zu demonstrieren schienen, dass die Schemata Haeckels diese Einzelheiten nicht in adäquater Form wiederzugeben vermochten.

Schon der Philosoph Hans Vaihinger (1852–1933) hatte in seiner *Philosophie des Als Ob* zu diesem Problem Stellung genommen.[56] Ihm zufolge war zwischen der Darstellung des Singulären, das statt des Ganzen nur das Einzelne sieht, dabei dann aber das Einzelne als Repräsentant des Ganzen versteht, und zwischen einer Darstellung, die im Einzelnen das Ganze zur Geltung zu bringen sucht, zu unterscheiden. Hier stoßen zwei Illustrationstraditionen gegeneinander. In der einen wird in der Abbildung widergespiegelt, was gesehen wurde; in der anderen Tradition wird in der Darstellung gezeigt, was in dem gesehen werden kann, das in den Blick genommen wurde. Im ersten Fall verbindet sich mit der Idee der Illustration die Vorstellung, Daten zu sichern, die uns unmittelbar objektiv sind, und die damit vor einer Interpretation in den Kontext der wissenschaftlichen Befunde aufzunehmen sind, und dort in Form der Illustrationen für die verschiedensten Interpretationen verfügbar lagern.

Diese Idee ist naiv. Dass schon die Selektion der Daten, die Technik ihrer Wiedergabe und die Perspektive ihres In-Blick-Nehmens dieses Unmittelbare verstellen, ist das eine. Dass zudem immer nur das objektiv ist, was in der jeweils momentan geltenden Sichtweise verfügbar zu machen ist, ist das andere. Das Objektive ist eben nicht in Form von Illustrationen zu horten. Selbst Präparate oder deren Photographien zeigen eine Handschrift und dokumentieren ein Interesse, und sind somit nicht im strikten Sinne »objektiv«. Schon in den 1850er Jahren lief hierzu in den Wissenschaften eine Diskussion. Ging es dabei doch darum, ob und inwieweit die neuen Reproduktionstechniken, die nun auch Farbabbildungen und feine Grauwertabstufungen ermöglichten, dazu genutzt werden könnten, die wissenschaftlichen Illustrationen zu detaillieren. Ein

Argument gegen eine solche naturalistische Darstellungspraxis war, dass dann in dieser Präsentationsform, in der die Form der Beleuchtung, die momentane Kolorierung, die Erscheinung eines Objekts, aber nicht dessen Struktur in den Vordergrund des bildnerischen Interesse gerückt werde; so leide die Qualität der wissenschaftlichen Darstellung, die sich gerade dadurch auszeichne, die Struktur des Objektes sichtbar zu machen.

Nun zeigt das Schema zwar, wie der Autor die Dinge, die er sieht, interpretiert wissen möchte. Nur wird dieses Schema seinerseits mit den graphischen Mitteln des Illustrators naturalisiert. So erscheint es in einer eigenen virtuellen Realität, deren Intensität, bei der Stimmigkeit von malerischen Mitteln, Stil und Darstellungsobjekt eine eigene Suggestivität entfalten kann, die als Realität erlebt wird. Auf diese Weise erscheint das Schema als reales Naturobjekt und nicht als graphische Abstraktion.

Haeckels Illustrationen sind genau solche, eine eigene Realität gewinnende Schemata. Sie stehen für sich, formieren eine Natur-Natur, die sich von dem »Geschmeiß und Gewürm«, das sie eigentlich darstellen, absetzt, und dies auch noch in einer für die Zeitgenossen wohltuenden Weise. So wird wohl auch ein Spinnenphobiker die Darstellungen dieser Organismen in den Haeckelschen *Kunstformen der Natur* als ästhetisch betrachten können; er wird die parasitären Formen, die ihm auf dem Fischmarkt verhasst sind, als ornamental gesetzte Bildformen neu schätzen lernen und in ihrer graphischen Realität, und das heißt als Beispiele einer universell geltenden Ästhetik, akzeptieren.

Und genau darin trifft ein derart goutierend operierender Betrachter den Naturforscher Haeckel. Dieser wollte ja nichts anderes zeigen, als dass die Formen des Lebendigen ein Lebensprinzip verkörpern und das Prinzip der Evolution verdeutlichen. Sie stehen nicht für sich, sie sind Formen einer universellen, und das heißt für Haeckel natürlichen Ästhetik. Das bloß goutierende Genießen der Formen, und die aus dem analytischen Anspruch eines das Ganze sehenden Forschens erwachsenen Bildmuster finden hier in eins. Haeckels Bildwelten werden damit zu Kulturformen seiner Zeit. Er selbst wird zum Kult, der er in seinen Darstellungen die Klammer zwischen dem zu setzen vermag, das bisher einer Kultivierung entzogen schien: dem Naturalen, und dem, was bisher als Gegenpool zur Natur auftrat: der Kultur in ihrer geschmäcklerischen Ästhetik.

Haeckel konfigurierte dabei seine Naturauffassung im Schema zu einer eigenen Dinglichkeit. Das Schema glättet die individuellen Konturen des Einzelnen, bringt das Grundsätzliche und damit die Struktur eines Objektes vor Augen. Dabei bedient die im Schema explizite Ästhetik der Symmetrien und die damit verbundene gefällige Darstellung die Wahrnehmungsmuster einer schon vom Art déco geprägten Zeit. Solch eine Darstellung gewinnt dann aber für Haeckel gerade in ihrer Gefälligkeit eine weit über das bloße Schön-Sein hinausgehende Qualität. Zeigt sich für ihn doch in dieser Darstellung der Natur, dass die Vielfalt der Formen in eine Ästhetik gebunden ist. Sie gerinnen zum Ornament des eigentlichen Prozesses der Natur, der Evolution, den sie so in ihren Bordüren illustrieren. Die Formen stehen dabei im Letzten nicht für sich, sie sind Übergangsformen, sie sind das Dekorum des Eigentlichen. Von daher trifft Haeckel von seinem eigenen Verständnis der Vorwurf, die Naturformen als »Meublement« zu zeichnen, nicht. In der Tat ist für Haeckel die Evolution das Eigentliche. Die Formen sind zufällig, sie sind nur insoweit bedeutsam, als sie nach den Prinzipien »designt« sind, in denen sich die Evolution vollzieht. Dies ist an den Naturformen wichtig, und so sind sie auch für den Naturforscher in ihren Einzelheiten Dekorum des eigentlichen, evolutiven Prozesses, in dem sich die Natur als Natur ausweist.

Vielleicht ist dies einer der inhaltlichen Gründe, die Haeckel davon abhielten, sich in minutiöserer Kleinarbeit der Mechanik der Ontogenese zu nähern. In seinen *Gastraea-Studien*, in denen er den Grundbau der Embryonen im Vergleich darstellt, bietet er dazu den Ansatz. Er klassifiziert die Grundbautypen der Organismen, differenziert die verschiedenen Formen der Gewebeausprägung und Gewebeentwicklung, führt diesen Ansatz aber nicht zu einem auch im Detail expliziten Ansatz fort. Das Material für solch eine Analyse, die vielleicht dann auch eine eigenständige phylogenetische Methode der vergleichenden Morphologie zur Folge gehabt hätte, lag vor. Sein Schüler Kleinenberg hat in einer seinerzeit breit rezipierten Arbeit das Muster solch einer differenzierenden Darstellung der eigentlichen Formbildungsprozesse dargestellt (Abb. 131–133).[57] Haeckel aber fängt sich in seinen eigenen Darstellungen im Aufweis des Dekorums. Er assoziiert Formen, setzt sie in Serien und reiht so in der Anschauung den Naturprozess in den ihm einsichtigen Stufen auf. Er offeriert die Bilder einer schönen Natur und zeigt in deren Ästhetik die Strukturiertheit des Naturalen, die er dann nicht mehr minutiös durch kleinteilige Arbeiten im Bereich einer vergleichenden Entwicklungsbiologie und Morphologie erschließt, sondern schlicht in der Anschauung demonstriert.

Das Biogenetische Grundgesetz als Gesetz ist denn auch falsch. Haeckel selbst – so ist fairerweise zu ergänzen – hatte erkannt, dass die Evolution nicht einfach an den fertigen Formen ansetzt, sondern dass sie auch in die Ontogenese selbst eingreift. Die Evolution, so wissen wir heute, ist die Evolution von Ontogenesen. Dabei wäre es zu einfach, dass Evolution immer nur an den vorhandenen Strukturen anbaut, diese werden vielmehr im Prozess ihrer Entstehung auch selbst variiert.

Haeckel differenzierte denn auch zwischen Momenten im Ontogenese-Geschehen der verschiedenen Arten, die konservativ tradiert wurden, und solchen Momenten der Ontogenese, die ihrerseits evolvierten. Allein, diese Aussage blieb bei Haeckel selbst ein Statement, das er dann nicht weiter konkretisierte. Insofern verfehlte er es, die Kriterien zu erarbeiten, die es erlaubt hätten, die konservativen Elemente einer Embryogenese im Vergleich der Formen auszuweisen und damit die Evolution anhand der Differenzierung von Ontogenesen zu demonstrieren. Haeckel war es eben anschaulich, dass die Serien der Entwicklung über Formierungsschritte zu charakterisieren waren. Er offeriert damit eine Typologie, die nun aber, im Gegensatz zu Goethe, nicht eine in sich bestimmte Struktur der Natur offen legt, sondern in ihren Typisierungen nur die Schritte eines im Letzten offenen Prozesses nachzeichnen soll.

Seine Festlegung als Grundprinzip einer vergleichenden Entwicklungsbiologie hatte weitgehende negative Konsequenzen und ist wahrscheinlich mit ein Grund dafür, dass sich die – im entwicklungsbiologischen Kontext nach 1900 rezipierte – Genetik erst 30 Jahre später als integraler Bestandteil einer modernen Evolutionsbiologie beschreiben ließ. Für Haeckel hatte dies aber eine ganz andere Konsequenz. Er konnte nun auch die fundamentalen Prinzipen der Evolutionslehre, die Zuordnung der Formen anschaulich machen. Die Evolutionslehre war im Biogenetischen Grundgesetz direkt vor Augen zu führen und somit unmittelbar evident. Es galt nunmehr die Einsicht in die Gesetzmäßigkeiten einer Entwicklung deutlich zu machen. Und hier greift Haeckel dann auf die von Kölliker erlernte Darstellungspraxis zurück. Er arbeitet mit visuellen Demonstrationen. Das erlaubt es auf der einen Seite, in seinen minutiösen Darstellungen einzelner Formen die Delikatesse und Ästhetik des Naturalen auch in dem Prozess der Lebensentwicklung (Ontogenie) aufzuzeigen. Und dies macht es dann auf der anderen Seite möglich, in einer präzise kolorierten Darstellung der Grundschichtung der Organismen deren interne Organisation darzustellen. Damit wird in der detaillierten Darstellung, die durch ihre Kolorierung in einer bestimmten Weise interpretiert wird, deutlich, was in diesen Details letztlich wahrzunehmen ist. So entwickelt sich ein eigener Illustrationsstil, eine Didaktik des Sehens, die schon in Haeckels populärwissenschaftlichen Werken ein sehr eigenes suggestives Bildprogramm entfaltet.

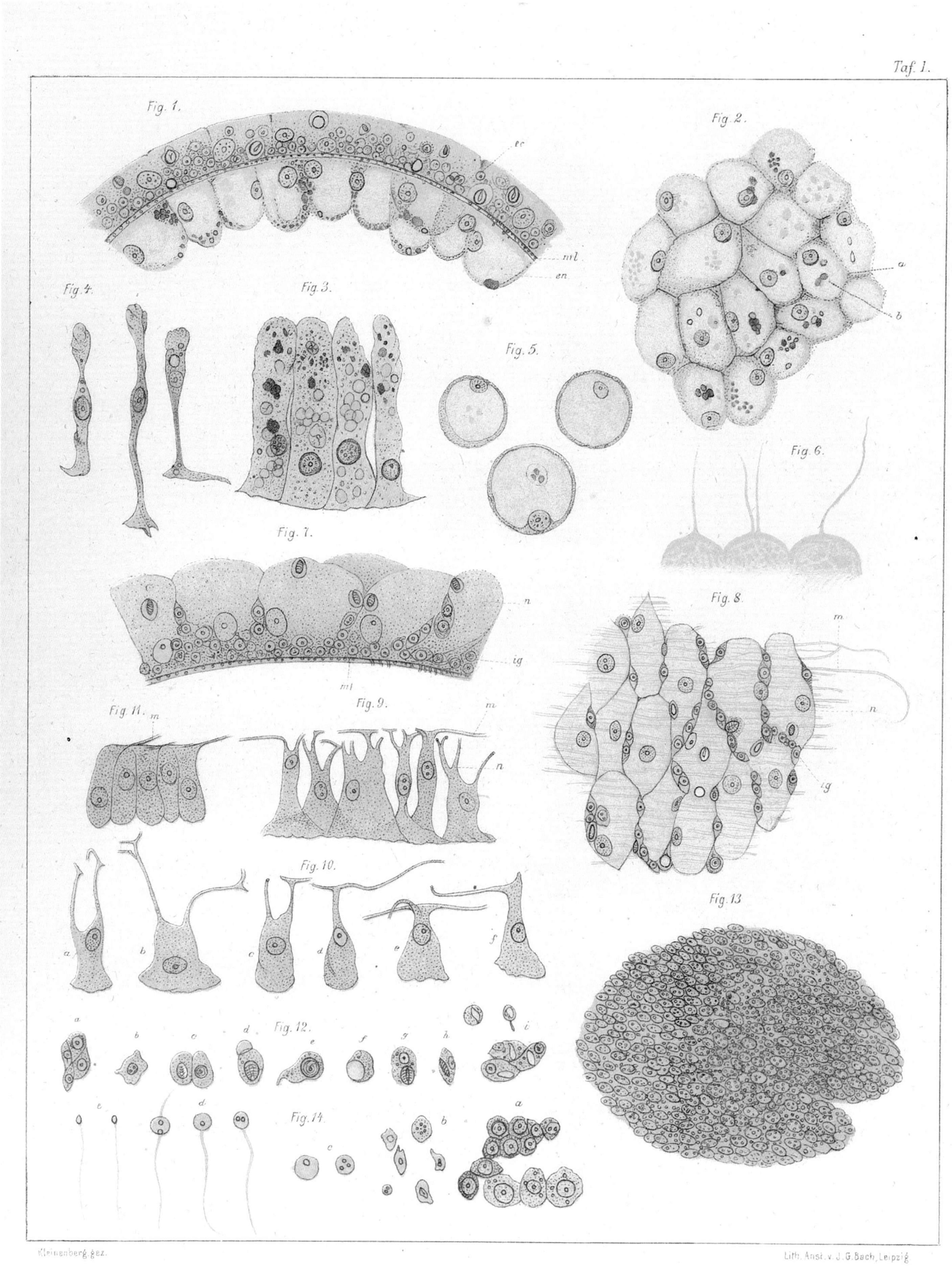

131 **Nicolaus Kleinenberg, »Hydra«**

Tafel I, 1872; Herrn Professor Ernst Haeckel gewidmet

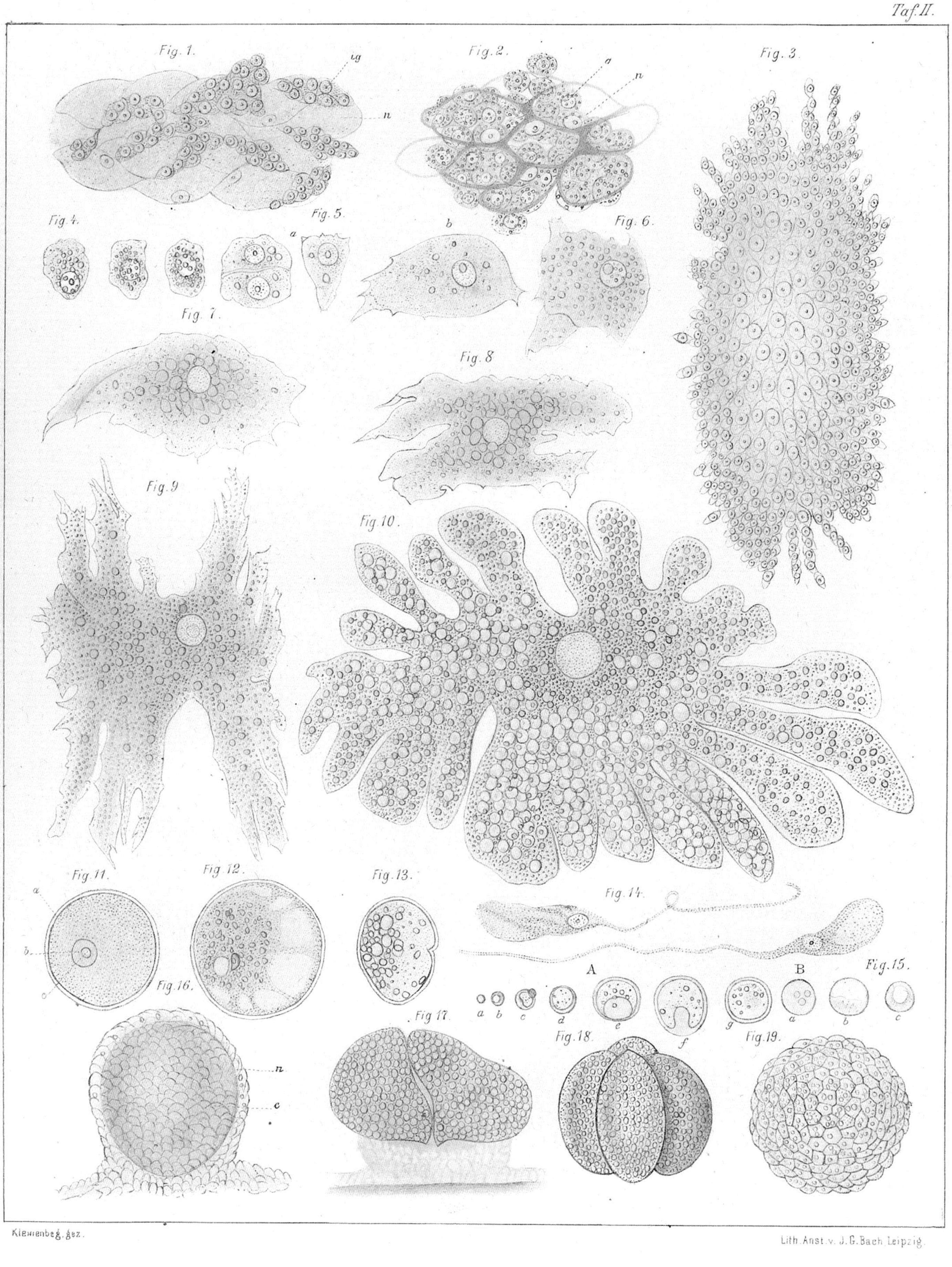

132 Nicolaus Kleinenberg, »Hydra«

Tafel II, 1872

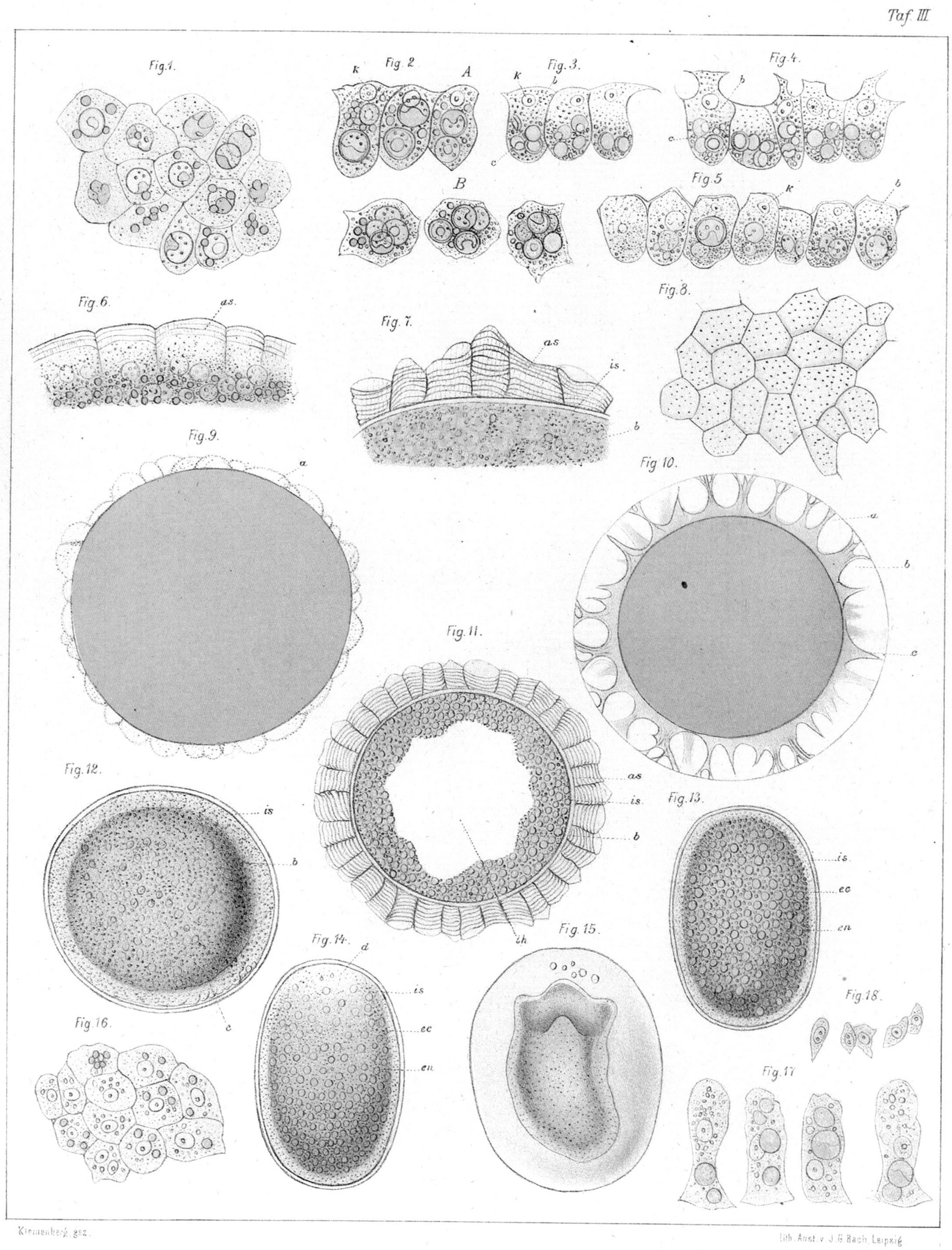

133 Nicolaus Kleinenberg, »Hydra«

Tafel III, 1872

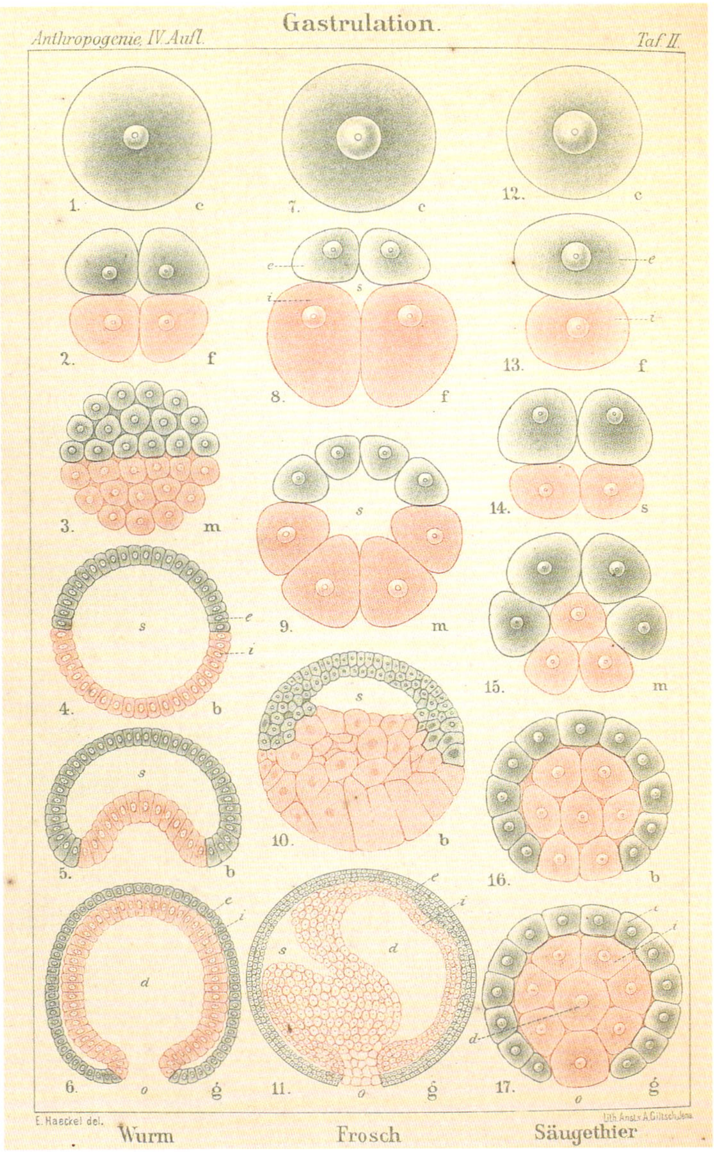

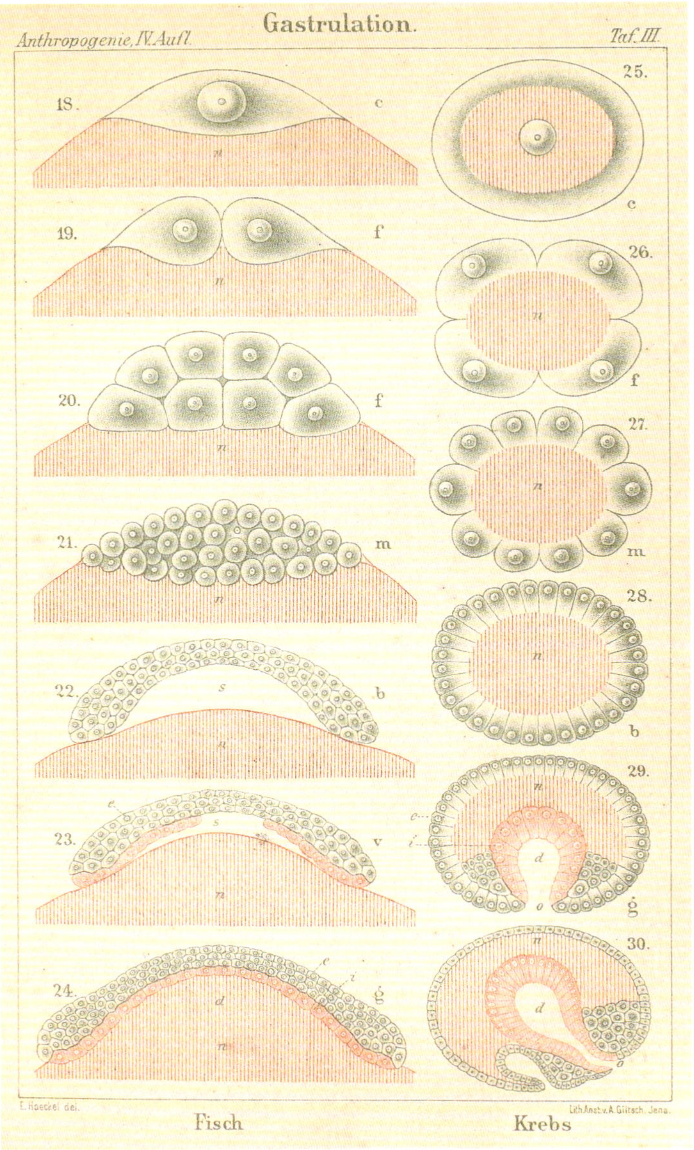

134/135 »Anthropogenie oder Entwickelungsgeschichte des Menschen«

Gastrulation, Tafel II und III, 4. Aufl., 1891

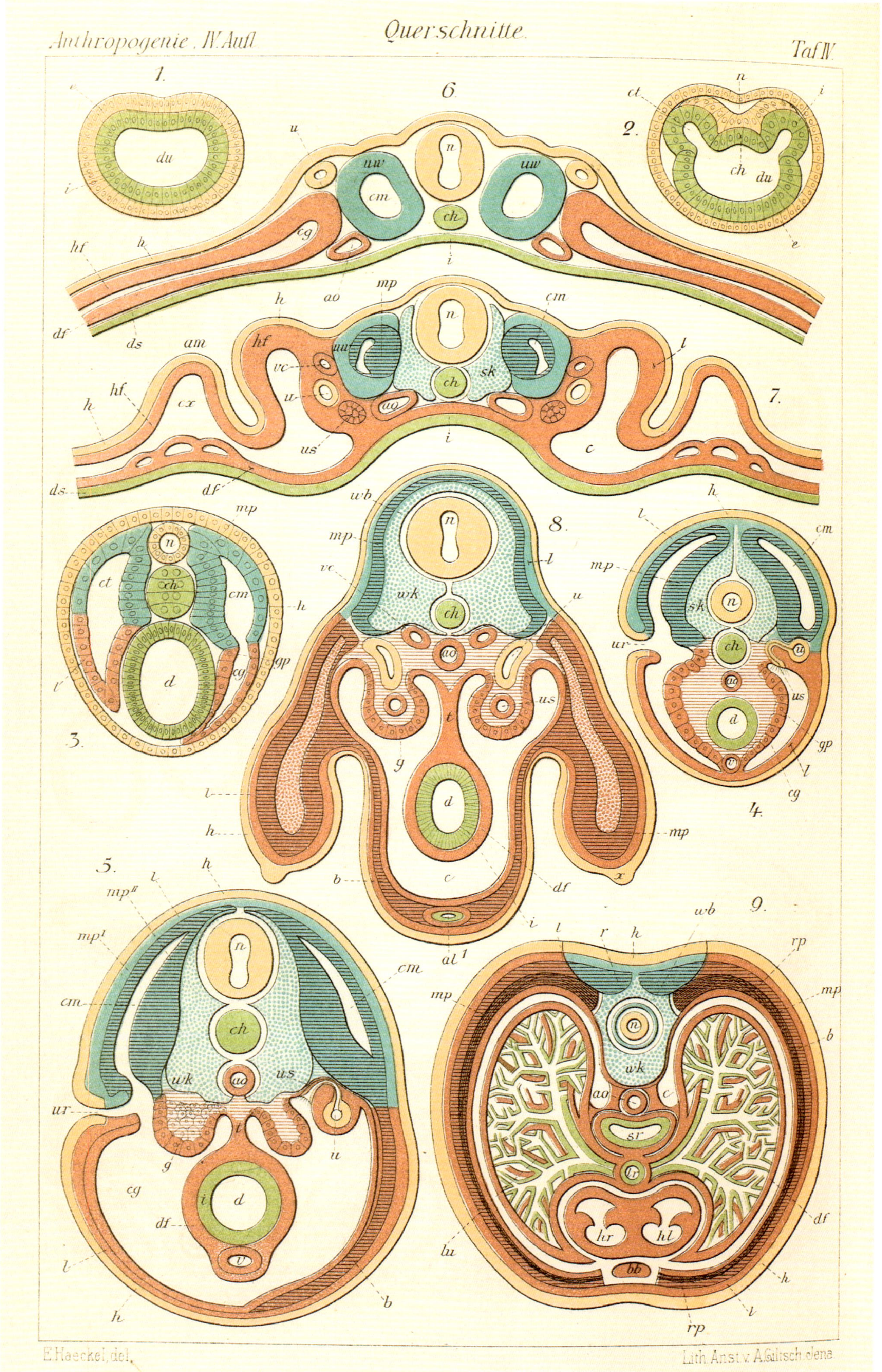

136 »Anthropogenie oder Entwickelungsgeschichte des Menschen«

Querschnitte, Tafel IV, 4. Aufl., 1891

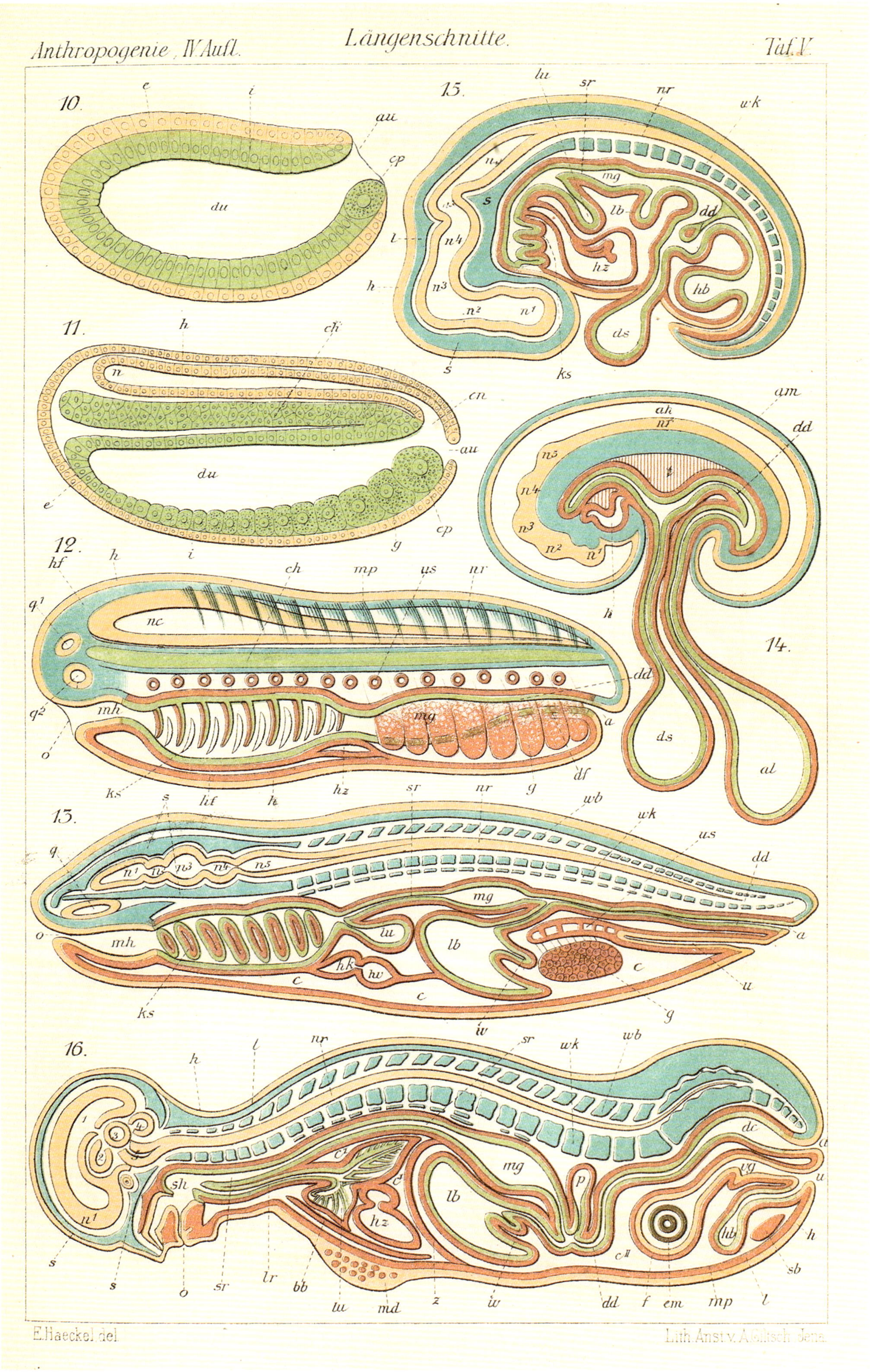

137 »Anthropogenie oder Entwickelungsgeschichte des Menschen«

Längenschnitte, Tafel V, 4. Aufl., 1891

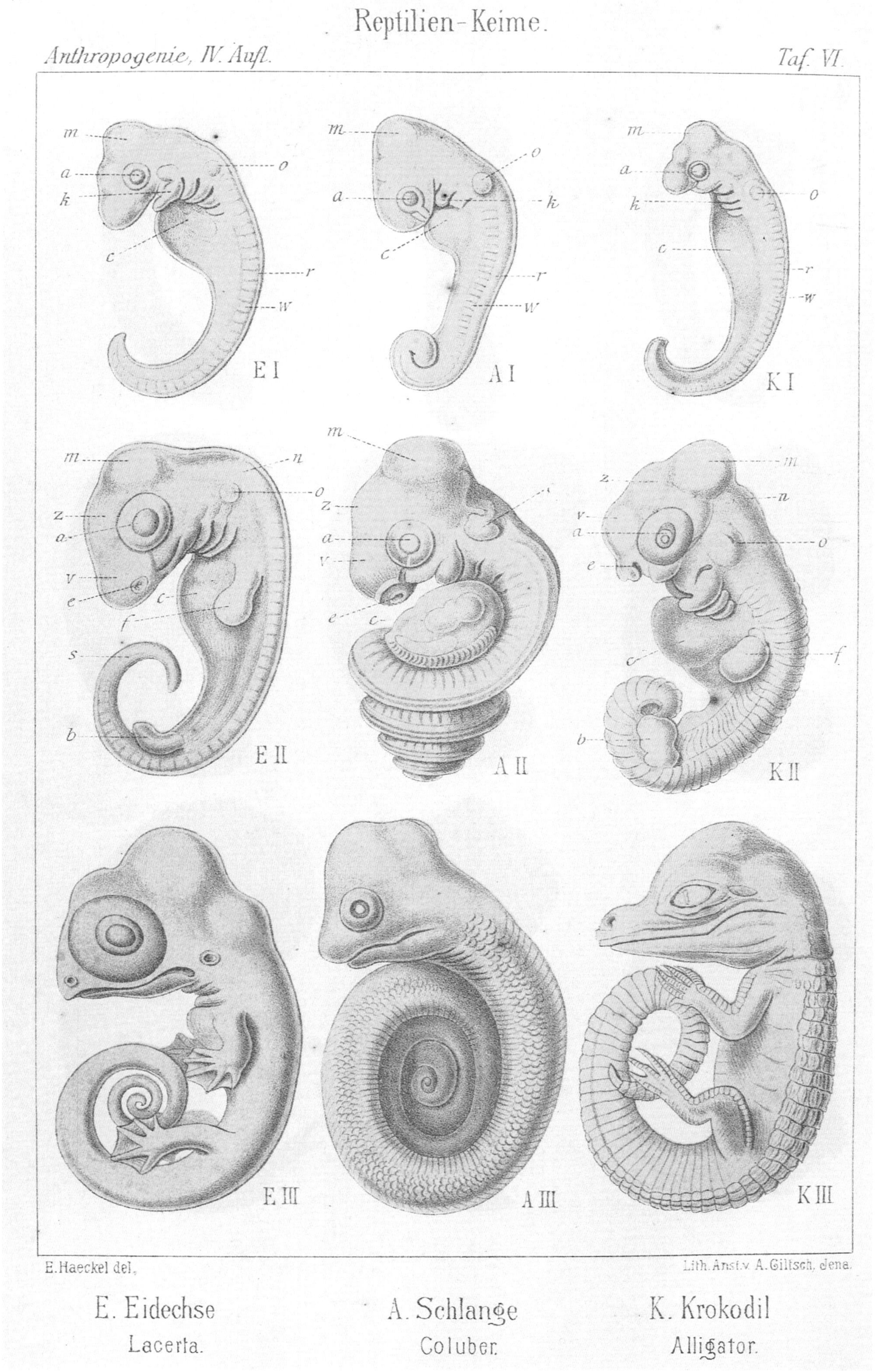

138 »Anthropogenie oder Entwickelungsgeschichte des Menschen«

Reptilien-Keime, Tafel VI, 4. Aufl., 1891

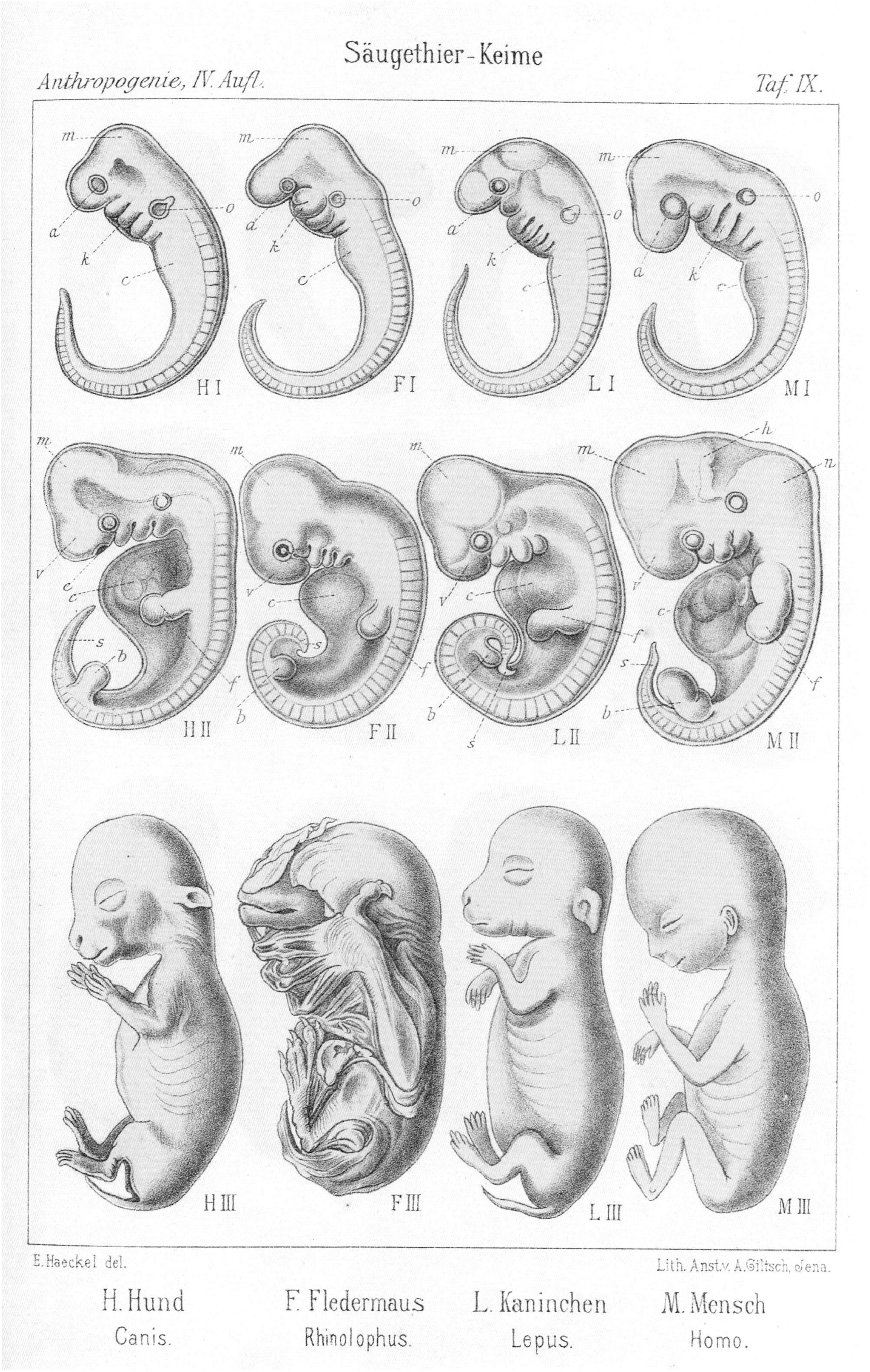

139 »Anthropogenie oder Entwickelungsgeschichte des Menschen«

Säugethier-Keime, Tafel IX, 4. Aufl., 1891

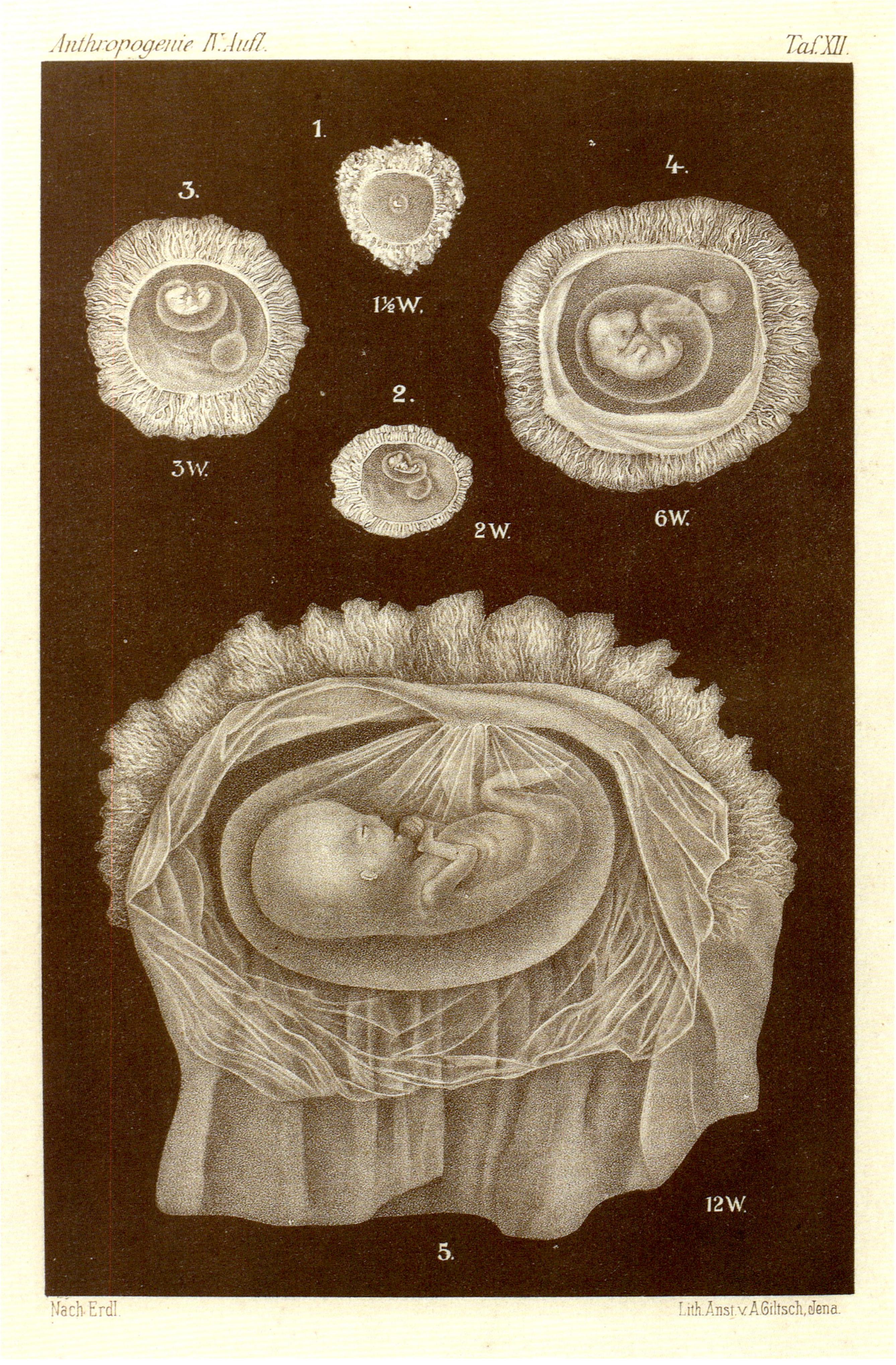

140 »Anthropogenie oder Entwickelungsgeschichte des Menschen«

Menschliche Embryonen in den Keimhüllen, Tafel XII, 4. Aufl., 1891

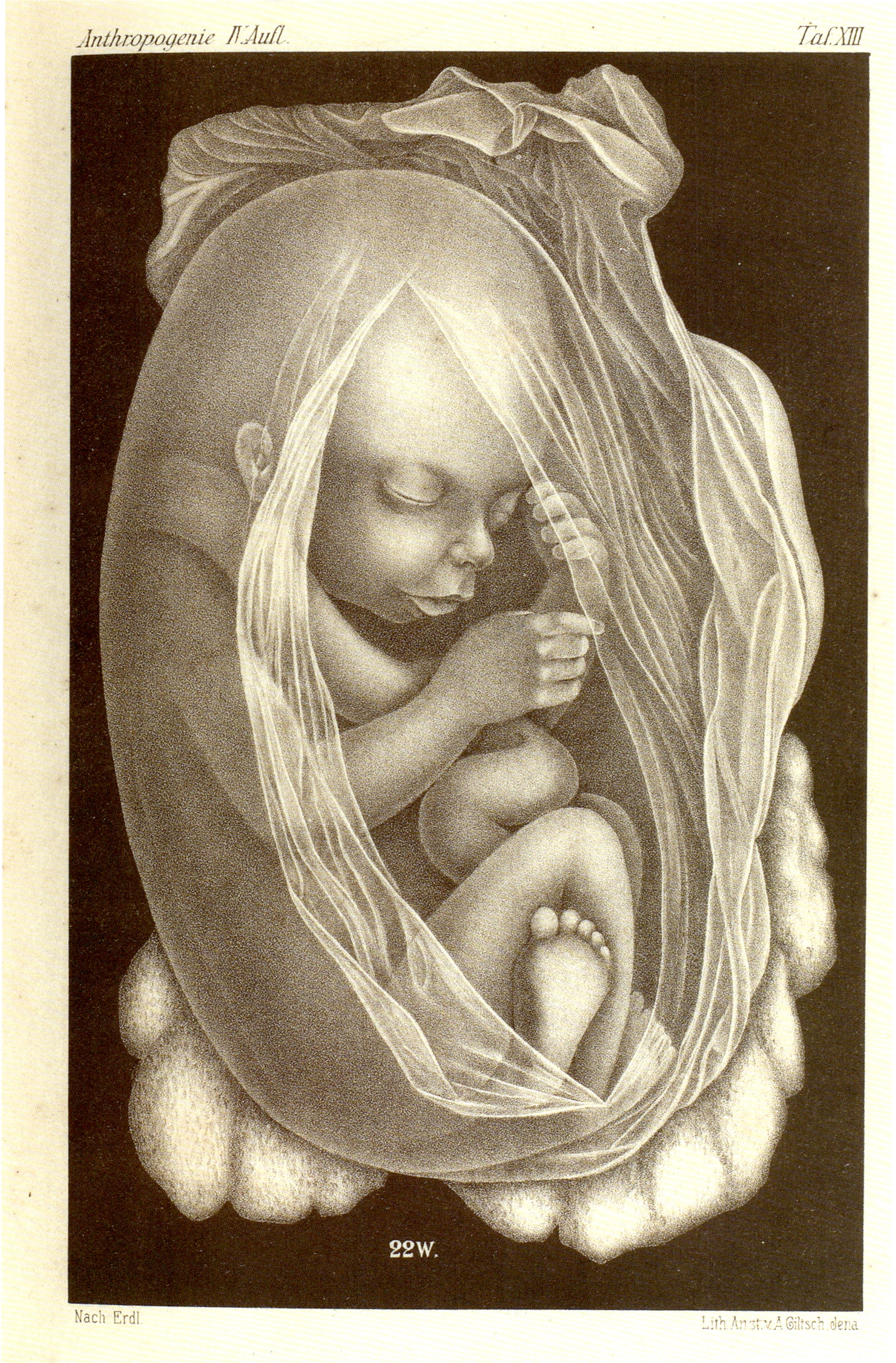

141 **»Anthropogenie oder Entwickelungsgeschichte des Menschen«**

Menschlicher Embryo in der Keimhülle, Tafel XIII, 4. Aufl., 1891

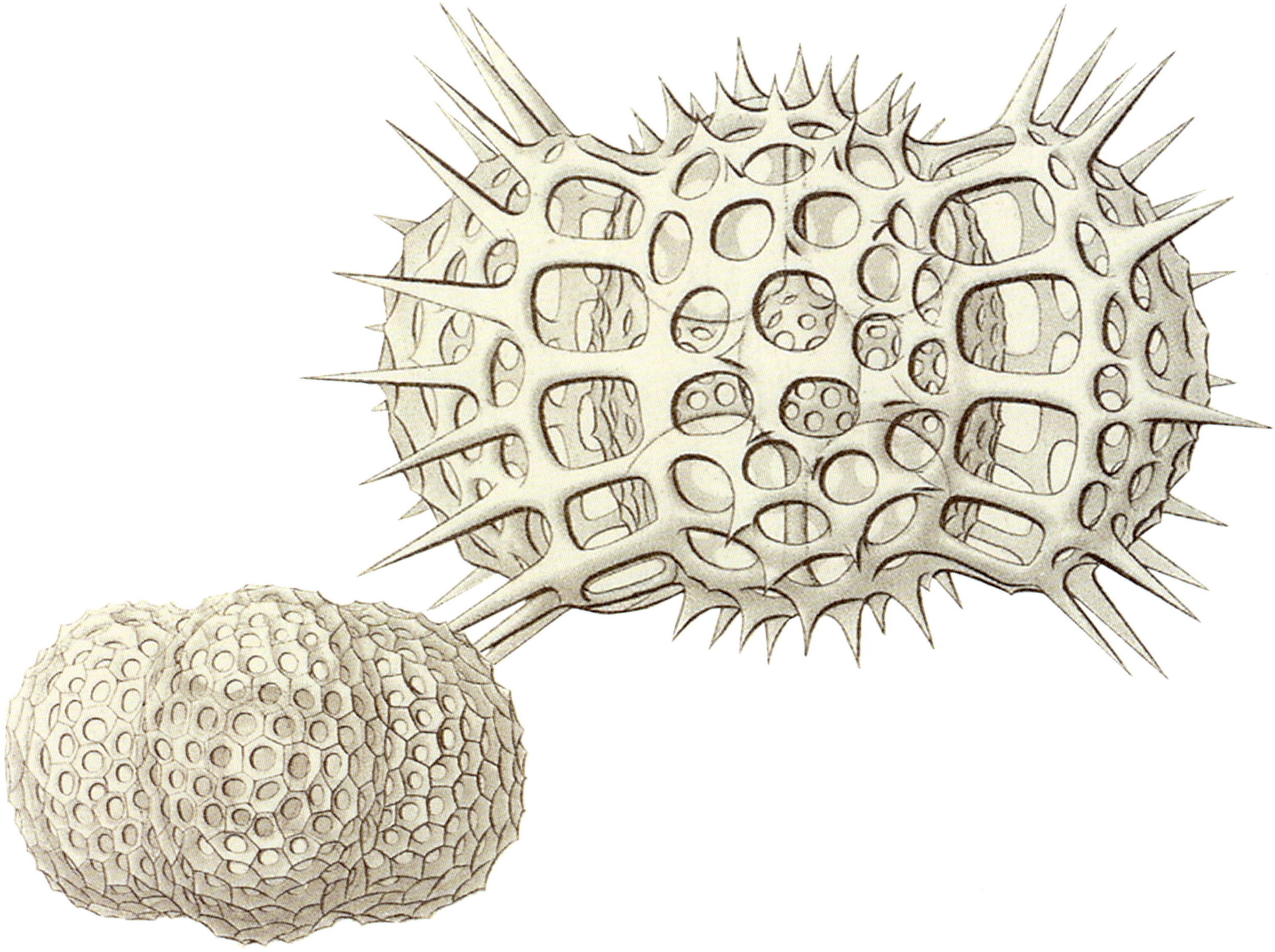

Natürliche Schöpfungsgeschichte und Anthropogenie

Das Suggestive der Haeckelschen Illustrationen, die den Betrachter mit graphischen Mitteln in seiner Naturwahrnehmung leiten, ist allerdings nur die eine Seite dieser Darstellungspraxis; operiert Haeckel dabei doch sehr bewusst mit Traditionen und Bildmustern des Visuellen, in denen er nun Inhalte mitnimmt, verschärft oder akzentuiert, die in der Darstellung der Präparate auch direkt in die Besichtigung der Natur eingebunden sind. So beeindruckt seine vergleichende Darstellung der Ontogenese, die die Lebensformen vom frühen Embryo bis hin zur alten Frau zeichnete. Er verlängert die Kindheit nach vorne in den Embryo, zeigt das Befremden gegenüber einer Gestalt in deren Vergreisung oder in deren extremer Verjüngung und offeriert damit eine Lebenskontinuität, die eben nicht mehr zwischen einem Aufbau der Gewebe und einem Aufbau der Lebensgewohnheiten und des Intellekts unterscheidet. Ähnlich konnotiert ist die Tafel der vergleichenden Entwicklung, die seine *Natürliche Schöpfungsgeschichte* einleite-te, welche den menschlichen Embryo mit Apoll und den Säugerembryo mit dem Widder kennzeichnet. Er zeigt darin Bezüge auf, die dem Gebildeten seiner Zeit geläufig waren und die seine Biologie auch von ihrer visuellen Präsentation und Repräsentation her in ein Gefüge von weitergehenden Bestimmungen einbanden, die er letztlich erst in der kulturphilosophischen Ausdeutung seiner Evolutionslehre explizit machen konnte.

Diese Bildpropaganda ist aber nur ein Moment seiner Darstellungen. Der größte Teil der Abbildungen hat eine andere Charakteristik. In seiner *Natürlichen Schöpfungsgeschichte* finden sich detaillierte, halbschematische Darstellungen (etwa von Embryonen), Lebensbilder und Stammbaumdarstellungen (Abb. 148–158). Auch hier bemüht sich Haeckel um eine möglichst ästhetische Darstellung, die selbst im Schema etwas lebendig werden lässt von dem, was Evolution auszeichnet. Seine Lebensbilder, die etwa Medusen, Korallen und andere niedere Tiere zeigen, sind teilweise farbig gehaltene Lithographien. Sie entsprechen im Gehalt und in der Darstellungsqualität den auch thematisch vergleichsweise ähnlichen Abbildungen, die Schleiden seiner populärwissenschaftlichen Darstellung über *Das Meer* beigab. Hier kann sich Haeckel schon um 1870 an eine Darstellungspraxis populärwissenschaftlicher Illustrationen anlehnen, die – kennzeichnend für die Lebensbilder – eine meist vor sattem Hintergrund gezeichnete Formvielfalt von Organismen wie in ein überfülltes Aquarium einband. Bis hin zu Buridans Illustrationen der Früh- und Vorzeit aus den 1970er Jahren ist diese Komposition eines scheinbar natürlichen, aber eben völlig überfüllten Lebenszusammenhanges für populäre Naturdarstellungen charakteristisch. Genauso sind denn auch die frühen Aquarien ausgestattet und genauso werden in den deutschen Schulbüchern der Biologie der 1950er, 1960er und 1970er Jahre die verschiedenen Lebensräume optisch vorgestellt. Die Lithographien um 1870 zeichnen dabei durchweg weich umrissene, mit dem Hintergrund verschwimmende Konturen und ebenfalls weich gesetzte Farben. Charakteristisch für die populärwissenschaftlichen Monographien in der zweiten Hälfte

142 **Wilhelm Bölsche, »Tiere der Urwelt«**

Titelblatt, 1900

143 **Wilhelm Bölsche, »Thiere der Urwelt«**

Die Dronte, Tafel 29, 1900

des 19. Jahrhunderts ist ferner die Einfügung von Landschaftsbildern, die zum guten Teil keine Tiere, sondern nur deren Lebensraum aufzeigen.

In Haeckels *Natürlicher Schöpfungsgeschichte* finden sich darüber hinaus aber auch klar konturierte, vor einem satten dunklen Hintergrund gezeichnete Organismen, die in Tafeln zusammengestellt sind. Im Vorsatz der dritten Auflage findet sich hierzu ein Blatt mit halbschematischen Darstellungen vom Bau der Schwämme, deren Embryogenese und der Gestalt einzelner Formen. Das Buch enthält dann eine Tafel mit den Verwandten des Seesterns, einer technisch gleich gehaltenen Tafel mit den Formvariationen der Ontogenesestadien dieser Form gegenübergestellt (Abb. 149, 150).

In der *Anthropogenie* ist diese Darstellungspraxis noch weiter ausgebaut. Im Vorsatz des Bandes findet sich in der dritten Auflage die Tafel mit dem Antlitz des Menschen (Abb. 144). Gruppiert um das Gesicht einer jungen Frau finden sich die in Bezug auf dessen weiche Konturen gleich verfremdet wirkenden Antlitze einer Greisin, eines jungen Mädchens und verschiedener Embryogenesestadien, die wie Masken wirken, aber dennoch in den Formenreigen der Gesichtsdarstellungen des Menschen einpassbar erscheinen. Der Band veröffentlichte Stahlstiche, die Details der Morphologie der Tiere und deren Gewebe zeigen (Abb. 136, 137). Eingestreut sind halbschematische Tafeln zur Embryogenese (Abb. 138, 139). In diesen Illustrationen arbeitet Haeckel mit Farbe. Er benutzt hierbei etwa in der Darstellung der ersten Stadien der tierischen Entwicklung pastos gesetzte Farben, um Gewebeschichten voneinander abzugrenzen. Damit kann er dann einzelne dieser Schichten über komplette Bauveränderungen identifizierbar halten. Er gibt ein Schema vor, anhand dessen die einzelne Erscheinung interpretierbar und in ihrer Entwicklung als Ausfaltung eines Grundbestandes von Gewebeeinheiten verstanden werden kann. Auch hier ist die Qualität der in den Text eingelegten Tafeln ausgezeichnet. Es sind nicht einfach nur Schemata. Die Embryonen, die vor einem sattschwarzen Hintergrund gezeichnet sind, schimmern in diesem Dunkel, vor dem auch die leicht schematische Zeichnung lebendig wirkt.

Die klaren Darstellungen von Formentsprechungen verschiedener Tiere zeigen Modelle der Anatomie verschiedener Formen; sie erlauben Zuordnungen, führen in der visuellen Präsentation auch den Blick des Laien, der in den analogen Texturen ohne ein eingehendes Verständnis der funktionellen Finessen der tierischen Organisation Entsprechungen entdecken und so über die Evolution verfolgen kann. Haeckel transferiert hier die Bildersprache seiner Ausbildung aus dem Hörsaal, die mit differenziert kolorierten Kreidezeichnungen Baupläne verdeutlichen, ins populärwissenschaftliche Buch. Seine Zeichnungen machten dabei für den Laien keine Abstriche in der Qualität ihrer Präsentation. Im Gegenteil, der hohe Differenzierungsgrad ihrer visuellen Präsentationen erlaubte eine sparsame Beschriftung, sodass hier die Bilder für sich sprechen könnten.

Entsprechungen zu diesen Haeckelschen Tafeln finden sich im Ausbildungsbetrieb der Universitäten. Und zwar in den großformatigen Wandkarten, die, seinerzeit vom Lehrstuhl-eigenen Graphiker verfertigt, dem Studenten in einprägsamer Form Bildmuster des Lebendigen zu vermitteln suchten (Abb. 145–147). Zwar war die Photographie Ende des 19. Jahrhunderts bereits in der Forschung eingeführt und Forscher wie der Anatom Benecke schlugen auch vor, die Photonegative zur Präsentation in einem

144 **»Anthropogenie oder Entwickelungsgeschichte des Menschen«**

Keimesgeschichte des Antlitzes, Tafel I, 1891

größeren Auditorium über eine »camera lucida« an die Wand zu projizieren – entsprechende Projektionsapparate für mikroskopische Präparate wurden denn auch teilweise benutzt – doch war die Qualität solcher Projektionen für didaktische Zwecke nicht gut genug. Zu flau konturiert und jeweils die Besonderheiten des einzelnen Falles wiedergebend, war es schwer, an solchen Bildern allgemeine Vorstellungen zu entwickeln. Diese konnten nun aber in den Lehrtafeln graphisch formuliert und akzentuiert werden. Haeckels Illustrationen sind letztlich solche aufs Buchformat heruntergeschnittene Lehrtafeln. Sie entsprechen von der graphischen Qualität, vom Präsentationsstil und von der Komposition diesen Lehrmaterialien des naturwissenschaftlichen Unterrichts des ausgehenden 19. Jahrhunderts.

In diesen Lehrtafeln bildete Haeckel ab, wie er sah: Er vermittelte darin die Anschauungsweise, die ihn in seinen Darstellungen der Formvielfalt der Organismen leitete.

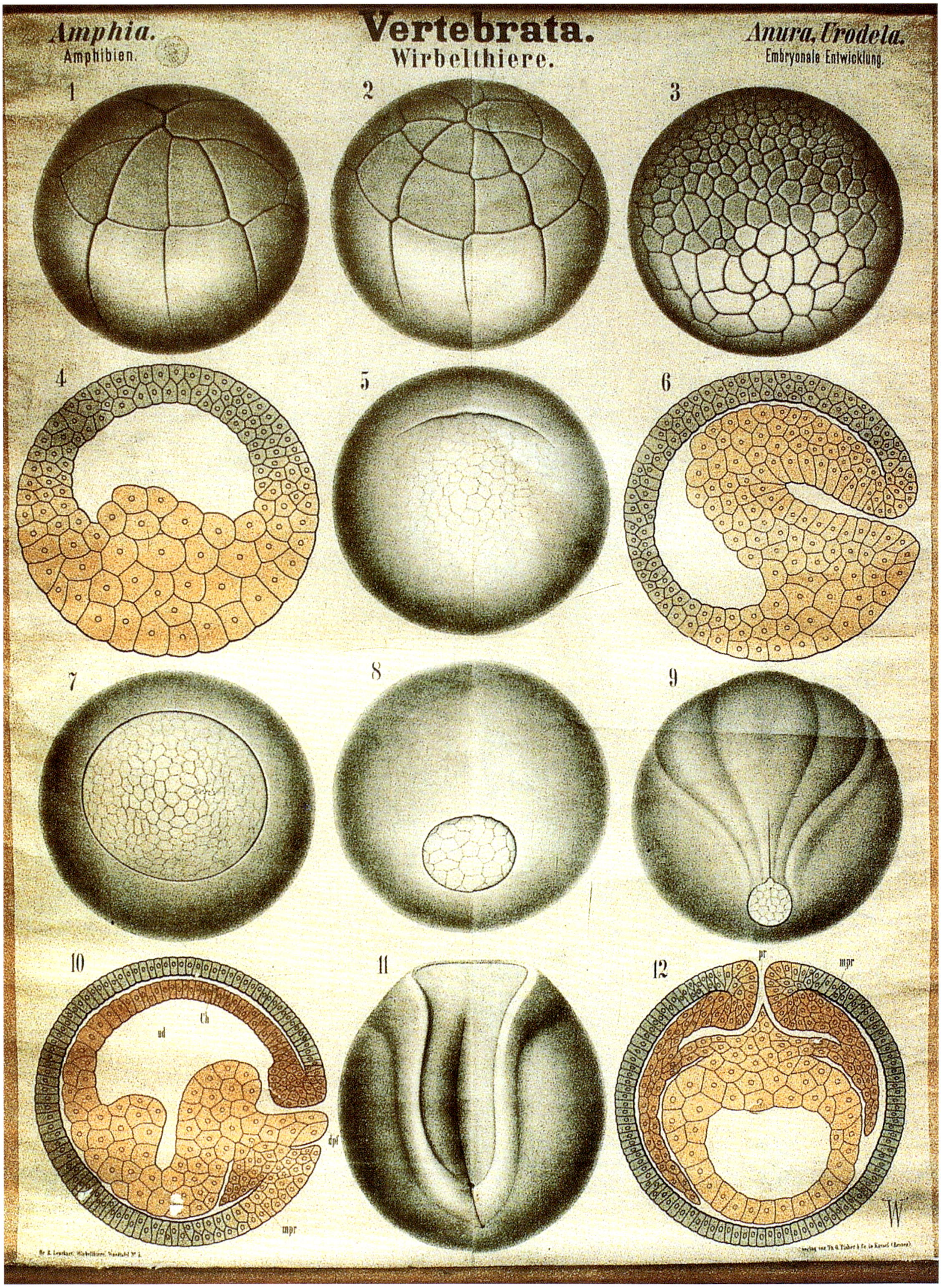

145 Dr. R. Leuckart, Lehrtafel

Embryonalentwicklung, *Vertebrata / Wirbelthiere (Amphia, Anura, Urodela)*, 138,5 × 104,5 cm, 1895/96

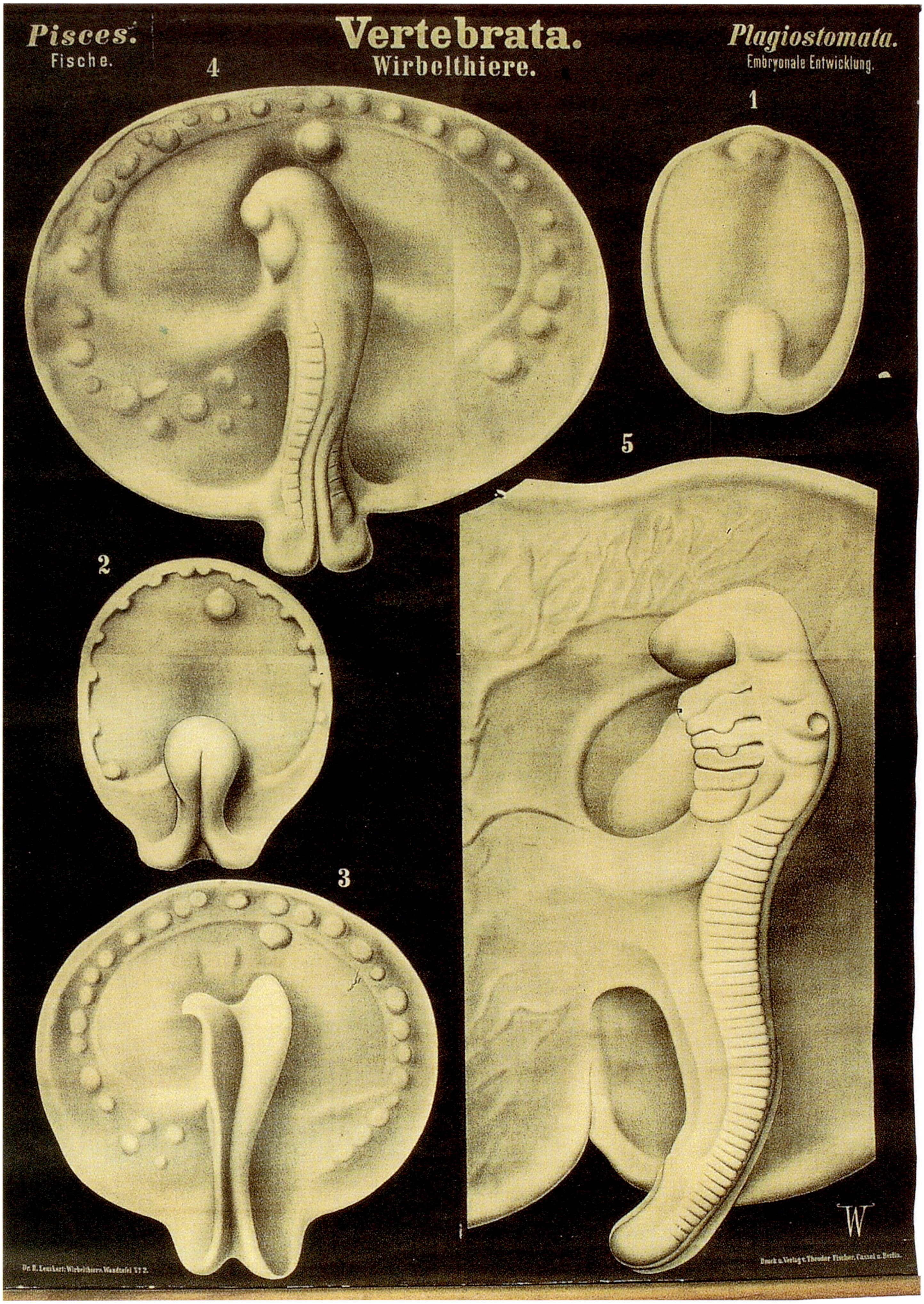

146 Dr. R. Leuckart, Lehrtafel

Embryogenese, *Vertebrata / Wirbelthiere (Pisces, Plagiostomata)*, 137,5 × 103,5 cm, 1895/96

147 Dr. R. Leuckart und Dr. Nitsche, Zoologische Wandtafel

Coelenterata / Pflanzenthiere (Anthozoa, Octactinaria), 136,5 × 102 cm, 1877–1882

148 »Natürliche Schöpfungsgeschichte«

Tafel I, 1870

149 **»Natürliche Schöpfungsgeschichte«**

Sternthiere. Erste Generation, Wurm-Person, Tafel VI, 1870

150 »Natürliche Schöpfungsgeschichte«

Sternthiere, Zweite Generation, Würmer-Stock, Tafel VII, 1870

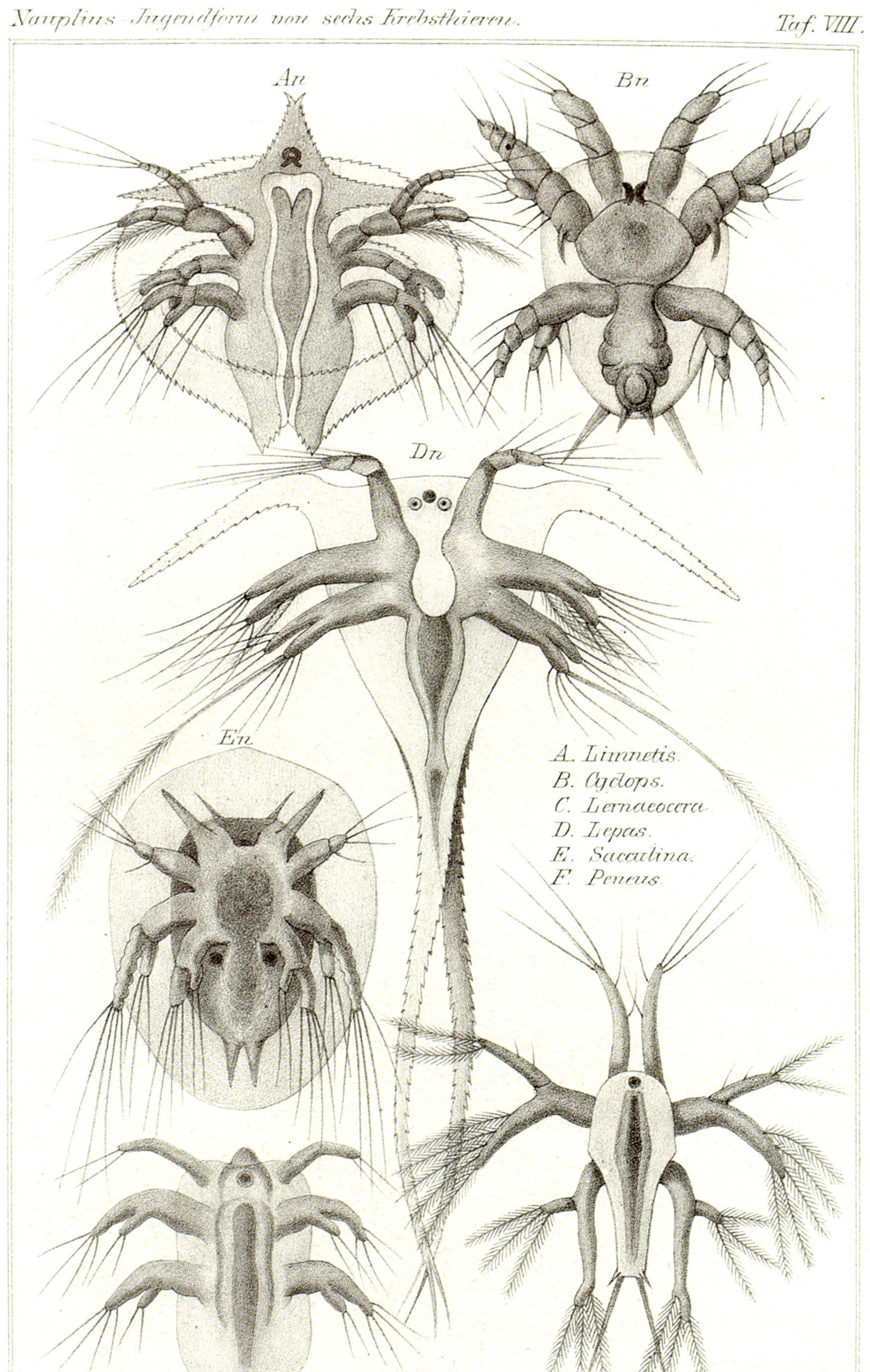

151 »Natürliche Schöpfungsgeschichte«

Nauplius-Jugendform von sechs Krebsthieren, Tafel VIII, 1870

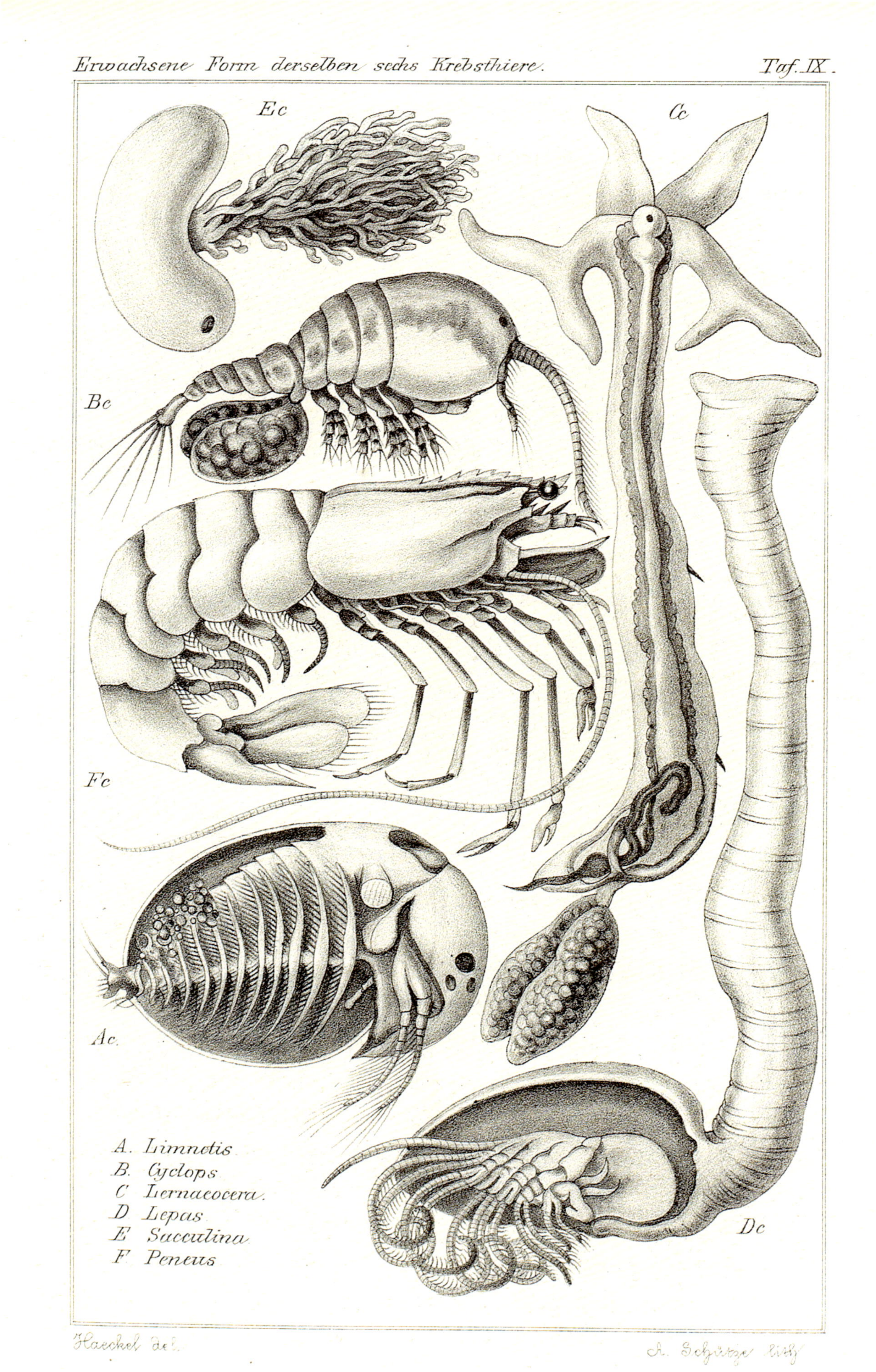

152 »Natürliche Schöpfungsgeschichte«

Erwachsene Form derselben sechs Krebsthiere, Tafel IX, 1870

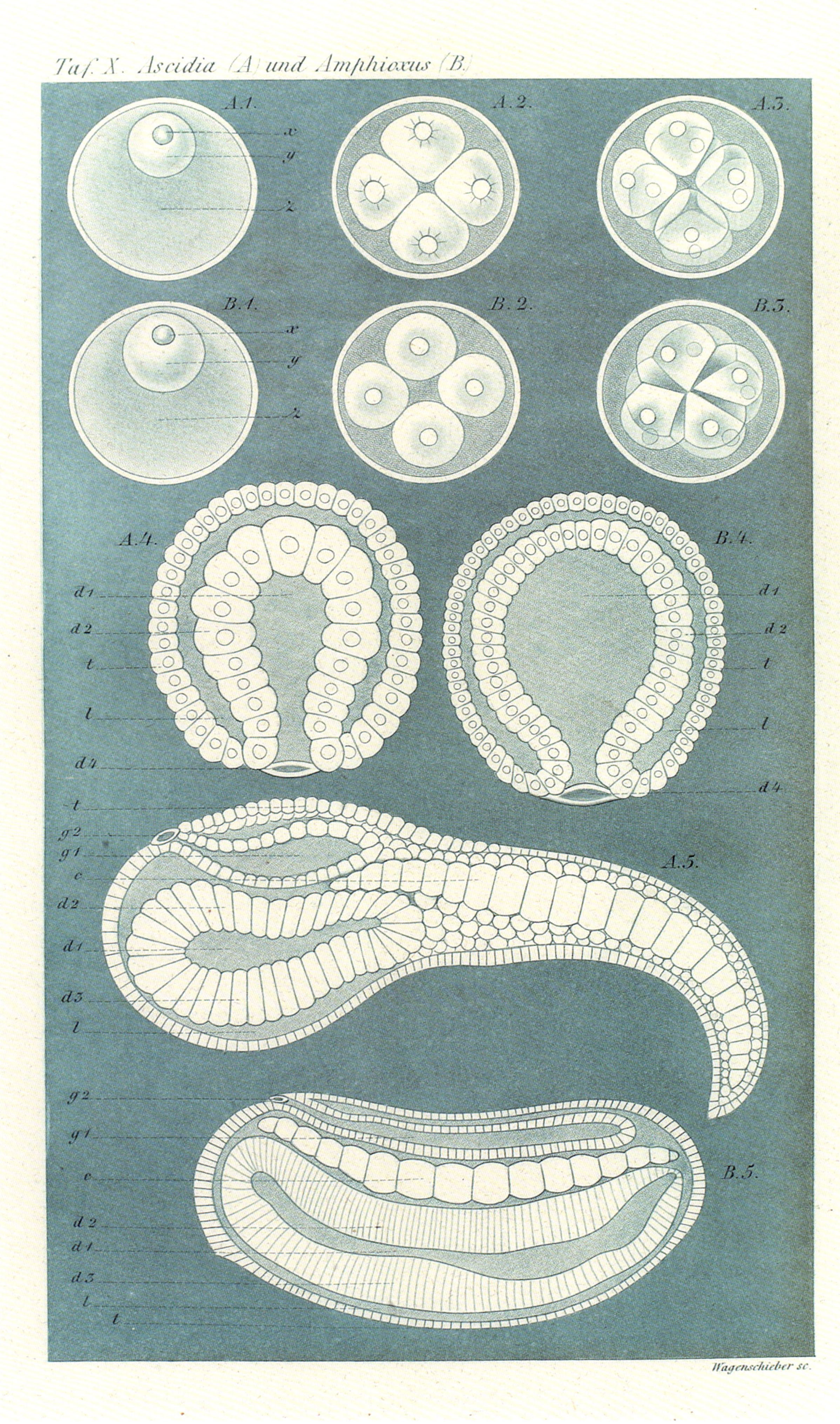

153 »Natürliche Schöpfungsgeschichte«

Ascidia und Amphioxus, Tafel X, 1870

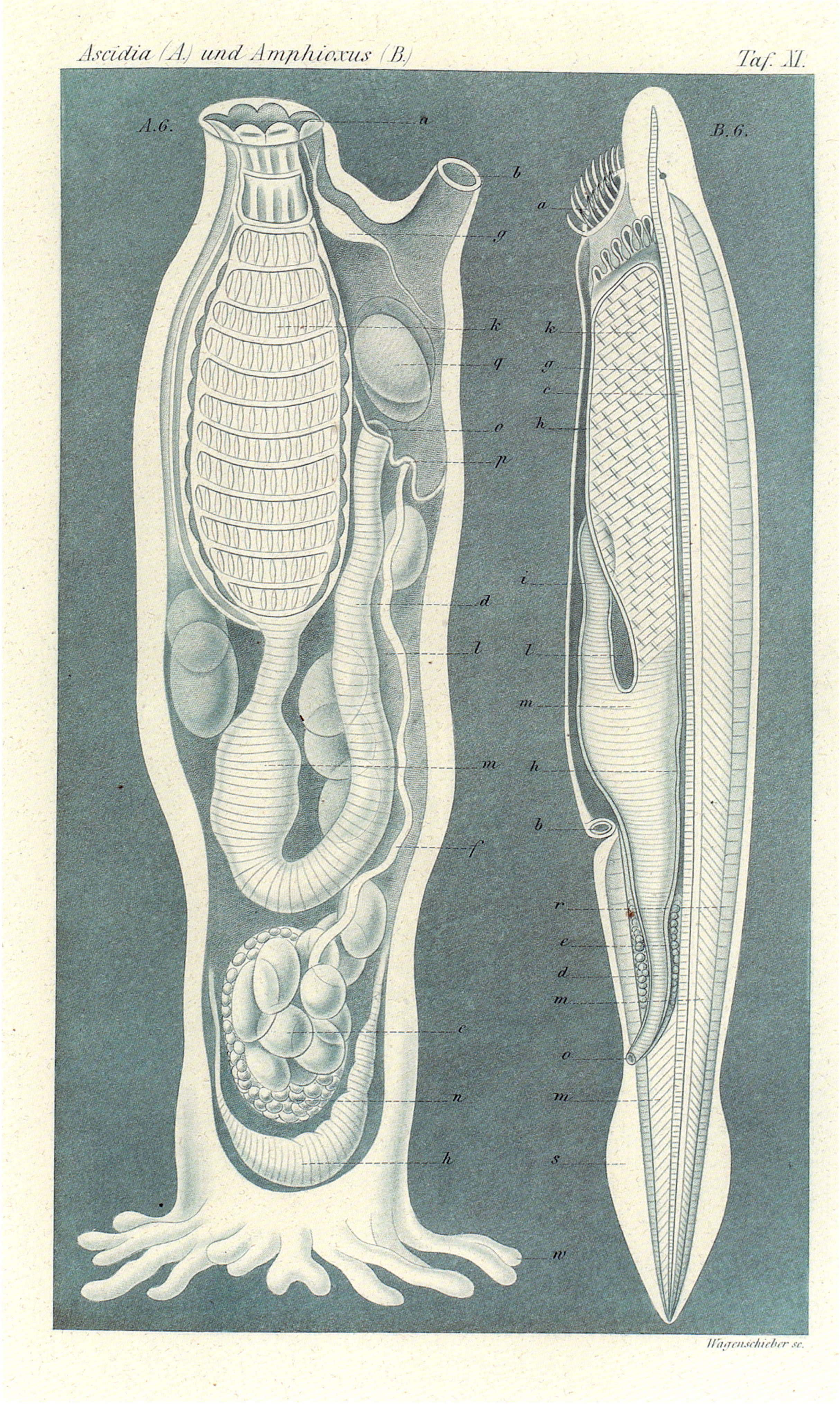

154 »Natürliche Schöpfungsgeschichte«

Ascidia und Amphioxus, Tafel XI, 1870

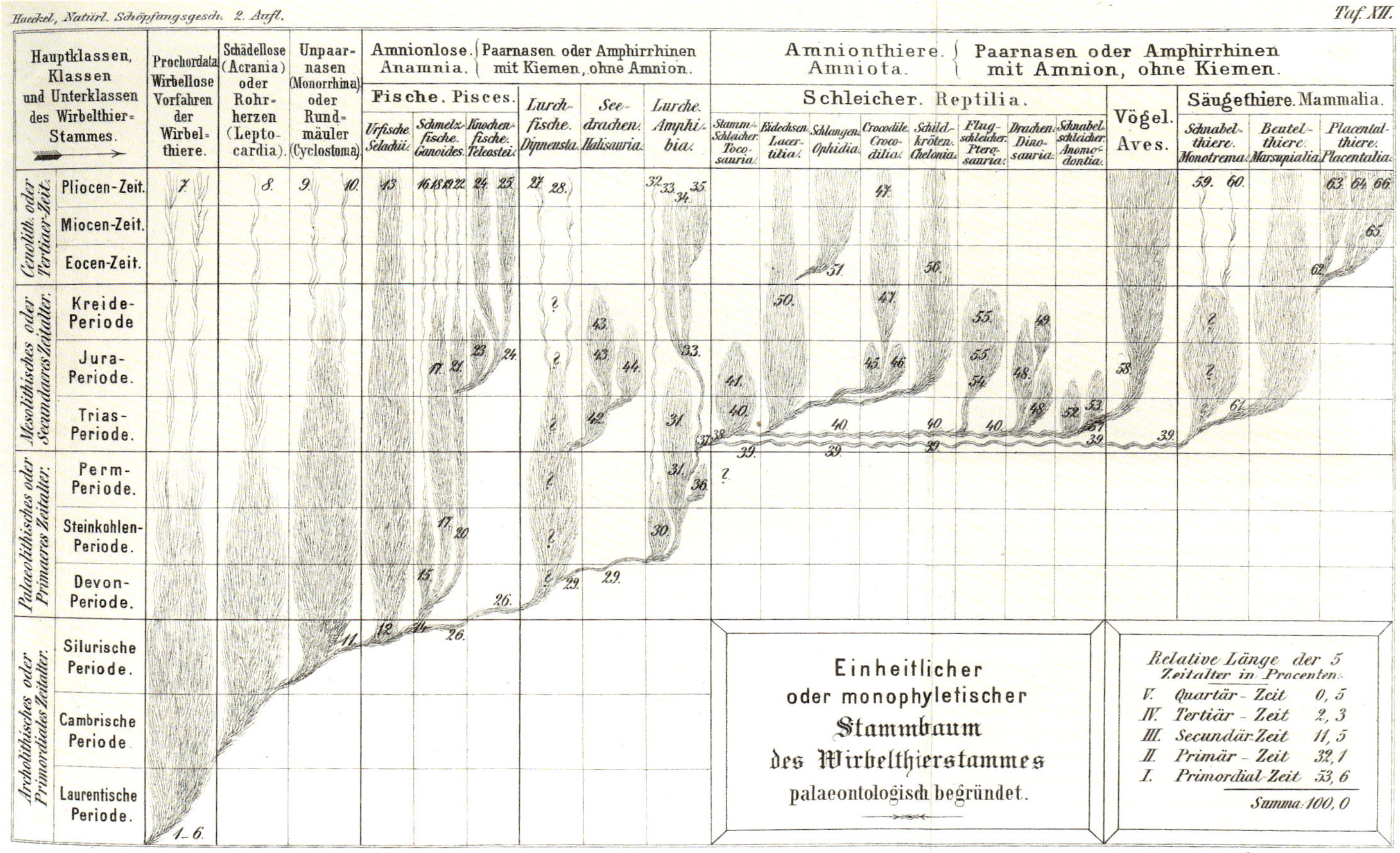

155 »Natürliche Schöpfungsgeschichte«

Einheitlicher oder monophyletischer Stammbaum des Wirbelthierstammes palaeontologisch begründet, Tafel XII, 1870

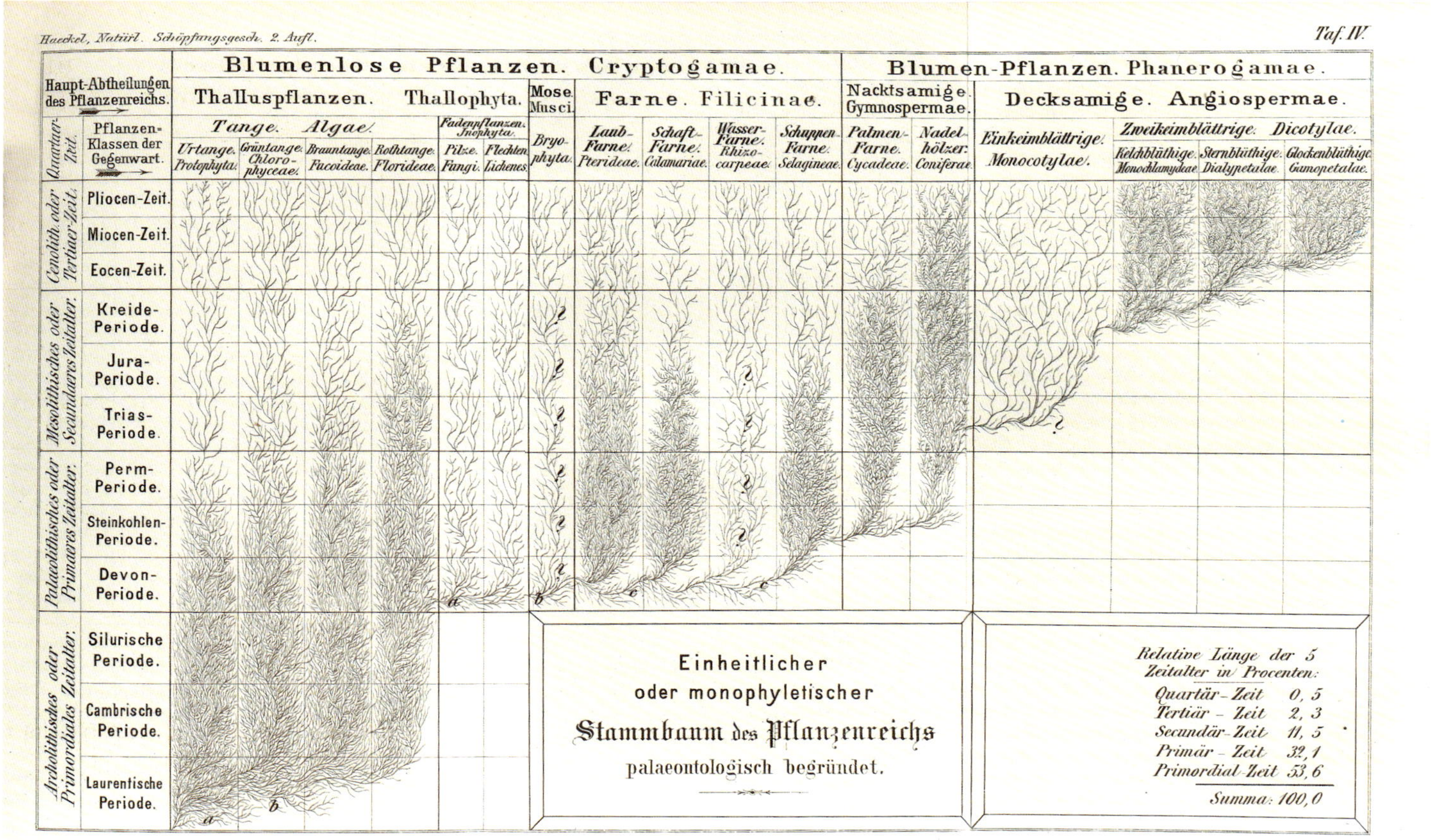

156 »Natürliche Schöpfungsgeschichte«

Einheitlicher oder monophyletischer Stammbaum des Pflanzenreichs palaeontologisch begründet, Tafel IV, 1870

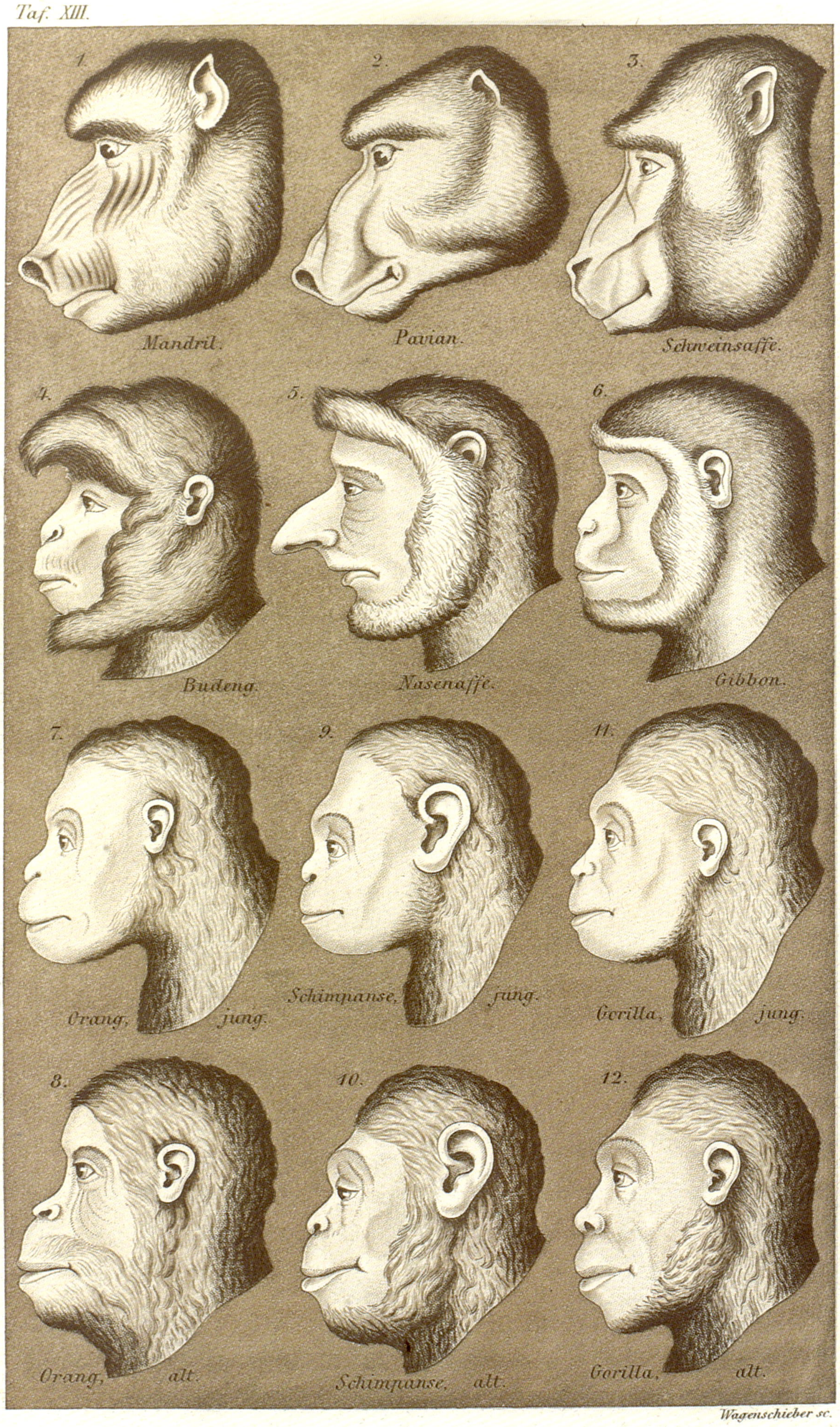

157 »Natürliche Schöpfungsgeschichte«

Die Familiengruppe der Katarrhinen, Kopf-Profile von zwölf Katarrhinen oder Affen der alten Welt, Tafel XIII, 1870

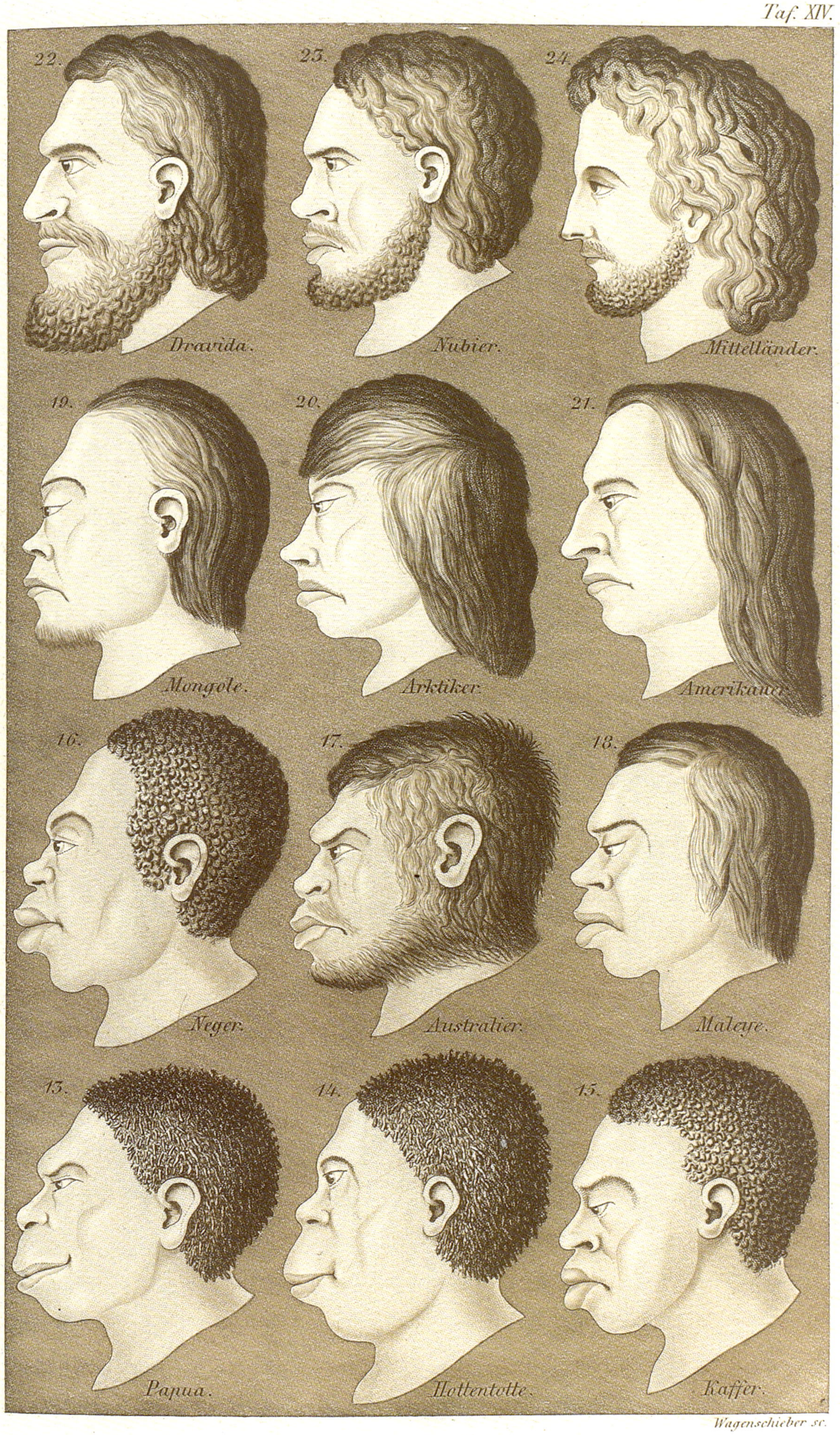

158 »Natürliche Schöpfungsgeschichte«

Die Familiengruppe der Katarrhinen, Kopf-Profile von typischen Repräsentanten der zwölf Menschenarten, Tafel XIV, 1870

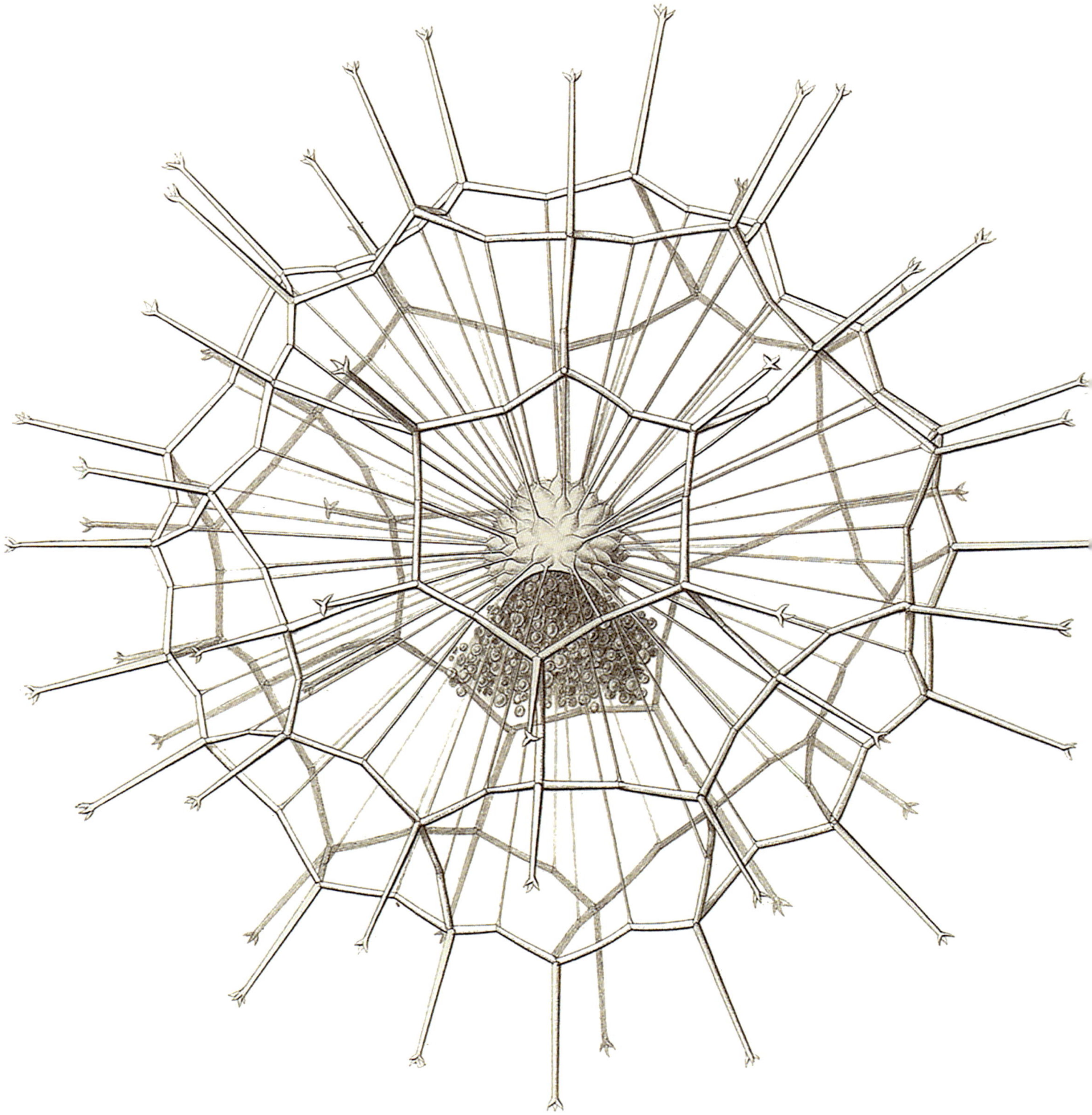

Kristallformen

Haeckel bearbeitete eine Fülle von Lebensformen. Es waren zum einen immer wieder die Radiolarien, die ihn faszinierten und die er in verschiedenen Zusammenhängen bearbeitete, und hierbei dann – aufbauend auf seiner Habilitationsschrift – die Systematik und Taxonomie dieser Gruppe mehr und mehr ausweitete. Dabei leitete ihn das Kriterium, das er schon in seiner *Generellen Morphologie* zu systematisieren suchte. Er betrachtete die Skelette der Radiolarien, anhand derer er eine Systematik erarbeitete, als komplex organisierte Kristalle. Analog einer Mineralogie, die Formähnlichkeiten als Variationen in der Grundbaucharakteristik von Kristalltypen darstellt und so eine Systematik der Mineralien über die Kristallformen erarbeitet, geht Haeckel bei den Radiolarien vor. Er konstruiert hierzu Formenreihen, in denen die Variationsmuster anhand von einzelnen Formen dargestellt und dabei bestimmte Bautypen voneinander abgegrenzt werden.

Der Engländer D'Arcy Wentworth Thompson hatte zu Beginn des 20. Jahrhunderts dieses Haeckelsche Vorgehen massiv kritisiert. Sein bekanntes, die angloamerikanische Morphologie maßgeblich beeinflussendes Buch *On Growth and Form* (Über Wachstum und Gestalt) ist in großen Teilen ein direkter Anti-Haeckel (Abb. 161).[58] D'Arcy Thompson führt dabei speziell zur Radiolariensystematik von Haeckel aus, dass dieser einfach Variationen und Formspiele aneinander gereiht habe. Seine Art der Darstellung offeriere somit keinerlei Arten, sondern nur einzelne Ausprägungen eines sehr viel grundsätzlicher zu zeichnenden Dekors. Diese grundsätzlichere Beschreibungsebene sei in der Mathematik zu finden, die es erlaube, die Variationen der Formvielfalten auf wenige Gesetzmäßigkeiten zurückzustufen, und nur die Einheiten, die derart in einem Gesetz zu bezeichnen wären, seien eben auch Arten. Es sei hier einmal dahingestellt, dass die Radiolarien in der Tat sich durch eine bestimmte Art der Mathematik beschreiben lassen. Ihre Skelette sind Illustrationen des mathematischen Problems, wie mit dem geringsten Aufwand an Material eine dreidimensionale Fläche mit vorgegebenen Eckpunkten zu überspannen ist: des Minimalflächenproblems. Diese Mathematik ist keineswegs einfach; und es ist natürlich denkbar, dass eine Formel zu finden ist, mit der im Prinzip die entsprechenden Variationsmöglichkeiten eines sechs-, acht- oder

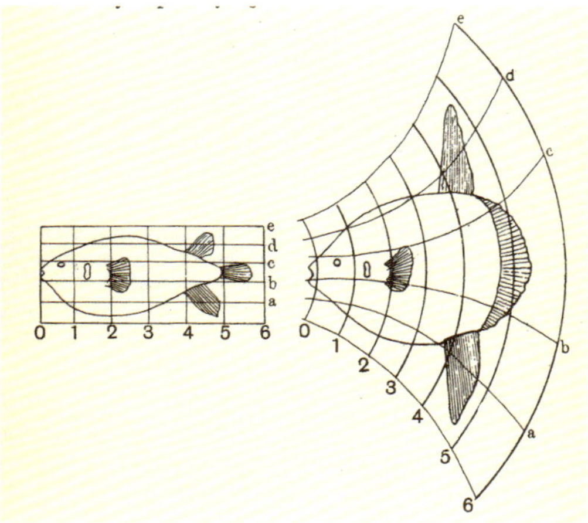

159 **D'Arcy Wentworth Thompson, »On Growth and Form«**

Formtransformationen am Beispiel der Fischgestalt, 1959 (2. ed.)

mehreckigen Körpers zu beschreiben sind. Zu fragen aber wäre, ob denn nicht gerade die Variationen in der Formausprägung, die sich über eine Folge von Generationen ja auch in ihren einzelnen Einheiten tradierten, nicht doch aufweisen, wie in der Evolution »mit« der entsprechenden Formel gespielt und demnach in den Variationen des möglichen Programms voneinander distinkte Arten aufgebaut wurden.

Komplizierter ist dann eine entsprechende Argumentation aber bei mehrzelligen Formen. Hier ist es nicht mehr zureichend, die Symmetrieverhältnisse einer Zelle anzuschauen; vielmehr sind nun die Gestalten ganzer Gewebe zu betrachten. Auch dies unternahm Haeckel und – in seinem Denken konsequent – interessierte er sich dabei zunächst für einfach gebaute Organismen, die Schwämme (Abb. 160 – 176), und – später – für die Medusen.

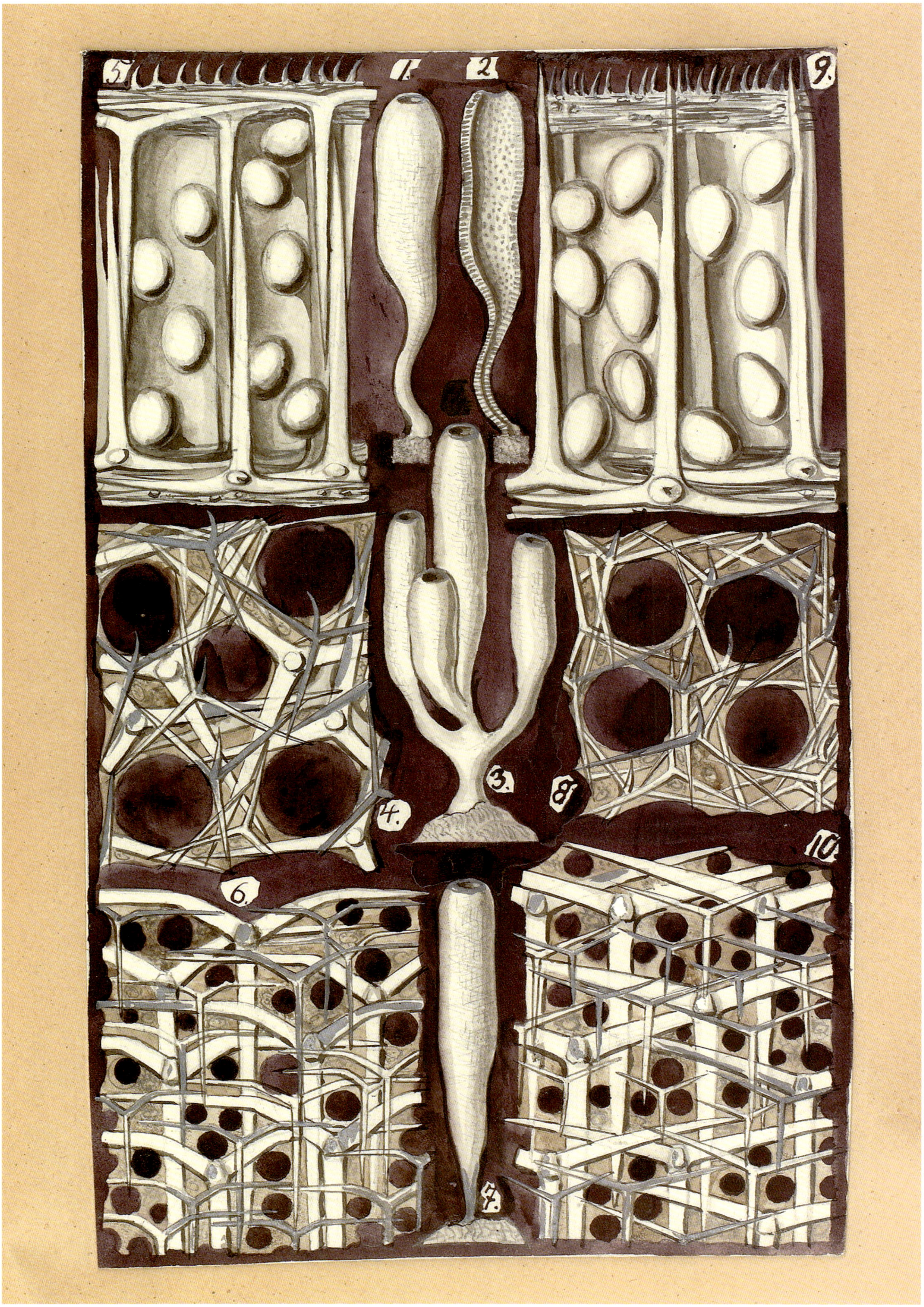

160 **»Kalkschwämme-Album«**

Handzeichnung, vor 1872

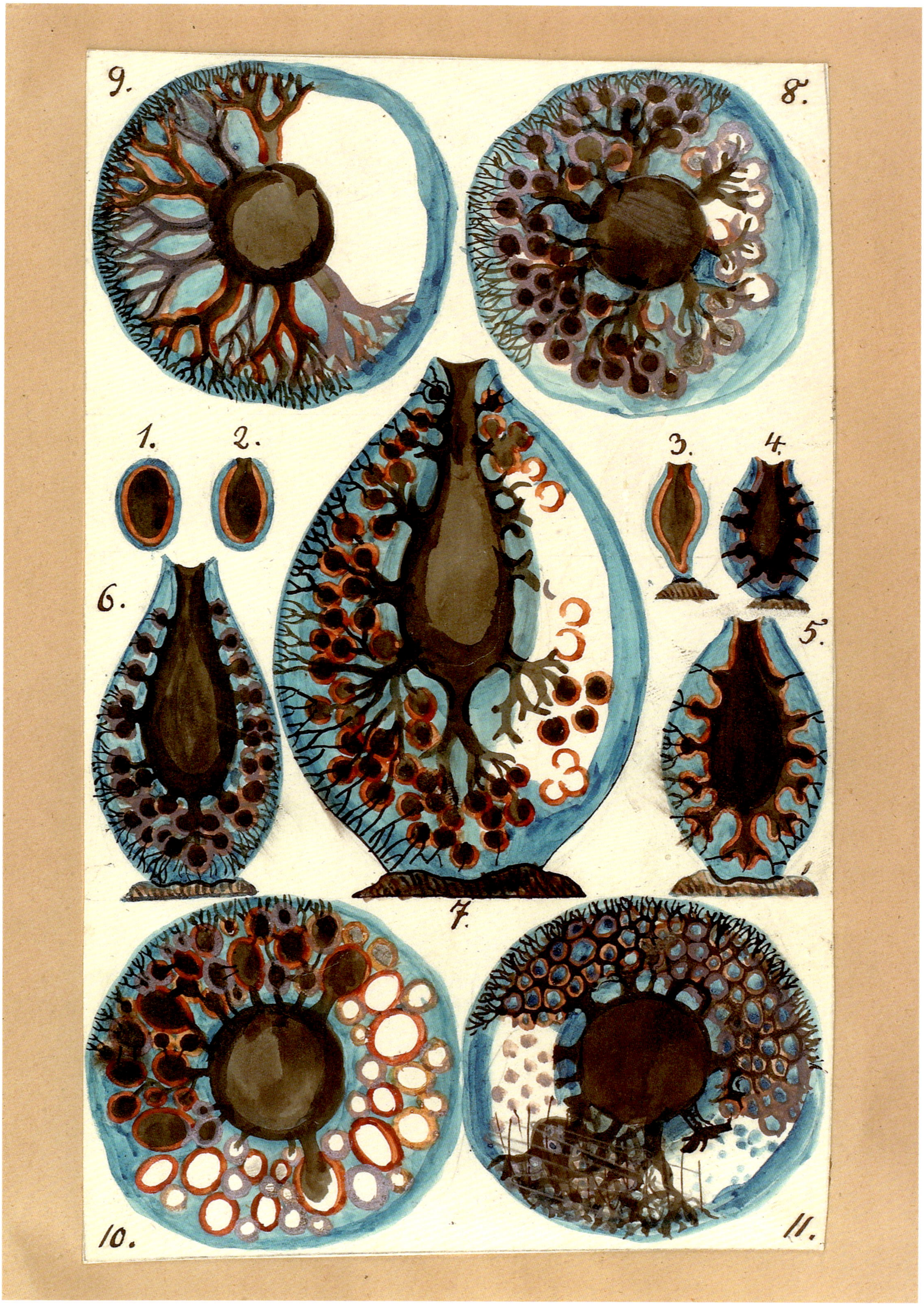

161 **»Kalkschwämme-Album«**

Handzeichnung zu Tafel 40, 1872, siehe Abb. 169

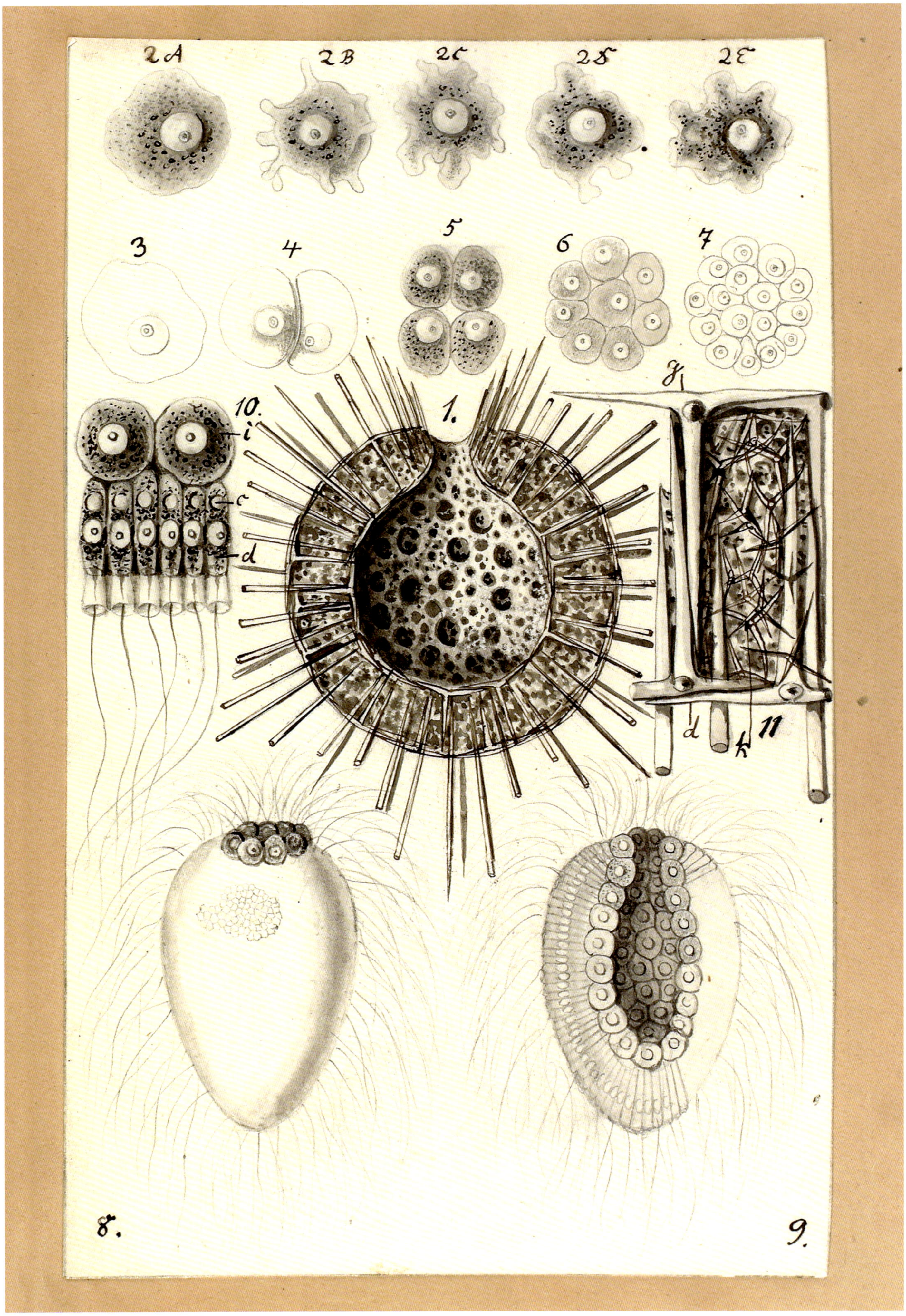

162 »Kalkschwämme-Album«

Handzeichnung, vor 1872

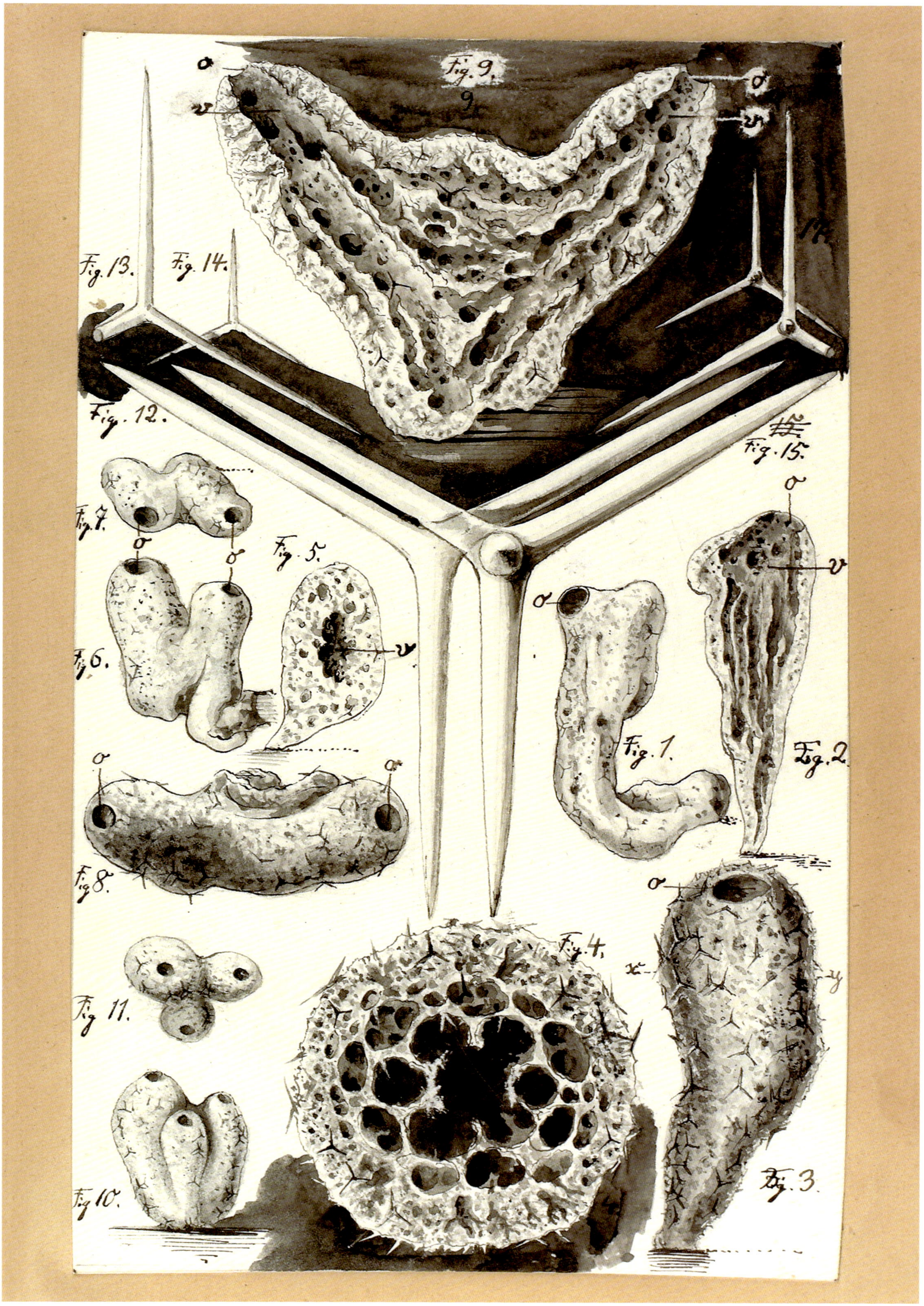

163 **»Kalkschwämme-Album«**

Handzeichnung, vor 1872

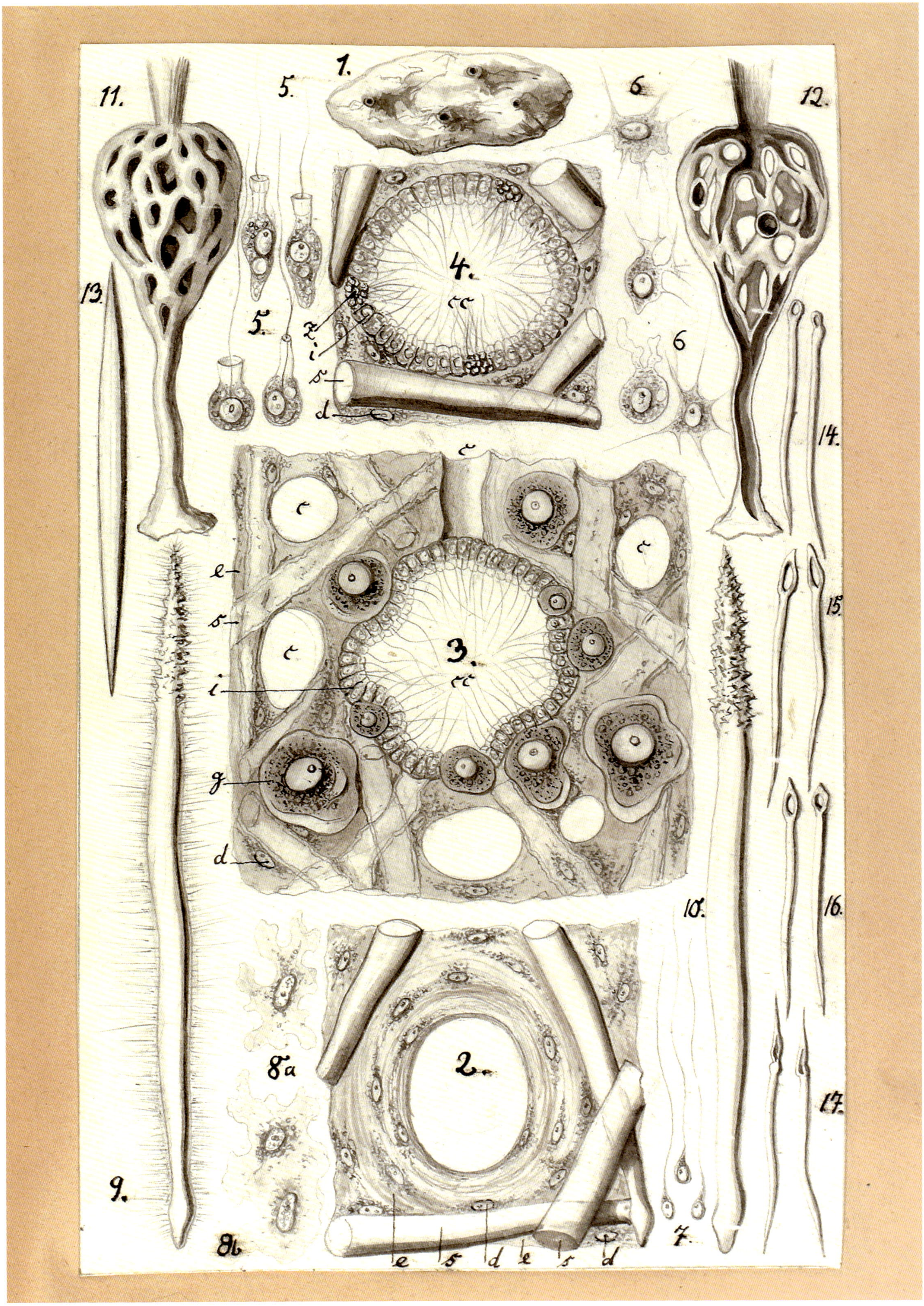

164 **»Kalkschwämme-Album«**

Handzeichnung, vor 1872

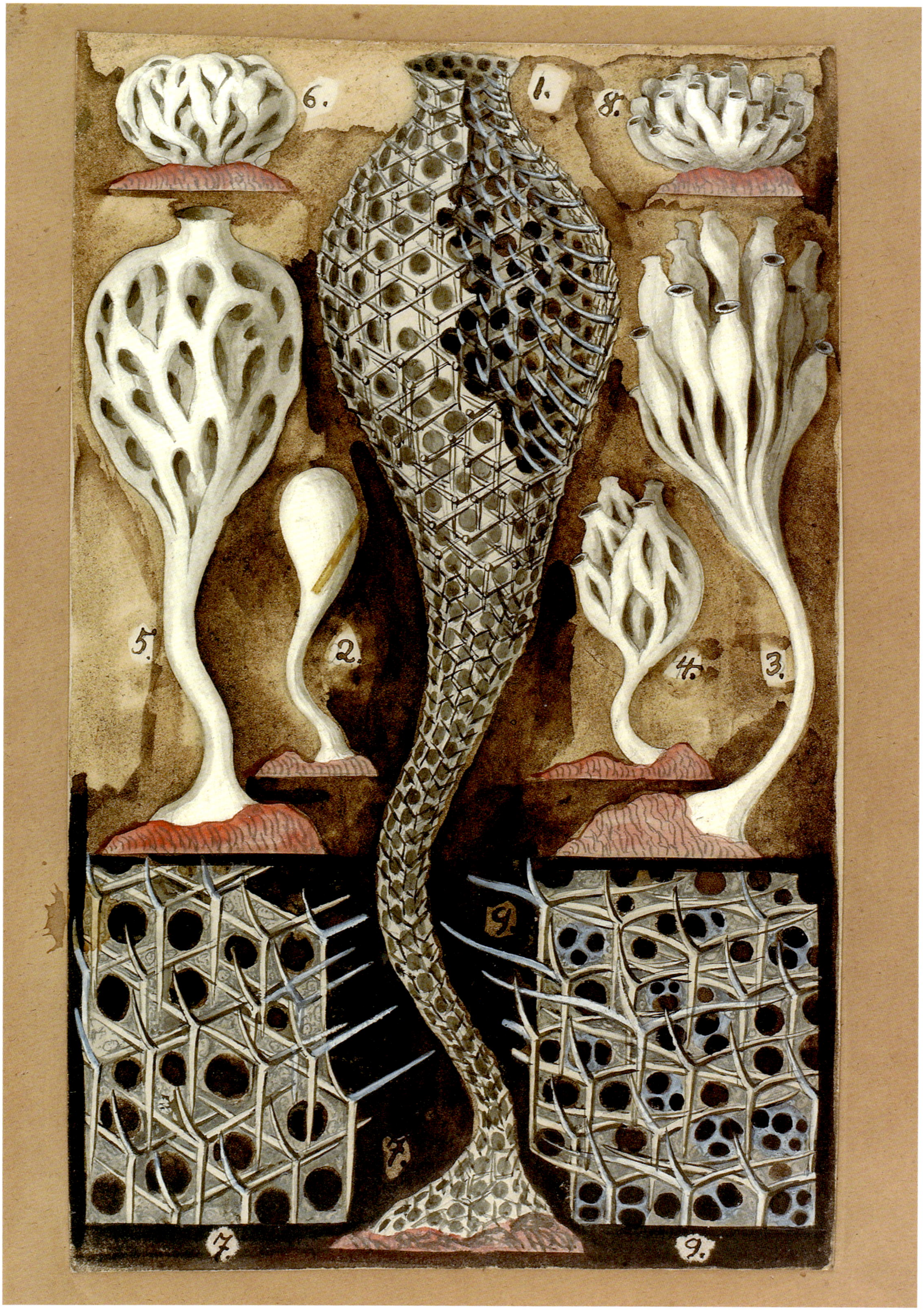

165 »Kalkschwämme-Album«

Handzeichnung, vor 1872

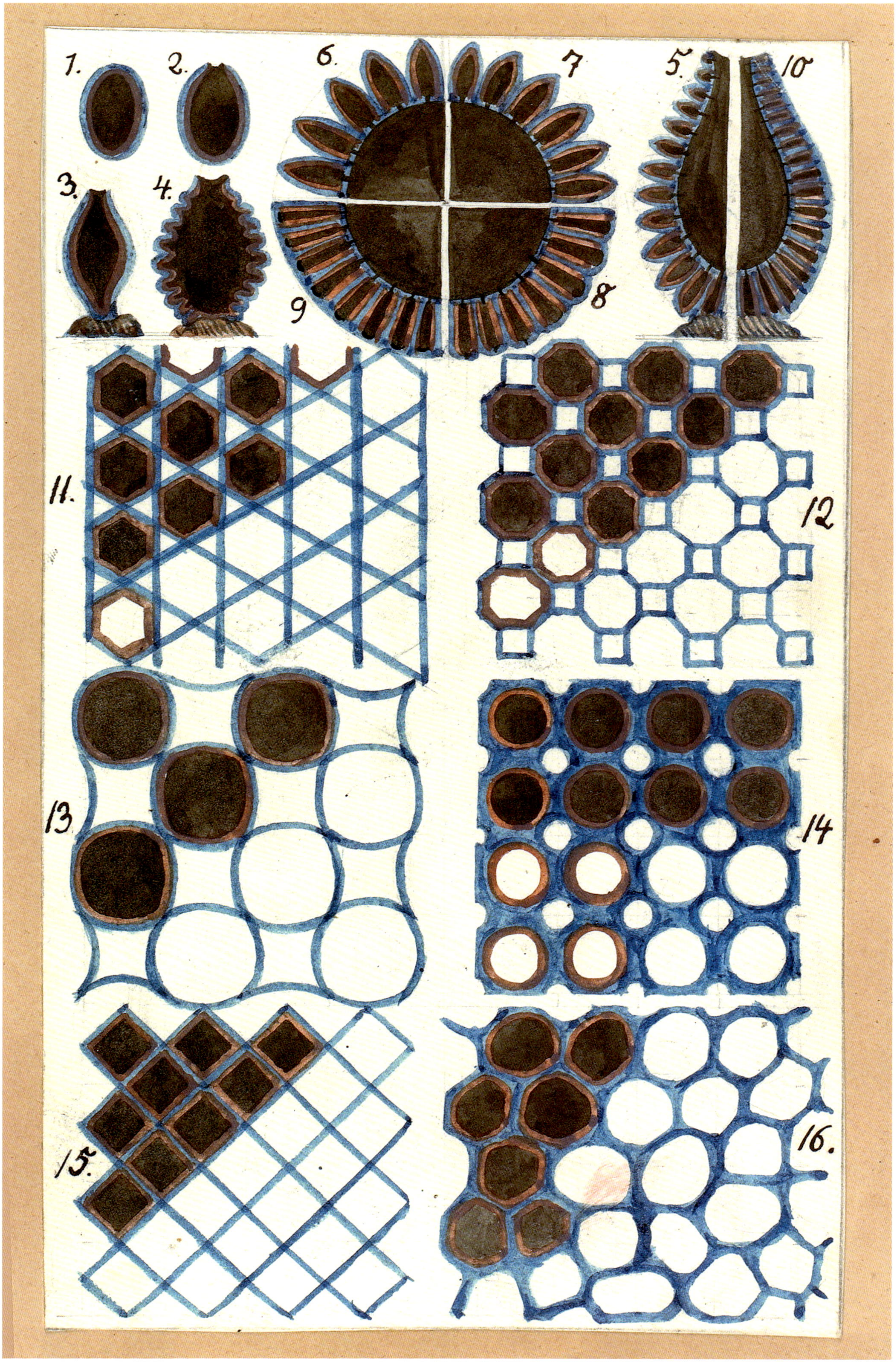

166 »Kalkschwämme-Album«

Handzeichnung, vor 1872

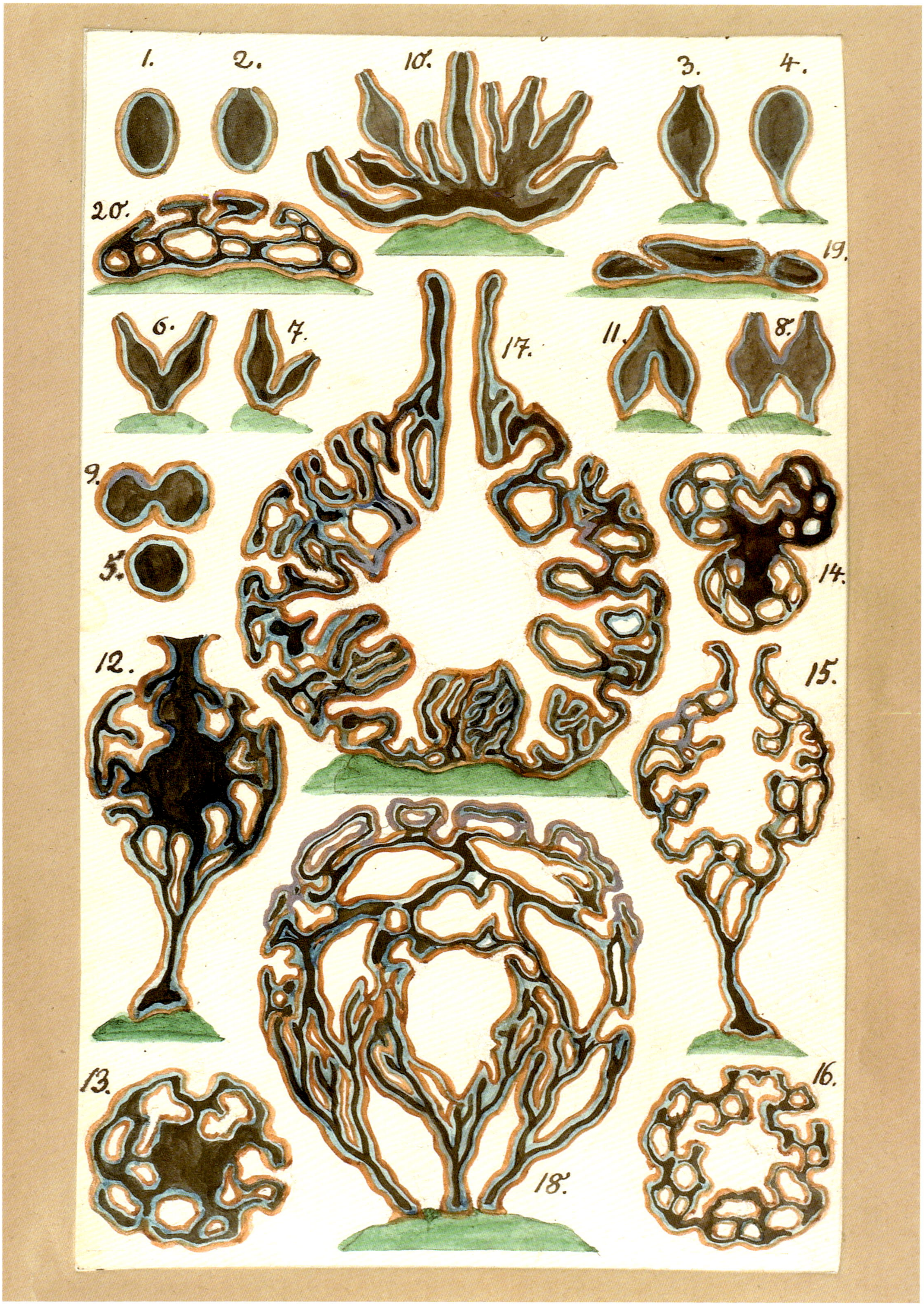

167 **»Kalkschwämme-Album«**

Handzeichnung, zu Tafel 20, 1872, siehe Abb. 168

Taf. 20.

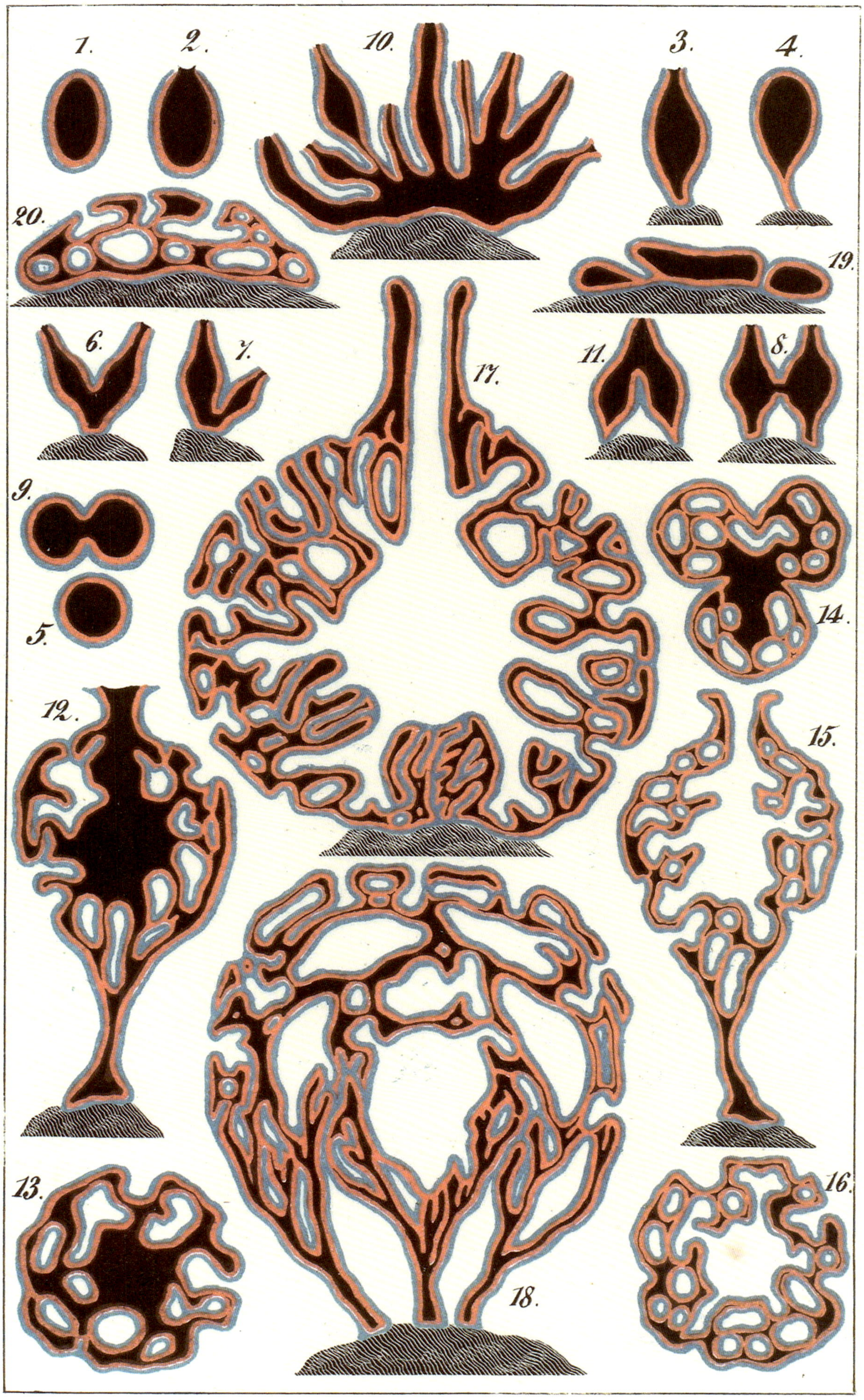

E. Haeckel del.

Lith. Anst. v. E. Giltsch in Jena.

168 »Die Kalkschwämme«

Tafel 20, 1872

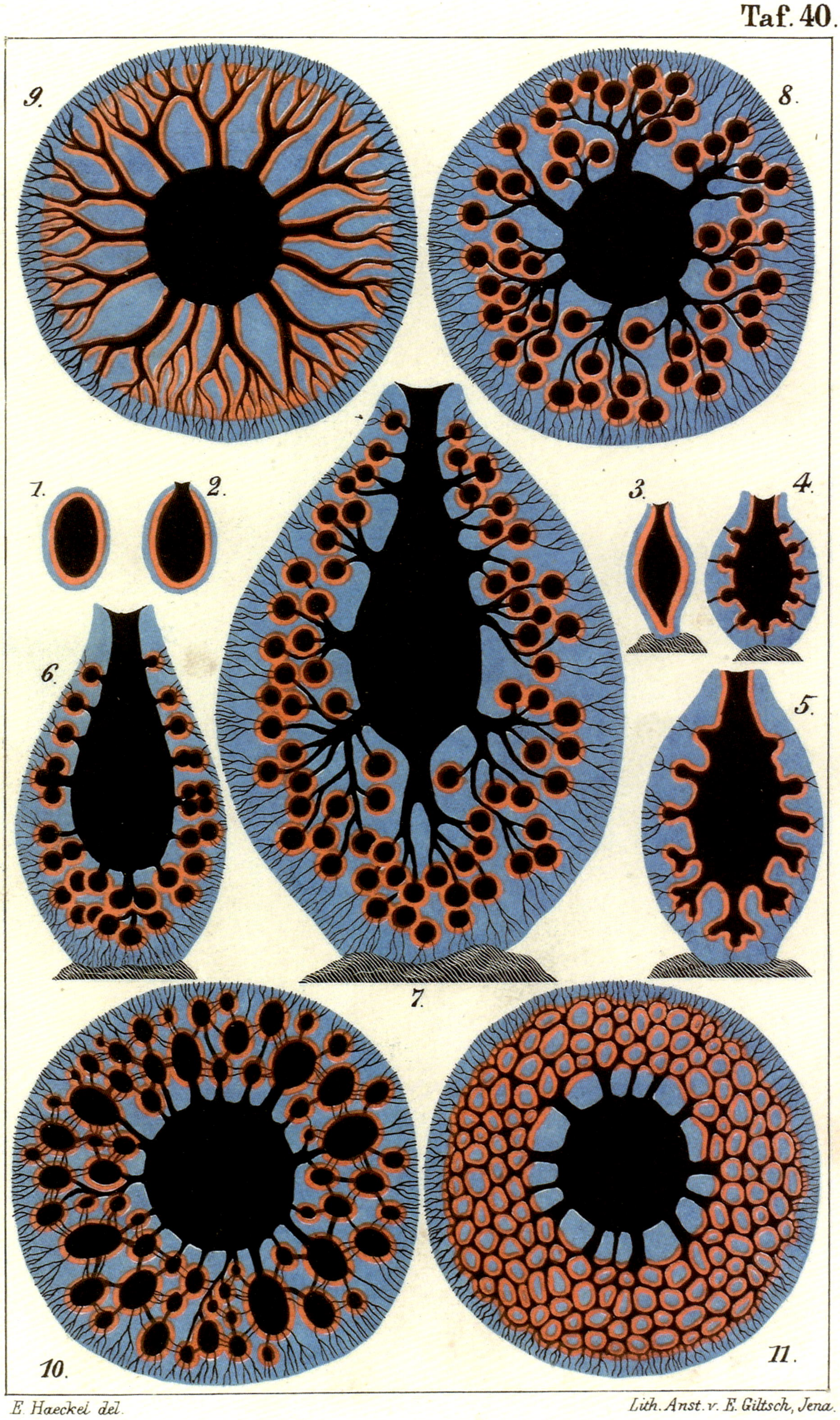

169 »Die Kalkschwämme«

Tafel 40, 1872

Taf. 21.

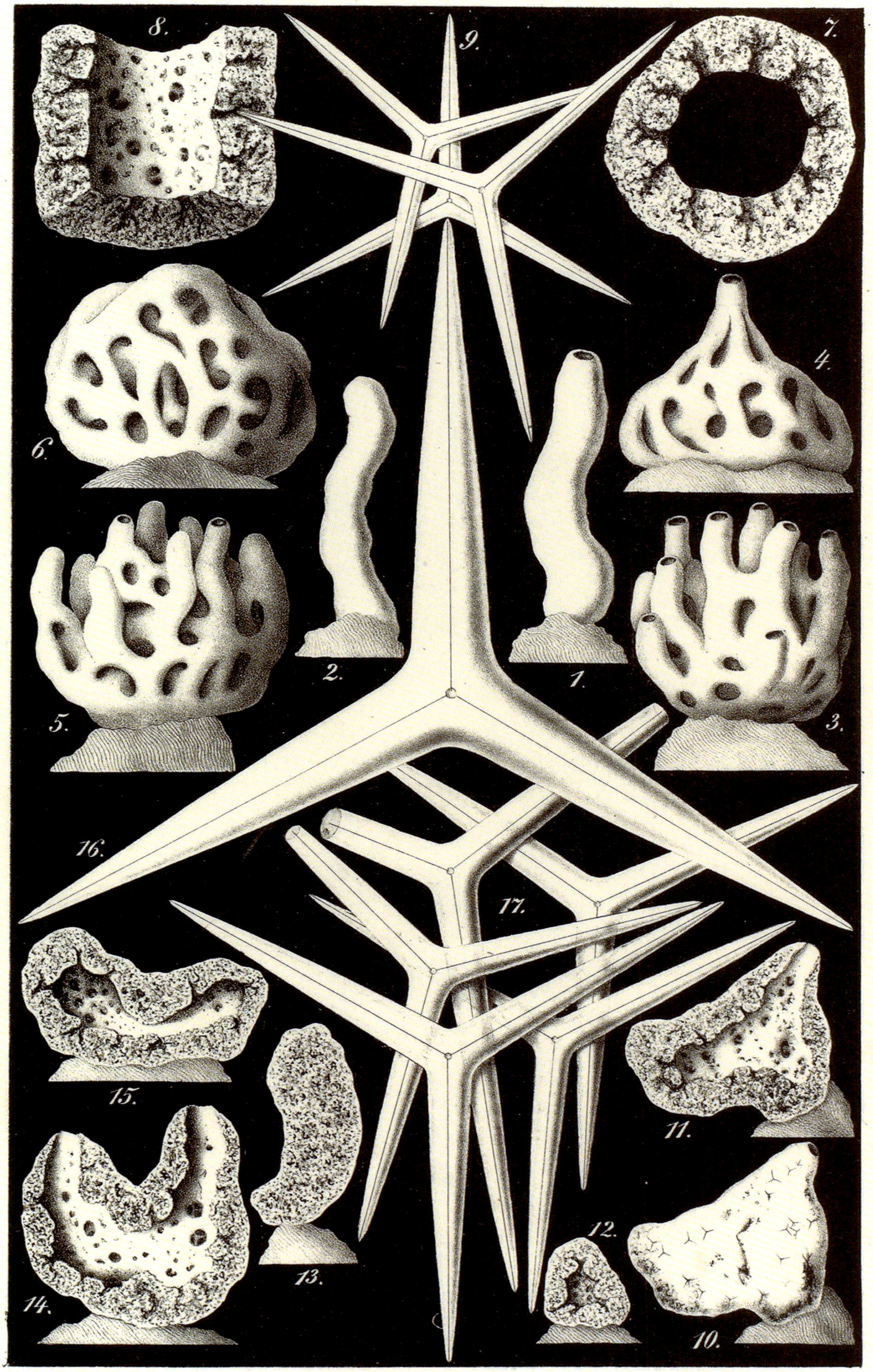

E. Haeckel del.

Lith. Anst. v. E. Giltsch in Jena.

170 »Die Kalkschwämme«

Tafel 21, 1872

Taf. 19.

E. Haeckel del.   Wagenschieber sc.

171 »Die Kalkschwämme«

Tafel 19, 1872

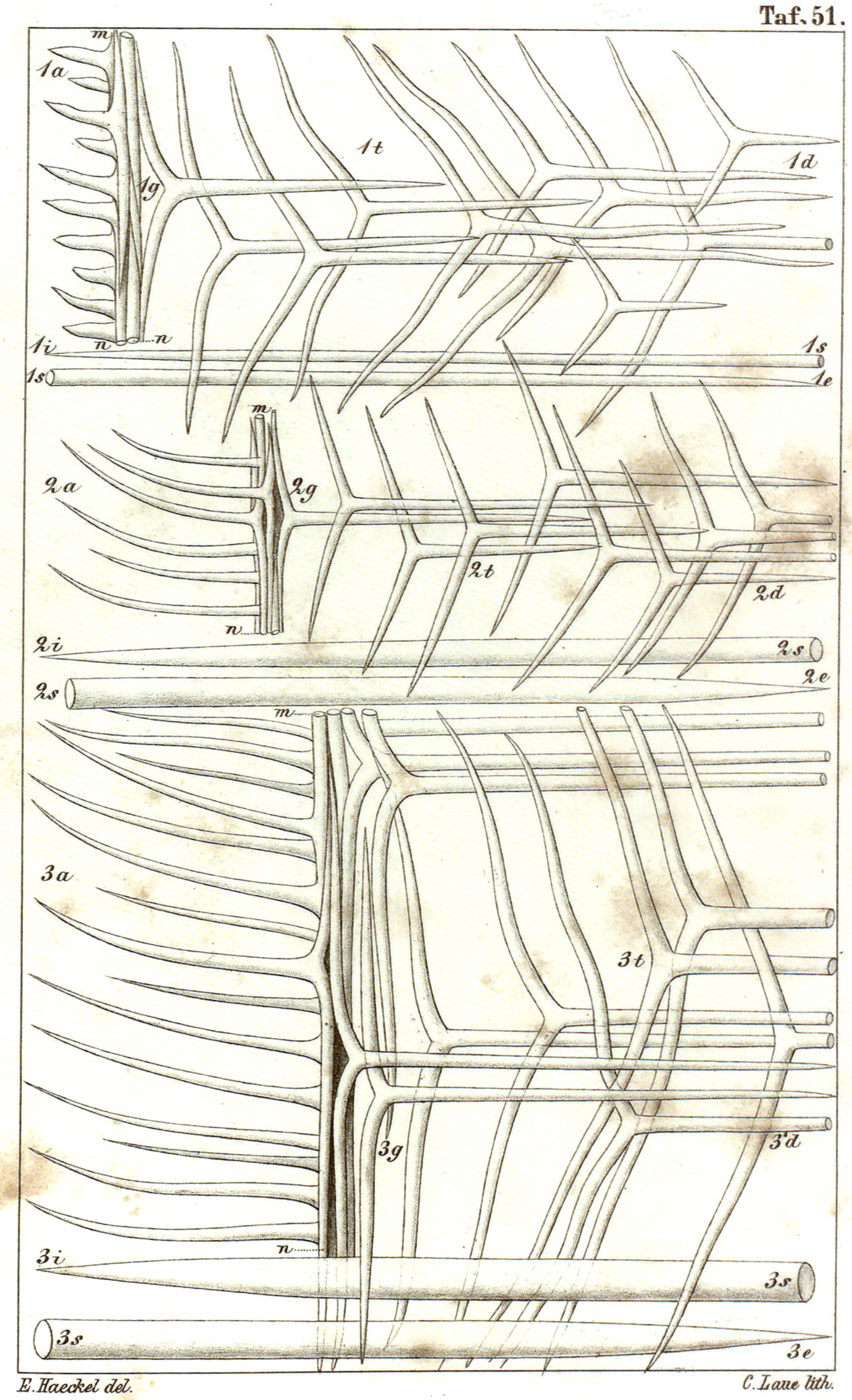

172 »Die Kalkschwämme«

Tafel 51, 1872

Kalkschwämme

1872 legte Haeckel eine umfassende dreibändige Monographie zu der Tiergruppe der Kalkschwämme vor. Diese Schwämme sind Organismen, die wir gemeinhin nur als Skelette, in Form unseres echten Badeschwammes, kennen. Diese Tierformen, die ganz ansehnliche Größe erreichen, sind in ihrem Aufbau für einen mehrzelligen Organismus aber denkbar einfach organisiert. Im Prinzip bestehen sie aus zwei Gewebeschichten, die sich in unterschiedlichster Form ineinander verfalten, verdrehen und verwachsen. Es ist zum einen eine äußere Schicht, die den Organismus gegen seine Umwelt abgrenzt, und zum anderen eine innere Schicht, die in einem kontrollierten Milieu, einer Darmhöhle, die von dem Organismus aufgenommenen Nährstoffe zu verdauen vermag. Insoweit finden wir nur zwei Gewebetypen, die sich allerdings in der Ausbildung ihrer Zellen doch wieder etwas differenzierter darstellen. Zudem bauen diese Zellen auch noch Skelette auf. Diese sind aber weniger kompliziert organisiert, als es die kompakte Organisation eines Badeschwammes zunächst erscheinen lässt. Im Prinzip bilden sich in einzelnen Zellen Skelettnadeln aus, die sich ineinander verklemmen und so den Organismus aufspannen, ohne dass es zu einer komplizierten zentral geregelten Abstimmung im Aufbau solch eines Gewebebestandteiles kommen muss. Nun aber gibt es Bauprinzipien, nach denen sich diese Tiere in ihrer Ontogenese organisieren. Es gibt Arten, die einfach in Form eines sich sukzessive vergrößernden Ringes von einem initialen Sprossbereich ausgehend wachsen. Das Resultat ist eine sich nach oben öffnende Tüte. Andere Schwämme beginnen als eine einfache Kugel mit einem Hohlraum, deren Oberfläche sich aber im weiteren Wachstum einfaltet und so Seitenhöhlen bildet, die sich dann wieder einfalten, und so fort. Im Resultat entsteht ein kompliziertes Gebilde. Treffen nun einzelne dieser Regelungen im Aufbau solch eines Individuums in einer bestimmten Weise aufeinander, variieren sich die Bildungsmuster. Ein Übriges tut die Grundstruktur der Skelettnadeln, die die Gewebeformen in einer bestimmten Weise aufspannen. Deutlich wird aber, dass in solch einer Beschreibung der Formvariationen in Haeckels Ansatz die Formdifferenzierung, die im erwachsenen Exemplar ganz bestimmte Typen erkennen lässt, auf einfache Grundvariationen in der Ontogenese zurückzuführen ist. Da diese einfach sind, wären hier wieder die unterschiedlichen Kompositionen der adulten Form als einfache Variationen im Aufbau von Symmetriekonstellationen zu beschreiben. Nur wäre nicht einfach eine Symmetrieachse anhand der Formvariationen eines Skelettes zu bestimmen, vielmehr die Art des Bildungsgesetzes in der Entwicklung der Architektur einer bestimmten Form und damit die Form der Symmetrievariationen selbst.

Haeckel demonstriert genau die hier kurz skizzierten Prinzipien in seiner vergleichenden Darstellung dieser Schwämme. Er legt dabei einerseits minutiöse Darstellungen der Organisation, der Skelettstrukturen und des Habitus dieser Tierformen vor. Daran erarbeitet er dann die Bildungseigenheiten im Sinne einer komplexeren Kristal-

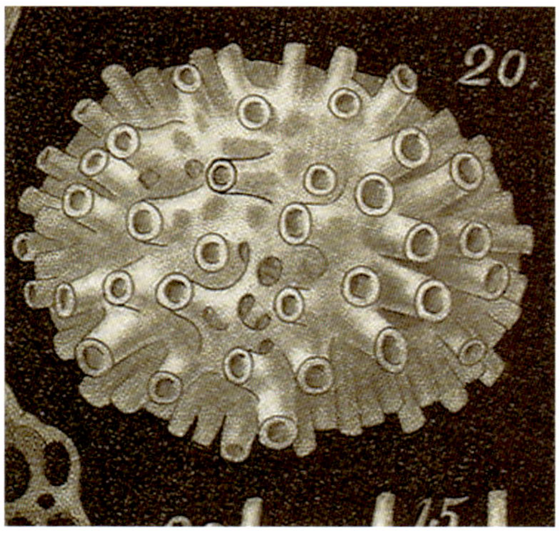
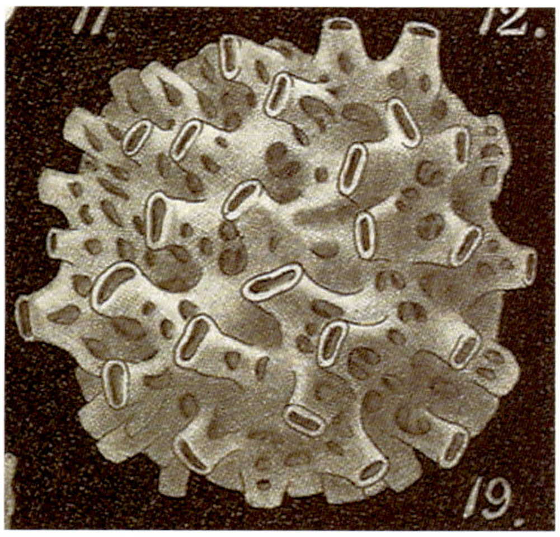
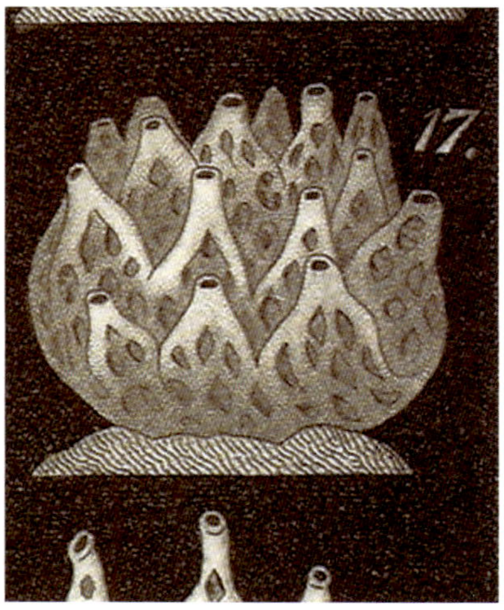

173–175 **»Die Kalkschwämme«**

Details aus Tafel 3, siehe Abb. 176

lographie auch dieser mehrzelligen Formen. Nicht im einfachen Sinne einer Darstellung von Körpersymmetrien beim adulten Typus – was bei der teilweise vergleichsweise amorphen Gestalt dieser Tiergruppe auch schwierig ist –, sondern vielmehr in einer Darstellung der in der Ontogenese abzulesenden Bildungsgesetzmäßigkeiten. Die Kalkschwämme sind für ihn demnach ein zentraler Beleg für die Bedeutung seines Biogenetischen Grundgesetzes, kann er doch nur in der vergleichenden Darstellung der Bildungsgesetze die Grundsymmetrien dieser Organismen darstellen und so deren Systematik erstellen. Dass er diese Systematik im Sinne einer phylogenetischen Systematik begreift, scheint für ihn über die Anschauung, die die Systematik eben in der skizzierten Weise als entwickelt begreifen lässt, dann auch wieder augenfällig.

Taf. 3.

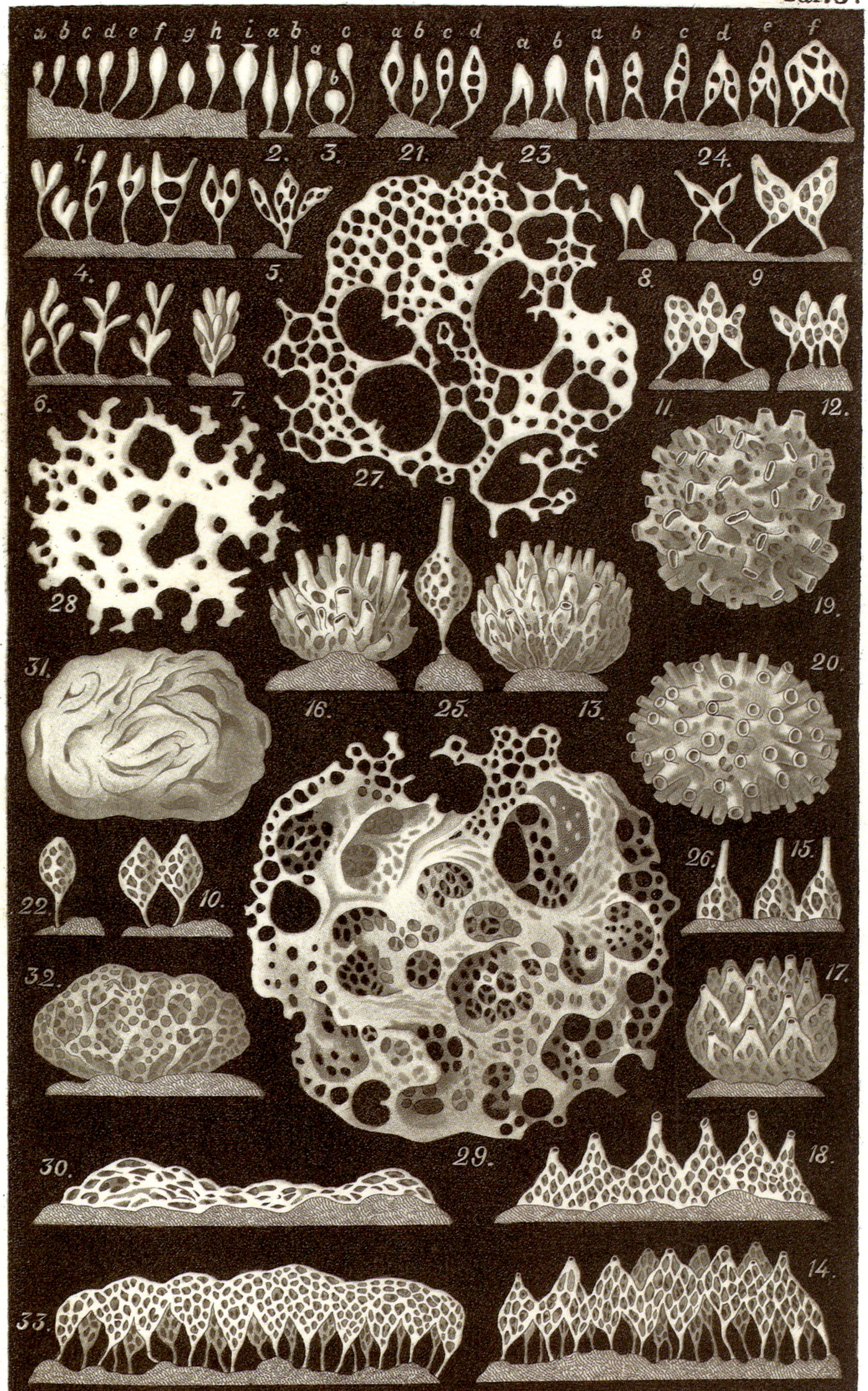

E. Haeckel del. Wagenschieber sc.

176 »Die Kalkschwämme«

Tafel 3, 1872

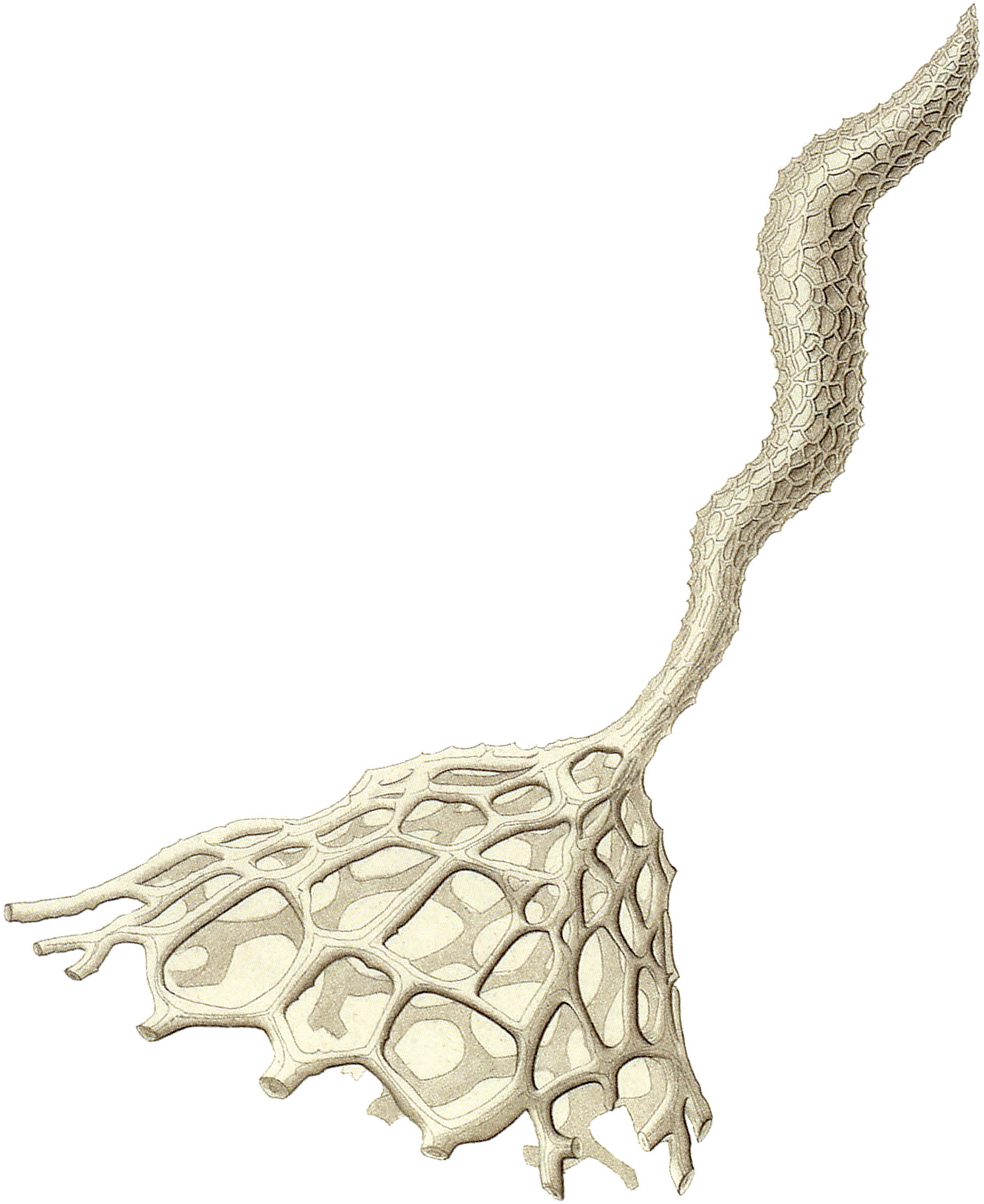

Arabische Korallen

1876 erscheint Haeckels Band über die *Arabischen Korallen*. Dieser prunkvoll ausgestattete Reisebericht, dem Khediven von Ägypten gewidmet, ist zum einen schon in seiner Inszenierung – der Band ähnelt einer Ehrenurkunde – interessant. Es ist zum anderen eine Studie, die in ihrem charakteristischen Amalgam von Reisebericht und Naturstudie auf Vorbilder zu Beginn des 19. Jahrhunderts zurückgreift. Noch einmal finden sich hier die Lebensbilder, die für die populärwissenschaftliche Literatur in der Mitte des 19. Jahrhunderts charakteristisch sind. Es findet sich dabei allerdings auch ein in dieser Form originelles Bild der Fischfauna des Roten Meeres, in dem vorweggenommen ist, wie im ausgehenden 19. Jahrhundert die Aquarien inszeniert werden. Das Bild ist gestaltet wie ein Diorama, und gleich solch einem Diorama wird später die Natur der Wasserwelt im Aquarium in Form eines derartigen Bildes präsentiert, das in seinen Komponenten nun aber bewegt ist und damit lebendig erscheint.

Hierin wird dieser, in seiner ganzen Aufmachung quer zu den bisher referierten Publikationen Haeckels stehende Band für die Popularisierung eines gezähmt erscheinenden Naturbildes bedeutsam, demnach sich eben auch die Exotik als Dekorum fassen lässt. Dieses Motiv eines Naturdekors finden wir dann auch in Haeckels zunächst als Reiseskizzen konzipierten Aquarellen und in der Ausstattung seiner Reiseberichte wieder, die uns im Weiteren noch interessieren werden. Die *Arabischen Korallen* sind aber

177 **»Arabische Korallen«**
Initiale, 1876

178 »Arabische Korallen«

Titelblatt, 1875 (veröffentlicht 1876)

179 »Arabische Korallen«

Kalkgerüste todter Korallen von Tur, Tafel II, 1876

auch in Bezug auf die streng wissenschaftliche Entwicklung Haeckels bedeutsam. Haeckel wies in diesem Band aus, dass es ihm gelungen war, die postulierte Urform der tierischen Organismen – einen einfachen zweilagigen Gewebesack, von dem sich alle weiteren mehrzelligen Tiere ableiten ließen – auch in der Natur zu finden. In seinen *Arabischen Korallen* zeigt er auf, dass der frühe Embryo einer arabischen Koralle in der Tat in dieser ganz einfachen Form, als Gastraea, aufzufinden ist. Somit wäre in der frühen Ontogenese einer einfach organisierten Tierform die Grundform aller mehrzelligen Tiere aufzufinden. In der Tat wären demnach in der frühen Embryogenese nicht nur die systematische Feinabstimmung der höher organisierten Tierformen, sondern die basalen Schritte in der Evolution der Mehrzeller abzulesen. Haeckels hieraus erarbeitete so genannte Gastraea-Theorie leitete die Vielfalt der tierischen Gewebeorganisationen auf diese zunächst hypothetisch angenommene Urform zurück. Diese fand sich nun aber nicht als bloße Idee – im Sinne einer Typik des Naturalen – sondern als reale Organisation, als natürliches Individuum wieder. Entsprechend markierte diese

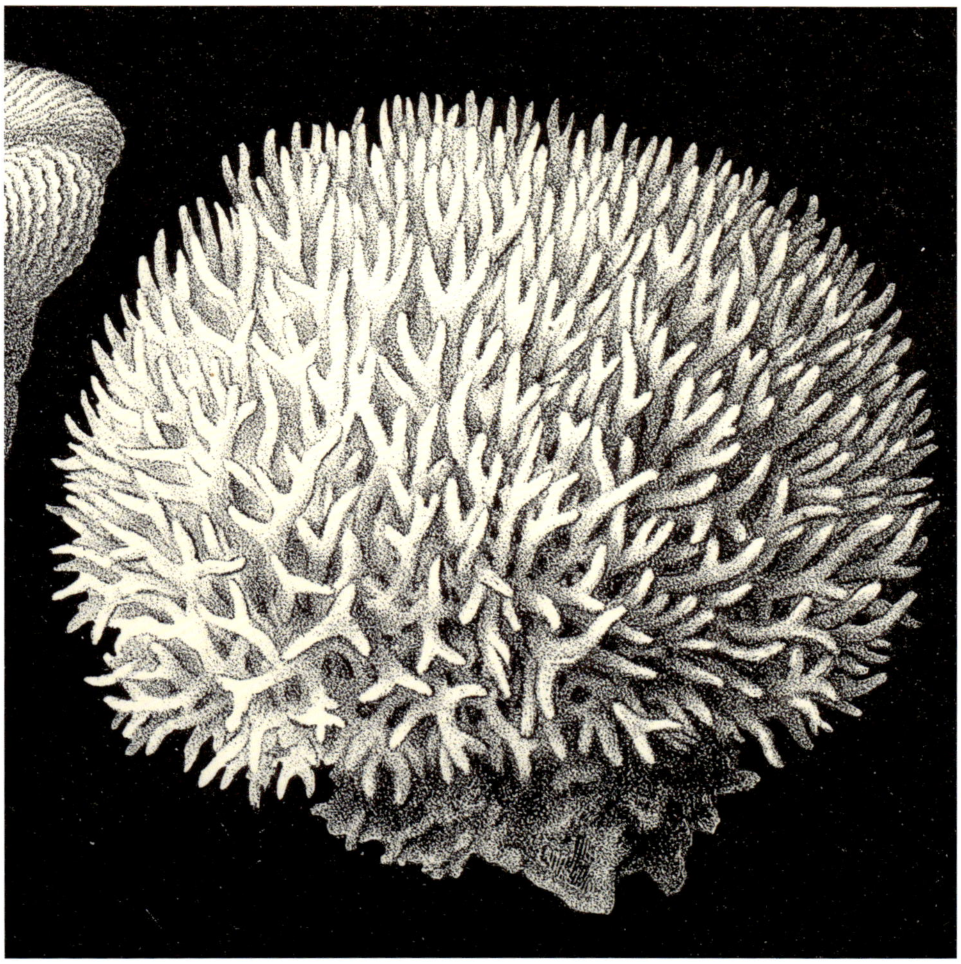

180 »Arabische Korallen«

Detail aus Tafel II, siehe Abb. 179

12

zustand bei Thieren der verschiedensten Klassen wiederkehrt, bei Schwämmen und Korallen, Medusen und Würmern, Gliederthieren und Sternthieren,

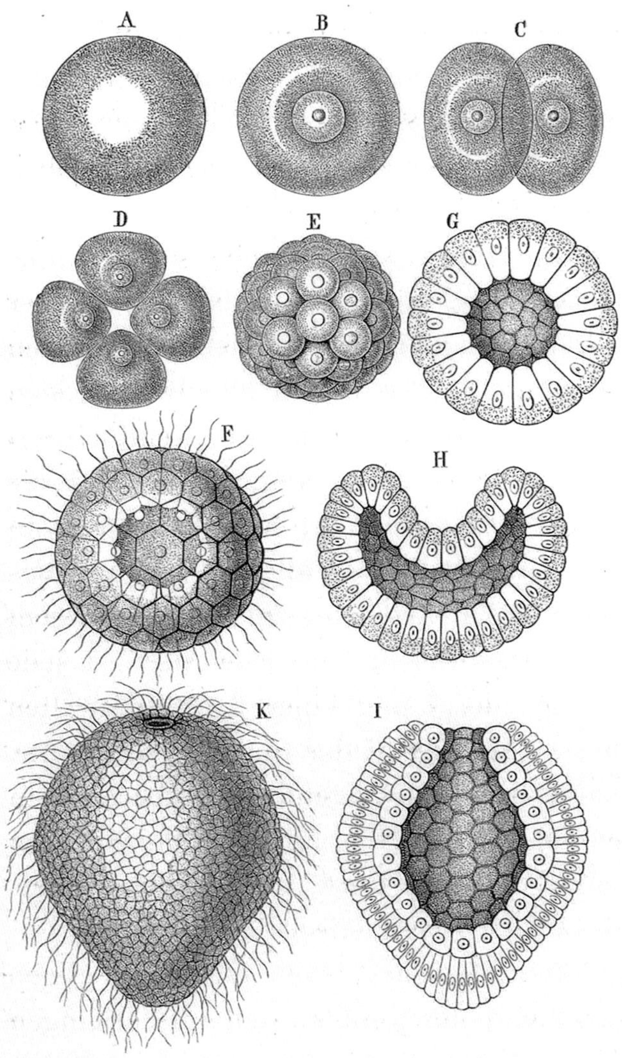

Fig. 10.

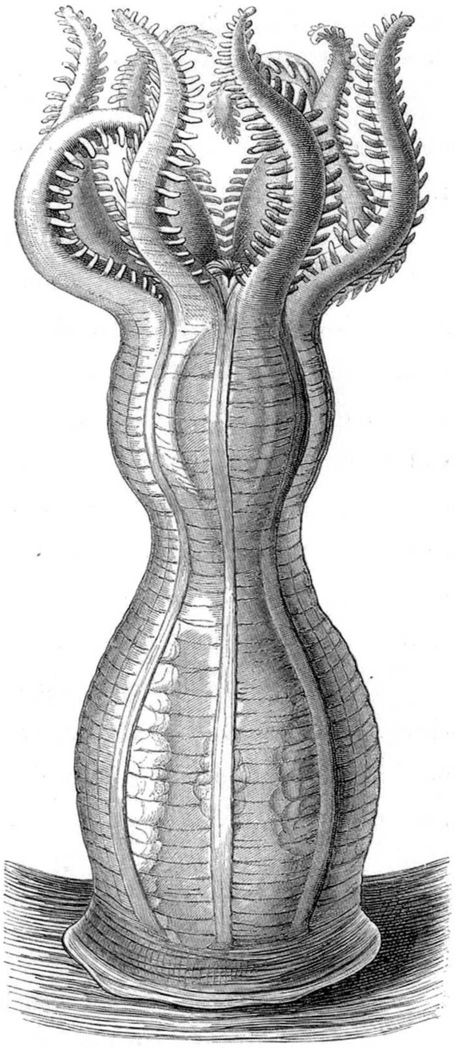

Fig. 11.

Fig. 10. Entwickelungsgeschichte einer achtzähligen Einzelkoralle, MONOXENIA DARWINII, *Haeckel*, Fig. 11. Alle hier abgebildeten Entwickelungsstufen sind aus der Magenhöhle von verschiedenen Personen der Monoxenia entnommen und stark vergrössert. A das befruchtete Ei, eine einfache Cytode (oder kernlose Zelle), Monerula. B dasselbe Ei, mit neugebildetem Kern, die erste Furchungszelle, Cytula. C—E Eifurchung. C Zweitheilung der Cytula. D Viertheilung derselben. E Maulbeerkeim oder Morula. F Keimhautblase oder Blastula. G Dieselbe im Durchschnitt. H Dieselbe in Einstülpung begriffen, im Durchschnitt. I Gastrula oder Magenlarve im Durchschnitt. K Dieselbe Gastrula, von der Oberfläche gesehen. Fig. 11. Die entwickelte Monoxenia.

Schnecken und Muscheln, ja sogar beim niedersten Wirbelthiere, beim Amphioxus. Aber auch alle übrigen Thiere (mit einziger Ausnahme der niedersten, der Urthiere oder Protozoen) durchlaufen in frühester Jugend

Fig. 10: Entwickelungsgeschichte einer achtzähligen Einzelkoralle; Fig. 11: Die entwickelte Monoxenia, 1876

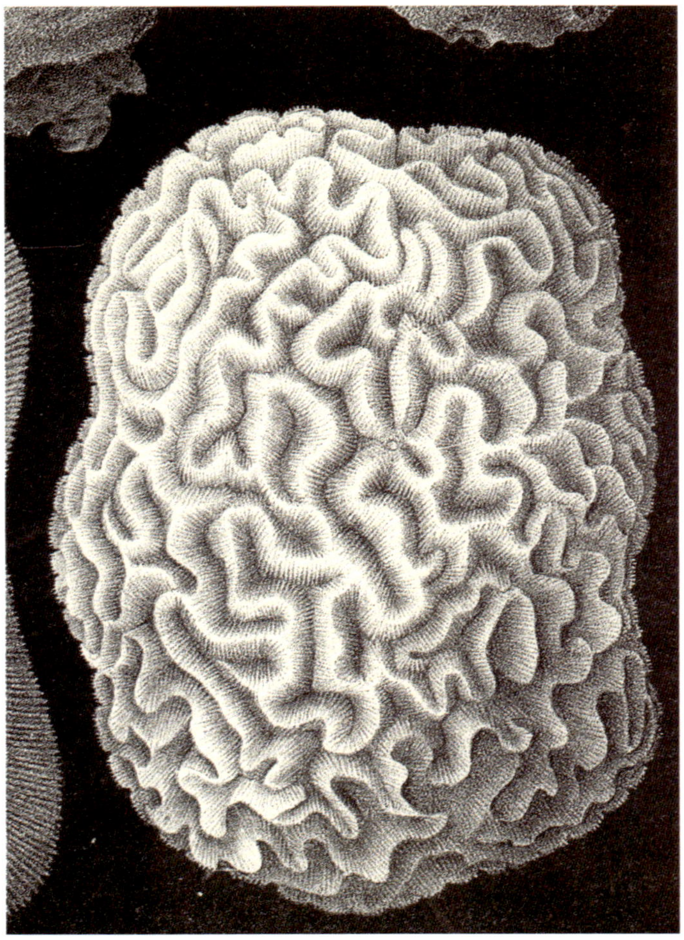

182 »Arabische Korallen«

Detail aus Tafel II, siehe Abb. 179

von ihm aufgefundene Gastraea ein schlagendes Argument für die evolutive Interpretation der Systematik. Die Stammform der Organismen ist – Haeckel zufolge – derart real aufgefunden.

Setzt man voraus, dass in der Ontogenese die Phylogenese rekapituliert wird, so sind die Formtypen der verschiedenen Stadien der Evolution in der individuellen Entwicklung nicht nur als hypothetische Konstrukte, sondern als real durchlaufene Phasen organischer Formen darzustellen. Das bedeutet nunmehr, dass genau dann, wenn solch eine Form auch aufzufinden ist, ein Argument gegen die anti-darwinistische Systematik gefunden ist. Dieser antidarwinistischen Auffassung zufolge sind die verschiedenen Arten nebeneinander stehende Größen, die sich nicht auseinander hervor entwickelt haben. Allein in der Goetheschen Idee einer Metamorphose der Natur ließe sich solch eine Entwicklung darstellen, aber diese kennt nur eine Differenzierung innerhalb eines schon feststehenden Plans der Natur. Gegenüber der ersten Lesart findet Haeckel mit seiner real aufgefundenen Gastraea ein Argument. Die von ihm postulierte Stammform, die zunächst in einem vergleichenden Vorgehen des Morphologen konstruiert wurde, ist demnach keine abstrakte Figur, im Sinne eines formalen Konstruktes. Es ist – das zeigt Haeckel diese Entdeckung – eine reale Lebensform.

In der Haeckelschen Logik, in der die frühen Formen der Embryogenese auch die frühen Stadien der Evolution nachzeichnen, ist somit erwiesen, dass eine Stammform der mehrzelligen Tiere existiert. Damit ist dann auch die Evolutionslehre bewiesen.

Problematischer wird die Abgrenzung dieser Theorie dann allerdings gegen die Goethesche Lehre einer umfassenden Naturmetamorphose. Diese vereinnahmte Haeckel von vornherein, indem er sie als eine Vorform des darwinistischen Denkens darzustellen suchte. Damit wird er zwar Goethe nicht gerecht, aber er hat dann – zumindest aus seiner Sicht – keine Probleme mit solch einer dynamischen Natursicht, die allerdings ihrer eigenen Auffassung nach eben nicht darwinistisch zu deuten wäre.

Interessant in publikationsgeschichtlicher Hinsicht ist, dass Haeckel diese für ihn bedeutende Entdeckung in einem derartigen, fast feudal erscheinenden Buch veröffentlicht. Es erweckt mit Umschlag, Widmung, Umfang und Drucktype, einschließlich der von ihm gesetzten Initiale (Abb. 177), weniger den Eindruck eines wissenschaftlichen Artikels oder eines Beitrages zur Naturgeschichte, denn einer einem Fürsten überreichten Denkschrift oder eines akademischen Diploms. Haeckel hat sich quasi die ihm zustehenden Weihungen seiner Gesellschaft selbst verliehen. Von der Form her hat er sich hier gleichsam selbst diplomiert. Dabei wird andererseits aber auch wieder deutlich, dass wir mit unseren heutigen Kriterien, die Fachliteratur, populäre Schriften, Reiseberichte und Notizen über wissenschaftliche Entdeckungen strikt trennen, im ausgehenden 19. Jahrhundert nur bedingt operieren können. Diese Differenzierung von Publikationsformen und den damit verbundenen Medien sind im endenden 19. Jahrhundert – und das gilt nicht nur für Haeckel – keineswegs eindeutig.

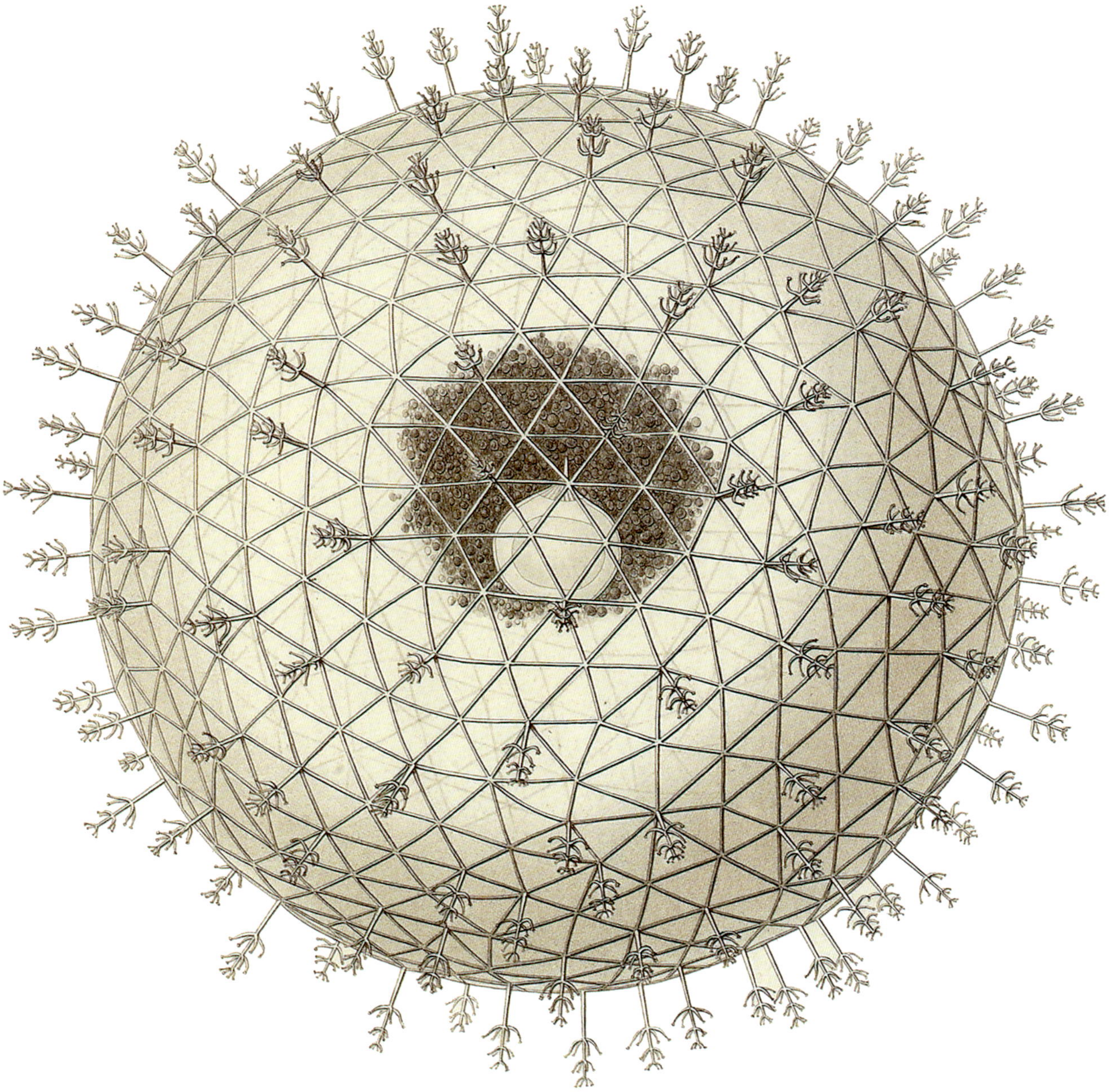

Haeckels Selbstinszenierung

Wie beschreibt sich der Handlungsraum der Wissenschaften um 1900? Ist es der sakrale Raum einer der neuen Objektivität verschriebenen Gilde, der in einem universitären System erzogenen Größen, die gleich Louis Pasteur (1822–1895) in den so neu geformten Tempeln des Wissens nicht nur agierten, sondern auch nach ihrem Tod wie ein vormaliger Heiliger aufgebahrt erscheinen?[59] Ist es diese Praxis der Säkularisierung des Profanen, die gleichsam im Nachklang des Kults der Vernunft, den Frankreich noch um 1800 praktizierte,[60] auch die Devotionalien einer neuen Religion des Wissens zu formen vermochte? Der der Wissenschaft Fremde, der Laie, konnte in diesen Tempeln des Wissens zumindest dem Anspruch dieses Neuen huldigen, ohne doch die Inhalte dieses Neuen verstehen zu müssen.

Wir überblicken heute nur mehr im Ansatz die Präsentationsformen einer Wissenschaft, die nach der Mitte des 19. Jahrhunderts ihre Stellung in einer Gesellschaft selbst formieren musste, ohne auf eine schon feste Hierarchie von Wertgefügen rückblicken zu können. Die Wissenschaft, die etwa in dem Dialog Virchows und Haeckels um die Geltung und Bedeutung der Evolutionslehre Darwins schon kurz nach der Mitte des 19. Jahrhunderts aus der Studierstube ausbrach, präsentierte sich zumindest im deutschen Sprachraum zunächst in den Formen einer bürgerlichen Kultur. Sie formierte sich hierbei zu einer in sich bestimmten Gruppe mit ihrer eigenen Hierarchie, eigenen Orden und Ordnungsmustern. Diese Hierarchie war mit der Festschreibung der universitären Ordnung und – damit verbunden – auch der Hierarchie der Universitäten in ein festes Gefüge gebunden. Sie fand so zu einer Selbstvergewisserung, die diese anfangs noch kleinräumige Ordnung zusehends autonomisierte und im Rahmen der gesellschaftlichen Ordnung als eigenständigen Bereich etablierte. Die Freiheiten, die sich Virchow im politischen Gefüge der Berliner Gesellschaft nahm, waren durch seine gefestigte Position in dieser Hierarchie überhaupt erst möglich. Der Politiker, der um Hygiene und damit um soziale Fragen stritt, firmierte so als in einer neuen Ordnung gesicherte Person, die aus dieser Sicherheit heraus in einen sozialen und politischen Dialog trat. Virchow selbst war und blieb dabei Demokrat – auch als Wissenschaftler. Das Bild seiner Zellularpathologie, die auch den Körper als ein demokratisches Gefüge von Elementen begriff, setzte dabei seinen Vorstellungsraum selbst auch in eine wissenschaftliche Theorie oder zumindest in ein Bild seiner wissenschaftlichen Theorie um. Der Leipziger Rektor und Neuroanatom Paul Flechsig (1847–1929) diente sich dem politischen Establishment dagegen noch an, versichernd, dass sein Untersuchungsobjekt, das Nervensystem, alles andere als demokratisch, sondern vielmehr hierarchisch und damit aristokratisch strukturiert sei.

183 **Einladungskarte**

Einladung zum Kellerfest anlässlich der 50. Versammlung Deutscher Naturforscher und Ärzte in München, 1877

In diesen Figuren finden wir eine Wissenschaft, die – vor 1900 in ihrem eigenen Ordnungsgefüge gesichert – aus diesem in einen politischen Raum ausgriff. Haeckel war dieser derart disziplinierten Wissenschaft gegenüber ein Außenseiter. Nicht im Zentrum der Politik, sondern in einem Randbereich, der Provinzstadt Jena, lebend, war er gezwungen, in einem eigenen, nicht in vorgegebenen Strukturen, sondern in einem sehr viel stärker durch seine Person geprägten Handlungsraum zu agieren. Dabei beginnt er seine Karriere in den 1860er Jahren, zu einer Zeit, in der die universitäre Naturwissenschaft gesellschaftlich noch nicht in Gänze etabliert war, so dass sich etwa in Berlin auch neben der Universität, beispielsweise mit den Instituten von Hermann von Helmholtz (1821–1894) oder Robert Koch (1843–1910), der Reaktionsraum der Wissenschaften verfestigte.[61] Spätestens seit seinem Streit mit Wilhelm His um seine Embryonenbilder war Haeckels Verhältnis zu diesem wissenschaftlichen Establishment gebrochen. Er war, wie ausgeführt, laut His nicht mehr wert, in der Gemeinschaft der Wissenschaftler als gleichwertiger Partner akzeptiert zu werden. Ilse Jahn hat in ihrer jüngst erschienenen Arbeit zu den Versuchen Haeckels, seine Forschung durch dieses wissenschaftliche Establishment, d.h. durch »Grants« seitens des Preußischen Staates zu finanzieren, nachgewiesen, dass Haeckel selbst mit seiner unumstrittenen taxonomischen Arbeit hier keinen Blumentopf mehr gewinnen konnte.[62] Haeckel, der in der Provinz, in Jena, und damit fernab des prestigeträchtigen Berliner Wissenschaftsgefüges operierte, stand somit in Akzeptanzschwierigkeiten. Dies lässt sich auch an seinen Publikationen nach 1875 ablesen. Haeckel publizierte ab dann seine wichtigsten taxonomischen Arbeiten als Bearbeiter eines bedeutenden Teils der von der Challenger-

Ernst Haeckel.
He Kellnerin, kennst du deinen Beruf,
Das Geschäft, das freundliche Nasse,
Weißt du, wozu Gott mit dem Maßkrug dich schuf
Und dich stellte zum sprudelnden Fasse?
Mein Herr, ich weiß es, antwortet sie
Mit hoch erhobenem Gesichte,
Ich übe nach Heckel'scher Theorie
Natürliche Schöpfungsgeschichte.

Natural Selection.
>Die Auswahl, die natürliche<
Besteht nicht blos für Thiere,
Sie wird 'ne unwillkürliche
Auch in der Wahl der Biere;
Darum gab der weise Magistrat
Den hochgelehrten Gästen
Von allen >Stoffen< unserer Stadt
Am heutigen Tag den besten.
Schenkt ein! Trinkt aus! Es schmeckt schon!
Hoch >natural selection!<

184 Kurzverse zu »Ernst Haeckel« und der »Natural Selection«
veröffentlicht anlässlich der 50. Versammlung Deutscher Naturforscher und Ärzte in München, 1877

Expedition gesammelten Meeresfauna. Doch Haeckel publizierte kaum in den neuen, die Gruppe der »ernstzunehmenden Forscher« (His) definierenden wissenschaftlichen Zeitschriften. Er arbeitete vorwiegend an seinen eigenen, eher populärwissenschaftlichen Schriften, die ihn weithin bekannt machten. Er schrieb dabei – wie auch in seiner Auseinandersetzung mit dem Biologen Victor Hensen (1835–1924), der versuchte, quantitative Aussagen zum Stoffumsatz in der Lebensgemeinschaft der Ostsee zu gewinnen – vornehmlich Monographien.[63]

Haeckel wird dabei zusehends in eine weltanschauliche Diskussion eingebunden, in der er gerade auch außerhalb des deutschen Sprachraumes als Protagonist und Propagator einer neuen wissenschaftlich geleiteten Weltanschauung zu definieren ist. Haeckel wird so etwa im italienischen Raum breit rezipiert. Seine Rezeption ist dabei eine primär politische. Er wird zum Helden der die Wissenschaftslandschaft Italiens bestimmenden Positivisten.[64] Seine Biologie wird dabei nicht als reine, wertfreie Wissenschaft, sondern im Gegenteil als eine wertgeladene, politische Theorie verstanden.

Schon in seinem Hauptwerk, der 1866 erschienenen *Generellen Morphologie der Organismen*, hatte Haeckel nicht einfach eine biologische Abhandlung zu dem Problem einer phylogenetischen Systematik offeriert. Er präsentierte seine Biologie als Teil einer umfassenden Theorie, in der die Wissenschaft ein Argument für eine neue, an ihren Befunden orientierte Weltanschauung darstellte. Er propagierte schon 1866 diese Systematik als Teil einer weltanschaulichen Theorie, des Monismus, die es erlaubt, die Kon-

Fig. 63. Eine Batta-Familie aus dem Inneren von Sumatra. (Ein Mann mit seinen zwei Frauen.)

185 »Aus Insulinde«. Malyische Reiseberichte«

Fig. 63: Eine Batta-Familie aus dem Inneren von Sumatra. (Ein Mann mit seinen 2 Frauen), 1901

186 Ernst Haeckel

Ceylon 1881

sequenzen aus den evolutionsbiologischen Ansätzen zu ziehen. Haeckel formulierte dabei eine gegen die traditionellen Ordnungsstrukturen des außerwissenschaftlichen Raumes gerichtete weltanschauliche Position. Er wird damit zur Personifikation der eigenen gegen die Dominanz klerikal/katholischer Wert- und Ordnungsgefüge gerichteten Überzeugung. Haeckels Evolutionsbiologie wird so in diesem Raum auch weniger als innerbiologische Theorie denn als eine diese Biologie gegen das Establishment einer klerikalen Ordnungsmacht setzende Argumentation verfügbar. Haeckel wird zu einer Autorität, mit der gegen diese als überkommen begriffenen Strukturen zu argumentieren ist. So ist seine Resonanz unter den italienischen Positivisten enorm. Dies war die Gruppe, die mit ihrer Philosophie den an der Neuetablierung des italienischen Staates arbeitenden Intellektuellen die Ideologie des liberalen, freien, antiklerikalen Entwurfs dieses neu entstehenden Staates vorgab.[65]

Haeckel galt, und das nicht nur in Italien, als politische Autorität. Unter der Fahne des Haeckelianismus waren naturwissenschaftliche Lehrstühle mit einer explizit antiklerikalen Ausrichtung zu formieren. Haeckel passte so in eine Kultur der Sciences, die sich gegen eine theologisch/philosophische, an überkommenen Wertvorstellungen festhaltende Kultur zu behaupten suchte. Die Wissenschaft, speziell diese so eingängige, wenig elitär erscheinende Naturforschung, wie sie Haeckel verkündete, gewann damit einen ganz neuen Gehalt. Sie wurde zur Form eines neuen kulturellen Selbstverständnisses. Interessanterweise wurde diese hier national vereinnahmte Kultur – und das geschah mit Haeckel, der in Italien zum Nationalphilosophen ausgerufen wurde, ganz explizit – gleichzeitig auch zu dem Moment, in dem sich das imperialistische Europa, das in seiner Internationaliät kulturell in Bedrängnis geriet, insgesamt neu zu definieren suchte.[66]

187 »Wanderbilder. Die Naturwunder der Tropenwelt Ceylon und Insulinde«

Blühende Talipot-Palme von Ceylon, 1905

Das Phyletische Museum in Jena
Nach dem Entwurf von Regierungsbaumeister Dittmar

188 Das Phyletische Museum in Jena

Erbaut 1907–08

Haeckel selbst wurde so etwa in Italien zu einer Autorität in einem kulturpolitisch umgedeuteten, im intellektuellen Kern aber eigentlich wissenschaftspolitischen Kampf. Auch in Österreich, wo Haeckel enormen Einfluss auf die Besetzung der Stellen im Bereich einer deskriptiv orientierten Biologie gewann, ist diese weltanschauliche Komponente und die mit dieser von Haeckel übernommene Autorität bedeutsam.

Deutlich wird diese weltanschauliche Nutzung Haeckels aber selbst in – dem ebenfalls katholischen – Brasilien, wo er gleich zweimal, einerseits getragen durch die deutschen Auswanderer um 1870 und dann später auch durch die Italiener, stark rezipiert wurde.

Der für die deutsche Einwanderergruppe bedeutende Publizist Karl von Koseritz weist aus, dass schon 1875 mehr als 80% der deutschstämmigen Bevölkerung in Brasilien sich zu Haeckels Monismus bekannten.[67] So schreibt Koseritz 1875 an Haeckel: »Seit Jahren begleite ich in der D.Z. den Kampf für die Entwicklungslehre und habe hier Erfolge erzielt, die man in der Ferne für unmöglich halten würde: Sieben Achtel der hiesigen deutschen Bevölkerung (ca. 60.000 Seelen) steht zu mir im Kampfe für Sie, resp. Darwin gegen die Jesuiten, die hier die deutsche (kath.) Gemeinde leiten ... Von ihrer Schöpfungsgeschichte sind hier 50 Exemplare verkauft worden, von der Anthropogenie werden noch viel mehr verlangt. Man verehrt Sie hier, Herr Professor, als den Messias einer neuen Aufklärung, und Ihr Name ist in Jederman's Munde.«[68]

Dass diese Wertung durch einen für die deutschstämmige Bevölkerung äußerst wichtigen Brasilianer keineswegs singulär ist, zeigt schon ein Blick in die *História Literatura Brasileira*, Bd. 5, von Silvio Romero.[69] Romero benennt für die Epoche vom Ende des 18. bis zum Ende des 19. Jahrhunderts neun zum Teil sich überlagernde Hauptströmungen in der brasilianischen Literaturgeschichte. Neben einer insbesondere durch Tobias Barreto getragenen Entwicklung – *Reaçâo pelo agnosticismo crìtico a princípo e depois pelo monismo evolucionista à Haeckel e Noiré* – beschreibt er die Periode zwischen 1870 und 1889 als *Bifurcaçâo haeckeliana do evolucionismo*.

Dies mag eine Situation belegen, die für eine Bewertung der Selbstinszenierungen Haeckels bedeutsam ist. Die bloße Anekdote, dass Haeckel auf dem von ihm selbst initiierten ersten Internationalen Freidenkerkongress in Rom bei einem Dinner in den Kaiserthermen, offiziell zum Gegenpapst ausgerufen wurde, gewinnt in dieser Linie eine besondere Kontur. Berichtet ist diese Anekdote nur von Haeckel selbst – was auch bezeichnend ist. Haeckel hatte sich dann – er war allerdings auch schon 70 Jahre alt – definitiv auf ein weltanschauliches Terrain begeben.

Haeckel war nun auch der Biologe, der ein Museum gründete, das mit der Geschichte der Evolution vor allem auch die Impressionen dieses Ernst Haeckel, sein Wissen, sein Wirken und seine Dokumente zur Geschichte der Evolutionslehre erhalten sollte. Der Haeckelschen Konzeption nach sollte der Museumsbesucher schon im Eingangsbereich des Baus mit den Porträts der führenden Evolutionsbiologen und damit – seiner Lesart zufolge – der eigentlichen Wissenschaftler des 19. und beginnenden 20. Jahrhunderts konfrontiert werden. Darstellung fanden hier Goethe, Lamarck, Darwin und eben auch Haeckel selbst (Abb. 189).[70]

Dass sich selbst hier, in seinem Museum, für Haeckel Wissenschaft und weltanschauliche Propaganda mischten, zeigen diese Bildkompositionen ebenso wie der Innendekor und der ursprüngliche Ausstellungsplan. Diesem zufolge sollten die Bedeutung der Evolutionslehre in der Darstellung der Bedeutung Haeckels und dessen breit ausgreifendem Gesamtweltbild kombiniert werden. Haeckels Nachfolger in der Direktion des Zoologischen Instituts und in der Leitung des Phyletischen Museums wollte

189 Karl Bauer
Ölporträts von Charles Darwin, Johann Wolfgang von Goethe und Ernst Haeckel, 1909, Ernst-Haeckel-Haus, Jena

diesen Personenkult aber nicht mittragen. Der ursprüngliche Entwurf Haeckels wurde folglich nie realisiert; zugleich kam es zum Zerwürfnis zwischen Haeckel und dem ursprünglich von ihm protegierten Museumsleiter Ludwig Plate (1862–1937).[71]

Eine ähnliche Vermengung von Weltanschauung und Biologie zeigt sich in den zwischen 1899 und 1904 publizierten *Kunstformen der Natur*.[72] In diesen demonstriert Haeckel nicht einfach die Vielfalt der Naturformen, sondern entwirft sein Programm einer Ästhetik des Naturalen, das für ihn, wie schon angedeutet, erkenntnisleitende Funktion besaß. Genau diese Verdichtung von Welt- und Kunstanschauung zeigt sich in den einzelnen Bildern, die eben nicht nur die Natur, sondern auch die Kultur um 1900 ins Bild setzen. Damit wurden diese Bildwelten der Natur auch für weite Kreise vermittelbar. Wer interessiert sich ansonsten für Quallen, Schleimpilze und Kofferfische? In Anschauungsmuster der Kultur um 1900 gewandet, wirkten diese Kunstformen aber wie Repräsentanten bürgerlicher Vorstellungen im Reich der Tiefsee, des Dschungels und der Koralleninseln. Deren Wirkung auf den Jugendstil und damit auf eine Bildkultur des 20. Jahrhunderts wird unter diesem Aspekt noch einmal gesondert interessieren. Hier bleibt nur festzuhalten, dass dieses ästhetisierende »Opus magnum« Haeckels von ihm keineswegs als ein rein populärwissenschaftliches Werk eingestuft wurde. Schon ein sehr oberflächiger Befund dokumentiert dies. Diese Monographie enthält mehrere Erstbeschreibungen. Für einen taxonomisch geschulten Biologen wäre es mehr als merkwürdig, wenn eine Erstbeschreibung – zumal dann, wenn sie nach einem verehrten Vorbild, in Haeckels Fall interessanterweise nach Bismarck, benannt wurde – in eine wissenschaftlich eher als belanglos eingestufte Publikation eingebunden würde.

Der vielschichtige Charakter dieses Kunst-Werkes beschreibt aber auch das Verhältnis Haeckels zu seinen Fachkollegen um die Jahrhundertwende. Berühmt und weithin zitiert, war er dennoch seiner eigenen Zunft entwunden. Er publizierte seine Monographien nicht mehr in einem wissenschaftlichen Verlag, kleinere Beiträge erschienen auch kaum mehr in einer der wissenschaftsintern zunehmend an Renommé gewinnenden Fachzeitschriften. Haeckel hatte sich mittlerweile seine eigene Publikationswelt geschaffen.

Damit ist der Hintergrund skizziert, vor dem auch seine Selbstinszenierung zu interpretieren ist: Allerdings arbeitete er weiter im Bereich der Systematik und Phylogenie. In den 1880er Jahren erscheinen seine umfangreichen Monographien über wirbellose Tiere, die er aus dem ihm von der Leitung der HMS Challenger-Expedition übergebenen Material erstellte. Die Folge von großvolumigen Monographien, die er hierzu produzierte, zeugt von dem gewaltigen Arbeitsaufwand, dem sich Haeckel in diesen Jahren unterzog. Diese Arbeit ist aber nicht alles, was sich in diesen Jahren neben seiner zunehmend populär ausgerichteten Publikationstätigkeit vermelden lässt. Schließlich erschien zwischen 1894 und 1896 in dem renommierten Berliner Verlag G. Reimer seine *Systematische Phylogenie*. Hier bearbeitete er in drei Bänden die Systematik aller Lebensformen unter phylogenetischer Perspektive. Diese Arbeit, die noch einmal reflektierte, was Haeckel in einem ersten Entwurf knapp dreißig Jahre vorher schon in den Stammbaumdarstellungen seiner *Generellen Morphologie* angelegt hatte, erlangte innerhalb seiner Disziplin selbst aber kaum mehr Resonanz. Die Systematik war keineswegs mehr – wie noch in der Mitte des 19. Jahrhunderts, in dem Personen wie George Cuvier (1769–1832) auch international das Bild der Biowissenschaften prägten[73] – die Königsdisziplin einer Wissenschaft des Lebens. Fragen der Funktion, der Entwicklung und der Physiologie dominierten das Interesse im Bereich der Biologie. Die Evolutionslehre selbst war in dieser Phase in eine gesellschafts- und sozialpolitische Diskussion mit eingebunden. Es interessierte die Diskussion um die Affenverwandtschaft des Menschen und nicht die phylogenetische Systematik von Radiolarien, Medusen oder Krebstieren. Zudem war die Diskussion um die Evolutionslehre weltanschaulich polarisiert. Eine phylogenetische Systematik trat damit auch im Interesse der Fachwelt in den Hintergrund. Insoweit blieb um 1900 die eigentliche wissenschaftliche Synthese der Arbeiten Haeckels in der Rezeption weit hinter den weltanschaulich ausgreifenden und auf ein breiteres Publikum zielenden Arbeiten zurück.

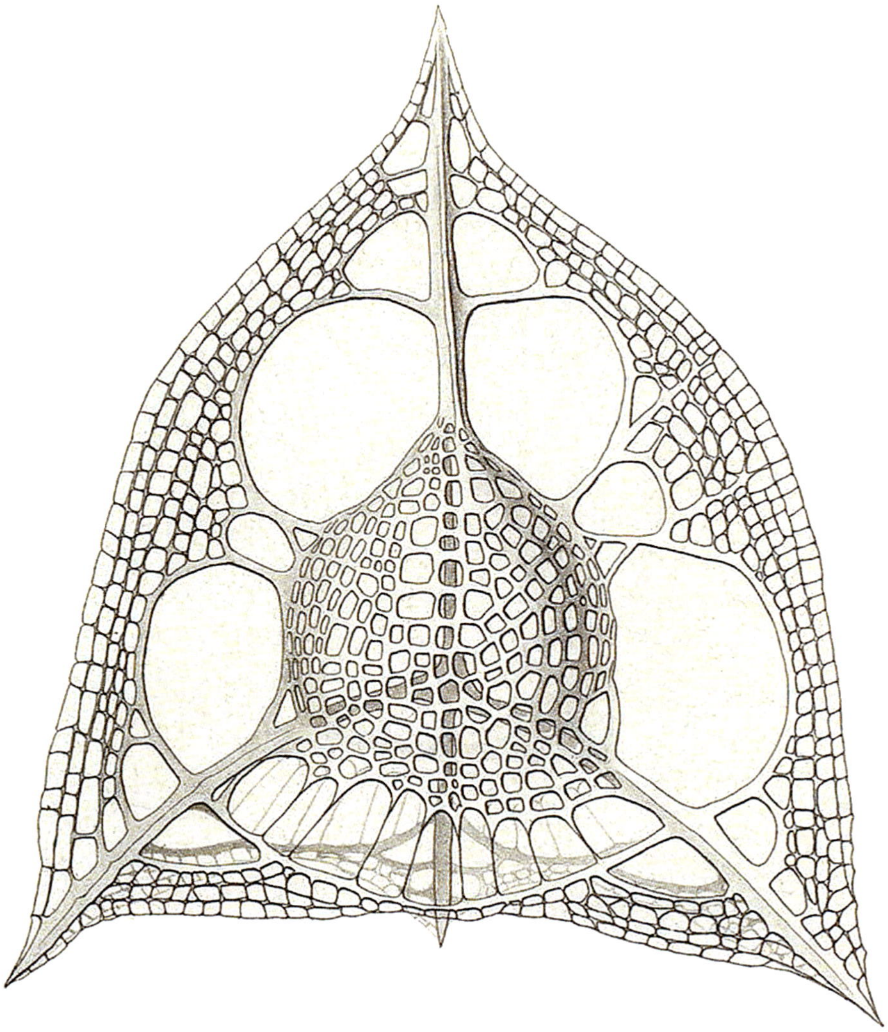
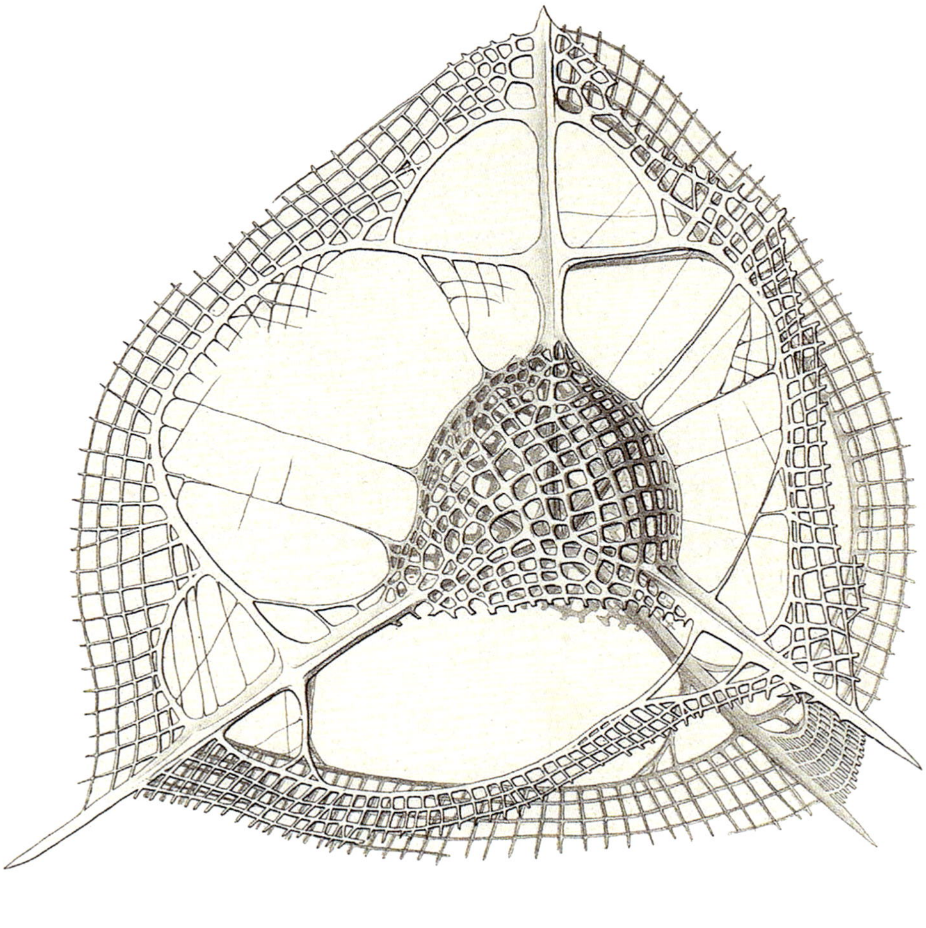

Haeckels Reisen

Reiseberichte

Haeckel reiste. Seine Tropenreisen sind aber eigentlich keine wissenschaftlichen Exkursionen. Es sind Sammelstreifzüge, von denen Haeckel Präparate mit nach Hause bringt. Dieses Sammeln geschieht aber eher zufällig. Seine Reisen dienen der Anschauung. Er publiziert keine Expeditionsberichte oder gar Monographien über biogeographische Zusammenhänge oder über die systematische Bearbeitung einzelner Tiergruppen. Haeckel sammelte Eindrücke, und er veröffentlichte Reiseberichte.

»Als ich im Herbst 1881 den Hoffnungstraum meiner Jugend verwirklichte und in Ceylon die ganze Herrlichkeit der Tropen schauen durfte, ahnte ich nicht, daß dies mir beschieden sein würde, neunzehn Jahre später diese Reise zu wiederholen ....« Er beschreibt seine Reise von 1901. Gleich Karl May, der in verschiedenen Personifikationen zumindest in seiner Imagination diese Tropen durchmaß, schildert Haeckel, der im Gegensatz zu Karl May auch dort war, die Tropen in seiner eben aus einer eigenen Erfahrung erwachsenen Sicht. Es ist weniger der Ansatz eines von A. von Humboldt, der hier zu einem neuen Bericht über die südliche Hemisphäre gerinnt. Es ist eher der Reisebericht eines naturkundlich gebildeten Bürgers, eines Wissenschaftlers, der, nun schon leicht ergraut, in den Tropen zudem das gewinnt, was seine Fachkollegen ihm nur bedingt gewähren: Verehrung. Wie sein vormaliger Schüler, der Philosoph und Biologie Hans Driesch, in seinen Erinnerungen an Haeckel beschrieb,[74] griffen dabei für Haeckel die Erinnerungen und die Projektionen des Erhofften ineinander. Realität und Fiktion gerinnen so für Haeckel im Bereich des Exotischen zu einem Traumbild nicht nur der Natur, sondern auch seiner selbst, dessen Beschreibung dann auch weniger an Alexander von Humboldt als eben an Karl May erinnert.

»Auf vortrefflichen Wegen fuhren wir in einer halben Stunde nach dem botanischen Garten, welcher zwar nicht sehr groß, aber landschaftlich schön angelegt und sehr gut von Mr. Curtis gehalten ist. Er füllt einen Thalkessel aus, der sich nach der Stadt zu öffnet und von hohen Felswänden umgeben ist; über letztere rauscht im Hintergrund ein mächtiger Wasserfall herab. Die ganze erstaunliche Ueppigkeit der Flora von Hinterindien offenbarte sich uns in den zahlreichen, auf Rasenflächen anmuthig verteilten Gruppen von Palmen und Bambusen, Pandangs und Feigenbäumen, sowie reich entwickelten Kletterpflanzen und Lianen aller Art. ... Am 26. September führte uns unser Dampfer durch die hellgrüne Malakka-Straße; Abends veranstaltete der liebenswürdige Capitän der ›Oldenburg‹, Herr Prager, ein heiteres, durch Poesie und Blumenschmuck gewürztes Abschiedsfest...«[75]

Die Tonlage, in der hier die Tropen als Erlebnis eines Ich-Erzählers geschildert werden, kennen wir aus einem anderen Kontext: »Der Umfang der Löcher, die diese Tiere

190 »Ernesto Ben Nemsi«

Bronze, Bestand des Ernst-Haeckel-Museums

in den Sand graben, ist staunenswert. Ein solches unterirdisches Nest nimmt eine beträchtliche Menge von Eiern auf, die rasch nacheinander hineingelegt und dann sorgfältig mit Sand bedeckt werden, bis der ebene Boden wieder vollständig hergestellt ist. … Die Formen der Eidechsen und Schlangen fehlten dagegen gänzlich, und auch die Säugetiere waren nur widerwärtig oder unheimlich durch die Ratte und einen ziemlich großen Flatterer vertreten, der wegen seiner Gestalt der fliegende Bär (Pteropus ursinus) genannt wurde.«[76] So schreibt nicht etwa Haeckel, sondern Karl May in seiner in den 1870er Jahren spielenden Erzählung *Am Stillen Ozean*. Man muss sich in der Tat wundern, dass sich der Reiseschriftsteller Haeckel in seiner Tropenpräsentation derart in den Vordergrund einer Landschaft stellt, die, zwar mit Bildern des wissenschaftlichen Eindruckes versetzt, doch bloß in einer assertorischen Reihung des Ich-Empfindens dieses Biologen in Szene tritt. Dort, wo die Landschaftsschilderung ihre auch sprachlich bedingten Grenzen findet, verweist Haeckel dann auf von ihm gemalte Bilder einer Tropenwelt, die er nur wenig später in seinen *Wanderbildern* auch als Wandschmuck zur Verfügung zu stellen suchte (Abb. 191, 192, 260 – 263). Haeckel wird hier zu einer Figur, wie sie in kleinem Maßstab in den Sammlungen des Ernst-Haeckel-Hauses wiederzufinden ist. Haeckel posiert in dieser Darstellung als ein wissenschaftlicher Kara Ben Nemsi, der seine Eindrücke und Impressionen – wenn nicht in Kampfszenen, so doch in der Szenerie des eigenen Erlebens – vor Augen führt. Der, der hier eine Tropenreise schildert, beschreibt in dieser Reise zunächst und vor allem sich selbst (Abb. 190).

Wanderbilder

Haeckel malte während seiner Reisen. Die vormalige, noch kurz vor seiner Habilitation verfolgte Idee, Maler zu werden, kultivierte er als Biologe zu einem Hobby. Wo heute die Digitalkamera einen Urlaubseindruck mit nach Hause zu bringen erlaubt, setzte sich Haeckel hin und aquarellierte. Es entstanden Hunderte von Arbeiten, die Stimmungsbilder von Landschaften, aber auch den Habitus einzelner Pflanzen, die Gestalt von Bergmassiven oder die Eindrücke von Biozönosen festhalten. Haeckel setzte in diesen Bildern seine Erinnerungsmodelle, die er dann zu Hause nachschlug und in einigen Fällen in Jena auch noch einmal in Öl umarbeitete.

 pinx. Ernst Haeckel.

Nillu-Büsche und Hänge-Bambusen (Arundinaria), Urwald Horton-Plains, Ceylon.

191 »Wanderbilder. Die Naturwunder der Tropenwelt Ceylon und Insulinde«

Nillu-Büsche und Hänge-Bambusen (Arundinaria), Urwald Horton-Plains, Ceylon, 1905

192 »Wanderbilder. Die Naturwunder der Tropenwelt Ceylon und Insulinde«

Die roten Lampen von Ceylon, Ratu pana, 1905

Diese Bilder dokumentieren einen guten Blick für das Naturale, einen Sinn für Farbe und eine große Liebe zur Natur. Es sind immer wieder Landschaften und Naturszenarien, die Haeckel ins Bild setzt. In diesen Bildern bringt er zusätzlich zu den kleineren Präparaten für seine mikroskopischen Studien auch einen Eindruck von den Umwelten, denen seine Präparate entnommen sind, mit nach Hause. Seine Aquarelle illustrieren denn auch – neben einzelnen Photos – seine Reiseberichte, und im beginnenden 20. Jahrhundert setzt er sie auch noch einmal selbst in Szene. Eine Auswahl seiner Aquarelle lässt er – als eigenständige Bildmappe – in Lithographien übersetzen. Er offeriert darin, in Ergänzung zu seinen *Kunstformen*, seinen Studien über die *Welträthsel* und seinen Berichten von fernen Ländern, auch die zugehörigen Weltbilder. Diese durchweg die Tropen zeigenden *Wanderbilder* sollen es erlauben, auch denen die Landschaftseindrücke der fernen Lebensgemeinschaften zu vermitteln, die keine Möglichkeit finden, derart zu »wandern«.

Haeckels Bilder sind kleine, auf das Hausformat zurückgestufte Dioramen der Tropenwelt. In ihnen konturiert er jeweils den Hintergrund, vor dem er seine biologischen

Studien unternahm. Dabei sind diese Illustrationen zugleich auch ein Nachklang zu den Reiseskizzen der Naturforscher aus dem beginnenden 19. Jahrhundert.

Im Erscheinungsjahr dieser *Wanderbilder* waren Photobildbände zu den Tropen verfügbar. Haeckel setzt hiergegen eine eher in das 19. Jahrhundert zurückweisende Kulturform der Naturdarstellung. Es sind nicht einfach nur die Darstellungen der Tropen, es ist seine Sichtweise, die er in diesen Wanderbildern vermittelt. Der Betrachter dieser Bilder gewinnt so einen Gesamteindruck des Haeckelschen Weltbildes, in dem Haeckel wieder einmal mehr aus dem beginnenden 20. Jahrhundert auf das beginnende 19. Jahrhundert zurück verweist.

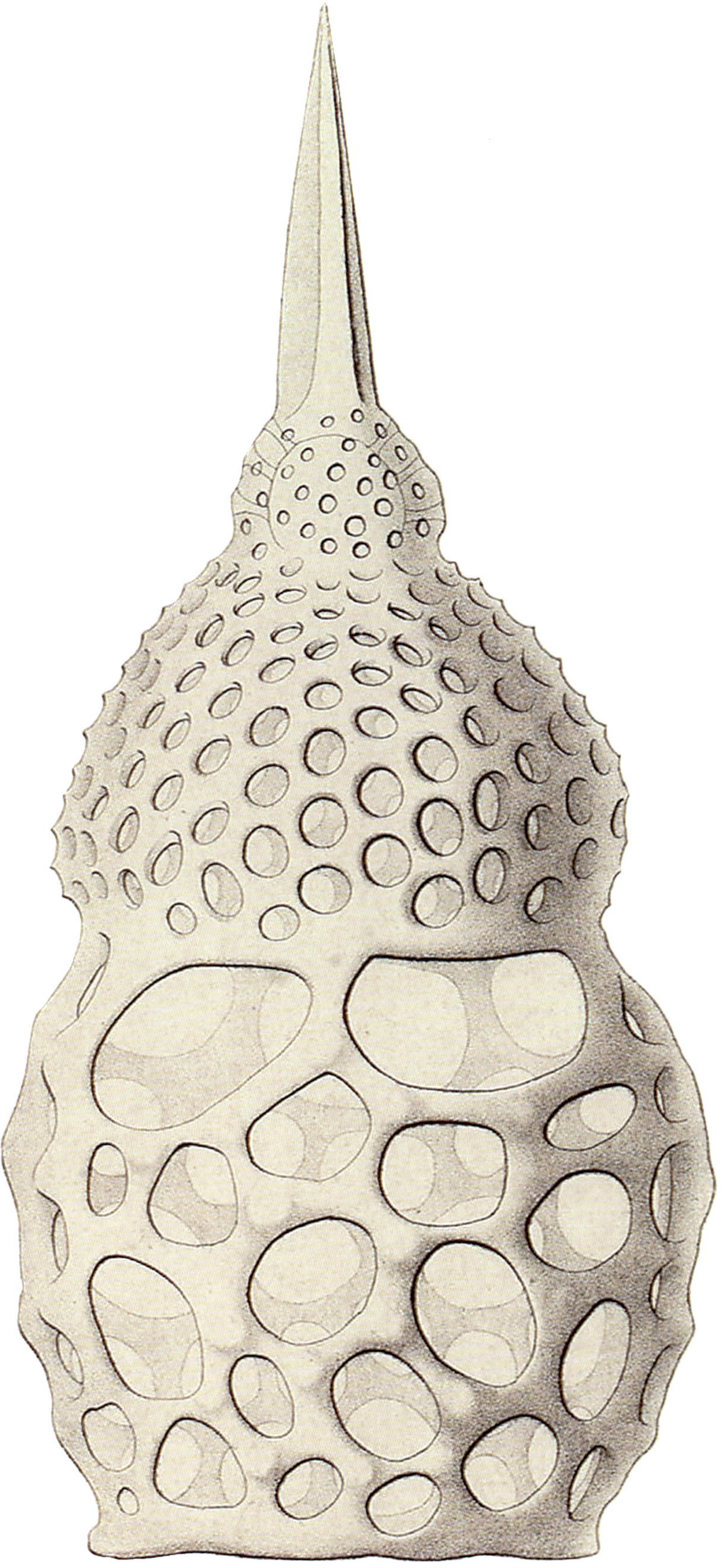

Die Challenger Reports

1889 schloss Haeckel die Bearbeitung des von der Tiefsee-Expedition der HMS Challenger übernommenen Tiermaterials ab. Über 15 Jahre hatte er sich dieser Arbeit gewidmet. Es entstanden großvolumige Werke, die erstmals in derart umfassender Weise Tiefseeorganismen wie die Radiolarien, die Medusen, die Staatsquallen und die Kalkschwämme beschreiben. Schon aufgrund des Aufwandes ist diese Leistung von Haeckel kaum hoch genug einzuschätzen. War diese Arbeit doch taxonomische Pionierarbeit. Im Resultat entstanden dann nicht nur Kataloge der verschiedenen Tiergruppen, sondern erste umfassende systematische Darstellungen. Diese waren für Haeckel nicht arbiträr, ging es ihm dabei doch neben der Beschreibung neuer Tierformen vor allem darum, anhand dieser Formen eine phylogenetische Systematik zu erarbeiten, in der dann die Klassifikation dieser Formen nach darwinistischen Prinzipien erfolgte und so – über eine Darstellung der Möglichkeit einer phylogenetischen Systematik – auch die Evolutionslehre weiter gesichert werden konnte.

193 »The Scientific Results of the ›Challenger‹-Expedition« 1872–1876

Stich der HMS Challenger, 1895

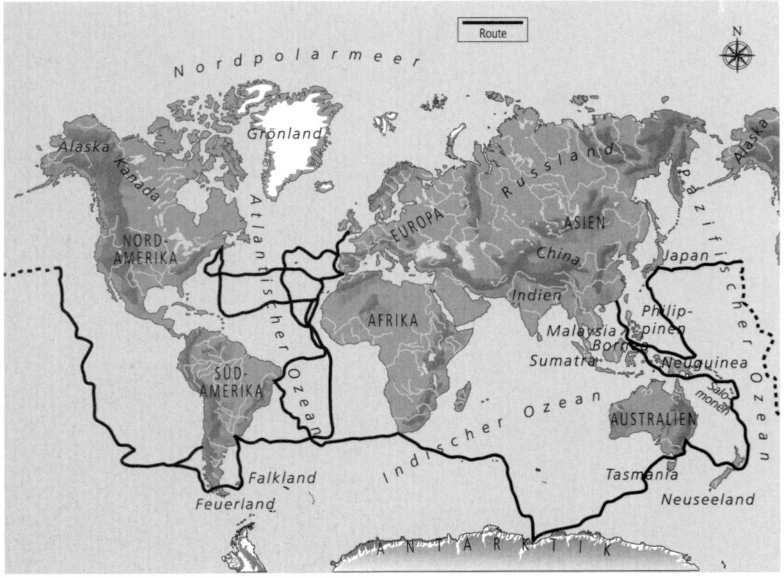

194 **HMS Challenger-Expedition 1872–1876**

Reiseroute der HMS Challenger

Die Expedition der HMS Challenger ist berühmt. Brachte diese doch die erste systematische Darstellung der Tiefseefauna. Bis Mitte des 19. Jahrhunderts hatte man die Tiefsee als einen lebensfeindlichen Raum betrachtet. Bei Reparaturarbeiten an dem nur wenige Jahre vorher verlegten Transatlantik-Kabel, das die erste telegraphische Verbindung zwischen Amerika und dem europäischen Kontinent ermöglichte, waren Lebensspuren von Formen entdeckt worden, die in 200m Wassertiefe lebten. Die Challenger-Expedition sollte nun in den verschiedenen Meeren der Welt Probenmaterial sammeln und diesen neuen Lebensraum systematisch erschließen. Für die Bearbeitung des gesammelten Materials wurden internationale Kapazitäten gesucht. Haeckel war einer der wenigen Forscher, die gleich mehrere Großgruppen bearbeiten sollten. Die Auswertung, die Beschreibung und die darauf erfolgende Drucklegung der entsprechenden Arbeiten zog sich über Jahrzehnte hin. Insbesondere die schon drucktechnisch sehr aufwendigen Publikationen verschlangen große Geldsummen, sodass schließlich in der Endphase das Unternehmen insgesamt aufgrund auslaufender Mittel gefährdet war. Gerettet wurde das Unternehmen durch die Privatinitiative von Sir John Murray (1841–1914), 1872–1876 Wissenschaftler an Bord der Challenger, von 1876–1882 zunächst Assistent und dann Herausgeber der Forschungsberichte des Unternehmens, der letztendlich den Druck der aufwendig gestalteten Werke aus seinem – allerdings vergleichsweise umfangreichen – Privatvermögen bestritt.

Haeckel band sich über mehr als ein Jahrzehnt an diese Arbeit. Die zu beschreibenden Formen wurden ihm zugesandt. Dabei arbeitete er mit Präparaten, die aufgrund der Konservierung ihre Originalfarben weitestgehend verloren hatten. Zu den teilweise auch schon Jahre alten Präparaten erhielt er die Fangprotokolle, sodass ihm erste Beobachtungsdaten und Angaben zu Fundort und den Fundbedingungen verfügbar waren. Der Erhaltungszustand der mehrzelligen Tiere war dann aber nicht mehr allzu gut. Dies ist auch an der Qualität der histologischen Präparate zu ersehen, die Haeckel von dem Staatsquallenmaterial erstellte. Insoweit war eine entsprechende Bearbeitung der Formen, zumindest sofern sie auf der Analyse von Weichteilen beruhte, besonders schwierig. Anders sah es mit dem Skelettmaterial, beispielsweise der Radiolarien aus. Hier allerdings lagen nur in seltenen Fällen Weichteile – oder auch nur Rudimente der Zellmasse – der lebenden Tiere vor, die es erlaubt hätten, die Gesamtgestalt der Zelle zu

195 **»Report on the Deep Sea Keratosa«**

Einband des Sonderdruckes der Bearbeitung der Kalkschwämme von der HMS Challenger-Expedition, 1889

rekonstruieren. Die Präparate, mit denen Haeckel arbeitete, bestanden aus dicht gepacktem Probenmaterial, das mit dem Planktonnetz gekeschert, herausgenommen, konserviert und dann vergleichsweise rasch auf Objektträger gebracht wurde. Die resultierenden Präparate bestanden aus dünnen Glasplatten mit in eine transparente Kittmasse eingeschlossenen Radiolarienskeletten. Dabei lagen auf diesen Glasplättchen hunderte und tausende von Formen in ungeordneter Weise nebeneinander. Die großen Formen waren durch diese Art der Präparation zudem zerbrochen und lagen nur mehr in Fragmenten vor. Der Naturforscher musste in diesen »Materialwatten« die verschiedenen Formen sichten, einander zuordnen, beschreiben und aufzeichnen. Waren die Organismen nur in Fragmenten ansichtig, hatte er zudem aus den ihm vorliegenden Stücken die komplexe dreidimensionale Gestalt eines solchen Organismus zu rekonstruieren.

In Blick auf diese problematische Konservierung des Materials und die enorme Fülle der ihm vorliegenden Tierformen muss es verwundern, wie es Haeckel gelang, diese Formvielfalt überhaupt zu strukturieren. Er musste dieses Durcheinander von Formen in eine Ordnung setzen. Hierzu war zunächst die Gestalt der einzelnen Formen minutiös zu rekonstruieren. Einander ähnliche Formen waren abzugleichen, es war zu sehen, ob sich in der Vielfalt der zum Teil zu Hunderten nebeneinander liegenden Formen der gleichen Art lesen ließ, oder ob es möglich war, in diesen Formmannigfaltigkeiten klare Untergruppen voneinander abzugrenzen.

Dazu registrierte Haeckel en Detail die Gestalteigenheiten der verschiedenen Formen. Der Vergleich mit den im Ernst-Haeckel-Haus vorliegenden Originalpräparaten zeigt, wie korrekt Haeckel in diesen Zeichnungen arbeitete.

Anfang der 1890er Jahre lagen schließlich die Monographien der von Haeckel bearbeiteten Bestände der HMS Challenger vor.[77] Haeckel präsentierte mit dieser Bearbeitung eine neue Systematik der entsprechenden Gruppen. Diese Systematik rekonstruierte ihm zufolge deren phylogenetische Ordnung; d.h., in den von Haeckel rekonstruierten Ordnungshierarchien spiegelte sich – seiner Auffassung zufolge – die reale Evolution dieser jeweiligen Gruppen wider.

Haeckel hatte damit im Detail nachgearbeitet, was er in seiner *Generellen Morphologie* von 1866 zunächst im eher großzügig gehaltenen großen Wurf offeriert hatte: eine Systematik, in der sich die Evolution nicht nur widerspiegelte, sondern eine Systematik, die in ihren Ordnungen die genealogischen Beziehungen und damit die reale Evolution der Lebensformen beschrieb.

Haeckel blieb dieser Art der Analyse der zoologischen Formvielfalten auch über 1866 hinaus verschrieben. Er, der mit seiner weltanschaulich untersetzten Biologie zunehmend Schwierigkeiten bei den deutschen Fachkollegen bekam, blieb so dennoch einer der international gefragten Taxonomen (Tier-Form-Beschreiber) für Wirbellose. Allein die monumentalen und exquisit illustrierten Darstellungen der von der HMS Challenger eingefahrenen Wirbellosen sichern ihm denn auch seinen Ruhm in der Biologiegeschichte.

Die Ordnung der Tiere lieferte ihm Material für seine theoretischen Vorstellungen. Der Einblick in die Morphologie dieser Formen offerierte ihm in deren Systematik auch ein Bild ihrer Evolution. Insoweit schienen sich für ihn in der Anschauung direkt Naturgesetze darzustellen. Das, was so kompliziert erschien, war nach Haeckel ja schlicht augenfällig zu machen. In der Ontogenese eines Individuums war dann zu sehen, wie Evolution funktionierte. Einzelbefunde, wie die Kiemenspalten des frühen menschlichen Embryos, erscheinen als schlagender Beweis für eine Theorie, die ansonsten in den Kreisen der Physiologen etwas zurückhaltend nur als Hypothese gehandelt wurde.

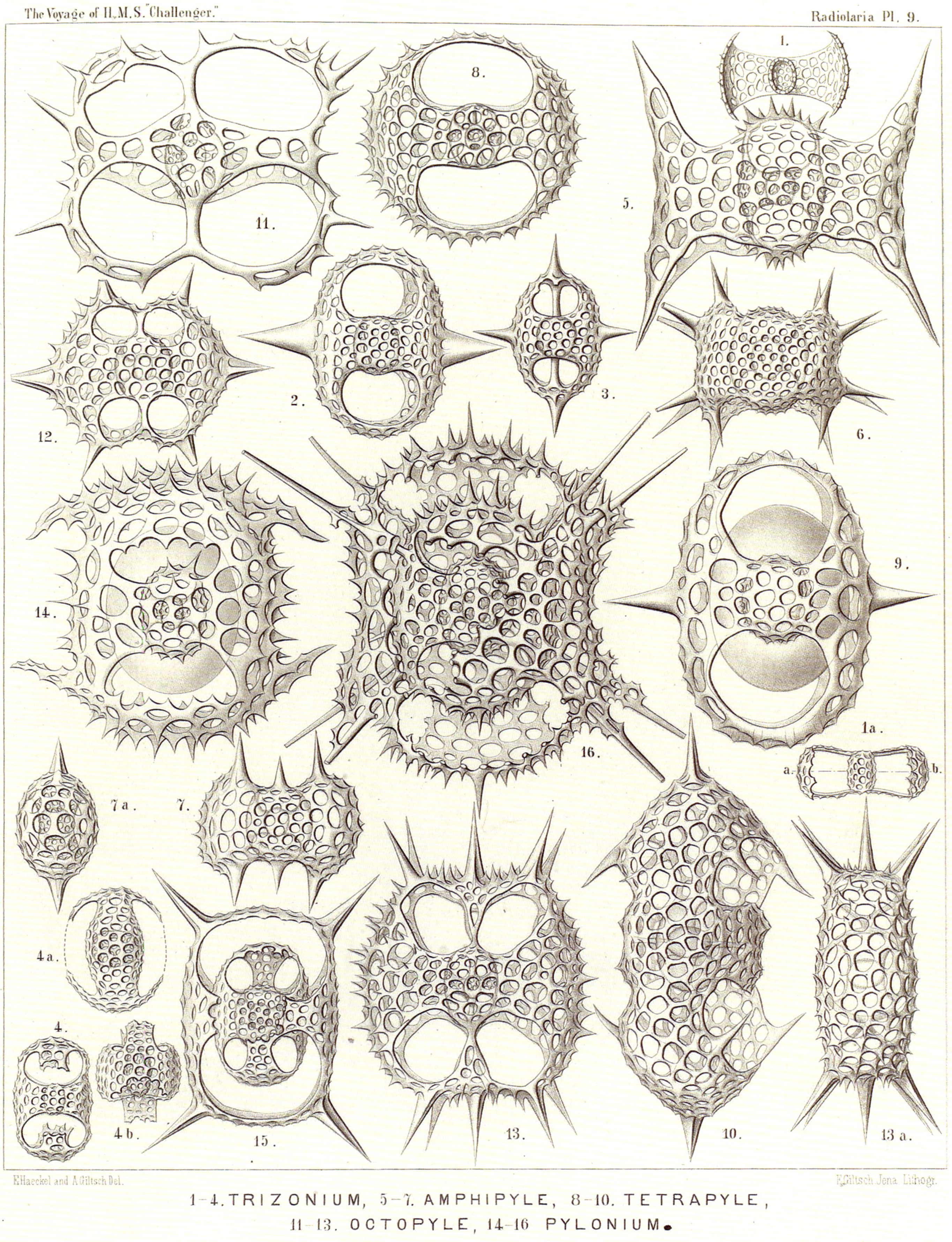

196 »Challenger-Report«

Radiolarien, Tafel 9, 1887

The Voyage of H.M.S. Challenger.

Radiolaria. Pl. 10.

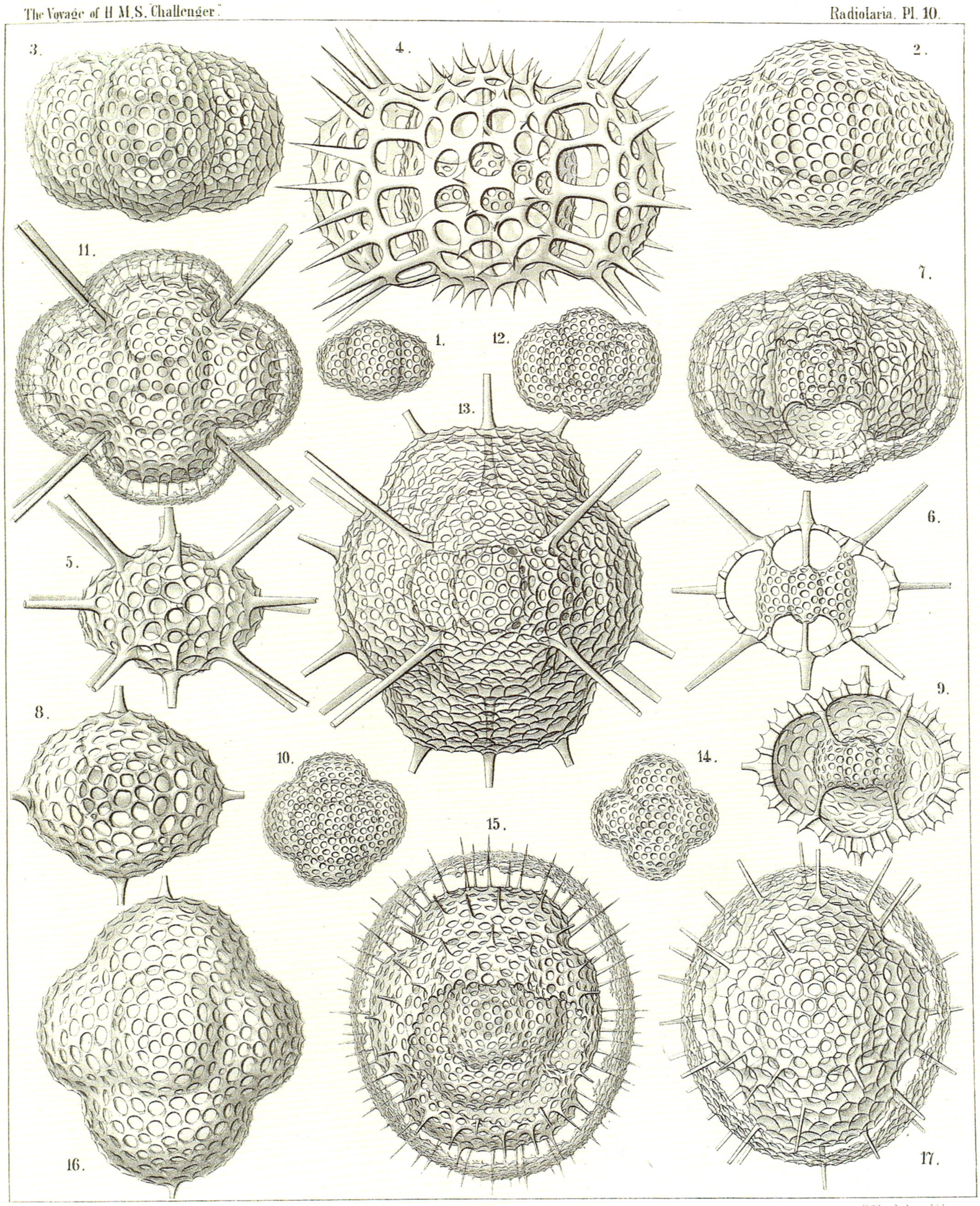

1. 2. THOLARTUS, 3–7. AMPHITHOLUS, 8–10. STAUROTHOLUS,
11–13. THOLOMA, 14. 15. CUBOTHOLUS, 16. 17. THOLONIUM.

197 »Challenger-Report«

Radiolarien, Tafel 10, 1887

The Voyage of H.M.S. 'Challenger.' Radiolaria. Pl. 15.

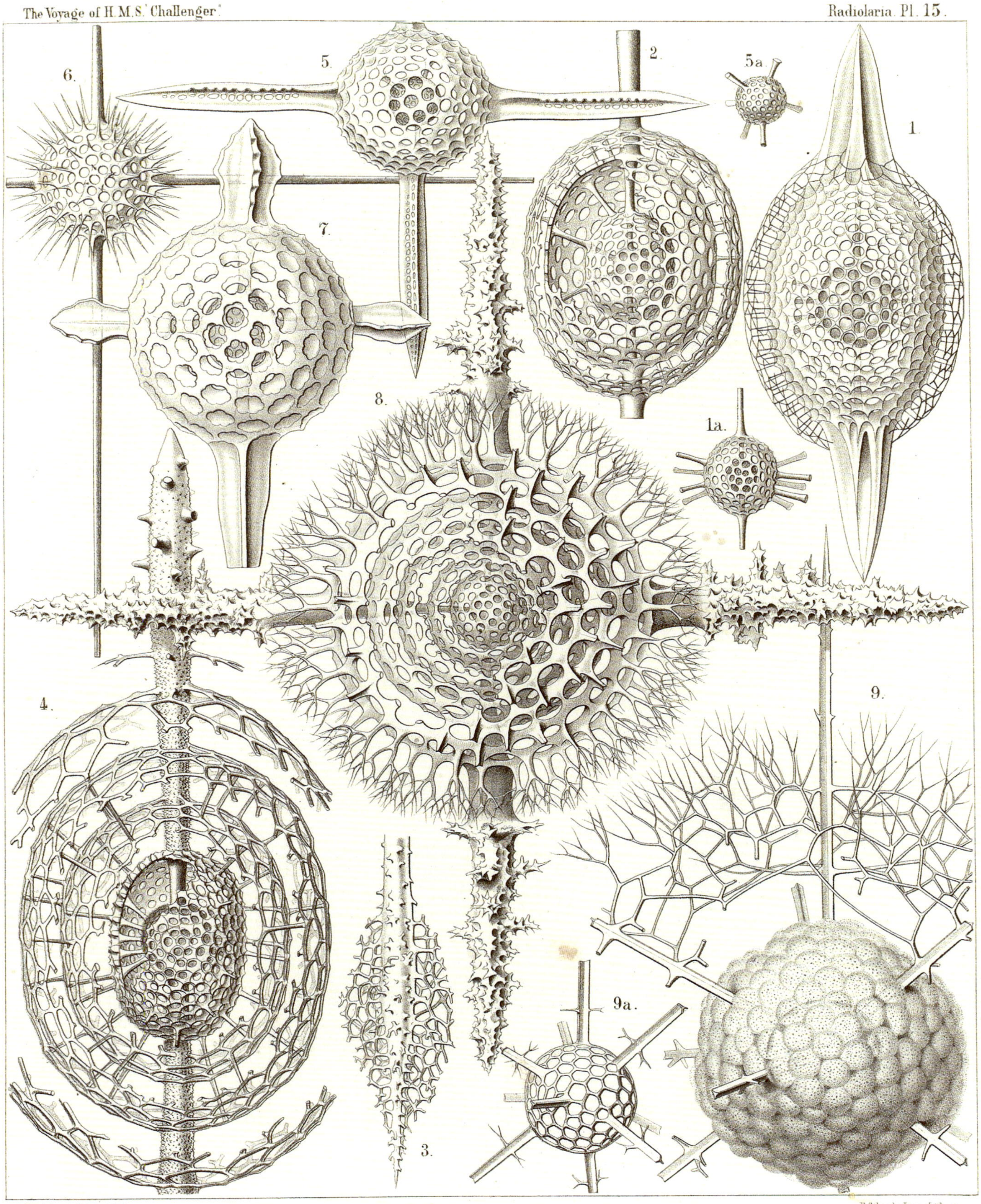

E. Haeckel and A. Giltsch, Del. E. Giltsch, Jena, Lithogr.

1. 2. STYLOCROMYUM, 3. 4. CARYOSTYLOS, 5.-7. STAUROLONCHE,
8. STAUROCARYUM, 9. RHIZOPLEGMA.

298 »Challenger-Report«

Radiolarien, Tafel 15, 1887

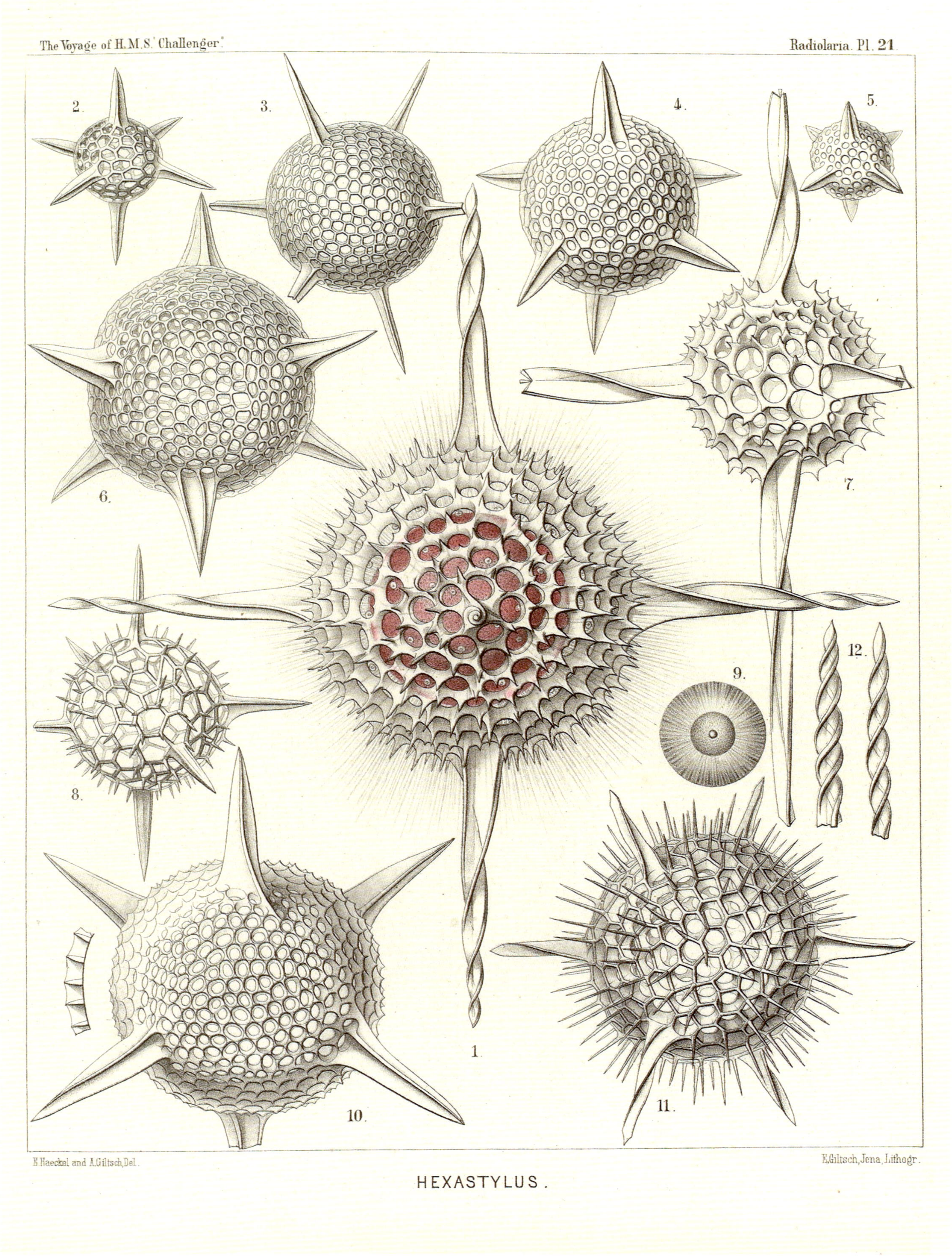

199 **»Challenger-Report«**

Radiolarien, Tafel 21, 1887

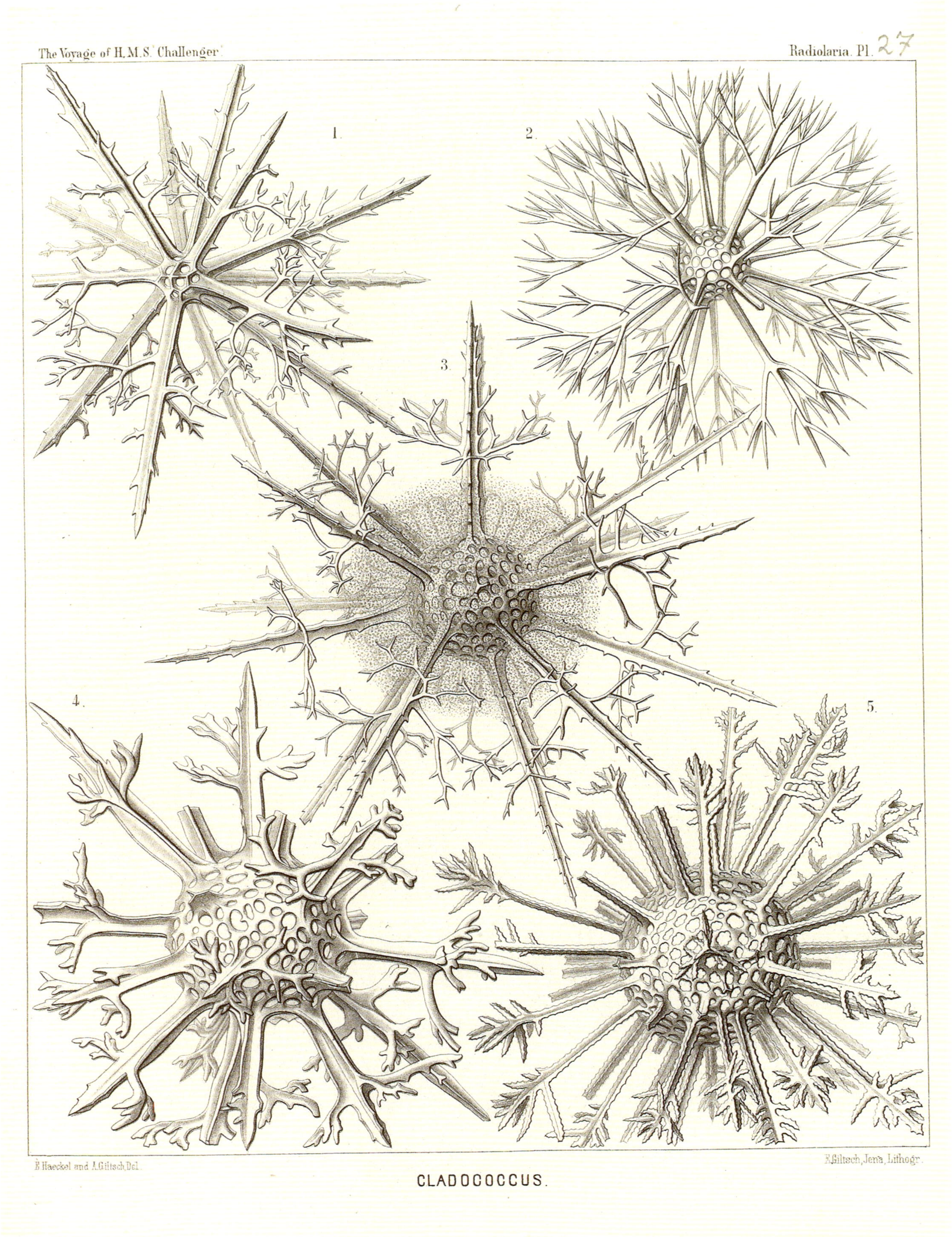

200 »Challenger-Report«

Radiolarien, Tafel 27, 1887

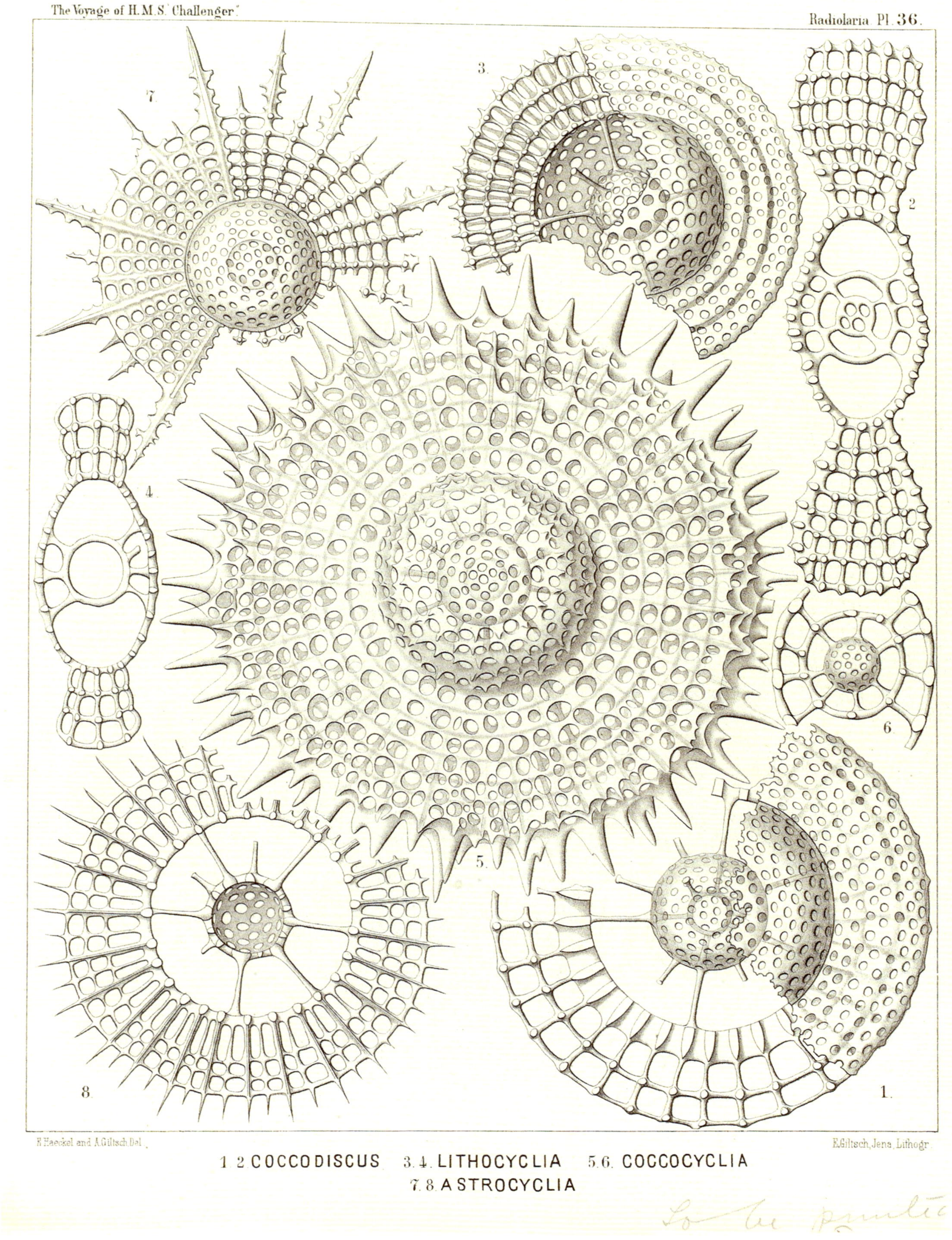

201 »Challenger-Report«

Radiolarien, Tafel 36, 1887

The Voyage of H.M.S. "Challenger."

Radiolaria Pl 54.

E.Haeckel and A.Giltsch Del.

E.Giltsch, Jena Lithogr.

1–4. BATHROPYRAMIS, 5. PERIPYRAMIS, 6–8. CINCLOPYRAMIS,
9–12. CORNUTELLA.

202 »Challenger-Report«

Radiolarien, Tafel 54, 1887

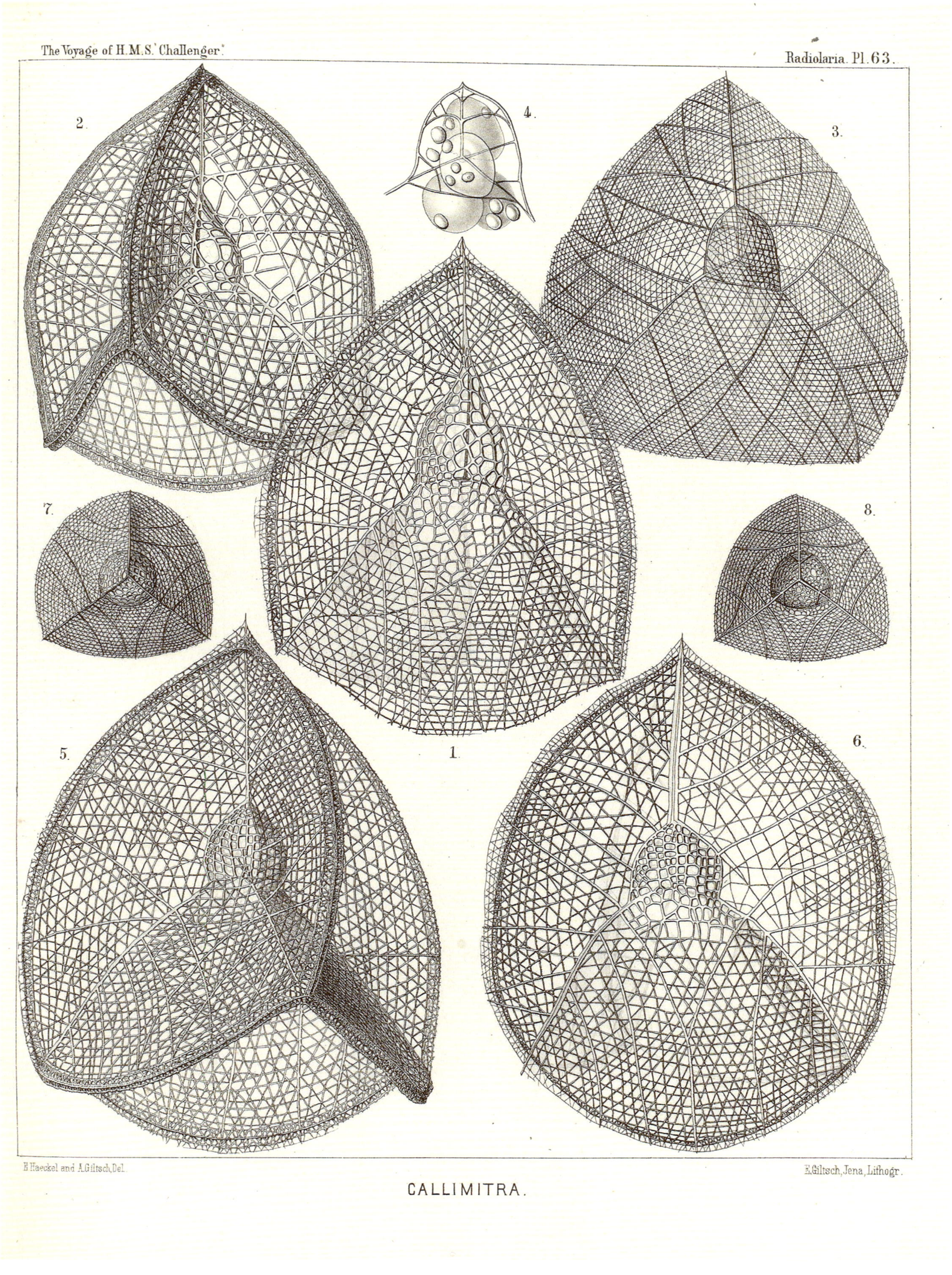

203 »Challenger-Report«

Radiolarien, Tafel 63, 1887

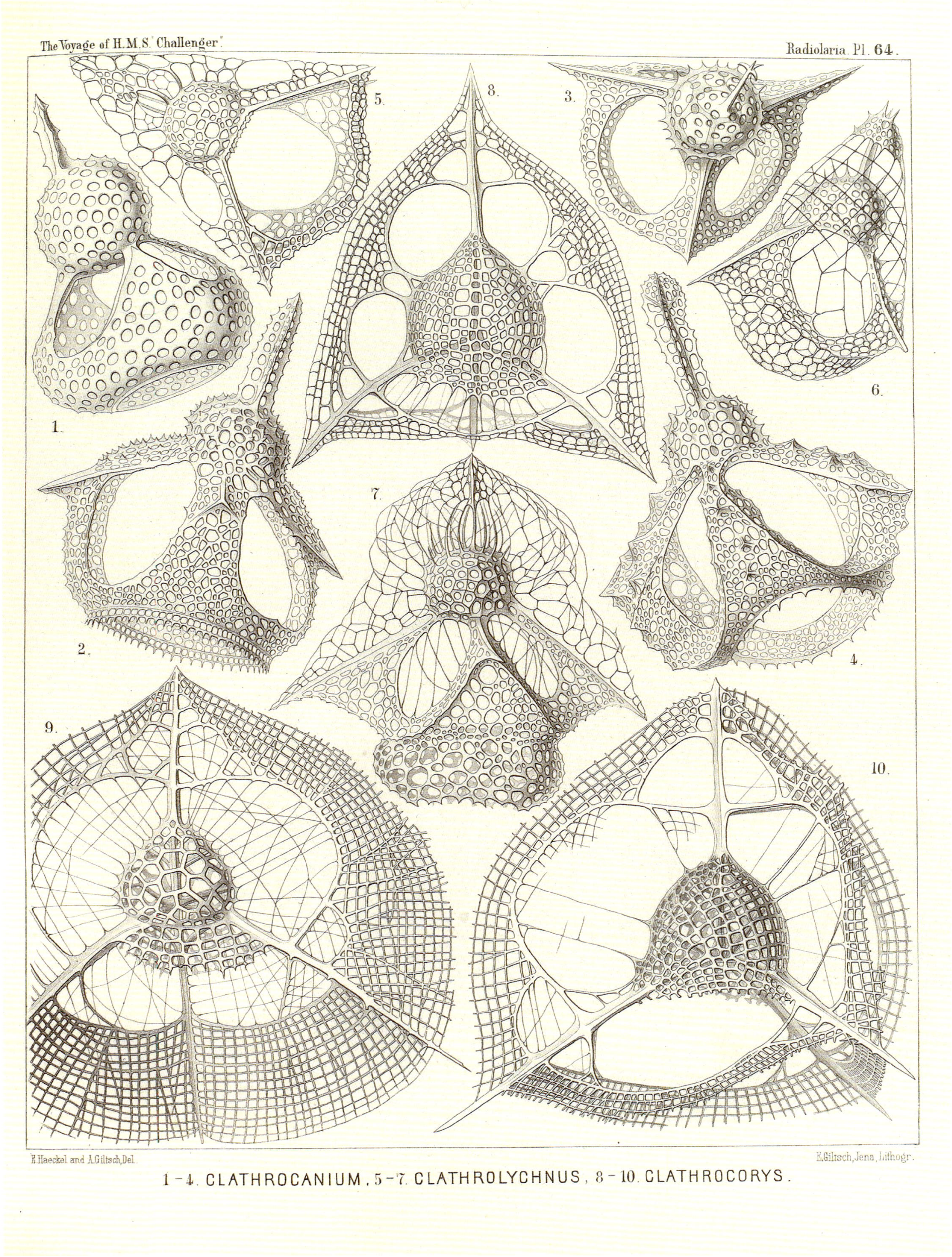

204 »Challenger-Report«

Radiolarien, Tafel 64, 1887

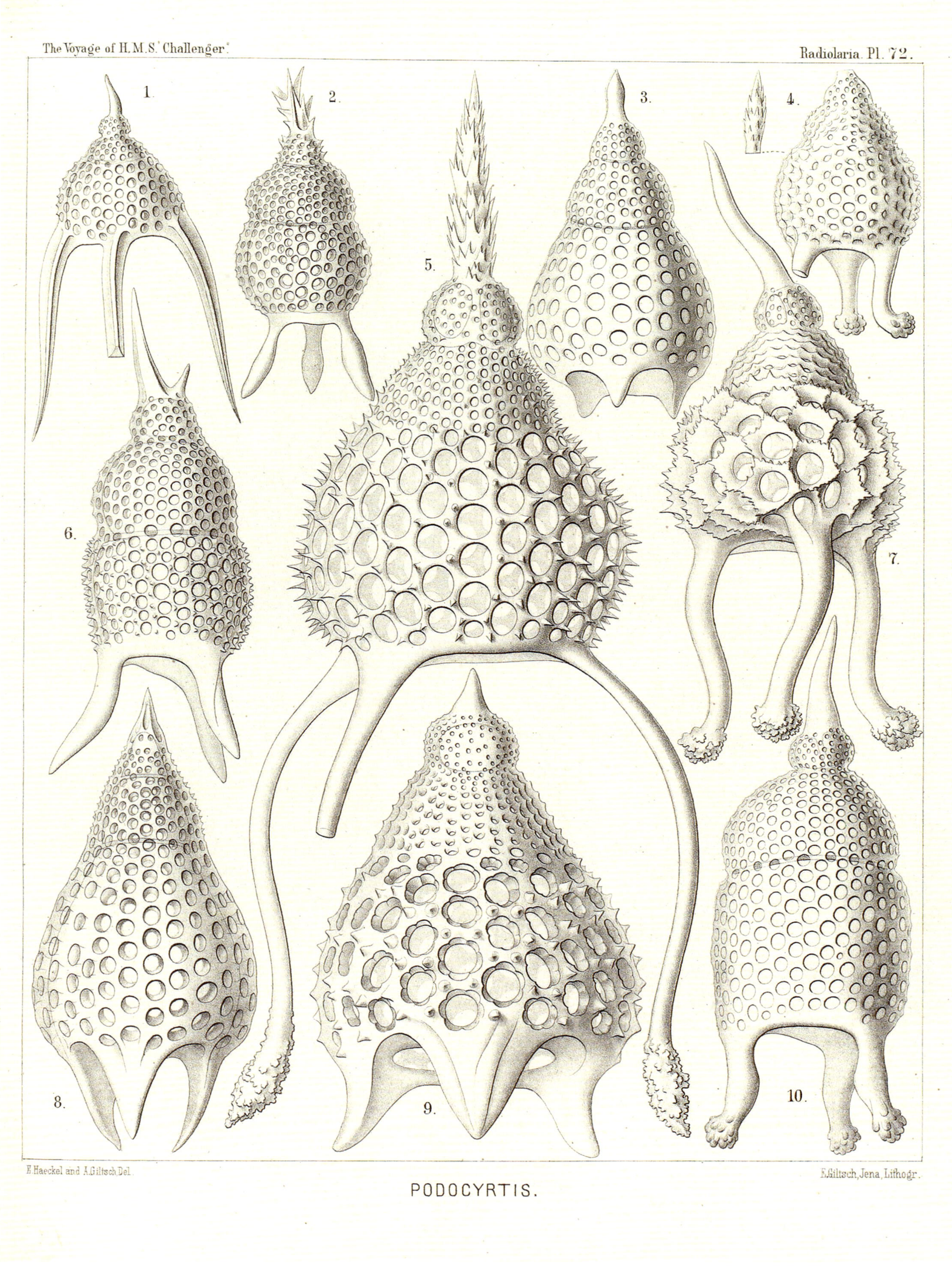

205 »Challenger-Report«

Radiolarien, Tafel 72, 1887

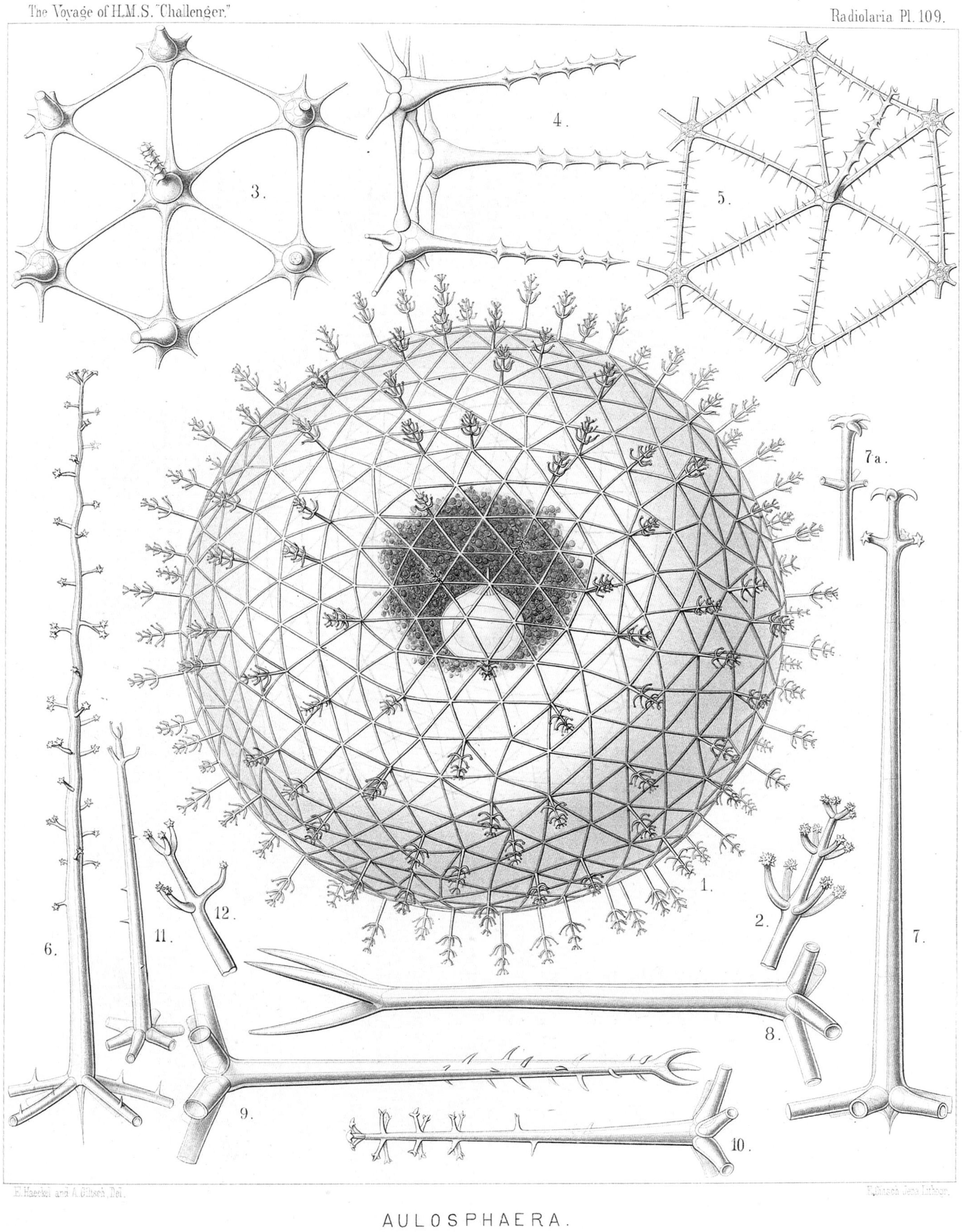

206 »Challenger-Report«

Radiolarien, Tafel 109, 1887

207 »Challenger-Report«

Radiolarien, Tafel 110, 1887

The Voyage of H.M.S. "Challenger."

Radiolaria Pl. 114.

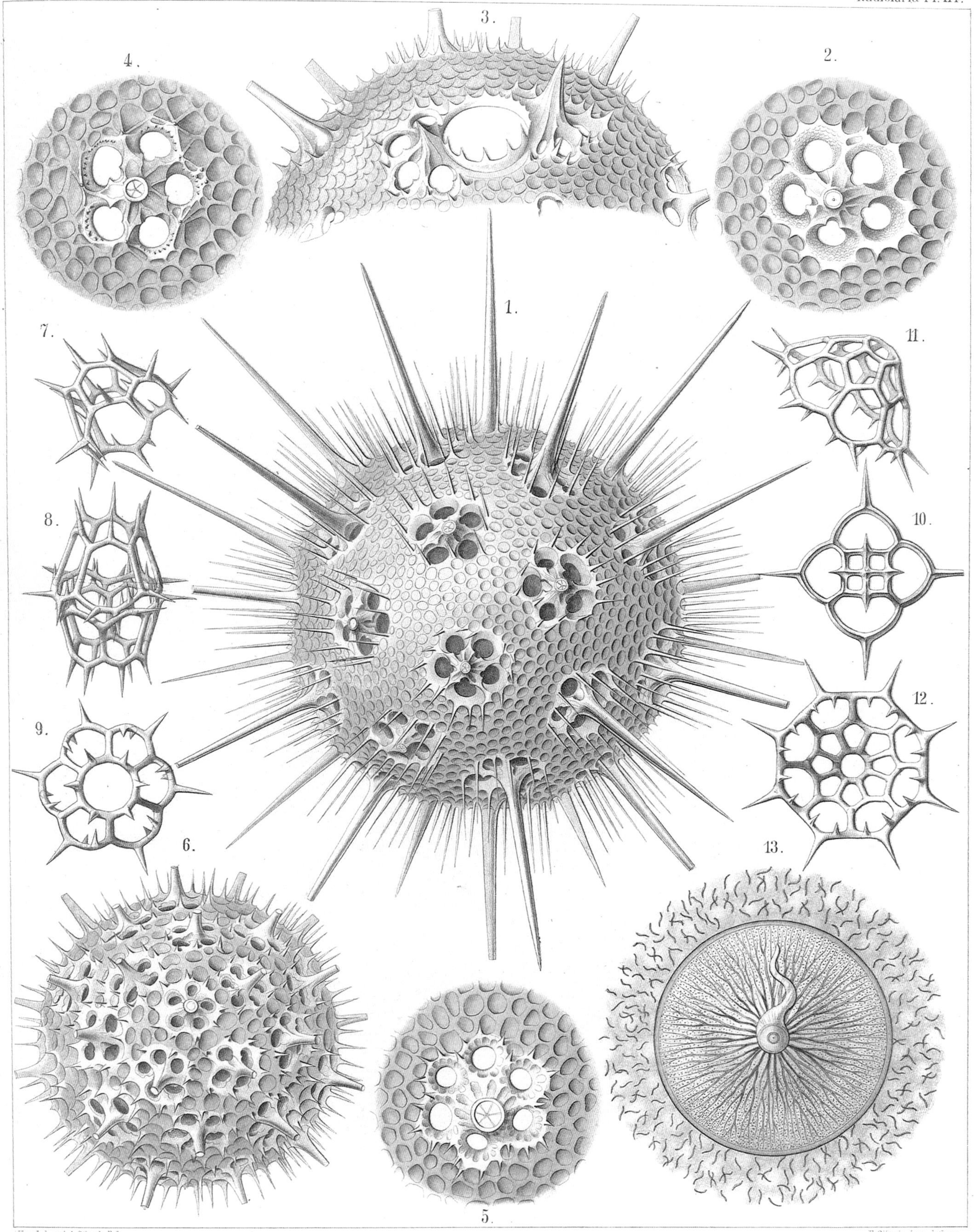

Haeckel and A. Giltsch, Del.

E. Giltsch, Jena Lithogr.

1–6. HAECKELIANA, 7–9. DISTEPHANUS, 10–13. CANNOPILUS.

208 »Challenger-Report«

Radiolarien, Tafel 114, 1887

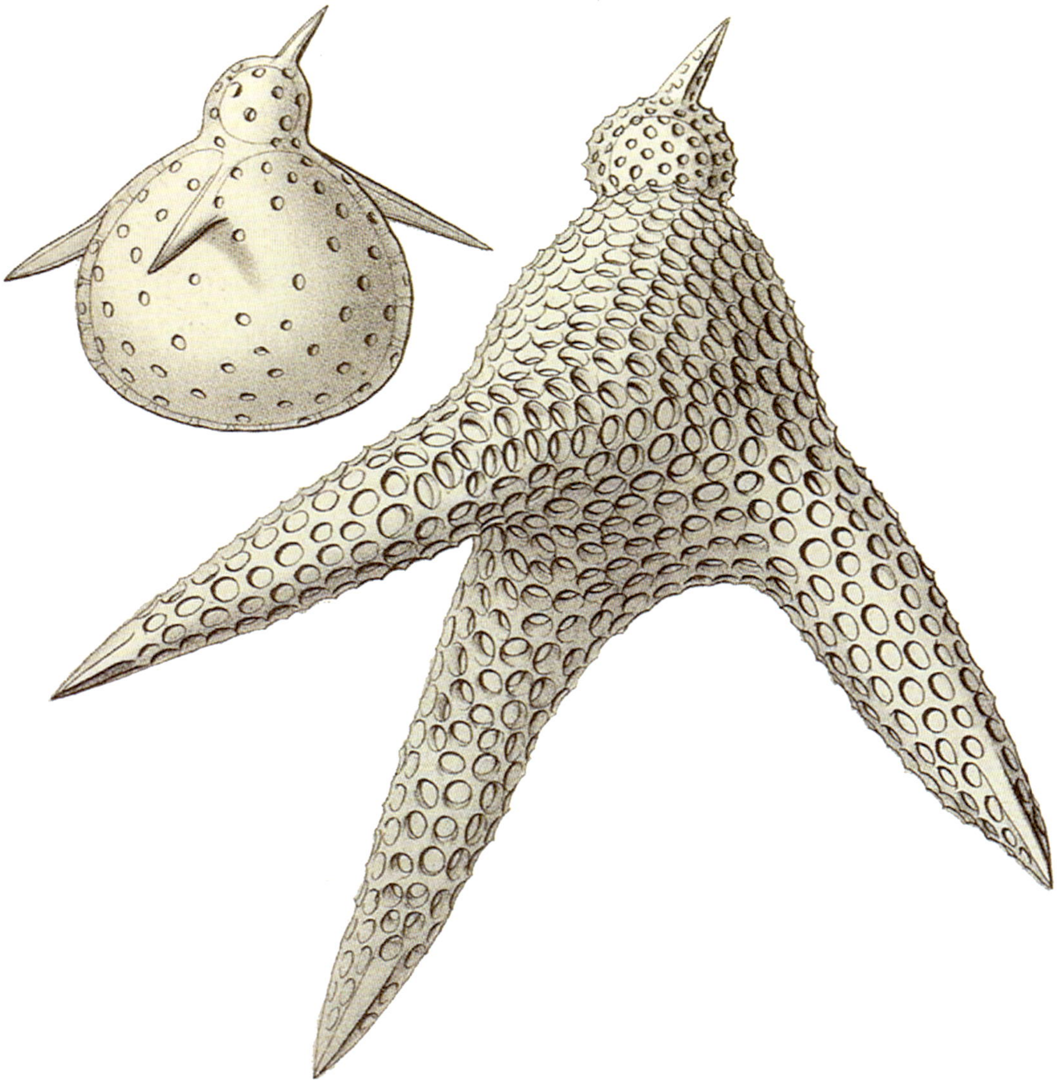

Haeckels Kunstformen der Natur

Die *Kunstformen der Natur* des Jenaer Naturforschers und Künstlers Ernst Haeckel erschienen in Form einer Folge von jeweils reich illustrierten Heften zwischen 1899 und 1904. Seine Abbildungen des märchenhaften Formenreichtums der Natur beeinflussten die Künstler des Jugendstils und inspirierten Architekten, Designer und Photographen bis in die heutige Zeit. Dabei war dieses Werk für Haeckel keineswegs eine rein populäre Darstellung. Seine *Kunstformen der Natur* präsentierten für ihn die Essenz seiner Zoologie (Abb. 209–222).

Die Beschreibung der Lebensformen machte – ihm zufolge – die Prinzipien, nach denen unsere Welt insgesamt geformt ist, augenfällig. Er publizierte mit den *Kunstformen der Natur* in seinem Verständnis somit denn auch nicht einfach einen Bildband, sondern die Summe seiner Weltsicht.

Diese Summe seiner Naturerfahrungen erschien in zehn Lieferungen. Haeckel wollte mit diesem Werk seine Grundidee von der prinzipiellen Einheit alles Lebendigen veranschaulichen. Dies tat er in einer Folge von 100 Tafeln, die eine der exquisitesten Serien wissenschaftlicher Illustrationen bilden, die je verlegt wurden. Die prächtigen Tafeln wirkten auch weit über die zoologische Wissenschaft hinaus und lösten vor allem bei den Künstlern und Architekten des Jugendstils ein starkes Echo aus. Haeckel traf mit seinen Darstellungen den Geschmack vieler Zeitgenossen: Künstler wie René Binet, Emile Gallé, Hans Christiansen oder der Photograph Karl Blossfeldt ließen sich durch Haeckels Bilder inspirieren (Abb. 52, 244 – 246).

Haeckels Darstellungen waren dabei mehr als bloße Illustrationen. In seinen Bildern offeriert er seine Naturanschauung, sie dokumentieren nicht nur seine Sichtweise, sie explizieren sie auch. Haeckels Naturbilder präsentieren kein rein kulturell ästhetisches, sondern ein sich der Ästhetik bedienendes wissenschaftliches Programm.

Haeckel wollte in einer Analyse der Systematik der Naturformen deren Ordnung aufweisen, um in der Strukturierung dieser Ordnung eine reale Abfolge der Naturentwicklung rekonstruieren zu können. Hatte er diese, so schien es ihm gerechtfertigt, die Formvielfalt der Natur als Extrapolation einer einfachen Formanlage zu beschreiben, die ihm zufolge am Anfang der Entwicklung zu dem nun existenten Ganzen stand. Dieses Einfache wird ihm in der Anschauung der Natur fassbar. Er kann es schlicht entdecken. Schließlich hat sich in der Ordnung der Vielfalt ein Prinzip augenfällig gemacht, nach dessen einfachster Realisierung zu suchen ist. Findet sich dann diese Grundform, ist mit ihr für Haeckel mehreres bewiesen. A) lassen sich nun, ausgehend von dieser Grundform, die möglichen Formierungsfolgen der verschiedenen abgeleiteten Formen festschreiben. Durch die Entdeckung dieses Einfachen ist damit auch ein Prinzip der

Grundorganisation des Lebendigen gefunden. Da die Vielfalt der Formen derart als Variation einer real erkannten Grundanlage beschrieben ist, ist damit B) die Realität einer Evolution durch Augenschein bewiesen.[78] Man muss dieses Einfache nur sehen, es beschreiben, um so aus dem Einblick in dieses Detail der Natur diese selbst als Ganzes erfassen zu können.

Der Anblick der Natur offenbarte Haeckel deren Ordnung. Seine Bilder fixieren diese Einsicht für den Rezipienten. Zu beschreiben ist allein das Schema, nach dem diese Ordnung dann auch darzustellen ist. Dies findet sich – wie dargestellt – für Haeckel im Kristall, der die Grundform der Natur darstellt, da sich – ihm zufolge – jede Organisation in einer umfassenden Kristallographie des Naturalen beschreiben lässt.

In diesem Geist entstanden seine *Kunstformen der Natur*, die nicht etwa als bloße Darstellung einzelner Naturformen missverstanden werden dürfen, sondern die vielmehr in klarer, d.h. für Haeckel eben bildnerischer Form seine Anleitung zur Naturerkenntnis kondensieren. Sein Abbilden, sein sich in den von ihm entworfenen Darstellungen reproduzierender analytischer Blick, ist für ihn das Manifest seiner Naturerkenntnis: Entsprechend illustriert in seinen Tafelerklärungen der Text die Abbildungen, und nicht umgekehrt. Beschrieben wird jeweils, welche Form abgebildet ist. Die Zeichnung, die Lithographie steht in ihrer Bezeichnung der Formen dann aber weitestgehend für sich selbst, die Komposition der Tafel trägt schon und gerade im Bild ihre Aussage. Entsprechend verzichtete Haeckel in der Anlage seines Werkes auch weitgehend auf eine systematische Strukturierung der Tafelfolge, wie sie sich aus einer biowissenschaftlich, taxonomischen Fragestellung ergeben würde. Deren Reihung sucht vielmehr ein Maximum an optischer Wirkung zu entfalten. Es galt in einer einzelnen Tafel den Eindruck einer Entwicklungsfolge zu vermitteln. In deren Serie war dann in der engen Verzahnung solcher Einzelentwicklungen in verschiedenen Organismengruppen der Eindruck einer umfassenden Entwicklung der Natur zu belegen.

Die Lieferungen der *Kunstformen* umfassten so jeweils einen ästhetischen Mikrokosmos von Formen, der in der Iteration der immer wieder in analogen Kompositionen aufwartenden Tafelfolgen die Signifikanz der Bildabfolgen im Einzelheft dokumentierte. Haeckel zeigte so in einer kleinen Folge von Beispielen aus den verschiedensten Bereichen der Naturgeschichte, dass er einen Schlüssel besaß, über den diese Vielfalt zu erklären wäre: die Idee einer natürlichen Evolution der Formen.

Seine Argumentation war dabei nicht explizit in Form einer theoretischen Darlegung gehalten. Dieses Argument formierte sich in den *Kunstformen* vielmehr in den Mitteln einer Ästhetik, in der die Abbildung der Natur deren eigentliche Ordnung aufzeigte.

Dabei versuchte Haeckel – wie angedeutet – das typologische Denken Goethes mit der Evolutionstheorie zu verzahnen. Er nutzte hiermit eine Methode, in der sich Dichtung und Wahrheit, im Sinne einer Synthese von ästhetischer Präsentation und wissenschaftlicher Analytik, vermittelten, um in der Offerte eines Naturbildes die Naturgestalt erfahrbar zu machen. Auch hierin, in dieser Nutzung der Anschauung zur Explikation des der Natur Eigenen, entsprach Haeckel – bewusst – Goethe. Die Analogiemodelle Goethes sollten in der Demonstration der Realgenese der Natur (im Sinne der Vorstellungen Darwins) in eine neue erweiterte Vorstellungswelt überführt werden. Wie auch für Goethe, blieb die Anschauung für Haeckel der Beweis für die Möglichkeit der Zuordnung seiner Formen. Dass er die Ordnung annehmen konnte, die er in den Dingen sah, sicherte ihm seine Ansicht der Dinge.

Das Augenfällige blieb sich in diesem Argumentationsgang selbst genug. Entsprechend wurde es von Haeckel verdichtet. Die Ästhetik der Naturformen, die er in die von ihm für seine Klassifikation benötigten Symmetrien einband, hat dabei eine vielschichtige Dimension. Sie ist – wie Hoppe-Sailer in seiner wirkungsbezogenen Analyse der Tafeln dieses Werkes auswies[79] – ein Versuch, die seinerzeitigen Formen des Jugendstils für eine Präsentation seiner Ideen zu nutzen. Dabei wird, und das lässt sich anhand der Stadien der Entwicklung einer Abbildung Haeckels *Kunstformen der Natur* belegen, das Objekt zusehends von seiner Natur gelöst.

Haeckel skizzierte eine Naturform und gab diese Skizze seinem Lithographen. Der Lithograph verfertigte eine Abbildung, die Haeckel dann ggf. auch schon in einer Publikation nutzte. Haeckel skizzierte dann in eher grober, aber zugleich sehr ausdrucksstarker Weise, wie er sich eine Tafel der *Kunstformen der Natur* dachte. Dabei gab er im Verweis auf vorliegende Zeichnungen oder ggf. auch schon vorliegende Lithographien Größenbeziehungen und Farben für die zu verwendenden Illustrationen an. Ausgehend von dieser Kompositions- und Farbskizze verfertigte dann wieder der Lithograph eine Druckvorlage. Der Lithograph arbeitete demnach nicht am Original oder auch nur in Kenntnis des Originals. Er arbeitete am Bild, suchte die Haeckelschen Illustrationen zu übersetzen. Die Ästhetik der *Kunstformen der Natur* ist demnach die Ästhetik, die aus der Reproduktion von Artefakten erwachsen ist.

Bezeichnend dabei ist, dass Haeckel bei den höheren, nicht einfach einer symmetrischen Kristallographie zu überantwortenden Formen der Wirbeltiere keineswegs mehr so ausgreifend illustriert, wie im Reich der Wirbellosen. Zudem gewinnen in diesen Darstellungen der Wirbeltiere Aspekte und Teilbereiche des Organismus besondere Bedeutung. So sind bei den Fischen einerseits die Schuppen, also eine fast kristalline Struktur, und zum anderen eine ganz bestimmte Gruppe von Arten ausgewählt. Haeckel

209/210 »Kunstformen der Natur«

Details aus Tafel 46, siehe Abb. 217

zeichnete Kofferfische (Abb. 221). Dies sind Fische, die ein zum Teil stark ornamentiertes, in ihren stacheligen Formen aber auch wieder höchst eigenwilliges »Außenskelett« besitzen. Fische, wie der Hai oder der Barsch, kommen in dieser auf die Subtilität des Ornamentes in der Körpergestalt zielenden Illustrationsfolge nicht vor. Von den Säugetieren finden wir die skulpturierten Gehörne der afrikanischen Antilopen. Diese Gehörne geben Haeckel einen Eindruck von den Formvariationsmöglichkeiten der »organischen Kristalle« bei den höheren Säugern, ebenso wie dies die stark ornamentiert erscheinenden Lautabgabe- und Lautdetektionsorgane der Ultraschall ortenden Fledermäuse vermitteln (Abb. 222).

Haeckel hat bei diesen »höheren« Formen der Wirbeltiere die ihm wichtigen Bilder stark selektiert. Gerade aber in dieser Form der Selektion wird sein Zugang zur Strukturierung der Natur noch einmal abschließend deutlich. Wenn er eine Physikalisierung der Morphologie fordert, meint er keine Funktionsmorphologie, er zielt vielmehr auf eine Strukturbeschreibung. Da für ihn die physiologischen Prozesse nur als Funktion der Morphologie und so nicht etwa die Gestalt als Maschinerie zur Freisetzung einer Funktion beschrieben ist, wird seine Idee einer umfassenden Analyse der Naturgestalt in genau diesem Sinne auch Goethe und nicht etwa Darwin aufnehmen. Die Form der Natur, die in sich selbst zur Systematisierung des Symmetrischen findet, konstituiert ein Ganzes, das in seiner Struktur die Gesetzmäßigkeiten des Naturalen erkennbar werden lässt. Haeckel ist hierin ganz Typologe. Seine Idee, Naturgesetze über die Anschauung zu begründen und aus der Anschauung heraus so ein Naturbild zu sichern, weist – wie angesprochen – vor das Darwinsche Konzept einer Evolution der Natur zurück und transportiert ein Anschauungsmodell des 18. Jahrhunderts in die Moderne.

Im engeren Verständnis einer auf die Methodologie der Morphologie blickenden Analyse wird Haeckel demnach zu einem »dynamisierten« Goethe. Die Typologie der Organismen fand sich für Haeckel in deren Evolution. Entsprechend begriff er die Vielfalt der Formen denn auch – wie aufgewiesen – als Explikation einer organischen Kristal-

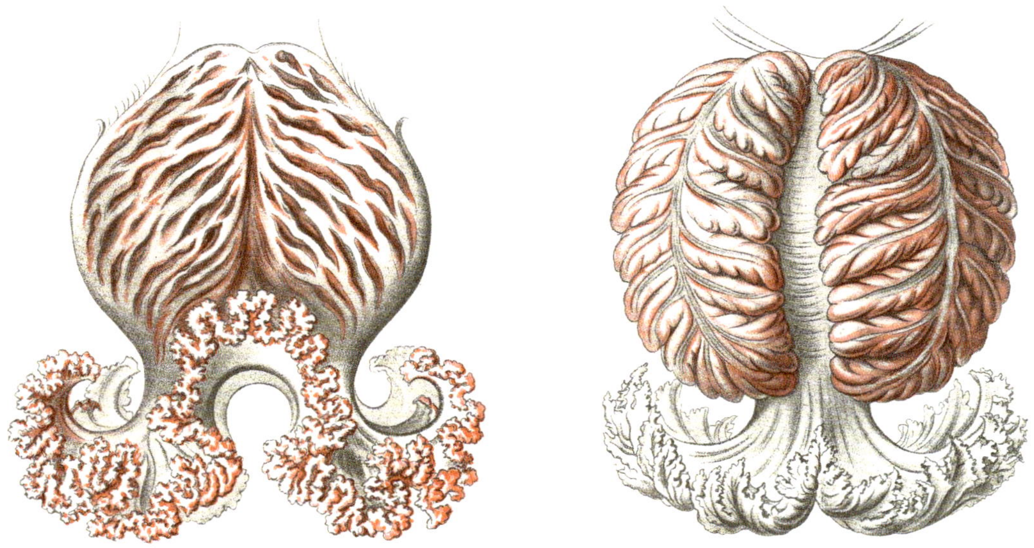

211/212 »Kunstformen der Natur«
Details aus Tafel 46, siehe Abb. 217

lographie. Die Genese des immer Komplexeren, die Addition nach Maßgabe der organischen Grundprinzipien schuf eine Organisationsvielfalt, die in ihren morphologisch zu beschreibenden Symmetriebeziehungen auf die Bildungsmodi und damit auch die spezifischen Mechaniken des Lebendigen verwies. Haeckel konstituiert dabei nicht nur einen Begründungszirkel, er verzichtet eigentlich auf eine Begründung. Seine »Begründungen« findet er – wie dargelegt – im Anschauen. Das Bild der Natur zeigt deren Typik, das Abbild der Typik zeigt ihm die Natur. Sehen ist Erkennen. Ein Gesetz wird nicht in einer Analyse erfasst, die Natur wird erschaut.

Insoweit versteht sich Haeckels Entwurf einer Phylogenie der Lebensformen. Er begründet die von ihm dargestellten Verwandtschaftsverhältnisse aus den Ähnlichkeiten im Muster der Formtypen. Diese Ähnlichkeiten werden nicht durch eine umfassende vergleichend morphologisch/anatomische Analyse erschlossen, sondern dadurch erstellt, dass Haeckel Formähnlichkeiten in der Gesamtgestaltung der einzelnen Organisationstypen benennt. Die aus diesem Analogisieren erwachsene Stammreihe der Formen wird in der Möglichkeit begründet, in ihr die Formtypen zu ordnen. Die Möglichkeit, in der so erstellten Reihung der Formen diese zu ordnen, schafft für ihn schon die Lösung des explizierten Problems.

Die Symmetrie, die anschaulich gemachte Ordnung gewinnt für einen die Vielfalt der Naturformen beschreibenden Naturhistoriker, der in der Vielfalt der Formen nicht die immer wiederkehrende Reaktion einer Natur, sondern das Kondensat einer Geschichte greift, besondere Bedeutung. Ist Ordnung im Resultat einer Geschichte doch Ausweis dafür, dass der historische Prozess nicht völlig frei läuft, sondern eine innere Strukturiertheit expliziert. Haeckel ist einer der Hauptvertreter des Darwinismus im 19. Jahrhundert. Er ist also der Vertreter einer Theorie, der zufolge die Naturgestalt Resultat eines geschichtlichen, in seinem Verlauf ungesteuerten, d.h. zufälligen Prozesses ist. Auch für ihn ist damit eine Ordnung der Organismen nicht zwingend zu erwarten. Die Geschichte des Lebens muss nicht zwingend zu strukturierten Ergebnissen führen.

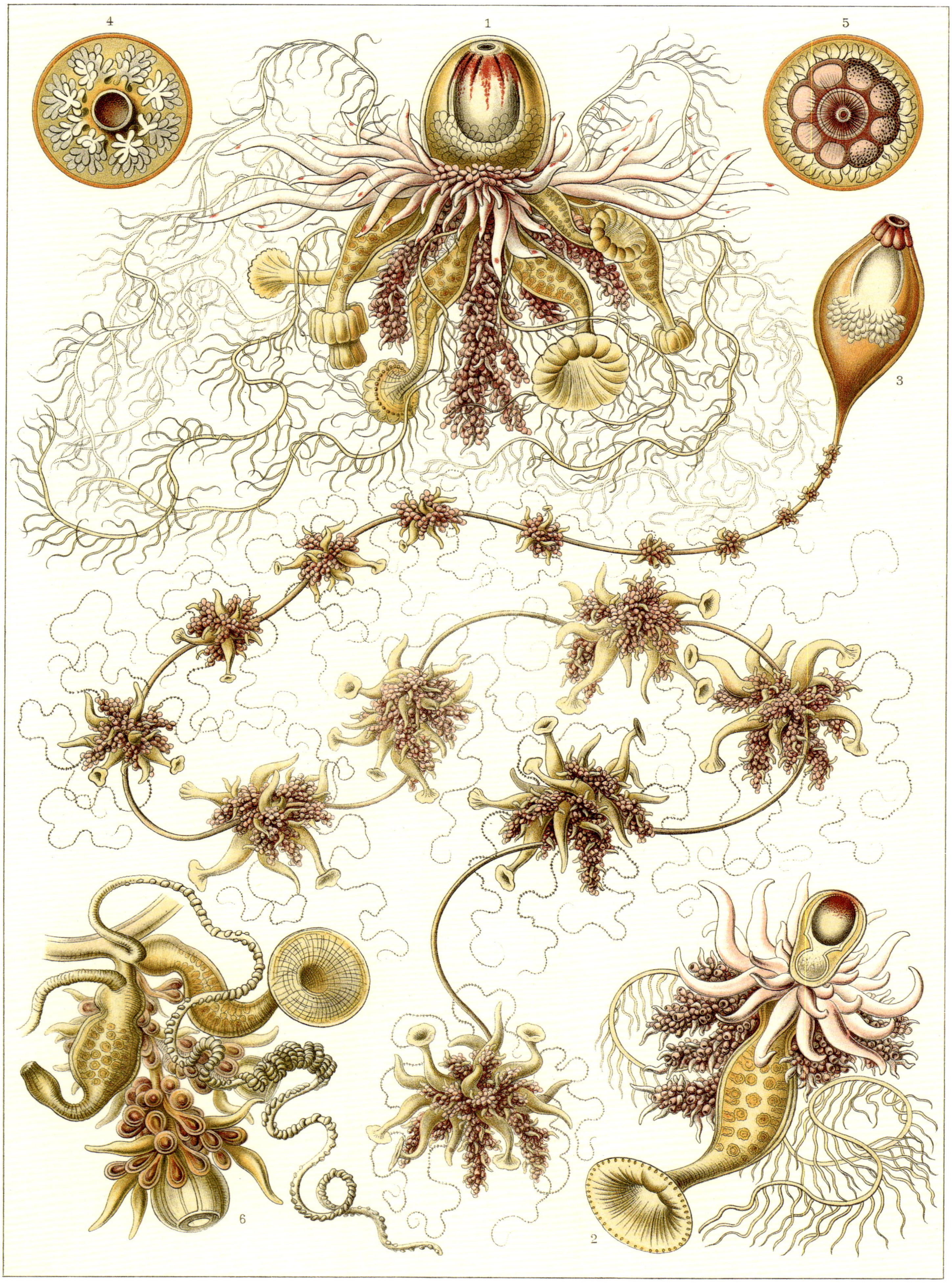

213 »Kunstformen der Natur«

Staatsquallen, Tafel 7, 1899–1904

214 »Kunstformen der Natur«

Taschenquallen, Tafel 38, 1899–1904

215 »Kunstformen der Natur«

Seesterne, Tafel 40, 1899–1904

216 »Kunstformen der Natur«

Seeschleichen, Tafel 85, 1899–1904

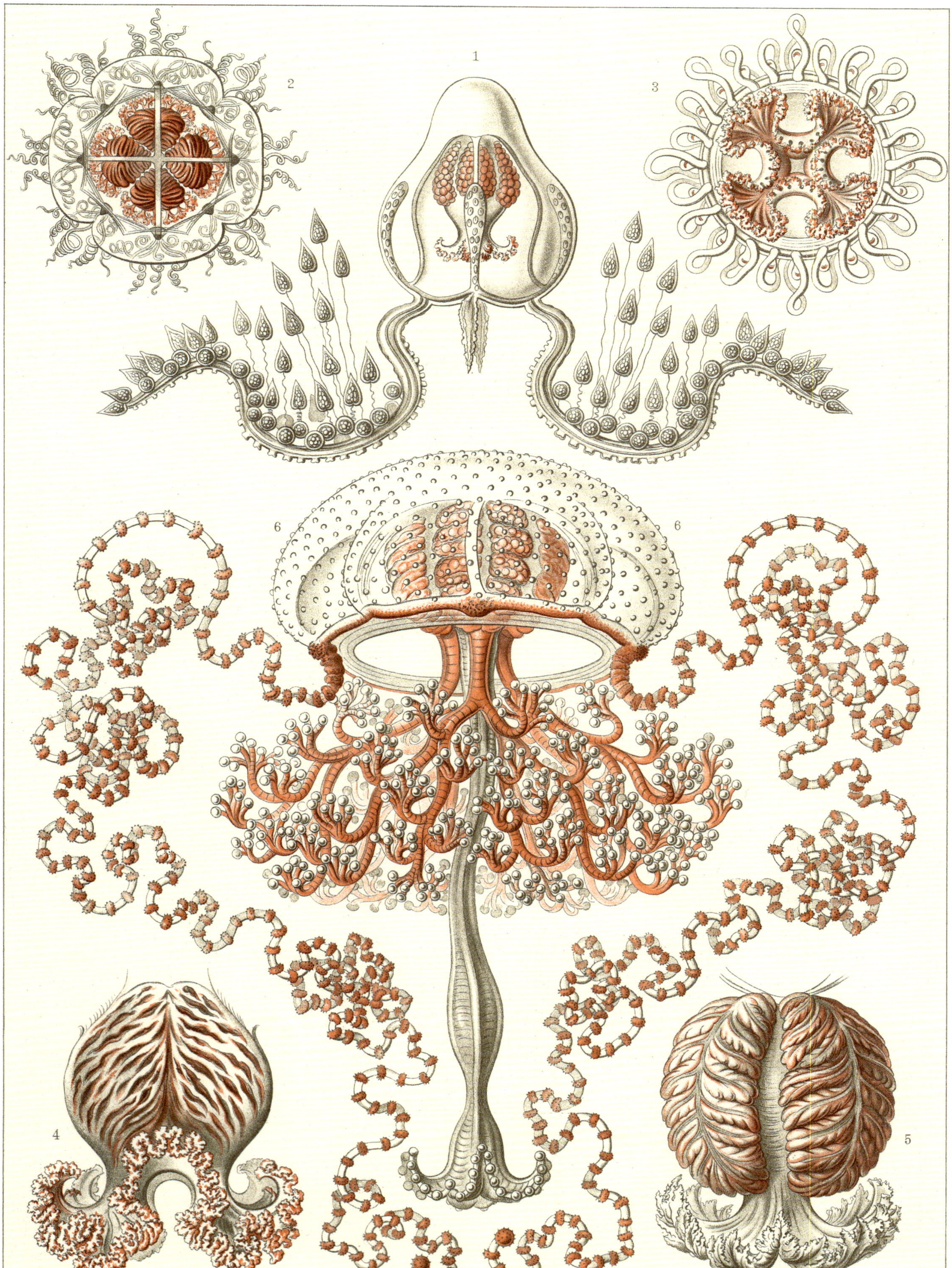

217 **»Kunstformen der Natur«**

Blumenquallen, Tafel 46, 1899–1904

218 »Kunstformen der Natur«

Rohrstrahlinge, Tafel 61, 1899–1904

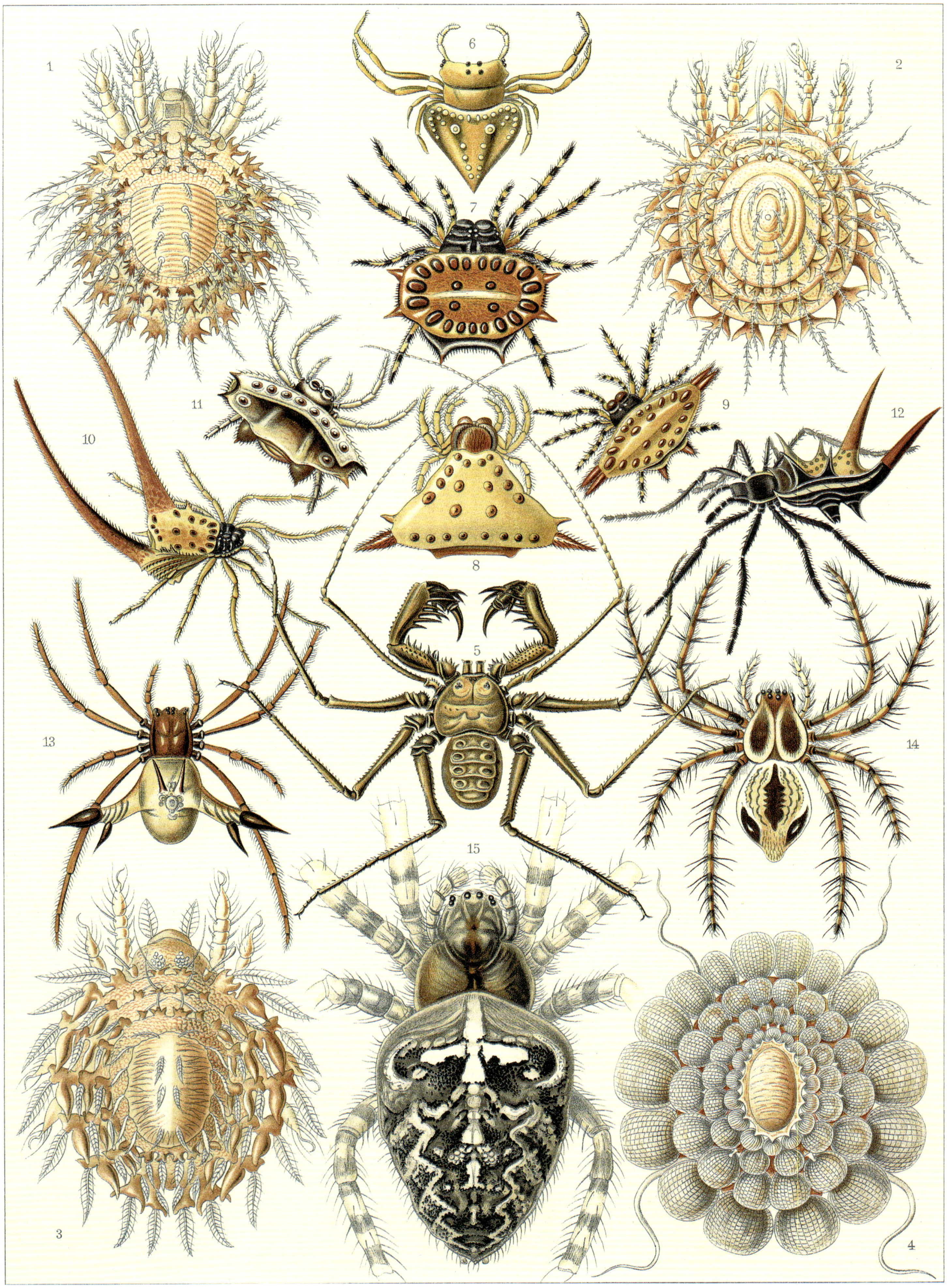

219 »Kunstformen der Natur«

Spinnentiere, Tafel 66, 1899–1904

220 »Kunstformen der Natur«

Zehnfußkrebse, Tafel 86, 1899–1904

221 »Kunstformen der Natur«

Kofferfische, Tafel 42, 1899–1904

222 »Kunstformen der Natur«

Fledertiere, Tafel 67, 1899–1904

Wenn sich nun aber Strukturierungen finden, so lässt sich – Haeckel zufolge – diese Struktur in ihrer Genese aufzeigen, indem ihre zunehmende Komplexität in einer Reihung beschrieben und damit die Genese anschaulich wird. Strukturanalyse heißt demnach für Haeckel, die sukzessive Entfaltung einer immer komplexeren Symmetrie der organischen Anlagen zu beschreiben.

Aufgebaut wird so ein Reich von Symmetrien. Aufgeworfen und ersetzt in immer neu gebrochenen Konstellationen, expliziert sich für Haeckel in diesem Kristallreich des Organischen aber immer wieder nur die sich in ihrer Geschichte fortlaufend verbessernde Natur. Die Natur ist für Haeckel ein entwickelter Kristall.

Auch die »höheren« Formen der Wirbeltiere sind in dieses Symmetriemuster zu integrieren. Allerdings reduziert Haeckel in seinen *Kunstformen* deren Morphologien auf einzelne Gewebeausprägungen, an denen er für das Ganze im Detail die möglichen Symmetriebeziehungen darstellt. So zeichnet er – wie schon beschrieben – das Außenskelett der eigenwillig skulpturierten Kofferfische oder Nase und Ohren der Fledermäuse.

Er zielt dabei auf eine Darstellung von Symmetriebeziehungen. In diesen Symmetrien findet er dann die Form der Mathematisierung, die er für die Biologie als adäquat einstuft. Damit wird seine Morphologie als die Beschreibung der Genese des Komplexen für Haeckel zu einer umfassenden Formwissenschaft, die die Physik und Chemie seinem Verständnis nach mit umfasst.

1950 formuliert Theodosius Dobzhansky,[80] einer der Wegbereiter der modernen synthetischen Theorie des Darwinismus: »Nichts macht Sinn in der Biologie, wenn es nicht evolutionsbiologisch gedacht ist.« Haeckel war der erste Biologe, der dies dachte, und den daraus folgenden Anspruch einer Evolutionslehre massiv verteidigte.

Haeckel ging dabei noch einen Schritt weiter: Ihm zufolge war in dieser Evolutionslehre nicht nur das Biologische, sondern das Biotische überhaupt und damit auch die Kultur und das Denken des Menschen zu fundieren. Die modernen Konzepte, mit denen derzeit E. O. Wilson in den Vereinigten Staaten reüssiert,[81] sind nichts als der Nachhall der Haeckelschen Theorien. Und so wird es nicht verwundern, dass gerade in der angloamerikanischen Biologie Haeckel sehr viel populärer geblieben ist als in seinem eigenen Sprachraum. Aber wir müssen auch aufmerken, propagiert Haeckel hier doch einen naiven, teilweise aber auch aggressiven Biologismus. Im ersten Weltkrieg wird er zu einem biologisierenden Chauvinisten und öffnet einer ihn vereinnahmenden Ideologisierung Tür und Tor.

Weltanschauungslehren

Popularisierung

Haeckel hatte sehr früh verstanden, dass seine Forderung einer umfassenden Biologisierung des neuen, nachdarwinschen Denkens nicht in einem innerakademischen Diskussionsgefüge zu realisieren war. Unabhängig und parallel zu diesen eigenen Popularisierungsversuchen schuf er sich nach 1880 einen ganzen Kranz von Popularisatoren, wie Wilhelm Bölsche, Carus Sterne (urspr. Ernst Krause, 1839–1903) und Wilhelm Breitenbach (1857–1937), die jeweils unterschiedliche Segmente der damaligen an biologischen Fragen interessierten Gesellschaft bedienten. Haeckel gewann damit um 1900 nahezu ein Monopol für die populäre Darstellung des Darwinismus im deutschen Sprachraum. Da die preußische Regierung verboten hatte, im Schulunterricht an Gymnasien die Darwinsche Lehre zu behandeln, war es für einen an diesen Dingen Interessierten nur möglich, sich der von Haeckel oder seinem Umfeld publizierten Schriften zu bedienen, um sich über die Aussagen und Konsequenzen dieser Lehre zu orientieren. Paul Carus (1852–1919) wurde zum Herausgeber der bis heute bedeutendsten philosophischen Zeitschrift Amerikas, *The Monist*. Haeckels Assistent Heinrich Schmidt war Herausgeber des bis heute, wenn auch in wechselnden Überarbeitungen, meistverbreiteten Philosopohischen Wörterbuchs.

Schon in seinem wissenschaftlichen Hauptwerk, der 1866 erschienenen *Generellen Morphologie der Organismen*, offerierte Haeckel nicht einfach eine biologische Abhandlung zu dem Problem einer phylogenetischen Systematik.[82] Er beschrieb seine Biologie als Teil einer umfassenden Theorie, in der die Wissenschaft die Argumente für eine neue, an ihren Befunden orientierte Weltanschauung bietet. So ist schon 1866 seine Morphologie als Teil einer weltanschaulichen Theorie, seines Monismus, zu betrachten. Dieser Monismus wird als die eigentliche Konsequenz seines evolutionsbiologischen Ansatzes bestimmt. Haeckel formuliert so eine gegen die traditionellen Ordnungsstrukturen des außerwissenschaftlichen Raumes gerichtete weltanschauliche Position. Er wird einige Jahre später hierin explizit, wenn er in seiner kleinen Schrift zum Monismus eine dezidiert anti-klerikale Position einnimmt und diese eben mit Verweis auf die neue, an der Evolutionsbiologie angelehnte Weltanschauung begründet.[83]

Die Welträthsel

Mit seiner monistischen und antiklerikalen Position wird Haeckel – wie schon angedeutet – im italienischen Raum für die fortschrittlichen, für eine neue politische und kulturelle Ordnung Italiens streitenden Kräfte zu einer Personifikation der eigenen, gegen die Dominanz katholischer Wert- und Ordnungsgefüge gerichteten Intentionen. Die Haeckelsche Evolutionsbiologie wird in diesem Raum auch weniger als innerbiologische Theorie denn vielmehr als argumentative Waffe gegen die klerikale Ordnungs-

223 Wilhelm Bölsche, »Vom Bazillus zum Affenmenschen«

Buchtitel, 1900

224 Deutscher Monistenbund

Postkarte, undatiert

225 The Open Court

Titelblatt der amerikanischen monistischen Zeitschrift mit einem Verweis auf Haeckels 80. Geburtstag

macht genutzt. So wird Haeckel zu einer Autorität, mit der gegen die als überkommen begriffenen Strukturen zu argumentieren ist. Damit gewinnt er enorme Resonanz unter den italienischen Positivisten. In der innerbiologischen Diskussion bleibt seine Rezeption aber außerhalb der seine Weltanschauung teilenden Gruppe sich politisch avantgardistisch verstehender Naturforscher auch in Italien eher verhalten. Haeckel galt besonders im politischen Raum als Autorität. Unter der Fahne des Haeckelianismus wurden naturwissenschaftliche Lehrstühle mit einer explizit antiklerikalen Ausrichtung besetzt. Haeckel passte in eine Kultur der »sciences«, die sich gegen eine theologisch/philosophische Kultur zu behaupten suchte. Damit fügte er sich ein in die sich neu formierende Wissenschaftslandschaft Italiens. Er formierte als Galionsfigur von Schiffen, die dann in ihren Wissenschaften selbst aber ihren eigenen Kurs zu fahren suchten.

Es wäre nun aber falsch, Haeckels Resonanz auf diese weltanschauliche Position zu reduzieren. So war es selbst für Darwin in der Diskussion um seine Lehre in England sehr hilfreich, darauf verweisen zu können, dass mit Haeckel ein professionalisierter kontinentaler Wissenschaftler seine Thesen aufnahm und seine Theorie auch formal somit als innerbiologische und nicht primär weltanschaulich-theologische zu betrachten war.

Dabei verzahnt sich bei Haeckel die Vorstellung, eine auch in der innerwissenschaftlichen Diskussion tragfähige Synthese bisher erarbeiteter Vorstellungsmuster zu unterbreiten, mit dem Versuch, die Ergebnisse der Wissenschaften auch über das engere Fachgebiet hinaus zu popularisieren. Diese Versuche kulminieren schließlich 1899 in der von seinem Verleger angeregten Publikation der *Welträthsel*, die allein im deutschen Sprachraum über 450.000fach verkauft wurden. Die Schrift wurde in 27

Sprachen übersetzt, u.a. in Esperanto, ins Hebräische, Japanische und ins Finnische. Haeckel setzte 1904 mit einer zweiten Schrift *Die Lebenswunder* nach, die seine Weltanschauung abschließend konturierte. Die Resonanz auf diese Werke war insbesondere in der an den modernen Wissenschaftsentwicklungen interessierten Öffentlichkeit außerordentlich.

Mit Beginn des 20. Jahrhunderts – schon die Anekdote um seine Ausrufung zum Gegenpapst spricht für sich – war Haeckel als eine Kultfigur der scientistischen Wissenschaftskultur des endenden 19. Jahrhunderts etabliert. Und – im Gegensatz zu vielen anderen – war er dies noch zu Lebzeiten.

Dabei war Haeckels Weltanschauung keineswegs revolutionär. Sie vereint die klassische Sicht auf die Natur in ihrer Zentrierung auf den Menschen mit der Idee eines Darwin. In gewisser Hinsicht stellt er dabei den Darwinismus auf den Kopf. So sind wir nicht das zufällige Resultat einer Evolutionsmechanik, vielmehr zeigt sich die Natur schon in ihrem ersten Anfang in den Dimensionen, die wir mit dem Humanen verbinden: Die Natur ist schon in ihren einfachsten Formen schön. Das heißt für ihn, sie ist schon in ihrem Beginnen »Mensch«. Genau dies wäre eine Fortschreibung der Idee eines Goethe, der schon im Keim der Natur das Ganze, im ersten Beginnen das Höchste,

226 Zeitgenössische Karikatur

Aus »Lustige Blätter«, Nr. 18, S. 5, 1900: Haeckel in Berlin

227 Zeitgenössische Karikatur

»Wenn Sie lange am Ruder bleiben, dann klettern wir Preußen am Ende wieder als Orang-Utans auf den Bäumen herum!, aus »Jugend«, Nr. 8, 15. Februar 1910

228 Zeitgenössische Karikatur

»Auch ein Kompromiß«, Zeichnung von F. Jüttner, aus »Lustige Blätter«, Nr. 17, S. 8, um 1900: Salomé offeriert dem Papst den Kopf Haeckels

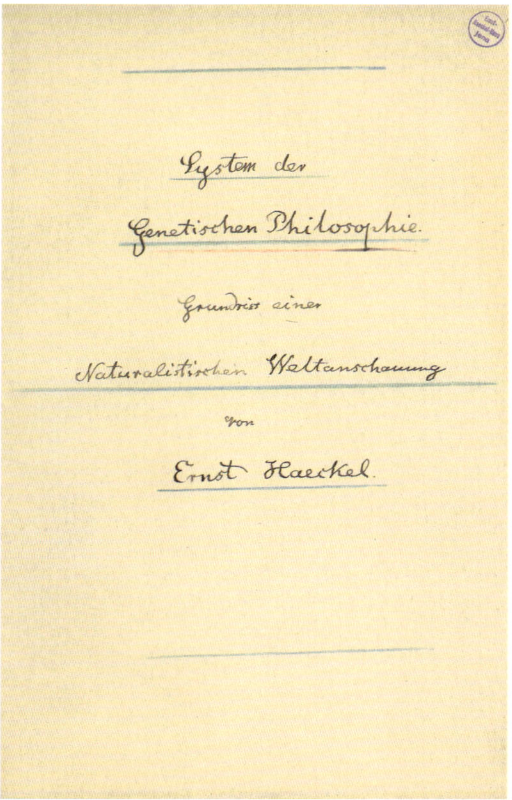

229 »System der Genetischen Philosophie«

Grundriss einer Naturalistischen Weltanschauung, Titelentwurf, 1909

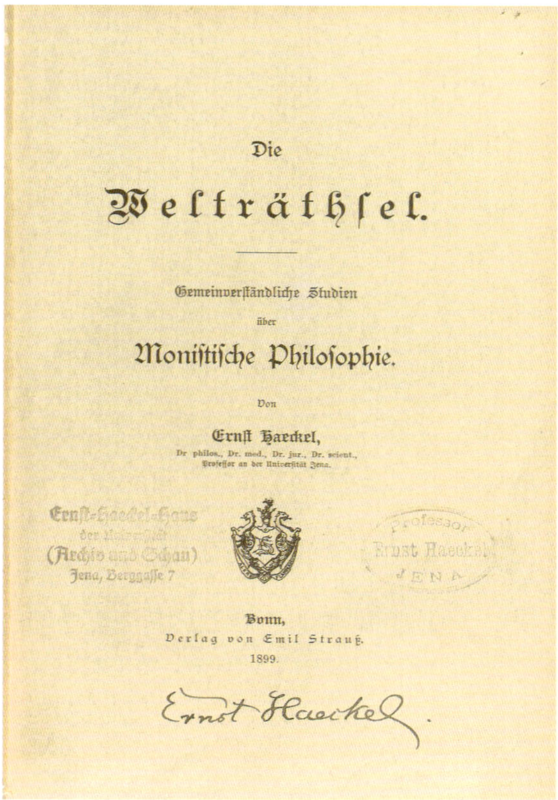

230 »Die Welträthsel«

Titelblatt, 1899

im »Einzeller« eben den potenziellen Menschen sah. So spricht Haeckel in seiner Darstellung die Auffassung eines Publikums an, das zwar die Modernität des Darwinschen Ansatzes akzeptierte, die Konsequenz dieser Auffassung aber nicht zu tragen vermochte. Haeckels Weltanschauung, das lässt sich auch an seinen *Welträthseln* demonstrieren, blieb bei aller revolutionären Attitüde konservativ. Mit diesem weltanschaulichen Konservativismus, der denn ja auch nicht alle Religion wegfegte, sondern eine neue Religion begründete, erlangte Haeckel seine weitreichende wissenschafts- und kultursoziologisch nachzuzeichnende Bedeutung: Seien Sie modern und lassen Sie dabei alles, wie es ist! Diese Form der wissenschaftlichen Revolutionierung war auch einem konservativen Bildungsbürgertum nahe zu bringen. Alles beim Alten zu lassen, sich aber dennoch in der vordersten Front der Forschung zu wissen, war schlicht angenehm. Haeckels Weltanschauung war derart gefällig; und genau diese Gefälligkeit spiegelt sich auch in seinen Bildern.

Monismus und Deutscher Monistenbund

Es war nicht nur die persönliche Ebene, die in Auseinandersetzungen zwischen Wissenschaft und Weltanschauung eine Rolle spielte, auch die Ebenen wissenschaftlicher Vereine, Bünde und Organisationen sowie die der Ausrichtung von Kongressen im haeckelschen (darwinistischen) Umfeld waren von diesen Auseinandersetzungen nicht unberührt geblieben. Als eine Folge dieser Vernetzung wurde am 11. Januar 1906 der »Deutsche Monistenbund« (DMB) im Zoologischen Institut in Jena, als ein Sammel-

231 **Postkarte des Deutschen Monistenbundes**

»Heraus aus der Kirche«, 1926

becken für die Anhänger des Haeckelschen Monismus, gegründet und fast zeitgleich die Herausgabe einer populärwissenschaftlichen Zeitschrift mit dem Titel *Kosmos* angeregt. Inhaltliche Diskussionen des DMB fanden vorwiegend auf den Jahreshauptversammlungen statt. Deren Ergebnisse wurden in verschiedenen Vereinszeitschriften des Bundes bzw. der Ortsgruppen (*Der Monismus, Mitteilungen des DMB, Monistische Monatshefte, Flugschriften des DMB, Monistischer Taschenkalender, Monistische Sonntagspredigten* etc.) oder in internationalen Kongressberichten veröffentlicht. Insbesondere durch das Engagement des Physikochemikers und Nobelpreisträgers Wilhelm Ostwald innerhalb der »Kirchenaustrittsbewegung«, die vom »Komitee konfessionslos«, einer Arbeitsgruppe des Monistenbundes, getragen wurde, erweiterte sich die antiklerikale Aufklärungsarbeit des DMB beträchtlich. Das »Komitee« wurde von den im »Weimarer Kartell« zusammengeschlossenen Freidenkerorganisationen und von vielen Sozialdemokraten unterstützt.[84] Ein Höhepunkt innerhalb dieser Bewegungen war der 28. Oktober 1913, als Ostwald mit Karl Liebknecht in der Berliner Hasenheide während einer Kundgebung des »Komitees« auftrat.[85] Dem Aufruf »Massenstreik gegen die Staatskirche« folgten im Anschluss an die Kundgebung ca. 3-4000 Teilnehmer mit dem Kirchenaustritt.

Diese Ideologisierung der Evolutionsbiologie rief nicht nur auf Ebene der Wissenschaft, sondern auch im Bereich der Theologie, Philosophie und Wissenschaftspopularisation massive Reaktionen hervor.

Wissenschaftsreligion und Sozialdarwinismus

Höhepunkt der weltanschaulichen Positionierungen Haeckels selbst stellen die über seine Schriften hinaus nachhaltig wirkenden zwischen dem 14. und 19. September 1905 gehaltenen Vorträgen in der Berliner Singakademie zum Thema *Der Kampf um den Entwicklungsgedanken*, wo unter anderem auch explizit der Kampf um die Seele geführt wurde. Hier hatte er sich besonders gegen die Ansichten des Entomologen Erich Wasmann sowie des Botanikers Johannes Reinke gewandt. Besonders klar wird seine politische Position schließlich in seinem Engagement (als Mitorganisator und Mentor) für das von dem später dem Nationalsozialismus verbundenen Alfred Krupp initiierte Preisausschreiben: *Was lernen wir aus den Prinzipien der Deszendenztheorie in Bezug auf die innere politische Entwicklung und Gesetzgebung des Staates?* im Jahre 1900, in dem der Rassenhygieniker Wilhelm Schallmayer den ersten Preis erhielt. Haeckel befürwortete eine praktische Eugenik, warb – mit vermeintlich evolutionsbiologischen Gründen – für die Todesstrafe und positionierte sich im Ersten Weltkrieg als Chauvinist, was es in den 1930er Jahren mehr als vereinfachte, ihn im Sinne der nationalsozialistischen Rasselehre zu vereinnahmen.

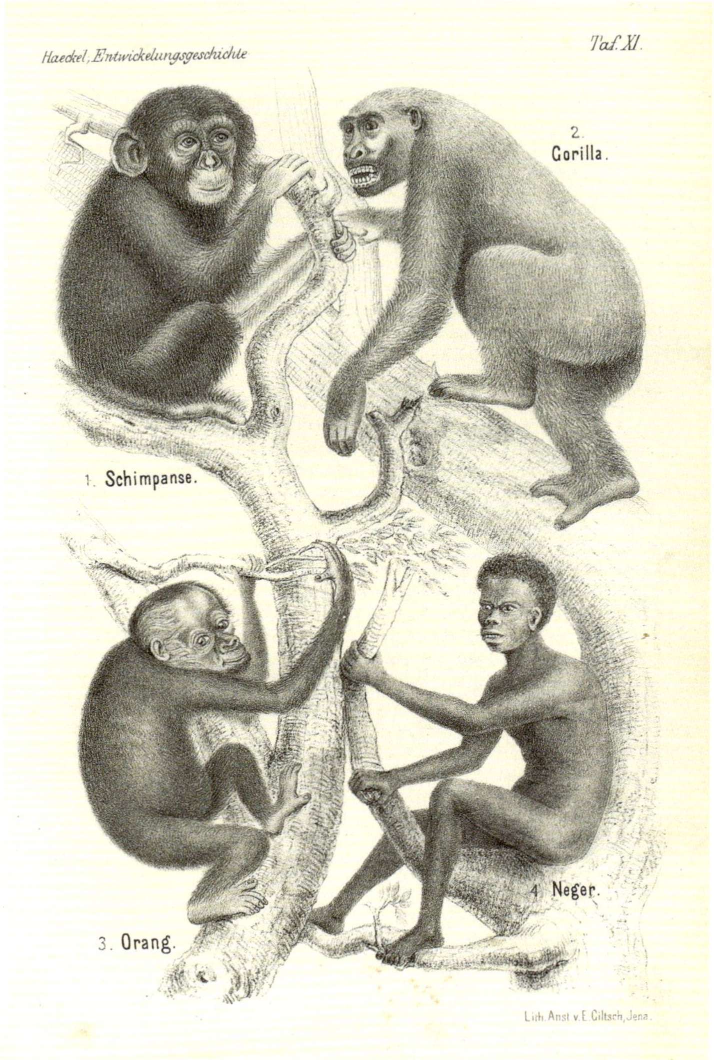

232 **»Anthropogenie«**

Ein Catarhinen-Quartett (Schimpanse, Gorilla, Orang und »Neger«)
Tafel XI, 1874

233 **Ernst Haeckel**

Foto mit einem Riesengorilla im Phyletischen Museum Jena

Hintergrund von Haeckels Weltanschauung war ein zum universellen Erklärungsprinzip gemauserter Darwinismus. Der Hintergrund dieser weltanschaulichen Ausdeutung ist aber »nur« Biologie. Darwins Leistung bestand darin, eine mögliche Mechanik des Lebensprozesses zu beschreiben, der zufolge die Systematik der Organismen als eine historisch erwachsene, Genealogien repräsentierende Ordnung beschrieben werden konnte. Haeckel machte genau diese Idee, nach der die Ordnungsbeziehungen als Verwandtschaftsbeziehungen zu interpretieren seien, explizit. Er zeigte damit die Möglichkeit, die Systematik darwinistisch interpretieren zu können. Das Darwinsche Postulat, dass der historische Prozess als Wirkung eines Mechanismus von Variation und Selektion einzelner variierender Formen zu interpretieren sei, in dem die Naturgeschichte dann als ein linear laufender historischer Prozess zu beschreiben war, wurde damit plausibel. Es wurde aber nicht begründet. Entsprechend geriet die Diskussion um die Evolutionslehre auch in Schwierigkeiten. Sie blieb Hypothese, und sie war so um 1870 keineswegs das Fundament, auf dem eine Biologie komplett umgeschrieben werden konnte.

Andererseits war sie aber im Zuge verschiedener Debatten um die mögliche Naturalisierung von Argumentationen im Kontext von Sozialpolitik, Geschichte und Philosophie schon in einen breiten, über die Biowissenschaften hinausweisenden Diskussionskontext hineingezogen, der mehr und mehr auch die Evolutionstheorie und deren Interpretation bestimmte. Der tschechische Biologiehistoriker Emanuel Rádl rekonstruierte in seiner um 1909 vorgelegten *Geschichte der biologischen Theorien* die Details dieser Argumentationsschienen.[86] Ihm zufolge verlagerte sich die innerbiologische Diskussion um die Akzeptanz der Evolutionslehre schon sehr bald in eine umfassende gesellschaftspolitische Ebene, die dann nicht nur die Diskussion um die Bedeutung der Evolutionslehre, sondern auch die innerbiologischen Argumentationsmuster um eine Interpretation dieser Lehre zusehends bestimmte.

Damit stand die Diskussion um die Evolutionslehre in direktem Zusammenhang mit den Theorien des Sozialdarwinismus, der Eugenik, Euthanasie, Rassenkunde und Rassenhygiene, die um 1900 auch im Denken Haeckels immer größere Bedeutung gewannen.[87] Haeckel selbst suchte diese weltanschauliche Diskussion nicht nur durch seine Schriften, sondern auch durch Gründung einer weltanschaulichen Vereinigung voranzutreiben. Nachdem sein Versuch in Folge des XX. Internationalen Freidenkerkongresses, der 1904 in Rom stattfand, eine internationale Föderation aufzubauen, gescheitert war, initiierte er – wie beschrieben – die Gründung des Deutschen Monistenbundes. In dieser Vereinigung wurden nun die weltanschaulichen Konsequenzen der Evolutionsbiologie im Haeckelschen Sinne diskutiert und proklamiert. Haeckel selbst äußerte sich dabei schon im Vorfeld des Ersten Weltkrieges zusehends schärfer im Sinne einer auf evolutionsbiologischen Grundlagen stehenden Eugenik. Zudem finden sich auch eindeutig rassistische Passagen in seinen Schriften. Nach Ausbruch des Ersten Weltkrieges verschärften sich entsprechende Tendenzen in seinen Äußerungen. Sein von ihm zunächst geförderter Nachfolger Plate, aber auch ein Teil seiner Schüler – wie der durch sein Bestimmungsbuch bekannte Paul Brohmer (1885–1965)[88] – radikalisierten diese Äußerungen weiter und banden sich in ihren politischen Aktivitäten explizit in rassistische Bewegungen und später dann auch in die nationalsozialistische Ideologie ein.

Haeckel war in dieser Phase schon über 70 Jahre alt. Seine Wissenschaft hatte sich für ihn zu diesem Zeitpunkt definitiv zu einer Glaubenslehre gewandelt. Theosophie nennt er die 1914 publizierte kurze Zusammenfassung seiner weltanschaulichen Position, die hier aber noch nichts von der späteren massiven Vereinnahmung durch eine »Deutsche Biologie«[89]erkennen lässt. Es schreibt hier ein Natur-Gläubiger, der seine Natursicht in der Anschauung gegründet sieht und dabei auch auf eine Bildwelt verweisen kann, in der er demonstriert hatte, wie die Natur in ihrer Formenvielfalt anschaulich wird.

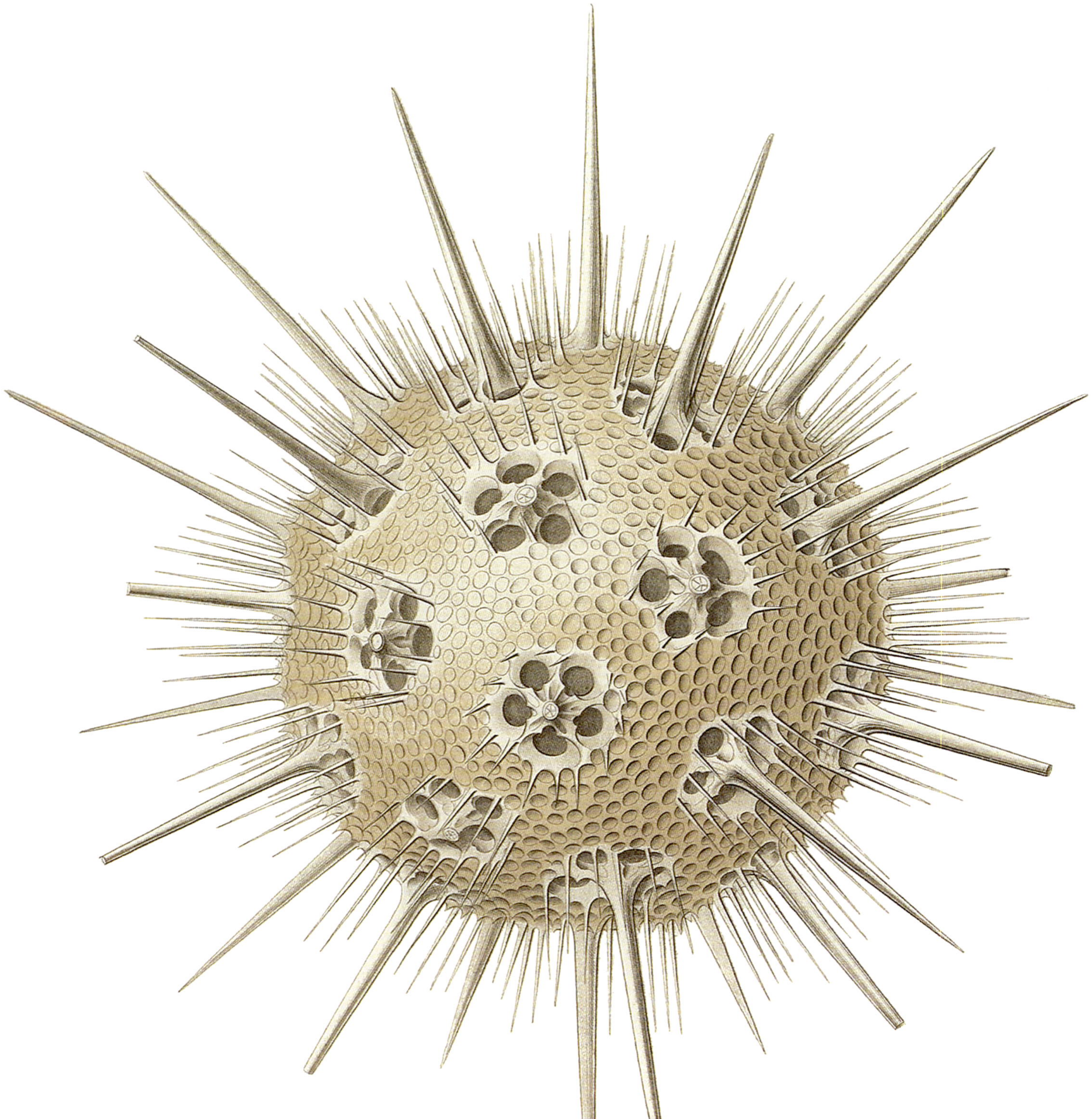

Kunstformen der Kultur

Mit den Bildern der zwischen 1899 und 1904 publizierten *Kunstformen der Natur*, die sich im Stil der Zeit formierten, offerierte er über den engeren Bereich der literarischen Publizistik hinaus ein Rezeptionsfeld, das ihn sehr rasch in der seinerzeitigen Wahrnehmungskultur etablierte. Darüber hinaus findet die Haeckelsche Weltanschauung in Rezeption dieses Gesamtkosmos ästhetisch-rationaler Präsentationen einer neuen Wissenschaftsreligion auch eine umfassende literarische Resonanz. Gerhard Hauptmanns Naturalismus oder die seinerzeit am Wiener Burgtheater gefeierten Stücke einer Delle Grazie wurden schon in der Zeit als literarischer Reflex der Haeckelschen Theorien verstanden.

Haeckel passte sich dabei in eine vor ihm schon existente Naturanschauung ein. In seiner Bibliothek findet sich eins dieser Werke über Naturdesign, die schon vor 1899 eine Formvielfalt an den Designer vermittelten, in denen die Naturformen als Ornament gehandelt werden. Auch dies ist ja keineswegs neu. Die umfassenden, stark floral gehaltenen Ausmalungen der Renaissance waren insbesondere im beginnenden 19. Jahrhundert in den Fokus einer breit interessierten Öffentlichkeit geraten. Philipp Otto Runges Versuch, die floralen Rahmungen seiner Bilder mit in die Darstellung seiner Symbolik einzubeziehen, ist nur eine der Reaktionen der seinerzeitigen Künstler, diese zunächst rein dekorativen Stilmomente künstlerisch umzudeuten.

Zugleich suchte man sich von den überkommenen Formen zu lösen. Ausgehend von den Versuchen einer einfachen Darstellung des Naturalen in Naturselbstdrucken und Schattenrissen etablierte sich eine eigene Ästhetik des insbesondere floralen Dekors, mit dem besonders die frühen Photographen zu arbeiten suchten. In diesen Bildern wurden filigran umzeichnete Flächen ohne innere Konturierung vor einen einfach getönten Hintergrund gesetzt. Die Konturen der umrissenen Objekte verschwanden dabei in einem Lineament von Formen, in denen nunmehr das Natürliche als Arabeske, als graphische Kommentierung eines möglichen dekorativen Naturzustandes erschien. Haeckel hat diese Art des Naturdekors gekannt. Sein Lithograph Giltsch war in dieser Art einer dekorativen Ästhetik ausgebildet.

Folglich übersetzte Giltsch denn auch – wie schon skizziert – die lebendige Organismen zeichnenden Graphiken Haeckels in eher dekorative Kunstdrucktafeln. Diese wurden dann von Haeckel akzeptiert, der in ihnen seine Natursicht in der adäquaten Weise ausgedrückt fand.

Haeckel sah – das lässt sich festhalten – die Natur mit den Augen seiner Zeit und zeichnete sie in den seinerzeit verfügbaren Stilmitteln. Seine »objektiven« Darstellungen waren in die Wahrnehmungsmuster dieser Zeit eingepasst. Seine schon durch die

234 **Ernst-Haeckel-Haus, Jena**

Pithecanthropus-Tisch, Geschenk eines naturwissenschaftlich interessierten Handwerkervereins aus Apolda

Brille des Jugendstils vorstrukturierten Anschauungsmuster waren unschwer in dieses neue Design umzusetzen. In ihm wurden die fremden Formen für ihn und seine Zeitgenossen begreifbar. Auch die Organismen der Tiefsee waren demnach so geartet, dass sie in die ornamentalen Figuren eines Art déco einzupassen waren. Künstler, wie der Architekt der Pariser Weltausstellung René Binet, setzten diese Naturformen direkt in Kunstformen um. Entsprechend breit war die Wirkung dieses visuellen Programms, welches sehr deutlich vor Augen führte, dass die Natur der Natur letztlich der Formkultur der Zeit entsprach.

Es war nahezu unausweichlich, dass eine derart passende Naturanschauung breit rezipiert wurde. Zusammen mit den Vorstellungen einer allmählichen Entfaltung der Formen auch des Geistigen in der Evolution entwickelte sich auch der Ansatz einer Evolutionstheorie der Kunst, in der dann Haeckel eine zentrale Stellung einnahm. Die Anschaulichkeit des derart nach den vorgegebenen Vorstellungsmustern dargestellten Naturalen und dessen im Bildmuster erarbeitete Kultivierung wirkten noch über Haeckels Tod (1919) fort. Die Idee, in der Anschauung der Natur erfassen zu können, was diese Natur darstellt, war für eine Biologie, die vor einer immensen, kaum strukturierbar erscheinenden Formvielfalt stand, verfänglich.

Der Haeckelschen Auffassung nach genügte es nun, diese Natur in das rechte Bild zu setzen. Sie war, wurde sie im Sinne eines evolutionsbiologisch gesichert erscheinenden

235 Speisekarte

Speisenfolge beim Fest-Essen zur 60. Geburtstagsfeier von Ernst Haeckel, 16. Februar 1894

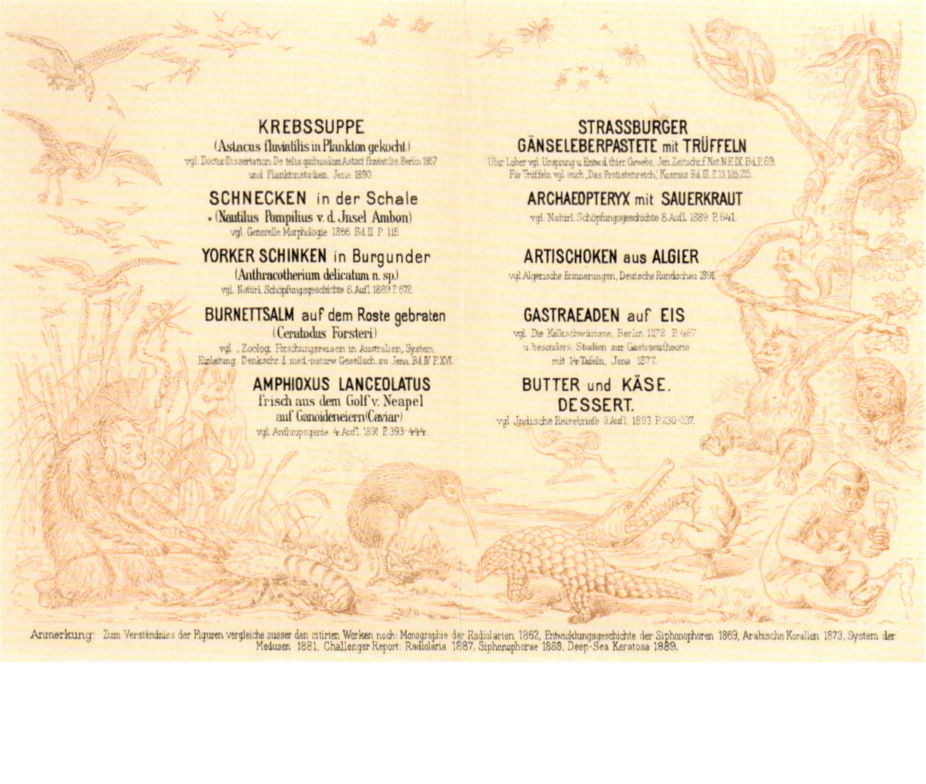

Ordnungsdenkens ästhetisiert, als Natur begriffen. Die Natur zeigte sich in ihren Formen, und sie offenbarte sich in ihrer Natürlichkeit in der Ordnung ihrer Formen. Diese Ordnung war die des historischen Prozesses. Entsprechend waren für Haeckel alle Symmetrien, alle Systematiken und alle Klassifikationen eben dann, wenn sie sich in der Natur abbilden ließen, Ausweis der Evolution. In den Ordnungen der Natur war ihm die Evolution und damit das Werden der Natur und in diesem die Natur selbst abgebildet. Erkennen ist demnach für Haeckel nicht Begreifen, sondern Sehen. Das, was die Natur ist, ist an ihr anschaulich. Das Bild, das diese Anschaulichkeit der Natur einfängt, ist damit mehr als die Illustration eines Textes. Es trägt selbst in sich die Erkenntnis, die der Text dann nur noch erläutert.

In dieser Bildwelt der Natur konnte sich die Betrachtung des Naturalen an Bildern festmachen. Richtig zu illustrieren war in dieser Sicht schon Erkenntnisvermittlung. Es lag nahe, dass aus dieser Perspektive heraus das Bild gerade auch für die Popularisierung der Naturforschung zunehmend Bedeutung gewann. War man doch schon im Bild bei den Dingen. Hier war eine Natur unmittelbar zur Anschauung zu bringen. Die Abbildung der Natur transportierte so eine Wahrheit, um die man sich nicht erst umständlich zu bemühen hatte, wie es etwa notwendig ist, um eine Formel zu verstehen. Die Arbeit des Analytikers wurde ersetzt durch die Faszination des Bildes.

Die Naturfilme, die noch nach 1960 die deutsche Fernsehkultur bestimmten, sind aus genau dieser Anschauung erwachsen. Das Bild der Natur ist – deren Auffassung zufolge – deren Wahrheit. Nicht der abstrakte Mechanismus, sondern das, was dieser inszenierte, ist die Natur, die genau dann, wenn in dieser Inszenierung Ordnung gefunden wird, erklärt erscheint. Das schöne Bild, durchaus auch in dem einfachen Sinne einer symmetrische Muster reproduzierenden Darstellung, transportiert denn auch das Wahre dieser Natur.

Dabei war nach Haeckels Auffassung die Biologie nicht einfach eine Fachdisziplin; Haeckel entwarf ausgehend von seinen Ansichten einer umfassenden Reorientierung unseres Denkens im darwinistischen Sinn eine auf biologischer Basis begründete Wissenschaftsreligion. Die bildlich verdichtete Fassung dieses Gedankens in seinen 1899 erschienenen *Welträthseln* machte Haeckel um die Jahrhundertwende zu einem der bekanntesten deutschen Naturforscher.[90] Er predigte in diesen Werken einen Biologismus, den er einerseits als philosophische Theorie, andererseits aber auch als Ästhetik zu formulieren suchte.

Haeckel war dabei ein Naturforscher, der zugleich auch in diesem innersten, tiefen Sinne Künstler blieb. Nicht das Gesetz, das es abzuleiten erlaubt, wie etwas, das ich

236 **Karl Koepping**

Ziergläser, Originalradierung, 25 × 15 cm, aus: »Pan«, Heft 3, 2. Jg., 1896, S. 253

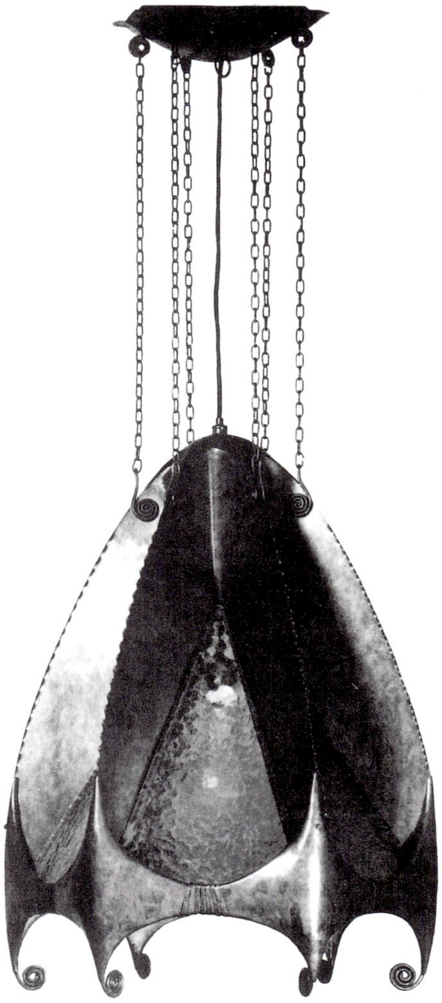

237 **Josef Maria Olbrich**

Lüster in Form eines schwebenden Oktopus oder der Periphylla, nach einer Tafel aus den »Kunstformen der Natur«, vor 1900

erfahre, sich verändern kann, sondern das, was da ist, das im individuellen Erfahrungsbild zu erfassende Ganze, das, was in dem Bild ist und was ich in ein Abbild dieses Bildes fassen kann, das ist ihm Natur. Hier findet sich in der Tat die von Haeckel selbst immer wieder beschworene Verwandtschaft zu Goethe, der ebenfalls die Gestalt der Natur und nicht die Abstraktion des Gesetzes als die adäquate, wahre Größe des Naturalen verstand.

Dieses Bild passt auch auf Haeckels späteres Umgehen mit der Natur. Sie ist für ihn Referenz, Maßstab und so an sich, in dem, was an ihr anschaulich ist, das Wahre. Dies ist keineswegs eine spätere Idealisierung des Populisten Haeckel. Es ist seine innere Überzeugung, aus der heraus er Natur erfasst. Natur ist ihm das, was er erfahren kann. Natur ist das, was an dieser anschaulich ist. Der Wissenschaftler muss dieses Anschauliche erfassen, und er kann es reproduzieren. Wenn er dies tut, und das Reguläre in dem, was ihm anschaulich ist, erkennt, dann hat er begriffen, was ihm die Natur an Erfahrungen offeriert.

238 Anton Seder, »Das Thier in der decorativen Kunst«

Titelblatt, 1895

239 **Anton Seder, »Das Thier in der decorativen Kunst«**

Krebsthiere, 1895

7

assemblés en croix. Ce sera une tiare, un diadème si l'on veut (fig. 14 a). C'est aussi la forme primordiale de la Porte monumentale de l'Exposition, qui eut pour elle, on ne saurait le nier, non seulement son charme de colorations lumineuses, mais la logique et l'élégance de sa solide construction.

Fig. 14 *a*.

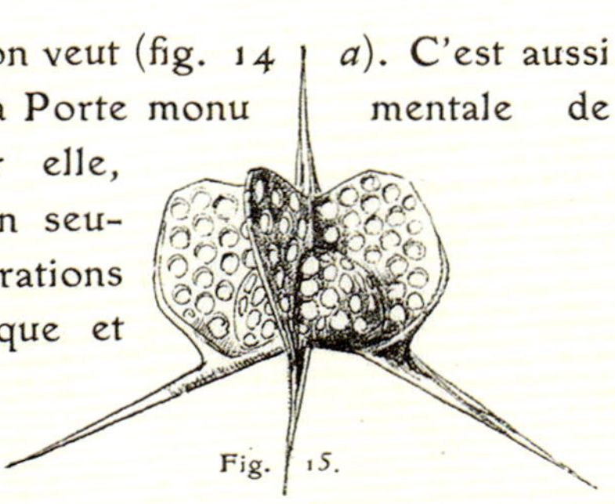
Fig. 15.

Ceci conduit l'artiste à examiner les Radiolaires au point de vue purement mécanique de la résistance des arcs et des parois. La figure 15, — me dit-il, — formée d'une demi-sphère, de trois spicules à la base et d'un au sommet, a sa résistance établie contre les chocs par les

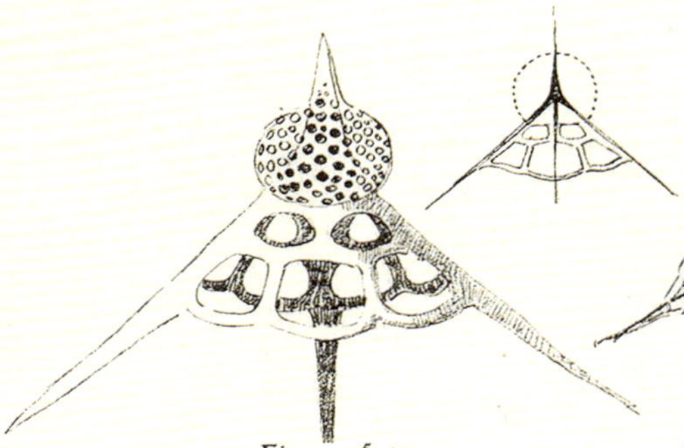
Fig. 15 *a*.

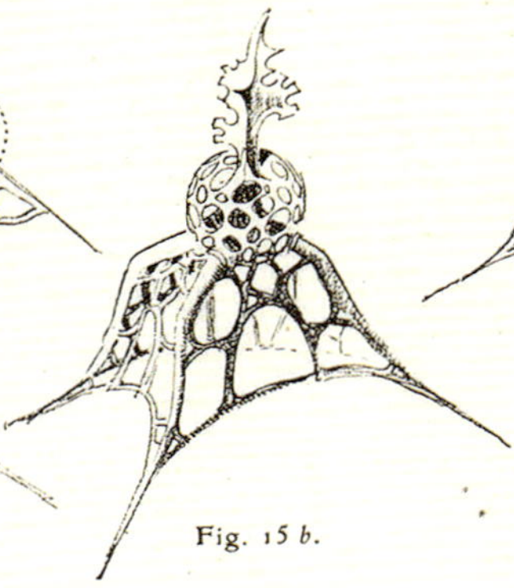
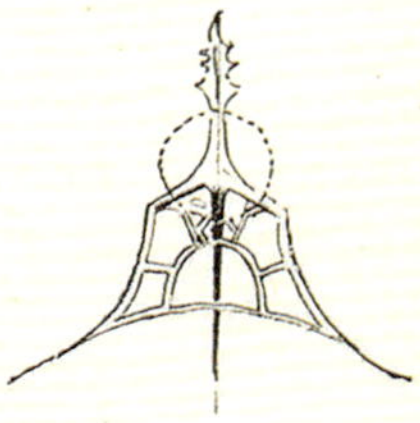
Fig. 15 *b*.

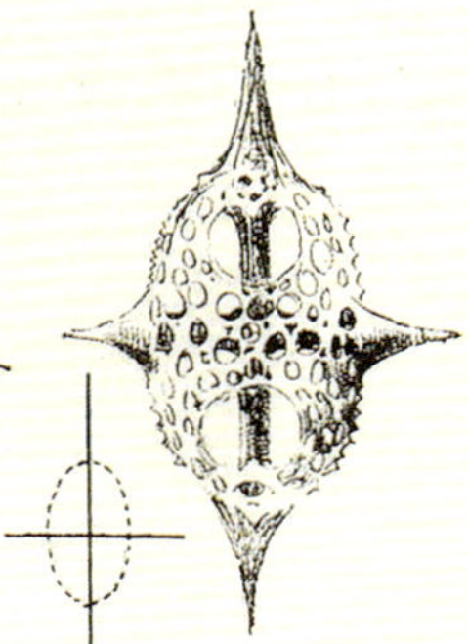
Fig. 15 *c*.

trois ailes ajourées qui chevauchent la calotte. Par ce schéma et par la figure 15 *a*, on voit fort bien comment les spicules ont une liaison absolue par la sphère ajourée dont le centre est à la jonction des quatre spicules, sphère creuse aussi résistante que si elle était pleine, qui immobilise les quatre arêtes incorporées à son volume. La même observation est applicable à la figure 15 *b*, d'un volume indéformable par la disposition des mailles entre les spicules, — à la figure 15 *c*, aux deux axes

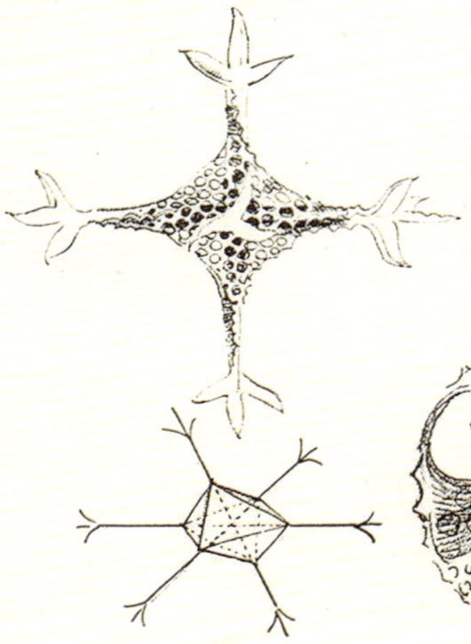
Fig. 15 *d*.

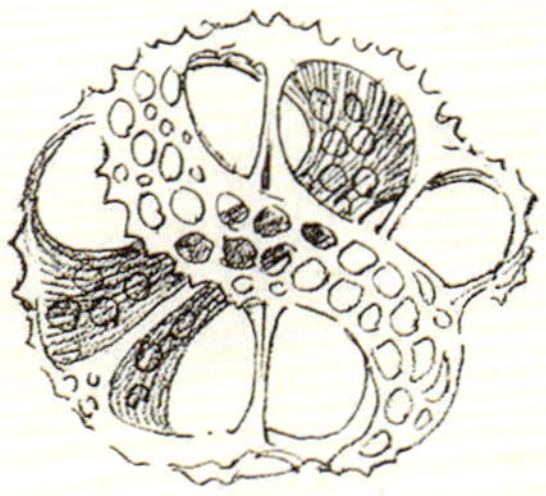
Fig. 16.

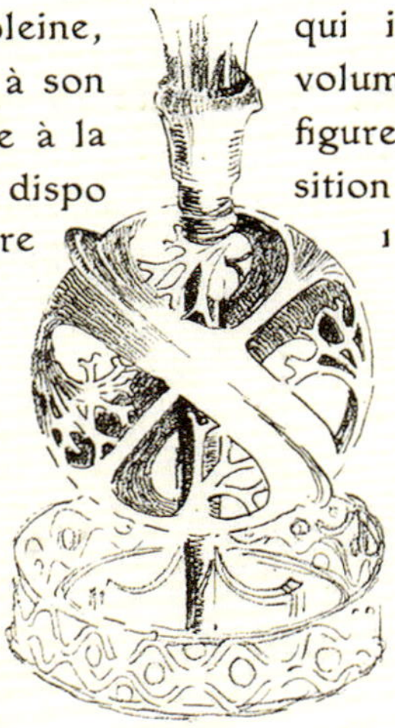
Fig. 16 *a*.

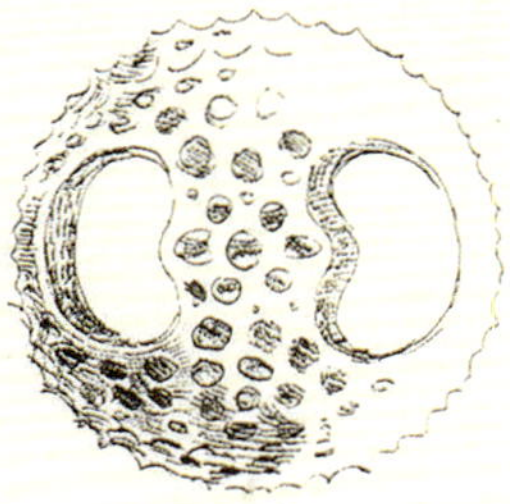
Fig. 16 *b*.

se coupant dans un même plan d'inégale longueur, et pour ainsi dire bloqués dans un ellipsoïde ajouré, — à la figure 15 *d*, plus complète, puisque ses axes, au nombre de trois, se croisent ainsi que les axes de symétrie d'un cube. Posez le même problème avec une sphère : la figure 16 servira de départ à la figure 16 *a*, qui est l'embase d'un épi pouvant s'exécuter en plomb, à la figure 16 *b*, qui n'est pas ajourée aussi délicatement, mais offre plus de résistance.

b

240 René Binet, »Esquisses décoratives«

Textillustrationen, 1902

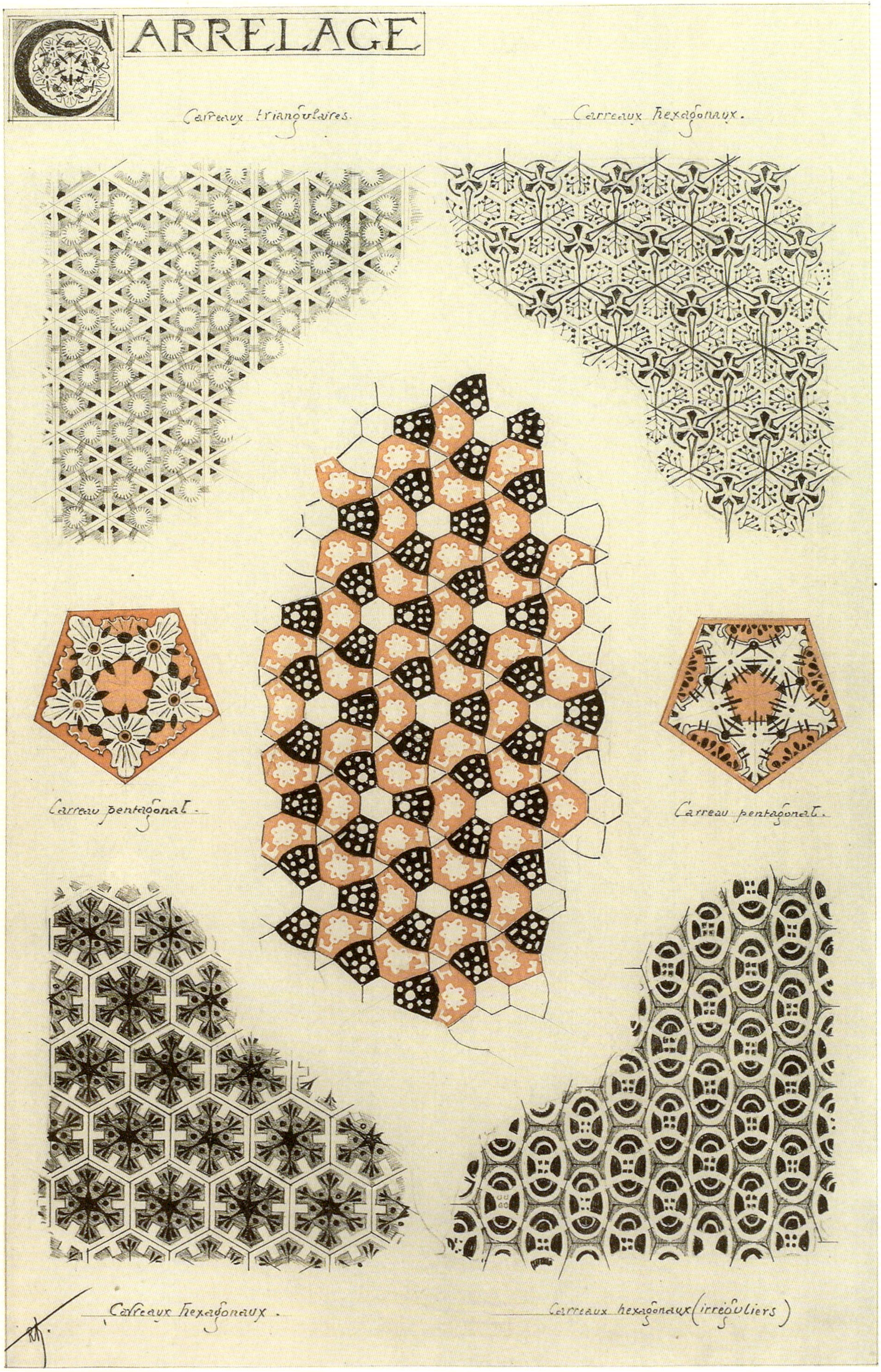

241 René Binet, »Esquisses décoratives«

Carrelage, 1902

242 René Binet, »Esquisses décoratives«

Rosace, 1902

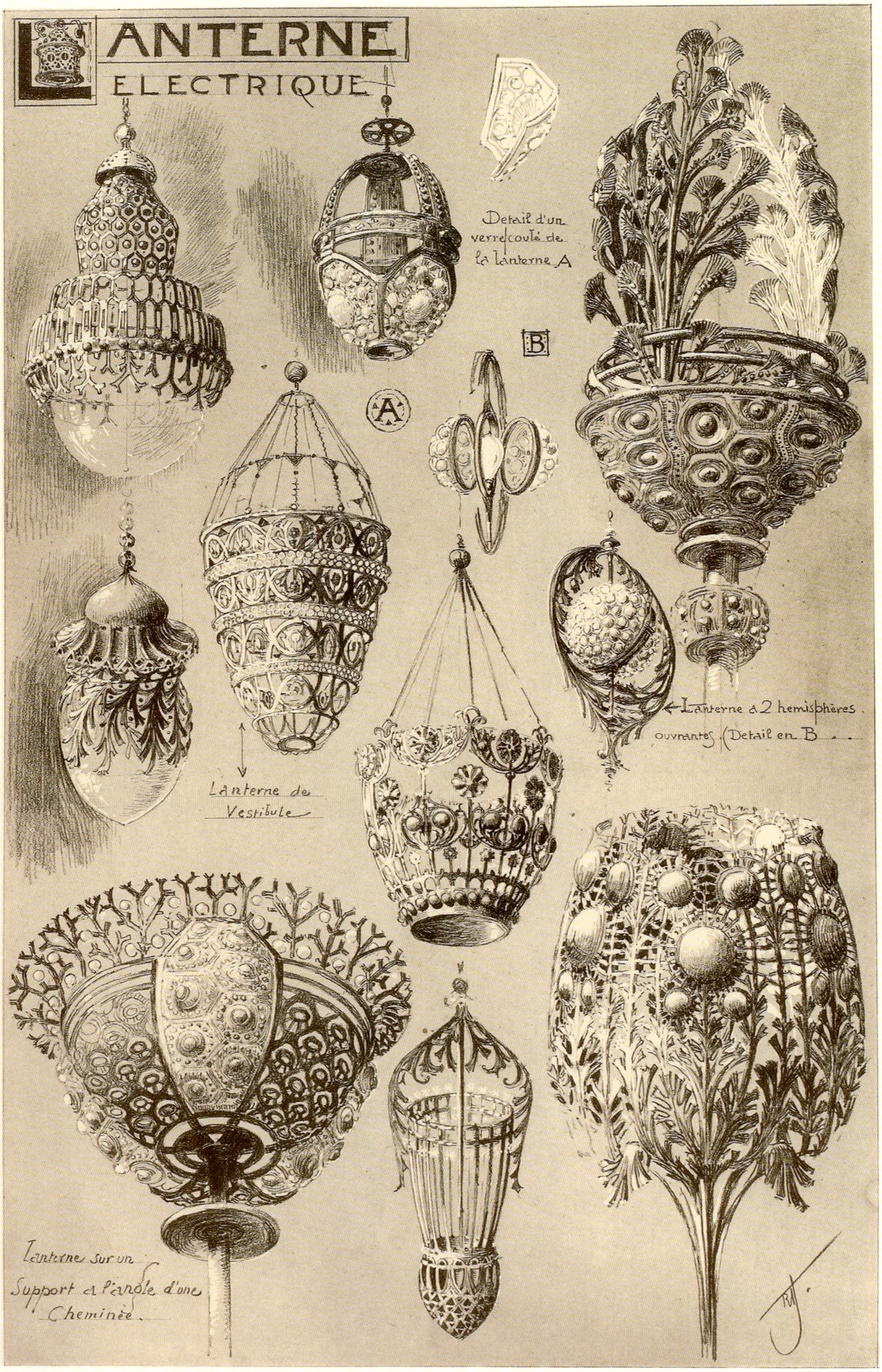

243 René Binet, »Esquisses décoratives«

Lanterne electrique, 1902

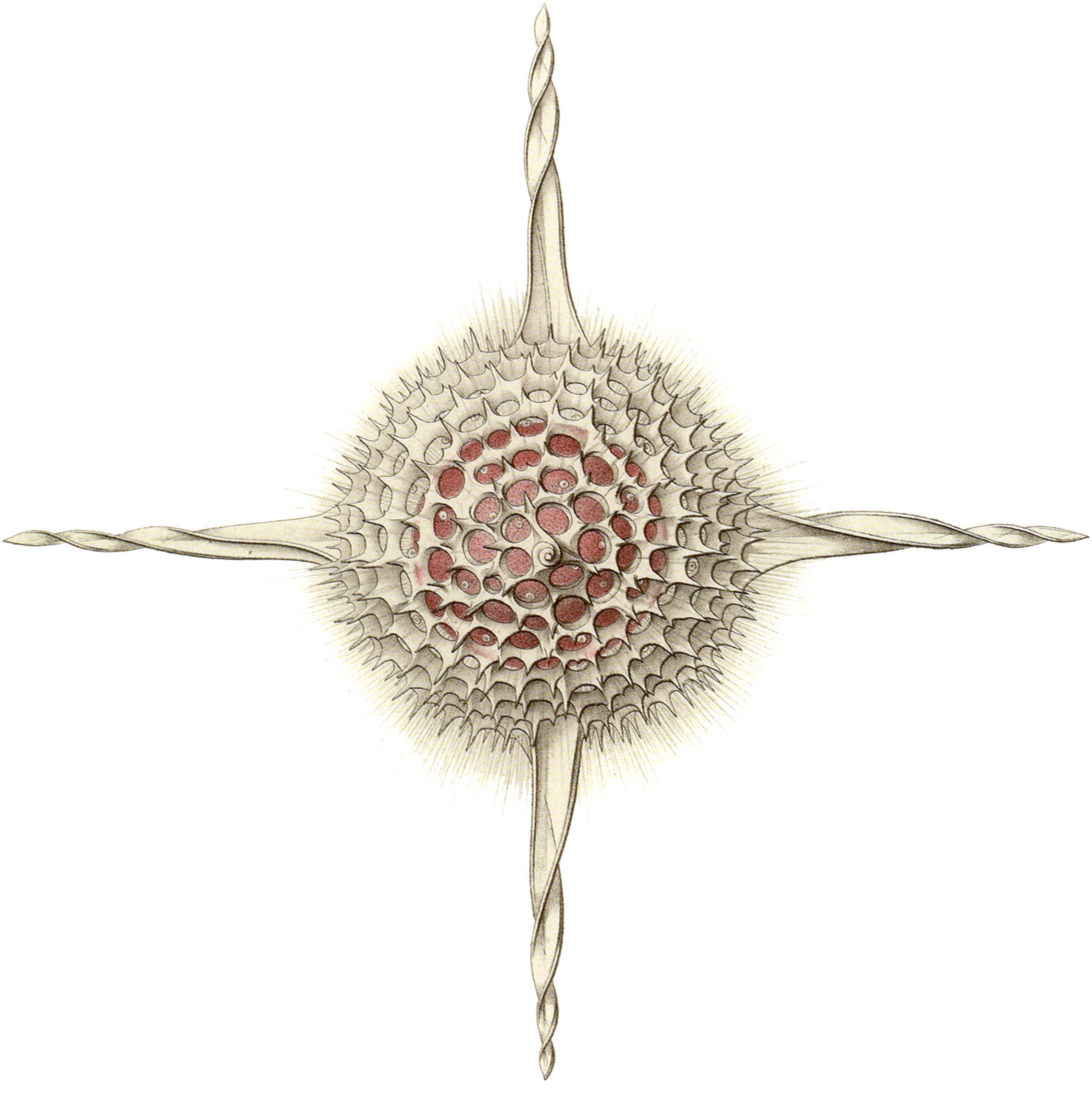

Die Natur als Künstlerin

1913 erschien – gleichsam im Nachklang der *Kunstformen der Natur* – der von Haeckel und seinem Popularisator Wilhelm Breitenbach geschriebene Band über *Die Natur als Künstlerin*. Hierin finden sich neben vergleichsweise flauen Remakes von Abbildungen vorzugsweise aus den *Kunstformen* auch Photographien von Naturformen. Abgesehen von dem Frontispiz, das noch einmal mit der Meduse *Desmonema Annasethe* eine der zentralen dekorativen Naturformen der *Kunstformen* zitiert, und einer weiteren, einzelne Formen der *Kunstformen* wiedergebenden Tafel sind die Darstellungen alle in Schwarz-Weiß gehalten. Kenntlich ist selbst bei den aus den *Kunstformen* übernommenen Tafelteilen, dass die einzelnen Formen hier separiert sind und dadurch als Illustrationen von Einzelbeobachtungen erscheinen. Die aus den *Kunstformen* kopierten Naturformen sind aus dem Ordnungsgefüge der Tafeln dieses Werkes herausgenommen. Sie stehen als Einzelillustrationen nebeneinander. Ihr transparenter Charakter gemahnt bei den Radiolarien-Darstellungen so auch eher an eine Photographie denn an eine Graphik. Das gilt auch für die weiteren Formen, die, teilweise regelrecht ausgeschnitten, wie Photographien nebeneinander lagern (Abb. 258, 259).

Diese Abbildungen zielten auf etwas anderes als diejenigen der *Kunstformen*. Hier ging es nicht mehr darum, zu demonstrieren, wie in der Natur Symmetrien aufzuweisen sind. Es ging darum zu zeigen, dass die in den *Kunstformen* dargestellten Naturformen in der Tat Naturformen sind und eben nicht Phantasieprodukte.

Insoweit ist es durchaus konsistent, dass der zweite Teil der Darstellungen durchweg aus Photographien besteht. Die Aussage der Bildbestände ist damit eindeutig. Es ist eine Folge von Umzeichnungen aus den *Kunstformen*, die als Photo-analoge Dokumentationen gezeichnet sind und die in ihrem Gehalt dem dokumentarischen Charakter von Photographien entsprechen sollen.

Allerdings finden sich die Photographien ausgeweitet auf den Bereich des Leblosen, der nun ebenfalls in seiner Symmetrie gezeichnet ist. Auch die Hochgeschwindigkeitsphotographie und deren seinerzeit sensationelle Darstellung des Aufspritzens einer Flüssigkeit finden sich hier eingebunden (Abb. 247). Großen Raum erhalten ferner Aufnahmen der sogenannten flüssigen Kristalle, denen Haeckel nur wenige Jahre später ein eigenes Werk widmet (Abb. 258). Und schließlich finden sich auch Mikrophotographien von Diatomeen und tierischen Geweben (Abb. 250, 251). Gezeigt wird hieran, wie auch im Photo das aufzuweisen ist, was Haeckel in seinen *Kunstformen* in graphischer Form reproduzierte. Allerdings sind die Aufnahmen eingeschränkt auf solche Objekte, die sich bei gutem Kontrast in einer vergleichsweise flachen Schärfeebene darstellen lassen. Radiolarien wären hier problematisch, da, um sie zu photographieren, mehrere Schärfeebenen abzutasten wären. Insoweit bilden Makrophotographien insbesondere

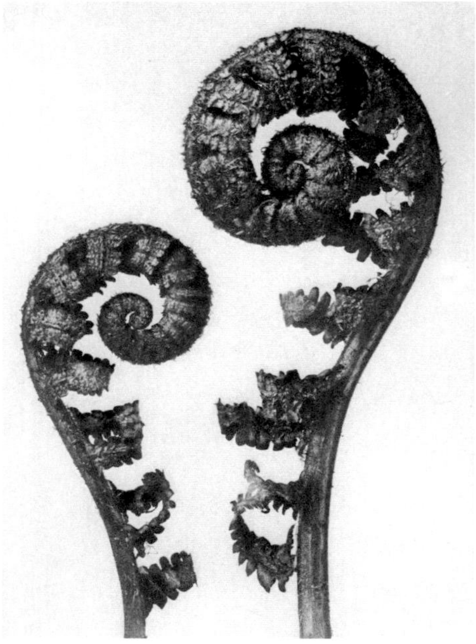

244 **Karl Blossfeldt, »Urformen der Kunst«**[91]

Dryopteris filix mas. (Wurmfarn), Junge gerollte Wedel in 4facher Vergrößerung

245 **Karl Blossfeldt, »Urformen der Kunst«**

Scabiosa columbaria (Tauben-Skabiose), Fruchtendes Köpfchen in 10facher Vergrößerung

246 **Karl Blossfeldt, »Urformen der Kunst«**

Centaurea macrocephala (Flockenblume), Fruchtendes Köpfchen in 5facher Vergrößerung

von Pflanzen den größten Teil der publizierten Photographien. Die Zielstellung dieser Publikation macht Haeckel selbst deutlich:

»Die feste Beschaffenheit gerade der Radiolarienskelette gestattet eine ganz exakte zeichnerische Wiedergabe, und wenn man sich die Mühe geben wollte, Präparate von Radiolarien unter dem Mikroskop mit den von mir veröffentlichten Zeichnungen zu vergleichen, so würde man ohne Schwierigkeit erkennen, dass es sich bei den letzteren um eine objektive Wiedergabe der realen Gestalten handelt und dass von Rekonstruktion, Zurechtstutzung, Schematisierung oder gar Fälschung keine Rede sein kann.«[92] Es ist demnach offenkundig, was diese, in ihrer graphischen Präsentation gegenüber den etwa zehn Jahre zuvor publizierten *Kunstformen* keineswegs so exquisite Schrift leisten soll: sie dient dazu, die Objektivität der Haeckelschen Zeichnungen darzustellen; hier demonstriert Haeckel, dass es in der Tat die Natur ist, die er abbildete, und dass es eben nicht künstlich ist, was er an Kunstformen in der Natur fand:

»Ebenso ungerecht« – schrieb Haeckel weiter – »ist der Vorwurf, ich hätte auf den Tafeln meiner ›Kunstformen der Natur‹ die zahlreichen Figuren symmetrisch angeordnet, anstatt sie unregelmäßig durcheinanderzuwirbeln. ... Gerade die starren Formen der Skelette der Radiolarien und andern Protisten offenbaren in der erstaunlichen Mannigfaltigkeit ihrer reichen Gliederung und zierlichen Ornamentik eine Fülle von Schönheit, die sie für die bildende Kunst und das Kunstgewerbe zu einer höchst wertvollen Schatzkammer macht«.[93]

Ausdrücklich billigt Haeckel damit die ornamentale Umsetzung seiner Darstellungen durch die bildende Kunst und das Design. Explizit erwähnt er René Binet und dessen Umsetzung der Haeckelschen Ornamentik auf der Pariser Weltausstellung. In der Tat ist für Haeckel Kunst Dekor und das Dekor im Idealfall ein Abbild des Naturalen. Dabei dekoriert die Natur in ihren Formen das, was sie im Eigentlichen ist: Evolution. So zitiert Haeckel gerade auch in diesem Kontext Goethe: »Die Natur schafft ewig neue Gestalten.«[94] Diese Naturästhetik sieht er dann in der Evolution in letzter Konsequenz verwirklicht und zeigt darin, dass für ihn die Stilelemente der Kultur das Dekorum der Evolutionsnatur darstellen.

Haeckel wird mit dieser Position und den aus dieser Position heraus erarbeiteten Illustrationen im Bereich der Kunst breit rezipiert. Es ist das Nebeneinander von Dekorum und Naturillustration, das fasziniert. Einerseits geben Haeckels Naturformen in ihrem schon durch den Jugendstil vorgeformten Blick auf die Natur neue Nahrung für die im Dekorum erschöpften Jugendstilkünstler. Für diese sind es Formverfremdungen, die aber dennoch in all ihrer Exotik im Unbekannten die ihnen aus ihrer Kultur bekannten Grundformen erkennen lassen. Insoweit wird auch so etwas Fremdes wie eine Radiolarie, wie Medusen und Siphonophoren[95] vereinnahmbar. Die aus diesen Figuren heraus erarbeiteten Designs wirken aber dennoch wie eigene Erfindungen, es sind bei

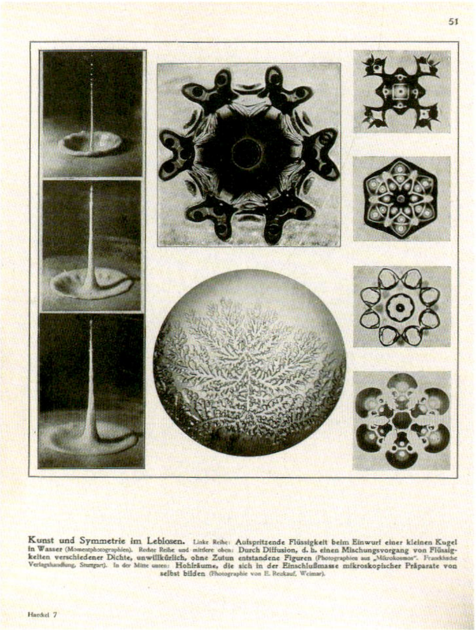

247–251 »Die Natur als Künstlerin«, 1913

Kunst und Symmetrie im Leblosen (247)
Kristallformen aus Salzlösungen (248)
Metalle unter dem Mikroskop (249)
Urpflanzen (250/251)

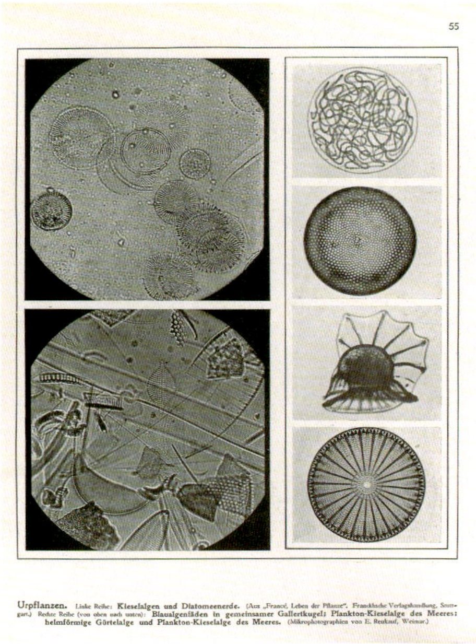

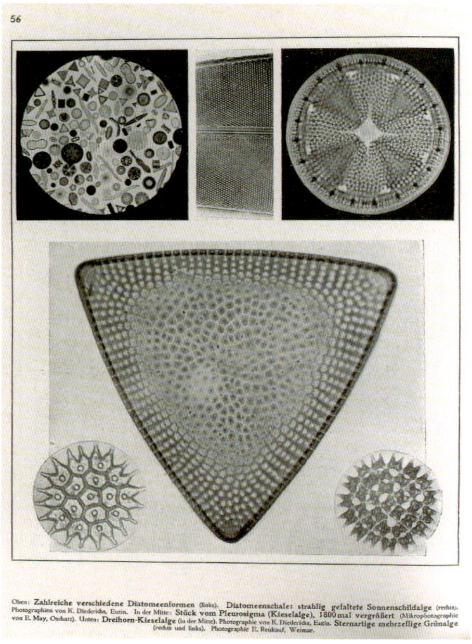

252 »Kunstformen der Natur«

Scheibenquallen, Tafel 88, 1899–1904

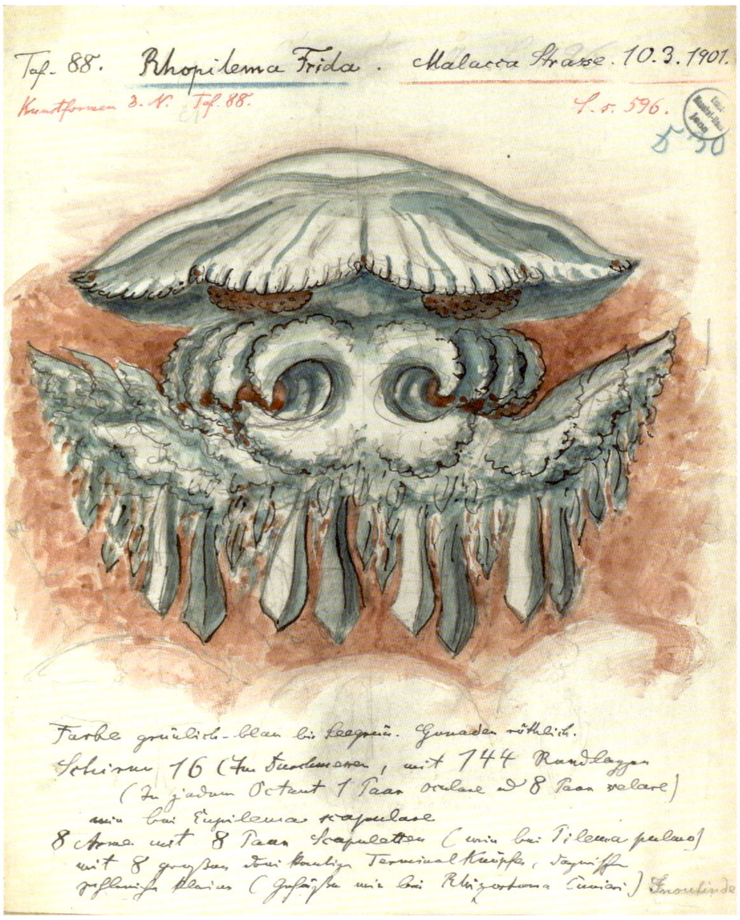

253 »Medusen-Album«

Handzeichnung zu Tafel 88 der »Kunstformen«, siehe Abb. 252

aller Raffinesse in der Vermittlung des Unbekannten doch in sich stimmige, in ihrem symmetrischen Aufbau irgendwie doch bekannt erscheinende Organismen. Das Dekorum kann sich an solchen Formen wie denen einer Staatsqualle frei entfalten, findet aber, da dies ein in sich bestimmter Organismus ist, wieder in sich zurück. Zudem kann die Vielfalt der Formen, so eklektisch ihr Nebeneinander erscheinen mag, in dieser Vielfalt doch immer wieder Serien von Formähnlichkeiten entstehen lassen, sodass der Dekor nicht einfach nur eine Form wiedergeben muss, sondern sich auf eine Serie von in Grenzen bestimmten Variationen beziehen kann. All dies disponiert die Haeckelschen Formen für eine künstlerische Bearbeitung. Und dies geschieht umso mehr, als diese Formen in den Tafeln der *Kunstformen* ihrerseits schon stilisiert sind. Was dort präsentiert ist, ist schon eine Jugendstildekoration; es sind diese graphischen Formen, die nur noch vordergründig biologische Formen sind, nur in andere Materialien, in andere Zeichenqualitäten zu überführen, und schon ist in ihnen eine kunstgewerblich verwertbare Form gefunden.

Wie einfach so etwas – zumindest von konzeptioneller Seite her gesehen – gehen kann, zeigt etwa der Glaskünstler Roux, der für das Museé Oceanographique in Monaco Haeckelsche Darstellungen von Medusen und Radiolarien, wie sie in den *Kunstformen* publiziert waren, in die Ausformungen gläserner Kandelaber umsetzte. Hierzu griff Roux nicht mehr auf die Präparate lebender Formen zurück, die ihm in den Museumssammlungen verfügbar waren; er orientiert sich an den schon in den Wahrnehmungsformen des Jugendstils gezeichneten Haeckelschen Graphiken (Abb. 252–254).

Auch der Architekt Henrik Berlage[96] orientierte sich in der Ausgestaltung der Amsterdamer Börse an den Zeichnungen Haeckels, die er in seinen *Kunstformen der Natur* publizierte. Allerdings sind seine Formen nicht einfache, in ein anderes Medium übersetze Reproduktionen der Haeckelschen Originale, sondern Umsetzungen der Haeckelschen Formen in eine eigene, von Haeckel aber massiv angeregte Formensprache. Zu zeigen ist dabei eine konsistente Umsetzung der Haeckelschen Jugendstilsprache in die Jugendstilsprache Berlages, die aber doch im Rhythmus der Gestaltung auch in dem ganz anderen Stil des Künstlers das Haeckelsche Original durchscheinen lässt. Dies sind nur zwei Beispiele einer Vielzahl von Designern und Künstlern, die direkt und

254 Constant Roux

Glaslüster im Oceanographischen Museum in Monaco, nach Tafel 88 der »Kunstformen der Natur«

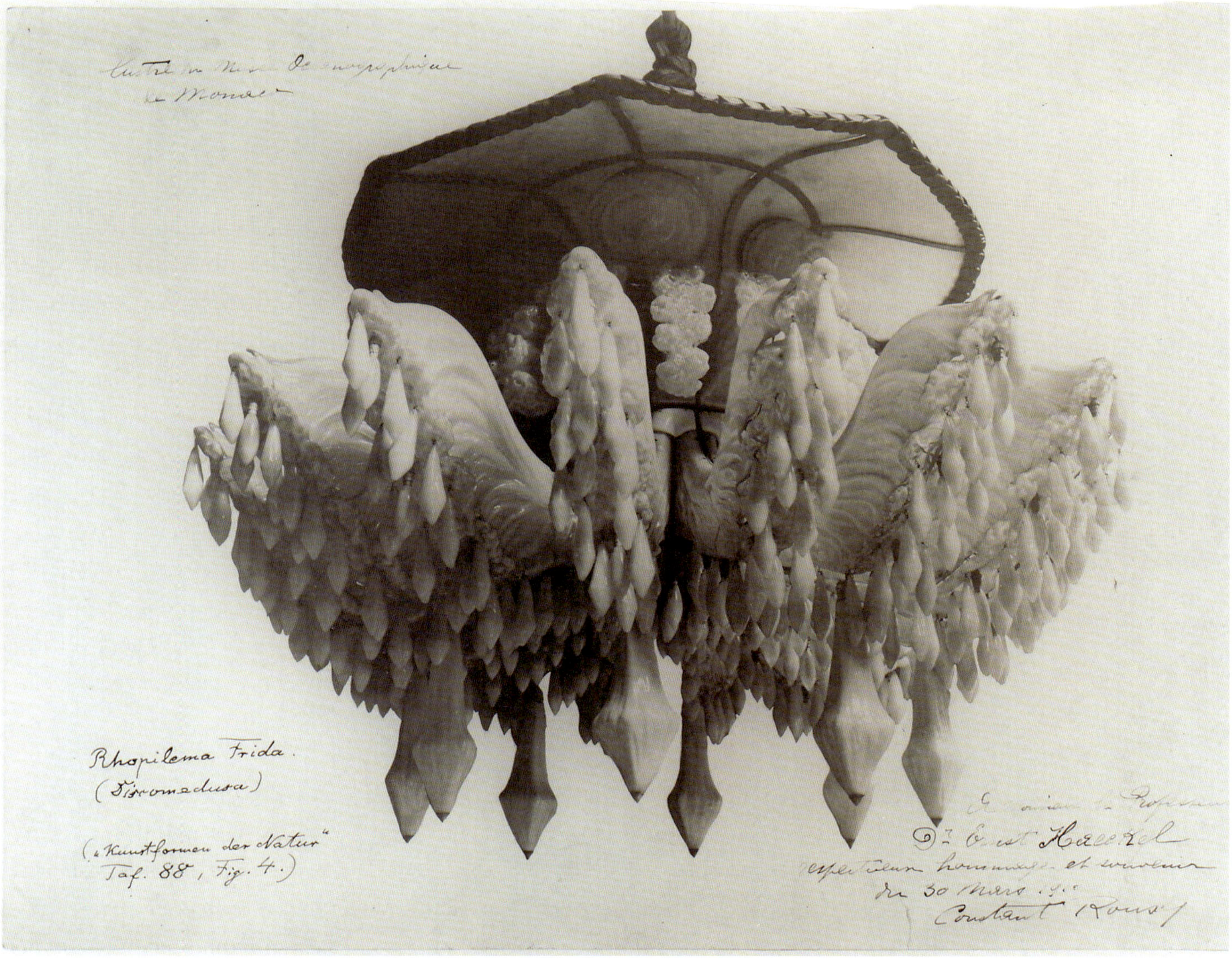

255 **Leopold und Rudolf Blaschka**

Glasmodell einer Radiolarie

256 Leopold und Rudolf Blaschka
Glasmodell einer Staatsqualle

257 Leopold und Rudolf Blaschka
Glasmodell einer Stilqualle im Polypenstadium

teilweise auch indirekt, vermittelt über ihre Kollegen, das Haeckelsche Formvokabular für ihre Wahrnehmungskultur verfügbar machten.

Dies ist aber nur eine Seite der Bildrezeption Haeckels, denn neben der Darstellung in der Kunst gibt es auch die Rezeption der Haeckelschen Bildwelten in der Wissenschaft. Haeckels *Kunstformen* machen auch hier Schule. Sie dienen zur Illustration des Fremden, werden zum Vorbild von Lexikonartikeln, zur Anregung populärwissenschaftlicher Darstellungen und gerinnen zu den Schemata, die wir dann im Schulbuch als Allgemeingut finden.

Haeckels Illustrationen aus der Monographie *Die Kalkschwämme*, seine schematischen Darstellungen in der *Anthropogenie* gewinnen nicht nur in ihrer Zeit ein breites Publikum, sie setzen auch Illustrationsmaßstäbe. Es ist zu verfolgen, wie etwa die Haeckelschen Darstellungen der frühen Ontogenese einerseits in Plastikmodelle und damit in die mediale Präsentation der Entwicklungsbiologie Eingang finden. Andererseits bilden diese die Illustrationsvorlagen für die Schulbücher der Biologie: Haeckels suggestive Zeichnung von Baueigentümlichkeiten macht Schule. Über ihn tradiert sich die visuelle Kultur der akademischen Biologie des 19. Jahrhunderts in die Schulbiologie von heute.

Haeckel regte mit seinen Zeichnungen eine ganz eigene Art der Naturmodellierung an. Wohl mit die exquisitesten Naturmodelle, die je geschaffen wurden, entstammen der Glasbläserwerkstatt Blaschka in Dresden. Diese Glasbläser endeten ihre Karriere mit einem Exklusivvertrag für die Harvard University, die sie mit einer Fülle von gläsernen Blumenmodellen belieferten. Die Familie Blaschka modellierte auch Medusen und andere Weichtiere in Glas; und wieder war es Haeckel, der hier die Vorgaben für diese Preziosen naturwissenschaftlicher Modellbilder lieferte (Abb. 255–257).

Ernst Haeckel: Aus dem Schönheitsalbum der Natur.

1. Getürmter Kofferfisch. 2. Siphonophore oder Staatsqualle. 3. Bunte Springspinne (Deutschland). 4. Blaukappen-Kolibri (Insel Juan Fernandez). 5. Stern-Schildkröte (Süd-Afrika).

(Aus „**Kunstformen der Natur**". Von Ernst Haeckel. Mit Erlaubnis des Bibliographischen Instituts, Leipzig.)

258 »Die Natur als Künstlerin«

Aus dem Schönheitsalbum der Natur, 1913

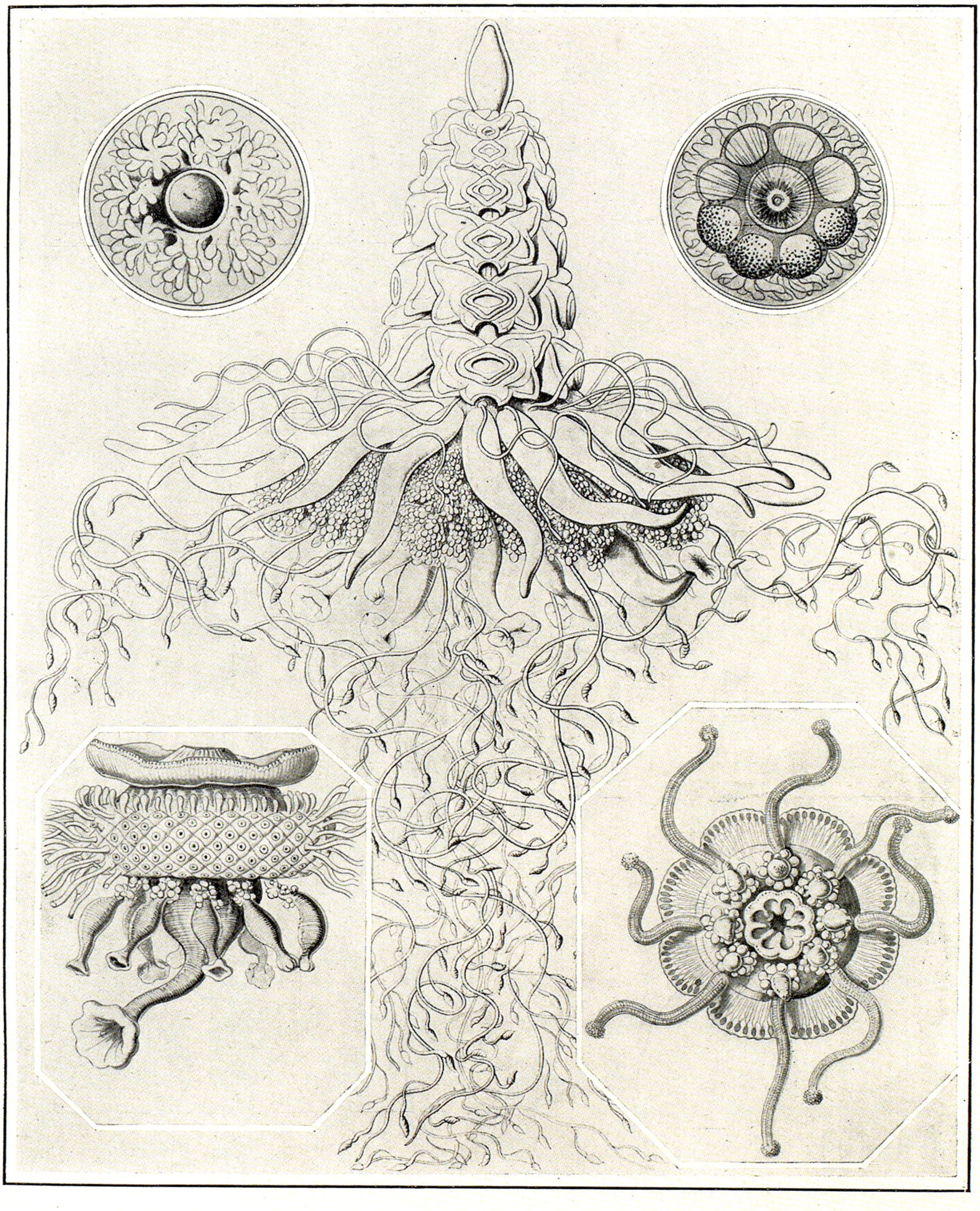

In der Mitte: Eine Staatsqualle mit einer Schwimmblase am oberen Körperende; darauf folgend mehrere Reihen von Schwimmglocken und am unteren Ende derselben die Freßpersonen, Gefühlspersonen, Geschlechtspersonen. Oben: Querschnitt durch die Luftblase einer Staatsqualle (links) und Ansicht von oben (rechts). Unten: Zwei scheiben-(medusen-)förmige Staatsquallen, bei denen die Einzelpersonen in konzentrischen Ringen auf der Unterseite der Scheibe entspringen. Links: Ansicht von der Seite, rechts: von unten.
(Aus Ernst Haeckel: Die Siphonophoren der Challenger-Reise.)

259 »Die Natur als Künstlerin«

Staatsqualle, 1913

260 **»Wanderbilder«**

Lingga-Inseln im Meer von Insulinde unter dem Äquator

261 **»Wanderbilder«**

Torbogen des indischen Feigenbaums, Colombo, Ceylon, Whist-Bungalow

262 »Wanderbilder«

Schwefelfelsen im Krater des Papadajan, Java

263 »Wanderbilder«

Vulkan Salak auf Java

Naturphilosophie als Anschauungslehre – Haeckels Kristallseelen

Lebende Anorganik

1917, zwei Jahre vor seinem Tod, veröffentlichte Ernst Haeckel seine *Kristallseelen* betitelten Studien über das anorganische Leben. Ansatzpunkt für ihn war, aus der Strukturanalogie zwischen Kristall und Skelett auf eine vergleichbare strukturelle Grundlage organischer und anorganischer Prozesse zu schließen. »Die Kristalle« – so schrieb Haeckel – »galten noch im Anfange unseres 20. Jahrhunderts fast allgemein für leblose starre Naturkörper. Ihre wissenschaftliche Behandlung fiel der Physik und Chemie, der Mathematik und Mineralogie anheim.«[97] Dies wollte Haeckel ändern. Schließlich waren für ihn – und darin folgt er seinem Lehrer M. J. Schleiden – Organismen letztlich auch nichts anderes als komplexere Kristalle.

Vor 1859, d.h. vor der Darstellung der Evolutionslehre durch Charles Darwin, hatte diese Konzeption, der zufolge die verschiedenen Organisationsstufungen der Natur eben nicht als Produkte eines Prozesses, sondern als Ausprägung des der Natur generell Möglichen angesehen wurden, Plausibilität. Dieser vor der Evolutionslehre insbesondere im deutschen Sprachraum etablierten Lehre zufolge war das eigentlich Lebendige nicht der einzelne Organismus, der ja auch dem Tod geweiht ist, sondern die Natur, die sich in ihm nur in ihren Formprinzipien zur Geltung bringt. In einer solchen sogenannten Typologie der Natur war deren Gestalt in den einzelnen Formen ihrer Verwirklichung abzulesen. Goethe konzipierte diese Idee einer Morphologie der Gesamtnatur, die sich in ihren einzelnen Produkten nur in Teilaspekten manifestiert. Demnach war der zentrale Begriff von dieser Morphologie der Natur der einer Metamorphose, einer Dynamik der sukzessiven Ausprägung des der Natur Möglichen. Solcherart waren Kristall und Lebewesen gar nicht substanziell voneinander geschieden. Die Auffassung, dass erst Friedrich Wöhler (1800–1882) 1828 mit seiner Synthese des Harnstoffes eine Brücke zwischen Organik und Anorganik geschlagen habe, ist also irrig. Umgekehrt lässt sich aufweisen, dass vor Darwin die Natur als ein Kontinuum von Formabstufungen begriffen wurde, das eine tierische Zelle durchaus nur als komplexeren Kristall und den Affen als den schlechteren Menschen darzustellen erlaubte.

Haeckel nun verstand sich in dieser Tradition. Was ihm – und damit der von ihm vertretenen Methodik einer evolutionsbiologisch fundierten Lebenswissenschaft – denn auch einige Schwierigkeiten machte. Haeckel begriff die Tiere aus einer evolutionsbiologischen Perspektive nur als komplexere Kristalle. Wobei er nicht die Tiere als im Letzten anorganisch, sondern vielmehr die Kristalle als lebendig begriff. Ausdrücklich verweist er auf die von Otto Lehmann publizierten Arbeiten über die Entdeckung der »flüssigen, scheinbar lebenden Kristalle«.[98] Mit Lehmann unterhielt Haeckel einen ausführlichen Briefwechsel, der um die Frage des »Lebens« dieser flüssigen Kristalle kreiste.

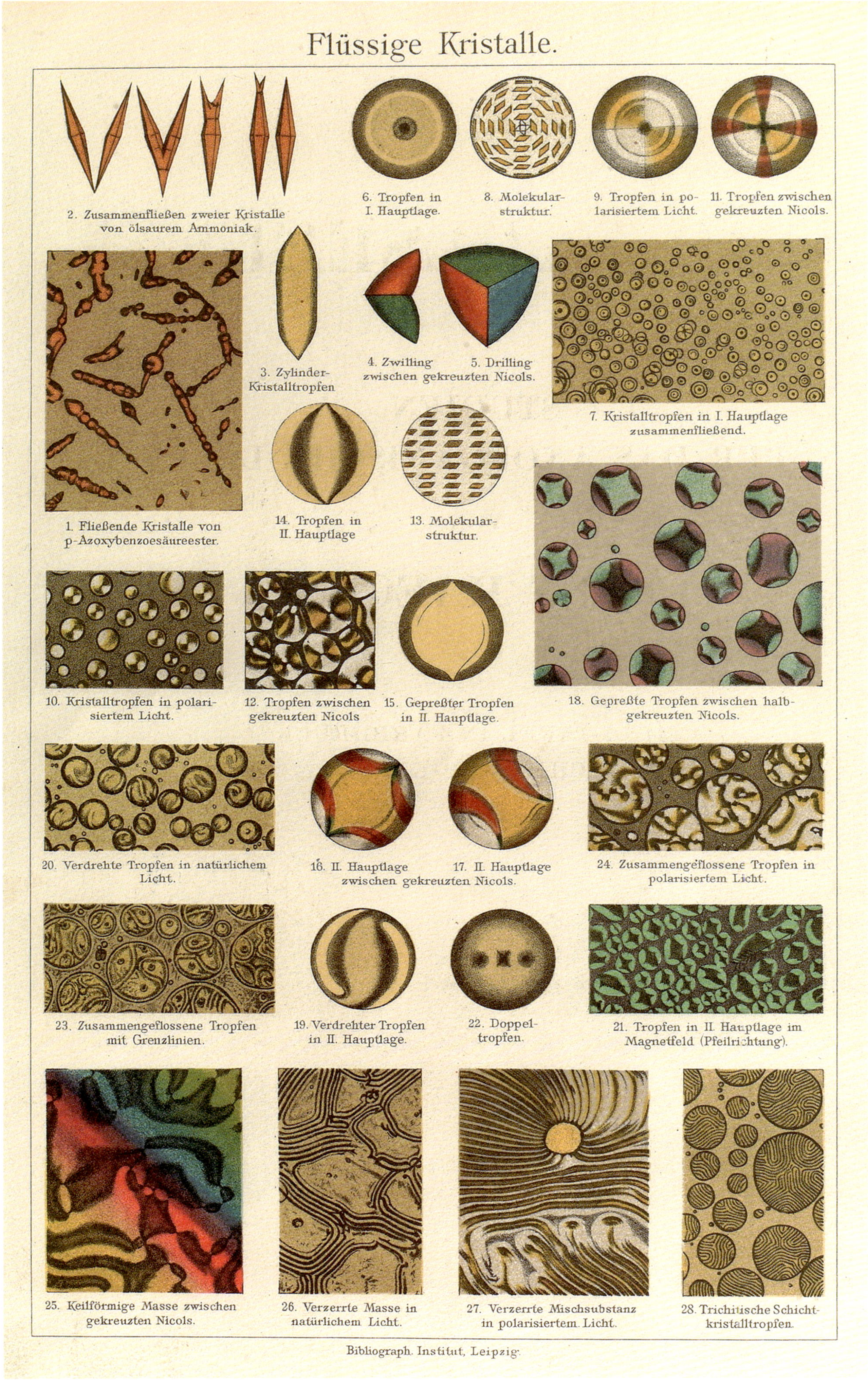
Flüssige Kristalle.
2. Zusammenfließen zweier Kristalle von ölsaurem Ammoniak.
6. Tropfen in I. Hauptlage.
8. Molekular-struktur.
9. Tropfen in polarisiertem Licht.
11. Tropfen zwischen gekreuzten Nicols.
3. Zylinder-Kristalltropfen
4. Zwilling 5. Drilling zwischen gekreuzten Nicols.
7. Kristalltropfen in I. Hauptlage zusammenfließend.
1. Fließende Kristalle von p-Azoxybenzoesäureester.
14. Tropfen in II. Hauptlage
13. Molekular-struktur.
10. Kristalltropfen in polarisiertem Licht.
12. Tropfen zwischen gekreuzten Nicols
15. Gepreßter Tropfen in II. Hauptlage.
18. Gepreßte Tropfen zwischen halbgekreuzten Nicols.
20. Verdrehte Tropfen in natürlichem Licht.
16. II. Hauptlage 17. II. Hauptlage zwischen gekreuzten Nicols.
24. Zusammengeflossene Tropfen in polarisiertem Licht.
23. Zusammengeflossene Tropfen mit Grenzlinien.
19. Verdrehter Tropfen in II. Hauptlage.
22. Doppeltropfen.
21. Tropfen in II. Hauptlage im Magnetfeld (Pfeilrichtung).
25. Keilförmige Masse zwischen gekreuzten Nicols.
26. Verzerrte Masse in natürlichem Licht.
27. Verzerrte Mischsubstanz in polarisiertem Licht.
28. Trichitische Schichtkristalltropfen.
Bibliograph. Institut, Leipzig.

264 »Kristallseelen«

Flüssige Kristalle, Frontispiz, 1917

In seiner Schrift von 1917 stellt Haeckel ausdrücklich fest: »Durch die großen Fortschritte, welche die physikalische und chemische Erforschung der Kristalle seit Beginn des zwanzigsten Jahrhunderts gemacht hat, in erster Linie durch die gründliche Erkenntnis der ›lebenden Kristalle‹, hat sich die allgemeine Bedeutung der Kristallkunde und ihre Beziehung zu den anderen Zweigen der Naturwissenschaft wesentlich verändert. Von unserem monistischen Standpunkte aus betrachten wir jetzt die Kristalle als ›lebende‹ Naturkörper und mit Rücksicht auf ihre psychomechanischen Eigenschaften auch als ›beseelte‹.«[99]

Diese Idee einer von den Füßen auf den Kopf gestellten Typologie, die die Psychologie auf eine Mechanik zurückführt, in dieser Mechanik dann die Allbeseeltheit der Natur wiederfindet, und die dabei auch noch meint, dem Goetheschen Konzept zu entsprechen, kann hier nicht weiter interessieren. Festzuhalten bleibt aber die Idee, ein gemeinsames Strukturierungsprinzip der Natur beschreiben zu können, das sich von dem einfachen Kristall bis hin zu dem komplexen Organismus über die verschiedenen Formausprägungen nur in immer weiter entwickelter Form präsentiert. Diese Stufung spiegelt sich in der Symmetrie der Formen wider. Haeckel beschreibt sechs morphologische Kristallsysteme, in denen sich die Vielfalt der Naturformen einordnen lässt: »Diese sind für unsere vergleichende Betrachtung der Anorgane und Organismen deshalb von Bedeutung, weil sie auch bei einem Teil der Protisten, vor allen der Radiolarien, in ganz gleicher Gesetzlichkeit die geometrische Grundform bestimmen.«[100] Komplexe Formen erklären sich dann durch die Vereinigung solcher Kristalle. »Wie die Glieder einer Kette oder Perlschnur legen sich viele Individuen in einer Reihe aneinander.«[101] Verkompliziert sich die Anlagerung solcher einfacher Formen weiter, entstehen, so Haeckel, »Verwachsungen«, mit denen sich die Organe »gewebebildender Pflanzen und Tiere« ebenso beschreiben lassen wie komplexere Kristallformationen.[102] Haeckel spinnt diese Idee nun fort, erläutert – wie schon 1822 der Philosoph Fries – das Wachstum der Zellen als einen Anlagerungsprozess, wie er beim Kristall zu beschreiben ist, und reduziert in seiner Betrachtung damit die Vielfalt der Formcharakteristika des Organischen auf eine einfache Grundgesetzmäßigkeit kristalliner Symmetrien. Dabei kennt er letztlich nur einfache Spiegelsymmetrien.

Komplexitäten von Symmetriebeziehungen ergeben sich für ihn aus der Überlagerung der einfachen Grundsymmetrien. Entsprechend zeichnet sich in solch einer organischen Symmetrie nicht nur ein ästhetisches Prinzip der Organisation des Naturalen, sondern ein Formierungsprinzip der Organismen ab. Verstehe ich dieses, so ist nach Haeckel auch die Formentfaltung der Organismen zu rekonstruieren.

265 »Kristallseelen«
Einachsige Spindelkristalle, 1917

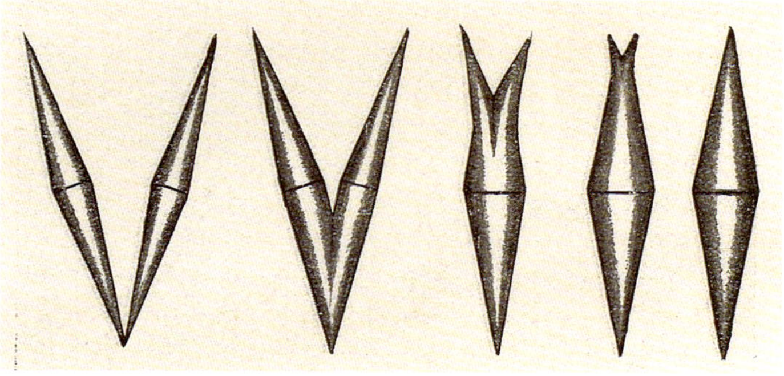

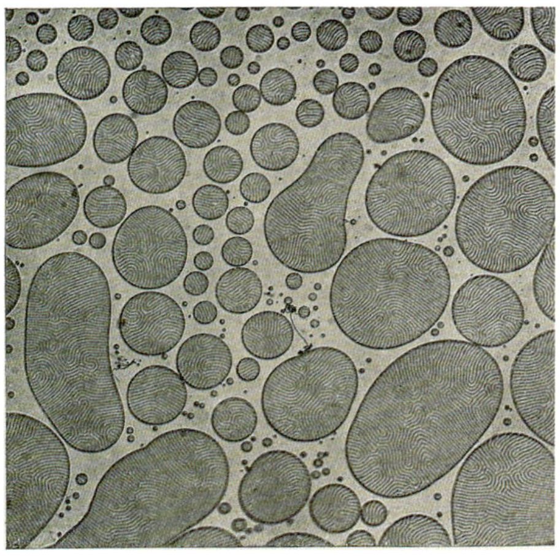

266 »Kristallseelen«

Fig. 8: *Flüssige Mischkristalle*, 1917

267 »Kristallseelen«

Fig. 57: *Pediastrum pertusum* – eine Alge, 1917

268 »Kristallseelen«

Fig. 59: *Sycaltis perforata* (Kalkschwamm) 1917

So ist die Vielfalt des Naturalen in dem Nebeneinander und Miteinander von Bewegung, Empfindung und Materie zu beschreiben, das Haeckel schon im Kristall, und zwar in den von Lehmann beschriebenen flüssigen Kristallen, demonstriert fand. Haeckel wird in dieser Darstellung, so esoterisch dies auf einen ersten Blick scheinen mag, einer der Initiatoren der modernen Selbstorganisationstheorien, denen zufolge das Leben der Natur nur eine höhere Organisation von im Prinzip einfach ablaufenden Strukturierungsprozessen ist.

Dabei erschließt sich für Haeckel durch den Anblick der Natur deren Ordnung. Darzustellen ist allein das Schema, nach dem diese Ordnung strukturiert ist. Dieses Schema findet Haeckel auch noch 1917 im Kristall, der für ihn die Grundform der Natur darstellt, da sich – ihm zufolge – jede Organisation in einer umfassenden Kristallographie des Naturalen beschreiben lässt.

Haeckel begreift Kristall und Organismus in den gleichen Vorstellungsmustern. Er endet seine Biophilosophie mit einem universell ausgreifenden Analogisierungsschema, in dem er »in der organischen Natur dieselben unbewußten Kräfte, Fühlungen und Bewegungen walten [sieht] wie in der anorganischen Natur« abgebildet.[103] Das Bild dieser Alleinheit ist der Kristall, das Kondensat seiner Analogisierung sind die Schemata einer umfassenden Kristallographie. Das Muster zur Erkenntnis der Seele steckt im Aufweis der Symmetrien. Sein Spiegel ist nicht die Fläche, in der er sich selbst erkennen kann, sondern der Spiegel der Symmetrien, die in ihrer Aufeinanderschichtung ein Kaleidoskop des immer Einen, nur in der Vielfalt Verschiedenen erscheinen lassen. Die Analogien Haeckels sind ihrerseits derart kristallisiert, seine Natur bleibt nur im Verweis auf die in ihr eingefangenen Bilder eines Denken und Fühlens, nicht aber in der dann faktisch offerierten Kristallisationsmechanik beseelt.

Radiolaria. Tafel C.

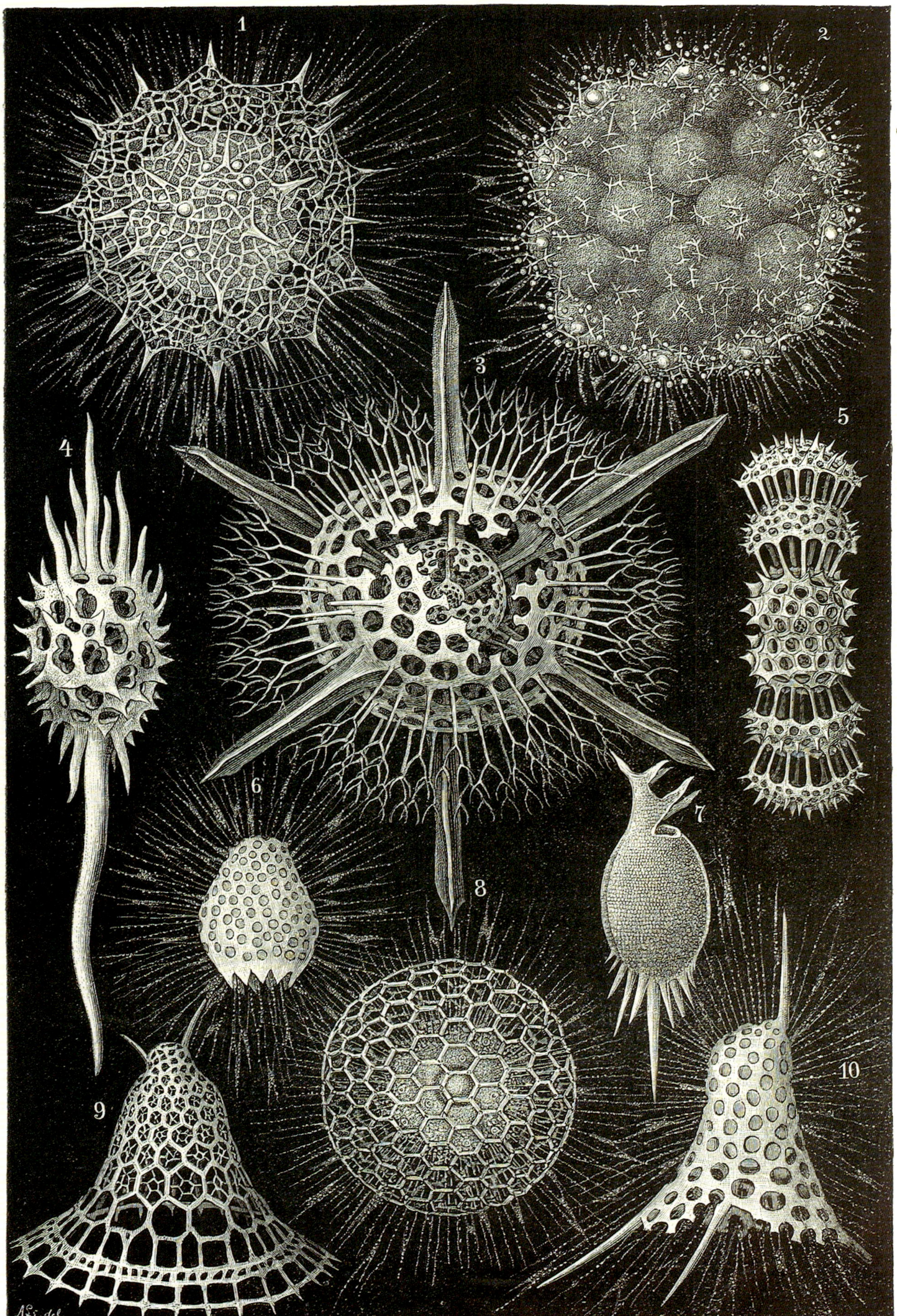

Kristallinische Arbeiten der Radiolarien-Seele.

269 »Kristallseelen«

Kristallinische Arbeiten der Radiolarien-Seele, Tafel C, 1917

Kristallisationen

So weiß sich Haeckel gerechtfertigt, wenn er seine Naturanalyse als eine Anschauungslehre, im Sinne einer Demonstration des in der Natur Möglichen, darlegt. Auf diese Weise entwickelt er die Vorstellung der verschiedenen Formen von Kristallbildungs- und Umbildungsprozessen. Er kann zeigen, dass sich hier die Ordnungen finden, die er schon vorher in seiner Darstellung der organischen Formentwicklung aufgewiesen hat. Notwendig hat die Organische Kristallographie eine Anorganische zur Voraussetzung. Auch diese Anorgane zeigen Wachstum; sie verschmelzen zu höheren Formen, bilden Aggregate und können sich zersetzen. Von daher liegt es für Haeckel nahe: »Die Vorgänge der Kristallisation ... als wirkliche ›Lebenserscheinungen‹ aufzufassen.«[104] Es müsste nur gelingen, die Vielfalt der Lebenserscheinungen an diesen Mineralien zu demonstrieren und so eine Analogie zu fundieren, in der die Kristalle als lebendig, d.h. nach dem Muster der Lebenserscheinungen strukturiert, dargestellt werden können. Haeckel vollzieht dies. Er beschreibt die Anpassung, das Wachstum, die Regeneration und den Tod der Kristalle. Er zeigt sie als Strukturen, die einer Dynamik unterworfen sind und dabei den Gesetzmäßigkeiten ihrer Organisation folgen. Seitens der Anschauung erscheinen sie als Organismen. In der Darstellung der »Arbeiten der Schneeseele«[105] zeigt er auf, dass schon die Kristallisationen des für alle Lebensformen notwendigen Wassers sich in Anpassung an ihre wechselnde Umwelt zu den verschiedensten Formen entwickeln. Wie im Bereich der organischen Organisationen entstehen hier Gattungen und Familien eines Kristallsystems, die in ihrer Komplexität und ihrem kurzen »Leben« die Qualitäten aufweisen, die Haeckel auch für Einzeller beschrieb.

Haeckels Darstellung folgt nun einer Vielfalt von Ausprägungen dieser Kristalle und skizziert dann ausführlich das Phänomen der sogenannten flüssigen Kristalle, die nun ein weiteres Merkmal des Lebendigen, seine Dynamik, offenbaren. Haeckel bezieht sich dabei auf die umfangreichen, kurz nach 1900 erschienenen Arbeiten des Mineralogen Otto Lehmann. Dieser hatte schon 1889 gezeigt, dass sich unter bestimmten Bedingungen in der flüssigen Phase von Kohlenstoffverbindungen flüssige Kristalle bilden können, deren Verhalten und Chemie Lehmann näher charakterisierte.

Haeckel referiert nun ausführlich die Eigenheiten dieser flüssigen Kristalle: Diese können sich auch durchdringen und aneinander lagern. Sie zeigen ein regelrechtes Wachstum. Haeckel spricht von Ernährung und buchstäblich vom »Fressen« dieser Kristalle. Er beschreibt deren Kopulation und deren Differenzierung.[106] Es sei sogar möglich, diese Kristalle zu vergiften: Zusatz fremder chemischer Substanzen kann ihre Aggregation zerstören.[107]

Tafel B. Schneekristalle (Hexagonales System) (Arbeiten der Schneeseele).

270 »Kristallseelen«
Schneekristalle, Tafel B, 1917

Es wundert nunmehr kaum, dass Haeckel Hybridbildung in der »Nachkommenschaft« zweier verschieden angelegter flüssiger Kristalle ebenso entdeckt wie deren Stoffwechsel, Exkretion, Regeneration und selbst deren Metamorphose.[108] Diese Kristalle erscheinen ihm in den Charakteristika lebender Organismen. Dabei setzt er in seinen Beschreibungen nicht mit einer Analyse der Eigenheiten solcher Lebensprozesse an. Er nimmt diese Prozesse nur in ihren äußeren Abläufen wahr; im Vergleich der äußeren Vorgänge erschließen sich ihm dann Analogien. Und so könnte ich auch das Verhalten eines Wassertropfens beschreiben, der auf einer schräg geneigten Glasplatte nach unten läuft und dabei kleinere, auf dieser Platte verteilte, auf seiner Bahn liegende Tropfen schlicht aufnimmt. Die Anschauung Haeckels ist unmittelbar und nicht weiter reflektiert. Seine Analogien geben ihm die Möglichkeit, dass er in seiner Beobachtung etwas in Bezug zueinander zu setzen vermag. Er sieht in allen diesen Reaktionen nichts als die Grundformen der im Mineralischen angelegten Lebensformen der Natur des Lebendigen. Selbst die Hochzeit des Menschen ist nichts als eine Variation dieses Reaktionsgrundgefüges. So schreibt Haeckel über die zusammenwachsenden Kristalle:

»Dieser Höhepunkt des Daseins, das höchste Lustgefühl, hat nicht allein die höchste physiologische Bedeutung, weil dadurch allein die Erhaltung der Art in der Generationsfolge ermöglicht wird, sondern er ist auch die Quelle der mannigfaltigsten psychologischen und morphologischen Differenzierungen, insbesondere der verwickelten Ausbildung der ›sekundären Sexualcharaktere‹, des Familienlebens (Brutpflege).«[109]

Entsprechend setzt Haeckel eine Morphologie der Organismen als eine Art organischer Kristallographie an. Aufgebaut wird ein Reich von Symmetrien. Aufgeworfen und ersetzt in immer neu gebrochenen Konstellationen, expliziert sich für Haeckel in diesem Kristallreich des Organischen aber immer wieder nur die sich in ihrer Geschichte fortlaufend verbessernde Natur. Die Natur ist für Haeckel ein entwickelter Kristall.

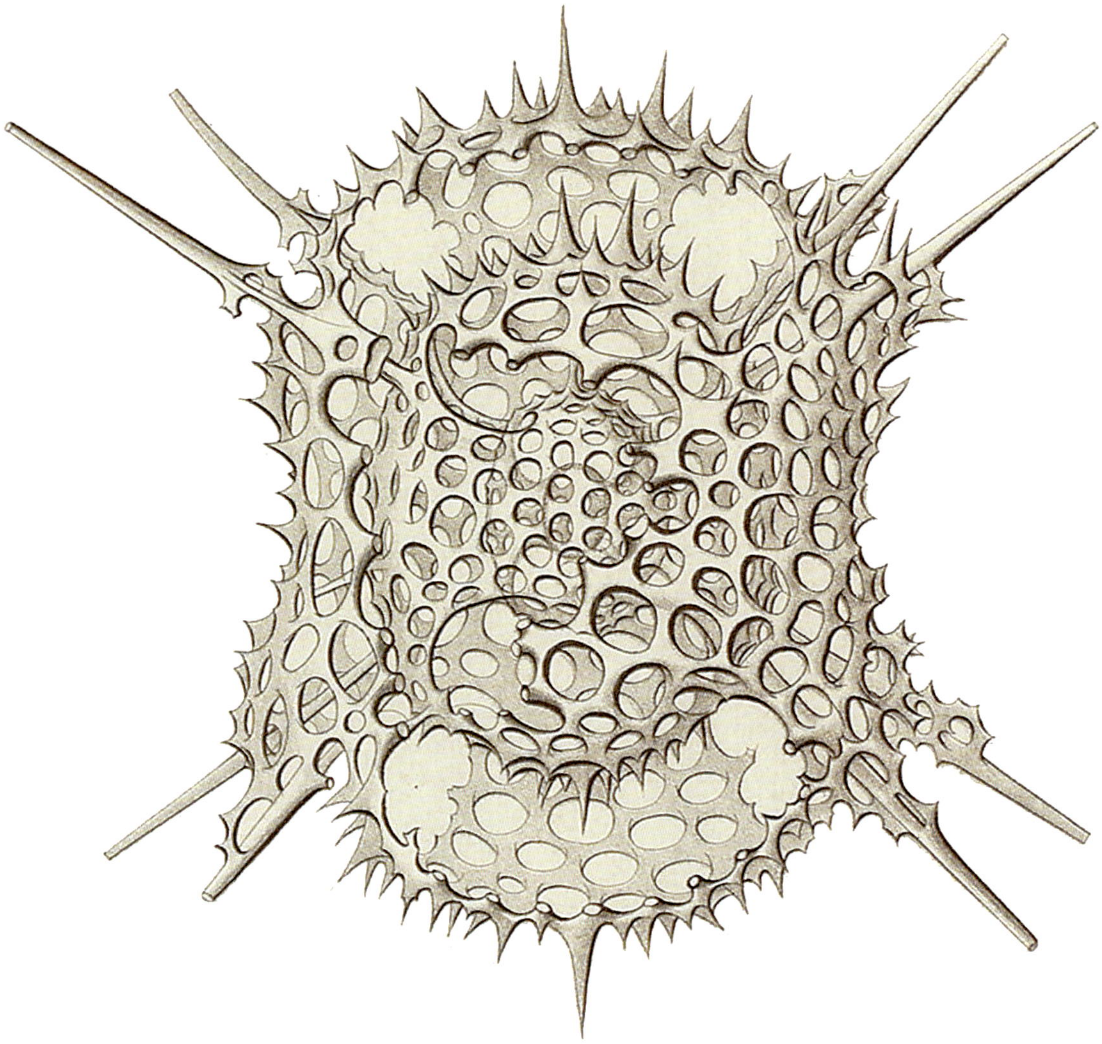

Epilog: Die Anschauung des Selbst

Die Kristallseele bleibt an sich tot, sie verlebendigt sich allein in ihren Bildern, in den nachgezeichneten Analogien von Schneeflocke und Mikroskelett. Das tote Skelett erscheint in diesen Bildern als das Kondensat der sie bildenden Zelle. Genau dies meint denn auch Haeckels Begriff der Organisation. All das, was in der Zelle entsteht, ist eine Form ihrer Zellseele. Insofern bleibt das Radiolarienskelett als Abdruck des Lebens ein Ausdruck der Zellseele. Der Kristall ist in seinen gleichartig erscheinenden Formationen diesen Bildern zugeordnet. Sein Leben ist entlehnt. Er ist nur der Reflex eines Abdruckes und wird nur aus dieser Analogie beseelt.

Ist es das, endet das Naturbild Haeckels derart im Kristall? Die Symmetrisierung des Lebendigen trägt bei Haeckel noch ein skurriles Nachspiel, das die rein anschauliche Naturbetrachtung Haeckels in ihrer letzten Konsequenz anschaulich werden lässt. In einer Kurzgeschichte hat der Science Fiction-Autor Stanislav Lem beschrieben, wie sein Held, der Raumpilot Pirx, seine Frau unsterblich machen wollte. Lem beschreibt, wie Pirx sie in Narkose versetzen und ihr das Hirn entfernen lässt, das er dann mit einem Fixativ kristallisiert und so unsterblich macht. Diese so verewigte Frau war nunmehr in ihrem Hirn eingefroren. Noch mit einem ihrem Hirn belassenen Auge mit der Welt verbunden, darf sie aufnehmen, registrieren und derart nur noch rezeptiv mit der Außenwelt versponnen im Wohnzimmer des Piloten vor sich hin existieren. Lem gibt hierin eine Botschaft über die Grenzen einer Neuroanthropologie, wie sie auch Haeckel erfasst hat. Haeckel selbst wird noch nach seinem Tod zu einem der Denkmäler einer Geniehirnlehre, nach der im Hirn das zu porträtieren ist, was das Genie des vormals lebenden Menschen erklärbar werden lässt.

Auch Haeckel findet sich so, wenn nicht derart, wie die imaginäre Frau des imaginären Pirx, verlebendigt, in seinem Hirn ins Weiterleben gesetzt. Die Darstellung seines Freundes, des Jenaer Anatomen Friedrich Maurer (1858–1936), der Haeckel nach dem Ableben sezierte und – noch 1924 – eine Monographie über das Hirn dieses großen Zoologen veröffentlichte, klingt wie ein Vorspiel zu der Lemschen Geschichte.[110] Maurers Monographie steht dabei allerdings in Folge einer ganzen Serie von Hirnporträtierungen, mit denen die Neurowissenschaft um 1900 die Genies zu verewigen und die Geheimnisse des extraordinären Denkens darzustellen suchte.

Haeckel ist dabei einer der letzten Genialen, dessen Denkorgan derart vermessen und dann in einer eigenen Monographie publiziert wird (Abb. 271/272). Es geht hierbei um ein post mortem Porträt des geistigen Schaffens anhand des Organs, das für die Biologie solcher Tätigkeiten haftbar zu machen ist, des Hirns. Ziel ist es dabei nicht zuletzt, dem Leser einen eingehenderen Blick auf die visuellen Areale des Haeckelschen Hirns, das heißt die Bereiche, die für dessen Anschauungen zuständig waren, nahe zu legen.

Schließlich – so Maurer – war Haeckels Genialität gerade in seinen Natur-Anschauungen und deren zeichnerischen Fixierung augenscheinlich geworden. Eine der morphologischen Studie Maurers über das Gehirn seines Freundes beigefügte histologische Untersuchung widmet sich denn auch dem Hirnbereich Haeckels, der mit dem visuellen Vermögen in Zusammenhang gebracht wurde. Diese Methode der Analyse, aus dem Vergleich mit dem Normalen das Besondere zu erschließen und damit den Schlüssel für dieses Besondere und über dieses sodann das Substrat des Genialen identifizieren zu können, war einfach.

Die Analyse von Haeckels Hirn war selbst allerdings weniger von Erfolg gekrönt. Der Verweis auf die mangelnde Fixierung des Hirns und auf die somit nur spärlich zu erhaltenden Ergebnisse brach aber keineswegs die Kraft der sich in dieser Analyse des Genialen ja so sicher wähnenden Anatomie: »Einen gesunden Geist in einem gesunden Körper zu einer Zeit des großen Aufschwungs der wissenschaftlichen Biologie: den besaß Ernst Haeckel«, so ließ Maurer in seiner Zusammenfassung der Hirnporträtierung Haeckels verlauten.[111] Die Abbildungen seines Hirns, die diese so präzise Schlussfolgerung untermalen, suggerieren damit etwas Exzeptionelles, das die Analyse, der Aussage der Untersucher zufolge, gar nicht aufzufinden vermochte. Das Abbild der Person im Hirn blieb dabei im Falle Haeckels besonders wertvoll. Von Haeckels Hirn finden sich denn auch nicht einfach nur Gipsabgüsse, wie sie etwa von dem entsprechenden Organ des Physikers Herrmann von Helmholtz gemacht und verschiedenen Forschern für Vermessungen zur Verfügung gestellt wurden.[112] Die Sammlung des Anatomischen Instituts der Universität Jena besitzt vielmehr einen Abguss von Haeckels Hirn in Silber.

Die Wertschätzung des Genius kann wohl kaum deutlicher materialisiert werden. Das Hirn in Silber fixiert jene Genialität, die die Person Haeckels für die Universität Jena Anfang des 20. Jahrhunderts so wertvoll machte. Hier wird abschließend auch der in einen Kristall überführt, der die Natur in der Anschauung ihrer Symmetrien zu begreifen suchte: Ernst Haeckel

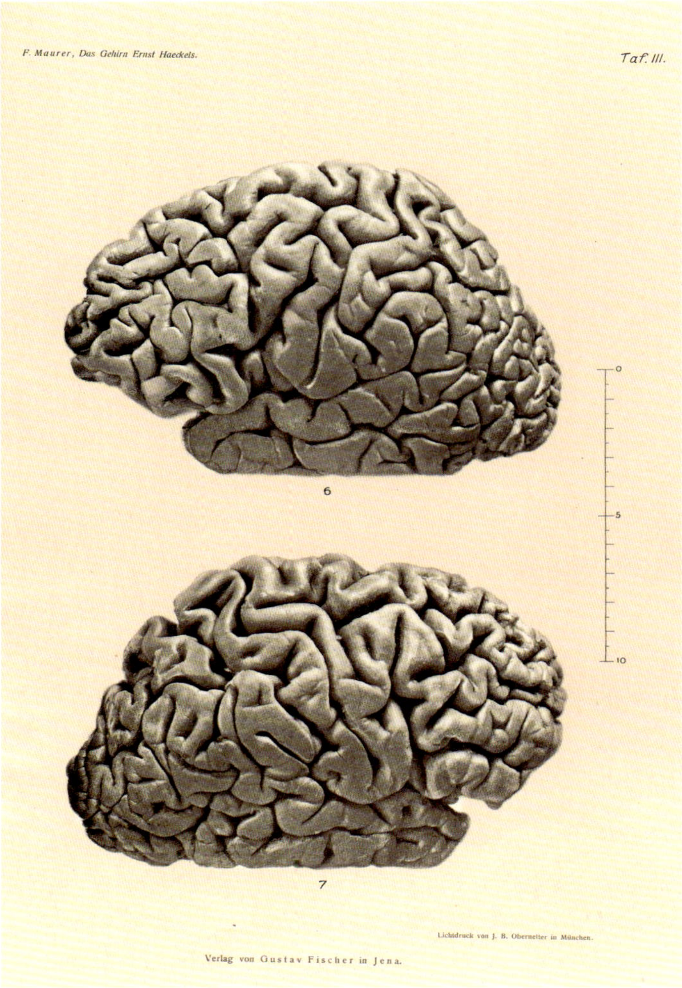

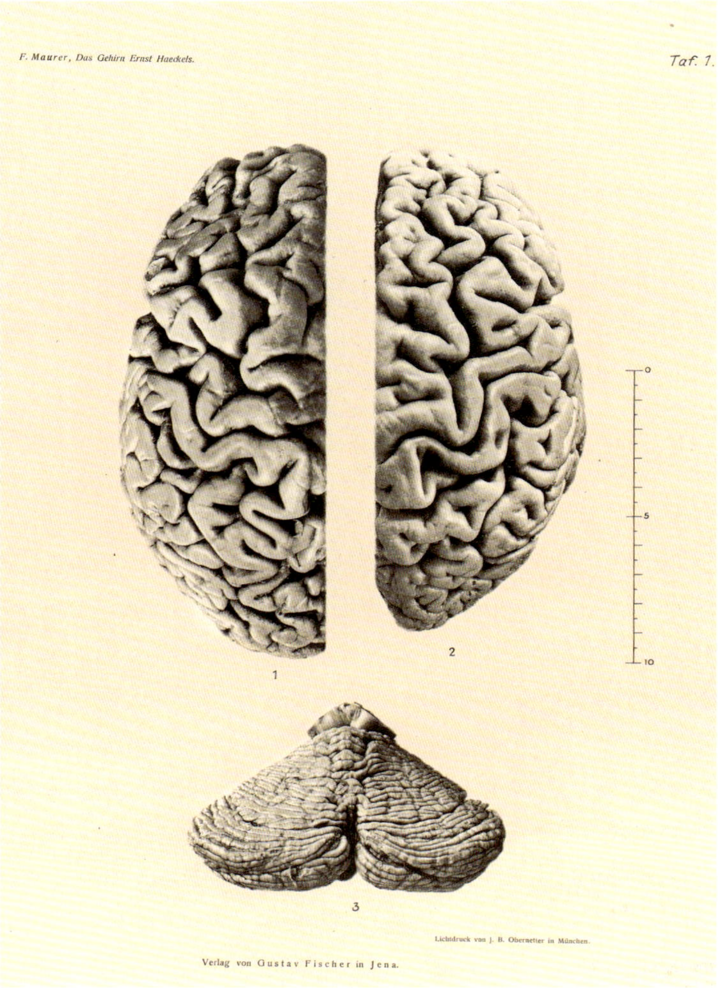

271/272 F. Maurer

Das Gehirn Ernst Haeckels, Jena 1924

Lebenslauf

1834 16. Februar: Ernst Haeckel wird in Potsdam als Sohn des preußischen Oberregierungsrates Carl Haeckel und dessen Frau Charlotte (geb. Sethe) geboren.

Haeckels Schüler-Herbarium, *Iris sibirica L.*, Vor Tragarth bei Merseburg, Mai 1851

1835 Übersiedlung der Familie nach Merseburg.

1852 Nach Abschluss des Gymnasiums in Merseburg Aufnahme des Studiums der Medizin in Berlin, ab dem 2. Semester dann in Würzburg; hört bei Albert von Koelliker, Franz von Leydig und Rudolf Virchow.

1854 Fortführung des Studiums in Berlin, Schüler des bedeutenden Physiologen Johannes Müller, der ihn auf einer Exkursion nach Helgoland zur Meereszoologie hin orientiert; hier entsteht seine erste, 1855 gedruckte Arbeit *Über die Eier der Scomberesoces*, einer Familie von Knochenfischen.

1855 Rückkehr nach Würzburg.

1856 Assistent bei dem führenden Pathologen Rudolf Virchow; im Herbst meereszoologische Exkursion mit Albert von Koelliker nach Nizza.

1857 Promotion zum Dr. med. mit einer Arbeit über die Gewebe des Flusskrebses; im Sommersemester Studium in Wien.

1858 Medizinisches Staatsexamen an der Universität Berlin; Approbation als praktischer Arzt, Wundarzt und Geburtshelfer. Eröffnung einer Arztpraxis.
14. September Verlobung mit seiner Kusine Anna Sethe.

1859/60 Nach Vorabsprachen über eine akademische Lehrtätigkeit in Jena Studienreise nach Italien; Forschungsarbeit in Messina, aus der seine 1862 erschienene Monographie über Radiolarien entstand.
Haeckel schwankt zwischen einem Dasein als Landschaftsmaler oder Wissenschaftler. Am 20. Januar 1860 schreibt er an seinen Freund Hermann Allmers: »Als ich damals [im Vorjahr] mit ordentlicher Leidenschaft aquarellierte, muß ich förmlich verblendet gewesen sein; jetzt wo der Geist der Kritik von Dir auf mich gegangen zu sein scheint, muß ich über mich selber lachen.« Seine Entscheidung für die Zoologie ist demnach Anfang 1860 gefallen: »Aber trotz dieser ununterbrochenen Einförmigkeit ist dies Leben nichts weniger als langweilig, da die unerschöpflich reiche Natur immer neue, schöne und interessante Formen liefert, welche neuen Stoff zum Raten und Nachdenken, Zeichnen und Beschreiben geben. Das ist aber so recht eine Arbeit für mich, da das künstlerische Element dabei so viel neben dem wissenschaftlichen zu tun hat. Zugleich bin ich dadurch mit meiner lieben, mir für mein ganzes Leben obenan stehenden Wissenschaft wieder völlig ausgesöhnt worden in der Treue, gegen die ich wirklich durch Deine künstlerisch-ästhetischen Einflüsse etwas wankend geworden war.«
Haeckel liest begeistert die erste deutsche Übersetzung von Darwins Werk über den Ursprung der Arten.

Ernst Haeckel, Photo 1870

1861 Habilitation an der Medizinischen Fakultät der Universität Jena mit einer Arbeit über die Systematik der Radiolarien.

1862 Berufung zum außerordentlichen Professor an der Medizinischen Fakultät der Universität Jena.
18. August: Heirat mit Anna Sethe.

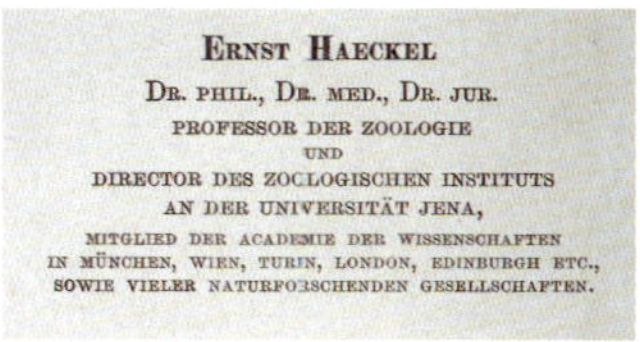

Visitenkarte Haeckels

1863 Vortrag: *Über die Entwickelungstheorie Darwins* auf der 38. Versammlung Deutscher Naturforscher und Arzte in Stettin, in dem er klar und pointiert für Darwins Evolutionstheorie Position bezieht.

1864 16. Februar: Tod seiner Frau Anna – am Tag der Verleihung der Cothenius-Medaille an Haeckel.

1865 Berufung zum ersten ordentlichen Professor für Zoologie an der Universität Jena.

1866 Erscheinen der *Generellen Morphologie der Organismen* – der Versuch einer »organischen Kristallographie«, der die ersten detailliert ausgearbeiteten Stammbäume der Organismen enthält.
Haeckel trifft auf einer Reise nach England zum ersten Mal Charles Darwin, den Begründer der Evolutionslehre

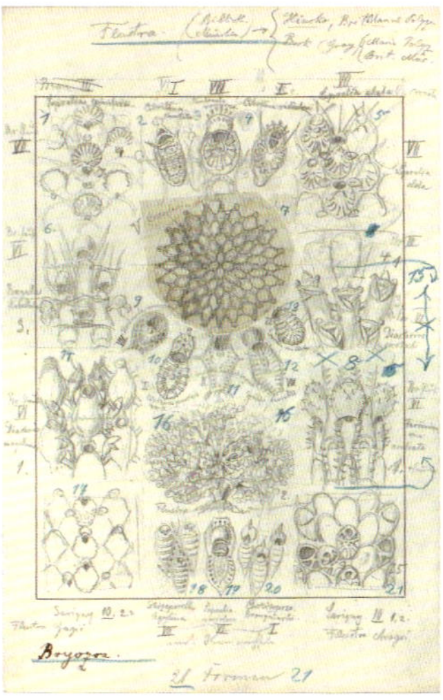

Bryozoa, Handzeichnung zu Tafel 33 der »Kunstformen«, vor 1900

1866/67 Reise nach den Kanarischen Inseln.

1867 Heirat mit Agnes Huschke, der Tochter des verstorbenen Jenaer Anatomie-Professors Emil Huschke; aus der Ehe gehen ein Sohn und zwei Töchter hervor.

1868 Geburt des Sohnes Walter.
Erscheinen der populären *Natürlichen Schöpfungsgeschichte.*

1869 Reise nach Norwegen.

1871 Geburt der Tochter Elisabeth.
März/April: Reise nach Dalmatien; Ablehnung einer Berufung nach Wien.

1872 Wichtige Monographie über die Kalkschwämme, Haeckel prägt darin den Begriff des »Biogenetischen Grundgesetzes«.

1873 Erste Orientreise; Studium der Korallenbänke im Roten Meer.
Geburt der Tochter Emma.

1874 Es erscheinen die *Anthropogenie oder Entwickelungsgeschichte des Menschen* und *Die Gastraea-Theorie, die phylogenetische Classification des Thierreichs und die Homologie der Keimblätter*.

Ernst Haeckel, neben sich ein Menschenschädel, ein Gorillaschädel und ein kleinerer Affenschädel

1875 Studienreise nach Korsika.

1876 Prorektor der Universität Jena.
Zweiter Besuch Haeckels bei Charles Darwin in England.

1877 Studienreise nach Korfu.

1878 Meeresbiologische Untersuchungen in der Bretagne.

1881/82 Reise nach Indien und Ceylon.

1882/83 Institutsbau des Zoologischen Instituts an der Universität Jena.
Bau seines Wohnhauses »Villa Medusa« in Jena.

1884 Ehrendoktor der Universität Edinburgh.
Prorektor der Universität Jena.

1887 Reise nach Palästina, Syrien und Kleinasien.

1889 Abschluss der Bearbeitung der von ihm übernommenen Tiergruppen der englischen Challenger-Tiefsee-Expedition (1873–1876).

1890 Reise nach Algerien.

1892 Vortrag: *Der Monismus als Band zwischen Religion und Wissenschaft*.

1894/96 Erscheinen der *Systematischen Phylogenie*.

1897 Reise durch Finnland und Russland.

1898 Ehrendoktor der Universität Cambridge.

1899 Erscheinen der Schrift *Die Welträthsel*, Haeckels seinerzeit äußerst populärer Entwurf seiner monistischen Weltanschauung; das Buch wurde in deutsch in über 400.000 Exemplaren aufgelegt und in mehr als 30 Sprachen übersetzt.

1899–1904 Publikation der *Kunstformen der Natur* in einer Folge von Heften mit jeweils zehn Illustrationen.

1900/01 Tropenreise über Ceylon, Singapur, Java und Sumatra.

1901 Haeckels Publikation *Aus Insulinde. Malayische Reisebriefe* erscheint.

1904 Als Ergänzungsband zu *Die Welträthsel* erscheinen *Die Lebenswunder*.
September: Auf dem Internationalen Freidenker-Kongress in Rom wird Haeckel, seinen eigenen Bekundungen zufolge, während eines Frühstückes der über 2000 Teilnehmer in den Ruinen der Kaiser-Paläste feierlich zum »Gegenpapst« ausgerufen.

1905 Herausgabe der *Wanderbilder*, Kunstdrucktafeln nach Landschaftsstudien von Haeckel (Aquarell- und Ölskizzen). Die Edition war – im Gegensatz zu den *Kunstformen der Natur* – kein Erfolg.

Apotheose des Entwicklungsgedankens von Ernst Haeckel und Gabriel Max, 1906

Postkarte zum Jahreswechsel 1903 (mit einer Medusenabbildung)

Plakatankündigung für Haeckels Berliner Vorträge

1905 Drei äußerst öffentlichkeitswirksame, durch umfassenden Einsatz seinerzeitig verfügbarer Medien getragene Vorträge in der Sing-Akademie in Berlin: *Der Kampf um den Entwickelungsgedanken: Abstammungslehre und Kirchenglaube; Affenverwandtschaft und Wirbeltierstamm; Unsterblichkeit und Gottesbegriff.*

1906 11. Januar: Gründung des »Deutschen Monistenbundes« im Zoologischen Institut der Universität Jena.

1907 Dr. med. jubil. der Universität Uppsala
28. August: Grundsteinlegung zum Bau eines Museums für Abstammungslehre (Phyletisches Museum) in Jena; der Bau wurde von Haeckel ausschließlich über Spenden finanziert, er selbst stellte Honorarerträge aus der Publikation der *Welträthsel* und Mittel der »Ernst-Haeckel-Stiftung« zur Verfügung.

1908 Eröffnung des Phyletischen Museums und – zum Anlass ihres 350jährigen Bestehens – Übergabe des Baus an die Universität Jena.

1909 Haeckel tritt vom Lehramt zurück.
Ehrendoktorwürde der Universität Genf.

1910 Haeckel tritt aus der evangelischen Kirche aus.

1911 8.–11. September: Erster Internationaler Monistenkongress in Hamburg.

1914 Erscheinen von *Gottnatur (Theophysis). Studien über die Monistische Religion.*

1915 Tod seiner Frau Agnes.

1917 Erscheinen der *Kristallseelen*.

1919 9. August: Tod Haeckels in der »Villa Medusa«.

Grundsteinlegung des Phyletischen Museums in Jena durch Professor Ernst Haeckel

Das von Haeckel begründete Phyletische Museum Jena, 1907/08 erbaut

Adolf Giltsch (1852–1911), Jenaer Lithograph, der nach Anweisungen Haeckels die Tafeln für die *Kunstformen der Natur* verfertigte

Haeckel kurz vor seinem Tod
vor seiner »Villa Medusa«

Anmerkungen

1 Vgl. Breidbach, O. (1997) Bemerkungen zu Exners Physiologie des Fliegens und Schwebens. In: Breidbach, O.: Natur der Ästhetik – Ästhetik der Natur. Wien. S. 221–223.

2 William Morris (1834–1896) begründete u.a. die Bewegung Arts and Crafts, die in ihrem Design explizit auf Naturformen zurückgriff, die entsprechenden Morris-Tapeten und andere dekorative Muster sind bis heute populär (siehe Abb. 1).

3 In Jules Vernes »Robur le Conquérant« (1886) wird der leitende Ingenieur eines Unternehmens dadurch ausgesucht, dass die Konkurrenten ohne Hilfsmittel auf einer großen weißen Fläche per Augenmaß den Mittelpunkt bestimmen müssen.

4 1 Mose 8, 22.

5 Die Erzählung von H. G. Wells »Lord of the Dynamos« erschien 1894.

6 Charles Darwin (1809–1882) begründete mit seiner 1859 erschienenen Monographie über den Ursprung der Arten (Origin of species) die moderne Evolutionslehre.

7 Ernst Haeckel aus Messina an Anna Sethe, 16.2.1860, Ernst Haeckel Archiv, Jena.

8 Der Begriff ist benutzt in Anlehnung an: Weigel, S. (2006) Genea-Logik. München.

9 Ende des 19. Jahrhunderts sind Europas Metropolen weitgehend elektrifiziert, die Stadt Mannheim geht 1899 »ans Netz«.

10 Vgl. Kunst- und Ausstellungshalle der Bundesrepublik (1999) (Hrsg.) Alexander von Humboldt-Netzwerke des Wissens. Bonn.

11 Oken, L. (1833–1843) Allgemeine Naturgeschichte für alle Stände. Stuttgart.

12 Brehm, A. E. (1864–69) Brehms Illustrirtes Thierleben. Eine allgemeine Kunde des Thierreichs. Hildburghausen.

13 Wilhelm Bölsche war einer der engsten und erfolgreichsten Popularisatoren des Haeckelschen Gedankengutes, ihn leitete ein spezielles sozialreformerisches Interesse, für das er auch die Ausbildung in den Naturwissenschaften zu nutzen suchte.

14 Vgl. Riegl, A. (1893) Stilfragen. Grundlegungen zu einer Geschichte der Ornamentik. Berlin.

15 Naturhistorisches Museum Wien (1994) Die präparierte Welt. Das Naturhistorische Museum in Wien. Wien.

16 Fritsch, G. T., Müller, O. (1870) Die Sculptur und die feineren Structurverhältnisse der Diatomaceen mit vorzugsweiser Berücksichtigung der als Probeobjecte benutzten Species. Abt. I. Berlin & London.

17 Ehrenberg, C. G. (1838) Die Infusionsthierchen als vollkommene Organismen. Ein Blick in das tiefere organische Leben der Natur. Leipzig.

18 Breidbach, O.; Hoßfeld, U.; Jahn, I. und A. Schmidt (Hrsg.) (2004) Matthias Jacob Schleiden (1804–1881). Schriften und Vorlesungen zur Anthropologie. Buchreihe: Wissenschaftskultur um 1900. Bd. 1. Stuttgart.

19 Schleiden, M. J. (1848) Die Pflanze und ihr Leben. Leipzig.

20 Schleiden, M. J. (1867) Das Meer. Berlin.

21 Haeckel, E. (1876) Arabische Korallen. Berlin.

22 Breidbach, O. (2006) Zur Argumentations- und Vermittlungsstrategie in Müllers Handbuch der Physiologie des Menschen. Annals of the History and Philosophy of Biology 10:3–30.

23 Haeckel, E. (1917) Kristallseelen. Studien über das anorganische Leben. Leipzig.

24 Crary, J. (1996) Techniken des Betrachters. Sehen und Moderne im 19. Jahrhundert. Dresden & Basel.

25 Talbot, W. H. F. (1844–1846) The Pencil of Nature. London.

26 Helmholtz H. v. (1884) Ueber Goethes naturwissenschaftliche Arbeiten. Vortrag, gehalten 1853 in der deutschen Gesellschaft in Königsberg. In: Helmholtz, H. v., Vorträge und Reden. Bd. 1. Braunschweig. S. 1–24.

27 DuBois-Reymond, E. (1880) Die sieben Welträthsel. Berlin.

28 Binet, R. (1901) Esquisses décoratives par René Binet, Architecte. Paris.

29 Brief Ernst Haeckels an seine Eltern vom 1.11.1852, Ernst Haeckel Archiv, Jena.

30 Brief Ernst Haeckels an seine Eltern vom 4.5.1853, Ernst Haeckel Archiv, Jena.

31 Ernst Haeckel, De telis quibusdam astaci fluviatilis. Berlin 1857.

32 Hier, so schrieb Haeckel 1855 in sein Tagebuch, lernte ich zum ersten Mal eine Autorität kennen, die von allen anerkannt wurde, und die ich mir als ein wissenschaftliches Ideal hinstellte, wie dann auch sein näherer Umgang (auf dem Museum etc.) mich für ewig der vergleichenden Anatomie als Lieblingswissenschaft zuführte.

33 Vgl. Meschiari, A. (2003) The Microscopes of Giovanni Battista Amici. Firenze.

34 Haeckel, E.: Zirkularbrief an die Freunde, Mitte Mai 1860, Ernst Haeckel Archiv, Jena.

35 Eine Aufstellung der Schriften Ernst Haeckels findet sich in: Krumbach, T. (1968) Die Schriften Ernst Haeckels. In: Heberer, G. (Hrsg.) Der gerechtfertigte Haeckel. Stuttgart. S. 15–22.

36 Haeckel, E. (1862) Die Radiolarien. Berlin. 232f.

37 Charles Darwin (1860) Über die Entstehung der Arten im Thier- und Pflanzenreich durch natürliche Züchtung oder Die Erhaltung der vervollkommneten Rassen im Kampfe um's Daseyn. Nach der 2. engl. Ausg. übers. und mit Anm. versehen von H. G. Bronn. Stuttgart.

38 Haeckel, E. (1862) Die Radiolarien. Berlin. 232f. (Anm.).

39 Darwins »Bulldogge« Thomas Henry Huxley. Auf die polemische Frage von Erzbischof Wilberforce, ob er nun seitens des Vaters oder seitens der Mutter vom Affen abstamme, entgegnete Huxley, lieber stamme ich von zwei Affen ab, als davor Angst zu haben, der Wahrheit ins Gesicht zu sehen.

40 Haeckel, E. (1863) Über die Entwickelungstheorie Darwins, Amtl. Ber. Versamml. Dtsch. Naturforsch. Aerzte 38:17–30.

41 Kant, I. (1790) Kritik der Urteilskraft, § 75. Berlin.

42 Elsner, N. (2000) (Hrsg.) Frida von Uslar-Gleichen und Ernst Haeckel. Briefe und Tagebücher 1898–1903, Das ungelöste Welträtsel. Göttingen.

43 Haeckel, E. (1866) Generelle Morphologie der Organismen. 2 Bde. Berlin.

44 Ernst Haeckel (1866) Generelle Morphologie der Organismen. Berlin. 1:211f.

45 Ebda. S. 400.

46 Ebda. S. 3.

47 Ebda. S. 25.

48 Ebda. S. 115.

49 Ebda. S. 133.

50 Ebda. S. 138.

51 Ebda. S. 210f.

52 Haeckel, E. (1868) Natürliche Schöpfungsgeschichte. Gemeinverständliche wissenschaftliche Vorträge über die Entwickelungslehre im Allgemeinen und diejenige von Darwin, Goethe und Lamarck im Besonderen, über die Anwendung derselben auf den Ursprung des Menschen und andere damit zusammenhängende Grundfragen der Naturwissenschaft. Berlin

53 Haeckel, E. (1872) Die Kalkschwämme. Berlin.

54 Haeckel, E. (1874) Anthropogenie oder Entwickelungsgeschichte des Menschen. Gemeinverständliche wissenschaftliche Vorträge über die Grundzüge der menschlichen Keimes- und Stammesgeschichte. Leipzig.

55 His, W. (1874) Unsere Körperform und das physiologische Problem ihrer Entstehung. Briefe an einen befreundeten Naturforscher. Leipzig.

56 Für den Anfang des 20. Jahrhunderts äußerst populären Philosophen Vaihinger waren Begriffe wie Atom, Gott und Seele nützliche Fiktionen. Sie erlangten Bedeutung, *als ob* sie wahr seien.

57 Kleinenberg, N. (1872) Hydra. Eine anatomisch-entwicklungsgeschichtliche Untersuchung. Leipzig.

58 Thompson, D'Arcy W. (1959, 2. ed.) On Growth and Form. Cambridge.

59 Louis Pasteur entwickelte die Immunisierung mit abgeschwächten Krankheitskeimen weiter und fand so die Schutzimpfungen gegen Hühnercholera, Milzbrand und Tollwut, er legte die Grundlagen für Sterilisationsverfahren (Pasteurisieren), er ist der Begründer der Mikrobiologie, als Leiter des Pasteur-Instituts wurde er zu einer der zentralen Figuren im Wissenschaftsestablishment Frankreichs im ausgehenden 19. Jahrhundert.

60 In der französischen Revolution wurde der Kult der Vernunft als real praktizierter Ritus ausgeübt.

61 Der Physiker Helmholtz war Präsident der Physikalisch-Technischen Reichsanstalt. Der Bakteriologe Koch leitete das Königlich-Preußische Institut für Infektionskrankheiten

62 Jahn, I. (2000) Die Humboldt-Stipendien für Planktonforschung und die Haeckel-Hensen-Kontroverse (1881–1893). Verhandlungen zur Geschichte und Theorie der Biologie 5:47–60.

63 Hensen richtete 1890 eine Planktonexpedition zur Erfassung der Meeresproduktion aus, die morphologisch systematische Arbeiten einem quantifizierenden Forschungsansatz unterordnete: Haeckel, E. (1890) Planktonstudien. Jena. Vgl. Porep, R. (1972) Methodenstreit in der Planktologie – Haeckel contra Hensen. Auseinanderset-

zung um die Anwendung quantitativer Methoden in der Meeresbiologie um 1890. Medizinhistorisches Journal 7:72–83.

64 Der positivistischen Idee zufolge hatte sich die Philosophie an den Ergebnissen der Einzelforschung nicht nur auszurichten, sondern faktisch in ihnen aufzugeben.

65 Erst in den 1850er Jahren, im Risorgimento, organisierte sich Italien als Staat, wobei die ihn tragenden Intellektuellen insbesondere gegen die klerikal bestimmten, kaum mit einer liberalen Idee in Einklang zu bringenden Wertordnungen anzukämpfen suchten.

66 Vgl. E. Haeckel (1904) Problemi dell'universo. tr. it. di A. Herlitzka con aggiunte del Prof. Enrico Morselli. Torino.

67 Karl von Koseritz war im endenden 19. Jahrhundert einer der Koordinatoren der deutschen Einwanderer nach Brasilien; wie seine Bilder aus Brasilien, insbesondere die Schilderung seiner Gespräche mit der brasilianischen Regierung zeigen, war deren Position anfangs allerdings vergleichsweise isoliert. Koseritz, K. v. (1885) Bilder aus Brasilien. Leipzig & Berlin.

68 Koseritz an Haeckel – Brief aus Porto Alégre vom 10.3.1875, Ernst Haeckel Archiv, Jena.

69 Romero, S. (71980) História da Literatura Brasileira. Bd. 5. Rio.

70 Jean Baptiste de Lamarck (1744–1829) gilt als Vorläufer des Darwinismus, er glaubte an die Veränderlichkeit der Arten, argumentierte aber immer noch im Rahmen typologischer Denkmuster; vgl. Lamarck, J. B. de (2002) Zoologische Philosophie. Frankfurt.

71 Plate, L. (1933) Führer durch das Museum für Abstammungslehre (Phyletisches Museum) der Universität Jena. Jena.

72 Neu aufgelegt als: Haeckel, E. (1998) Kunstformen der Natur. München.

73 Deutlich wird dies etwa an Goethes Bericht über den sogenannten Akademiestreit zwischen Cuvier und Geoffroy de St. Hilaire; Kuhn, D. (1967) Empirische und ideelle Wirklichkeit. Studien über Goethes Kritik des französischen Akademiestreites. Graz, Wien & Köln.

74 Driesch, H. (1951) Lebenserinnerungen. München & Basel. S. 72.

75 Haeckel, E. (1901) Aus Insulinde. Malayische Reisebriefe. Bonn. S. 279f.

76 May, K. (1954) Am Stillen Ozean. Bamberg. S. 68, 70.

77 Haeckel, E. (1882) Report on the Deep-Sea Medusae dredged by HMS Challenger during the Years 1873–1876. Rep. Sci. Res. (Challenger Exp.) (Zoology) 4:1–154; Haeckel, E. (1887) Report on the Radiolaria collected by HMS Challenger. Rep. Sci. Res. Voyage HMS Challenger 1873–1876 18:1–1803; Haeckel, E. (1888). Report on the Siphonophorae collected by HMS Challenger during the years 1873–1876. Rep. Sci. Res. HMS Challenger, (Zool.) 28:1–380; Haeckel, E. (1889) Report on the Deep Sea Keratosa collected by HMS Challenger during the years 1873–1876. Rep. Sci. Res. HMS Challenger (Zool.) 82 (bound in Vol. 32); vgl. auch: Haeckel, E. (1881) Die Tiefseemedusen der Challenger-Reise und der Organismus der Medusen. Jena; Haeckel, E. (1881) Entwurf eines Radiolarien-Systems auf Grund von Studien der Challenger-Radiolarien Jena. Z. Med. Naturwiss. 15:418–472.

78 Haeckel, E. (1876) Arabische Korallen. Berlin.

79 Hoppe-Sailer, R. (1994) Der Biologe als Ästhet. Ernst Heinrich Haeckel. In: Loth, W. (Hrsg.) Wissenschaftszentrum Nordrhein-Westfalen – Kulturwissenschaftliches Institut – Jahrbuch 1994. Essen. S. 162–179.

80 Theodosius Dobzhansky (1900–1975) war einer der führenden Vertreter der modernen – synthetischen – Evolutionslehre, bekannt wurde er durch seine genetischen Studien zur evolutionären Variation der Fruchtfliege Drosophila.

81 Edward Osborne Wilson (geb. 10.6.1929) ist der Begründer der Soziobiologie, die soziale Verhaltensweisen bei Mensch und Tier evolutionsbiologisch zu erklären sucht.

82 Haeckel, E. (1866) Generelle Morphologie der Organismen, 2 Bde. Berlin.

83 Haeckel, E. (1892) Der Monismus als Band zwischen Religion und Wissenschaft. Glaubensbekenntniss eines Naturforschers. Bonn.

84 Das Weimarer Kartell war ein Zusammenschluss des Bundes für Mutterschutz mit Haeckels Monistenbund, den völkischen Freireligiösen und dem Giordano-Bruno-Bund (einer Gruppe völkisch-rassistischer Philosophen und Schwarmgeister, zu denen auch Rudolf Steiner gehörte). Das Weimarer Kartell war der Vorläufer für die Deutsche Glaubensbewegung, die 1933 zur religiösen (antichristlichen und antijüdischen) Unterstützung der Nazi-Herrschaft von Freireligiösen, Monisten, Angehörigen »nordischer« Kleinsekten und Teilen der SS gebildet wurde.

85 Karl Liebknecht (1871–1919, ermordet). Der studierte Jurist und Nationalökonom war ab 1912, als Mitglied der Sozialdemokratischen Partei, Abgeordneter des Reichstages. Er stimmte als einziger Abgeordneter gegen die Kriegskreditvorlagen und trat als scharfer Gegner der Mehrheitssozialisten im Januar 1916 aus der sozialdemokratischen Reichstagsfraktion aus, wurde am 1. Mai 1916 verhaftet, im Oktober 1918 begnadigt; er trat gemeinsam mit Rosa Luxemburg als Führer der linken Fraktion der Sozialisten auf und gründete mit Rosa Luxemburg und Leo Jogiches die Kommunistische Partei Deutschlands.

86 Rádl, E. (1905–1909) Geschichte der biologischen Theorien seit dem Ende des 17. Jahrhunderts. 2 Bde. Leipzig. Der erste Band wurde 1913 in erweiterter Form unter dem Titel: Geschichte der biologischen Theorien in der Neuzeit. Leipzig und Berlin, neu aufgelegt.

87 Der Sozialdarwinismus war der Versuch, auf der Basis einer Fehlrezeption der Darwinschen Evolutionslehre eine chauvinistische Gesellschaftslehre biologistisch zu sichern.

88 Der »Brohmer« – ein Bestimmungsbuch der Tierwelt Mitteleuropas – ist bis heute das Standardwerk für Biologische Exkursionen.

89 Deutsche Biologie meint hier eine auf Rassenkunde und Eugenik hin ausgerichtete, weltanschaulich formierende Biologie, die sich im deutschen Sprachraum schon im Vorfeld der Machtergreifung des Nationalsozialismus ideologisierte.

90 Haeckel, E. (1899) Die Welträthsel. Gemeinverständliche Studien über monistische Philosophie. Bonn.

91 Karl Blossfeldts Urformen der Kunst (Berlin 1928) sind eine der zentralen photographischen Studien zur Naturästhetik im beginnenden 20. Jahrhundert, Siehe Abb. 232–234.

92 Haeckel, E. (1913) Die Natur als Künstlerin. Berlin. S. 14.

93 Ebda.

94 Ebda.: 15.

95 Siphonophora, Staatsquallen, sind Tierkolonien, in denen die Einzeltiere einen funktionell differenzierten, als Einheit reagierenden Gewebeverband aufbauen.

96 Hendrik Petrus Berlage (1856–1934) war der einflussreichste niederländische Architekt der ersten Hälfte des 20. Jahrhunderts. Seine Amsterdamer Börse, die in der Anlage des Dekors auf die Darstellungen in Haeckels Kunstformen der Natur zurückgriff, ist einer der Ansatzpunkte der modernen Architektur.

97 Haeckel, E. (1917) Kristallseelen. Studien über das anorganische Leben. Leipzig. S. VI.

98 Ebda: VII., Der deutsche Physiker Otto Lehmann (1855–1922) begründete die Flüssigkeitskristallforschung; Lehmann, O. (1904) Flüssige Kristalle. Leipzig.

99 Haeckel, E. (1917) Kristallseelen. Studien über das anorganische Leben. Leipzig. S. 1.

100 Ebda., S. 3.

101 Ebda., S. 5.

102 Ebda., S. 6.

103 Ebda., S. 143.

104 Ebda., S. 7.

105 Ebda., S. 13.

106 Ebda., S. 28f.

107 Ebda., S. 31.

108 Ebda., S. 33f.

109 Ebda., S. 59.

110 Maurer, F. (1924) Das Gehirn Ernst Haeckels. Jena.

111 Ebda., S. 52.

112 Breidbach, O. (2005) Elitehirne. In: Theile, G.: Anthropometrie. München. S. 195–218.

Literatur

Eine Aufstellung der Schriften Ernst Haeckels findet sich in:
Krumbach, T., Die Schriften Ernst Haeckels. In: Heberer, G. (Hrsg.) Der gerechtfertigte Haeckel, Stuttgart 1968, S. 15-22.
Eingehendere biographische Angaben finden sich in: Uschmann, G., Ernst Haeckel. Biographie in Briefen, Leipzig 1984; Krauße, E., Ernst Haeckel, Leipzig 1987; Gregorio, M. Di., From Here to Eternity. Ernst Haeckel and Scientific Faith, Göttingen 2005.

Nachstehende Liste hat keinerlei Anspruch auf Vollständigkeit, sondern benennt nur eine Auswahl weiterführender Texte, die die angedeuteten Problemzusammenhänge zu vertiefen erlaubt und die relevante Literatur erschließt.

Vorwort

Buchholz, K., Latocha, R., Peckmann, H., Wolbert, H. (Hrsg.), Die Lebensreform, 2 Bde., Darmstadt 2001.
Gregorio, M. Di., From Here to Eternity. Ernst Haeckel and Scientific Faith, Göttingen 2005.
Hoßfeld, U., Breidbach, O., Haeckel-Korrespondenz: Übersicht über den Briefbestand des Ernst-Haeckel-Archivs, Berlin 2005.
Krauße, E., Ernst Haeckel, Leipzig 1987.
Richards, R., The Tragic Sense of Life: Ernst Haeckel and the Struggle over Evolutionary Thought in Germany, Chicago 2006.
Uschmann, G., Ernst Haeckel. Biographie in Briefen, Leipzig 1983.

Einleitung

Bowler, P., Evolution: The History of an Idea, Berkeley 1989.
Breidbach, O., Lippert, W., Die Natur der Dinge, Wien / New York 2000.
Breidbach, O., Fliedner, H.-J., Ries, K., Lorenz Oken (1779-1851). Ein politischer Naturphilosoph, Weimar 2001.
Breidbach, O., Representation of the Microcosm - The Claim for Objectivity in 19th Century Scientific Microphotography, Journal of the History of Biology, 2002, 35, S. 221-250.
Daston, L., Eine kurze Geschichte der wissenschaftlichen Aufmerksamkeit, München 2001.
Daum, A., Wissenschaftspopularisierung im 19. Jahrhundert: Bürgerliche Kultur, naturwissenschaftliche Bildung und die deutsche Öffentlichkeit 1848-1914, München 1998.
Dittrich, L., Engelhardt, D. v., Rieke-Müller, A. (Hrsg.), Die Kulturgeschichte des Zoos, Berlin 2001.
Geimer, P. (Hrsg.), Ordnungen der Sichtbarkeit. Fotografie in Wissenschaft, Kunst und Technologie, Frankfurt 2002.
Köstering, S., Natur zum Anschauen. Das Naturkundemuseum des Deutschen Kaiserreichs 1871-1914, Köln / Weimar 2003.
Rádl, E., Geschichte der biologischen Theorien seit dem Ende des 17. Jahrhunderts, 2 Bde., Leipzig 1905-1909.
Schmitz, S., Tiervater Brehm. Seine Reisen, sein Leben, sein Werk, München 1984.
Stafford, B. M., Artful Science. Enlightenment, Entertainment and the Eclipse of Visual Education, Cambridge, Mass. / London 1994.
Thomas, A. (Hrsg.), Beauty of Another Order. Photography in Science, New Haven / London 1997.

Ernst Haeckel – der Evolutionsbiologe in Jena

Belloni, L., Haeckel als Schüler und Assistent von Virchow und sein Atlas der pathologischen Histologie bei Prof. Rudolf Virchow. Würzburg 1855/56, Phys. Rivista internazionale di storia della scienza, 1973, XV, S. 5-39.
Breidbach, O., *Die allerreizendsten Tierchen* - Haeckels Radiolarien-Monographie von 1862. In: Haeckel, E., Kunstformen aus dem Meer, München 2005, S. 7-23.
Gregori, M.A. Di., A Wolf in Sheep's clothing: Carl Gegenbaur, Ernst Haeckel, the vertebral theory of the skull, and the survival of Richard Owen. In: Journal of the History of Biology 28, 1995, S. 247-280.
Hoßfeld, U., Olsson, L., Breidbach, O. (Hrsg.), Carl Gegenbaur and Evolutionary Morphology, Special Issue, Theory in Biosciences, 2003, Vol. 122, S. 2/3.
Krauße, E., Ungleiche Freunde: Der Zoologe Ernst Haeckel (1834-1919) und der Marschendichter Hermann Allmers (1821-1902). In: Hermann Allmers zum 175. Geburtstag. Hrsg. im Selbstverlag der Hermann-Allmers-Gesellschaft e.V., Rechtenfleth 1996, S. 31-48.
Nyhart, L. K., Biology Takes Form. Animal Morphology and the German Universities. 1800-1900, Chicago / London 1995.

Darwin und Haeckel

Bowler, P., Life's Splendid Drama. Evolutionary Biology and the Reconstruction of Life's Ancestry. 1860-1940, Chicago / London 1996.
Breidbach, O., The former synthesis. Some remarks on the typological background of Haeckel's ideas about evolution, Theory Biosci, 2002, 121, S. 280-296.
Breidbach, O., Monismus, Positivismus und »deutsche Ideologie«. In: Hülk, W., Renner, U. (Hrsg.), Biologie, Psychologie, Poetologie, Würzburg 2005, S. 55-70.
Diekmann, A., Klassifikation - System - »scala naturae«. Das Ordnen der Objekte in Naturwissenschaft und Pharmazie zwischen 1700 und 1850, Stuttgart 1992.
Ghiselin, M., The Triumph of the Darwinian Method, Berkeley 1969.
Gould, S. J., The Structure of Evolutionary Theory, Cambridge, Mass. / London 2002.
Jensen, J. V., Thomas Henry Huxley: Communicating for Science, London / Cranbury 1991.
Junker, T., Hoßfeld, U., Die Entdeckung der Evolution. Eine revolutionäre Theorie und ihre Geschichte, Darmstadt 2001.
Vercellone, F., Einführung in den Nihilismus, München 1998.

Die Generelle Morphologie von 1866

Breidbach, O., Goethes Metamorphosenlehre, München 2006.
Breidbach, O., The Conceptual framework of Evolutionary Morphology in the Studies of Ernst Haeckel and Fritz Müller, Theory in Biosciences, 2006, 124, S. 265-280.
Dayrat, B., The Roots of Phylogeny: "How Did Haeckel Build His Trees". In: Syst. Biol, 2003, 52/4, S. 515-527.
Krauße, E., Haeckel: Promorphologie und «evolutionistische» ästhetische Theorie. In: Engels, E. M. (Hrsg.), Die Rezeption von Evolutionstheorien im 19. Jahrhundert, Frankfurt 1995, S. 347-394.
Richardson, M. K., Keuck, G., Haeckel's ABC of evolution and development, Biol. Rev., 2002, 77, S. 495-528.
Sohn, W., Wissenschaftliche Konstruktionen biologischer Ordnung im Jahr 1866: Ernst Haeckel und Gregor Mendel. In: Medizinhistorisches Journal, Jena 1996, 3, S. 233-274.

Das Biogenetische Grundgesetz

Baer, K. E. v., Über Entwickelungsgeschichte der Thiere. Beobachtung und Reflexion, Königsberg 1828/1837.
Breidbach, O., Entphysiologisierte Morphologie. Vergleichende Entwicklungsbiologie in der Nachfolge Haeckels, Theory Biosci, 1998, 116, S. 328-348.
Göbbel, L., Schultka, R., Meckel the Younger and his Epistemology of Organic Form Morphology in the pre-Gegenbaurian Age, Theory Biosci, 2003, 122, S. 127-141.
Gould, S. J., Ontogeny and Phylogeny, Cambridge, Mass. 1977.
Holzapfel, W., Ernst Haeckels monistische und deszendenztheoretische Sicht der Psychologie. In: Eckardt, G. (Hrsg.), Psychologie vor Ort - ein Rückblick auf vier Jahrhunderte, Frankfurt a. M. 2003, S. 117-155.
Olby, R. C., Origins of Mendelism, Chicago / London 1985.

Bilderstreit

Breidbach, O., The former synthesis. Some remarks on the typological background of Haeckel's ideas about evolution, Theory Biosci, 2000, 121, S. 280-296.
Breidbach, O., Bilder des Wissens, München 2005.
Crary, J., Techniken des Betrachters. Sehen und Moderne im 19. Jahrhundert, Dresden / Basel 1996.
Daston, L., Die Kultur der wissenschaftlichen Objektivität. In: Oexle, O. G. (Hrsg.), Naturwissenschaft, Geisteswissenschaft, Kulturwissenschaft: Einheit - Gegensatz - Komplementarität, Göttingen 1998, S. 9-39.
Hopwood, N., Visual standards and disciplinary change: Normal plates, tables and stages in embryology, History of Science, 2005, 43, S. 239-303.
Hopwood, N., Models: The Third Dimension of Science, Stanford 2004.

Köchy, K., Zur Funktion des Bildes in den Biowissenschaften. In: Majetschak, S. (Hrsg.), Bild-Zeichen. Perspektiven einer Wissenschaft vom Bild, München 2006, S. 215–239.
Richardson, M. K.; Hanken, J.; Selwood, L; Wright, G. M.; Richards, R. J.; Pieau, C.; Raynaud, A., Haeckel, Embryos, and Evolution. In: Science 280, Washington 1998, S. 983.
Richardson, M. K., Keuck, G., A question of intent: when is a 'schematic' illustration a fraud?, Nature, 2001, 410, S. 144.
Richardson, M. K., Editorial: Haeckel and modern biology, Theory Biosciences, 2002, 121, S. 247–251.

Natürliche Schöpfungsgeschichte und Anthropogenie

Buccellati, G., Le tavole parietali del Dipartimento di biologia: patrimonio artistico dell'Università degli studi di Milano, Mailand 1997.
Gursch, R., Die Illustrationen Ernst Haeckels zur Abstammungs- und Entwicklungsgeschichte. Diskussion im wissenschaftlichen und nichtwissenschaftlichen Schrifttum, Frankfurt a. M. / Bern 1981.
Hoßfeld, U., Geschichte der biologischen Anthropologie in Deutschland. Von den Anfängen bis in die Nachkriegszeit, Stuttgart 2005.
Mitchell, W. J. T., The Last Dinosaur Book, Chicago / London 1998.

Kristallformen

Breidbach, O., Körperkristalle – Haeckels Natursymmetrien. Praxis der Naturwissenschaften, Physik in der Schule, 2003, 52, S. 17–22.
Breidbach, O., Naturkristalle – Zur Architektur der Naturordnungen bei Ernst Haeckel. In: Claus, S., Gnehm, M., Maurer, B., Stadler, L. (Hrsg.), Architektur weiterdenken. Werner Oechslin zum 60. Geburtstag, Zürich 2004, S. 254–275.
Krauße, E., Haeckel: Promorphologie und «evolutionistische» ästhetische Theorie. In: Engels, E. M. (Hrsg.), Die Rezeption von Evolutionstheorien im 19. Jahrhundert, Frankfurt 1995, S. 347–394.

Haeckels Selbstinszenierung

Breidbach, O., Die Selbstinszenierungen von Ernst Haeckel. In: Kiesow, R. M., Schmidgen, H. (Hrsg.), Inszeniertes Wissen, Beiheft 3 zu Paragrana: Internationale Zeitschrift für Historische Anthropologie, Berlin 2006, S. 19–40.
Daum, A., Wissenschaftspopularisierung im 19. Jahrhundert: Bürgerliche Kultur, naturwissenschaftliche Bildung und die deutsche Öffentlichkeit 1848–1914, München 1998.
Vom Bruch, R., Innovation und Disziplin – Stationen preußischer Wissenschaftsgeschichte. In: Hase, K. G. v., Appel, R. (Hrsg.), Preußen 1701–2001, Köln 2001, S. 90–95.
Frigo, G. F., Breidbach, O. (Hrsg.), Scienza e filosofia nel positivismo italiano e tedesco, Padua 2005.
Krauße, E., Ernst Haeckels Beziehungen zu österreichischen Gelehrten. Spurensuche im Briefnachlass. In: Stapfia, 1998, 56, S. 375–414.
Landucci, G., L'occhio e la mente. Scienze e filosofia nell 'Italia del secondo Ottocento, Florenz 1987.
Schipperges, H., Rudolf Virchow, Reinbek 1994.
Zigman, P., Ernst Haeckel und Rudolf Virchow: Der Streit um den Charakter der Wissenschaften in der Auseinandersetzung um den Darwinismus. In: Medizinhistorisches Journal, 35, Jena 2000, S. 263-302.

Haeckels Reisen

Canadelli, E., Naturansichten eines Naturforschers um 1900: Haeckels Wanderbilder. In: Scheurmann, K., Frank, J. (Hrsg.), Neu Entdeckt: Thüringen – Land der Residenzen. (Katalog zur 2. Thüringer Landesausstellung in Sondershausen) Mainz 2004, S. 344–349.
Krauße, E., Haeckel e l'Italia. La vita come scienza e come storia. Brugine: Centro Internationale di Storia dello Spazio et del Tempo, Brugine 1993.
Kaufmann, K., Wissen und Unterhaltung, Popularisierung von Wissen – Naturwissenschaft und Weltanschauung um 1900. Essayistische Diskursformen in den populärwissenschaftlichen Schriften Haeckels. In: Zeitschrift für Germanistik 15, Berlin 2005, S. 61-75.

Die Challenger Reports

Corfield, R. M., The Silent Landscape: the Scientific Voyage of HMS Challenger, Washington 2003.
The Scientific Results of the »Challenger« Expedition. Natural Science: A Monthly Review of Scientific Progress, 1895, 41 (VII) July, S. 1–75.

Kunstformen der Natur

Aescht, E. et al., Welträtsel und Lebenswunder. Ernst Haeckel – Werk, Wirkung und Folgen, Linz 1998.
Breidbach, O., Kurze Anleitung zum Bildgebrauch. In: Ernst Haeckel, Kunstformen der Natur, München / New York 1998, S. 9–18.
Breidbach, O., Der Gegenpapst. Über Ernst Haeckels Welt- und Naturanschauung. In: Röder, H., Ulbrich, M. (Hrsg.), Welträtsel und Lebenswunder. Der Biologe Ernst Haeckel (1834–1919), Potsdam 2001, S. 19–37.
Hoppe-Sailer, R., Der Biologe als Ästhet. Ernst Heinrich Haeckel. In: Loth, W. (Hrsg.), Wissenschaftszentrum Nordrhein-Westfalen – Kulturwissenschaftliches Institut – Jahrbuch 1994, Essen 1994, S. 162–179.
Krauße, E., Haeckel: Promorphologie und »evolutionistische« ästhetische Theorie. In: Engels, E. M. (Hrsg.), Die Rezeption von Evolutionstheorien im 19. Jahrhundert, Frankfurt 1995, S. 347–394.

Weltanschauungslehren

Breidbach, O., Monismus um 1900 – Wissenschaftspraxis oder Weltanschauung? In: Stapfia 56, Ausst.kat. »Welträtsel und Lebenswunder«, Österreichisches Landesmuseum, Linz 1998, S. 289–316.
Frigo, G. F., Breidbach, O. (Hrsg.), Scienza e filosofia nel positivismo italiano e tedesco, Padua 2005.
Gasman, D., Haeckel's Monism and the Birth of Fascist Ideology, New York 1998.
Gregorio, M. Di., Entre Mèphistopheles et Luther: Ernst Haeckel et la réforme de L'Univers. In: Tort, P. (Hrsg.), Darwinisme et Société, Paris 1991.
Holt N. R., Ernst Haeckels Monistic Religion, J. Hist. Ideas, 1971, 32, S. 265–280.
Hoßfeld, U., Haeckelrezeption im Spannungsfeld von Monismus, Sozialdarwinismus und Nationalsozialismus. In: Essay Review. History and Philosophy of the Life Sciences, 21, S. 195-213.
Hoßfeld, U., Breidbach, O., Ernst Haeckels Politisierung der Biologie, Thüringen. Blätter zur Landeskunde 54, Erfurt 2005.
Kelly, A., The Descent of Darwin. The Popularization of Darwinism in Germany, 1860–1914, Chapel Hill 1981.
Krauße, E., Wege zum Bestseller. Haeckels Werk im Lichte der Verlegerkorrespondenz. Die Korrespondenz mit Emil Strauß. In: Krauße, E. (Hrsg.), Der Brief als wissenschaftshistorischer Quelle, Berlin 2005, S. 145–170.
Nöthlich, R . (Hrsg.), Ernst Haeckel – Wilhelm Bölsche. Kommentarband zum Briefwechsel, Berlin 2006.
Richards, R. J., Ernst Haeckel and the Struggles over Evolution and Religion. In: Annals of the History and Philosophy of Biology, Vol. 10, 2005, S. 89-115.
Weber, H., Monistische und antimonistische Weltanschauung. Eine Auswahlbibliographie, Berlin 2000.
Weindling P., Health, race and German politics between national unification and Nazism 1870–1945, Cambridge 1989.
Wolfschmidt, G. (Hrsg.), Popularisierung der Naturwissenschaften, Berlin 2002, S. 127–157.
Ziche, P. (Hrsg.), Monismus um 1900 – Wissenschaftskultur und Weltanschauung, Berlin 2000.

Kunstformen der Kultur

Bayertz, K., Biology and Beauty. Science and Aesthetics in Fin de Siècle Germany. In: Porter, R. and Teich, M. (Hrsg.), Fin de siècle and its Legacy, Cambridge 1990, S. 278–95.
Breidbach, O., Neue Natürlichkeit? In: Breidbach, O., Lippert, W. (Hrsg.), Die Natur der Dinge, Wien / New York 2000, S. 5–26.
Canadelli, E., Icone Organiche. Estetica della natura in Karl Blossfeldt ed Ernst Haeckel, Mailand 2006.
Kockerbeck, C., Ernst Haeckels »Kunstformen der Natur« und ihr Einfluß auf die deutsche bildende Kunst der Jahrhundertwende, Frankfurt 1986.
Kockerbeck, C., Die Schönheit des Lebendigen, Wien / Köln / Weimar 1997.
Krauße, E., L'influence de Ernst Haeckel sur L'Art Nouveau. In: Clair, J. (Hrsg.), L'ame au corps. Arts et sciences 1793–1993. Paris 1993, S. 342–351.
Krauße, E., Zum Einfluß Ernst Haeckels auf Architekten des Art Nouveau. In: Breidbach, O., Lippert, W. (Hrsg.), Die Natur der Dinge. Wien / New York 2000, S. 85–95.
Wichmann, S., Jugendstil floral funktional in Deutschland und Österreich und den Einflussgebieten, Zürich 1984.

Die Natur als Künstlerin

Bayertz, K., Die Deszendenz des Schönen. In: Bohnen, K. (Hrsg.), Fin de Siècle, München 1984, S. 88–110.

Braungart, G., Die Natur als Künstlerin: Monismus und Ästhetik um 1900. In: Kapp, V., Kiesel, H., Lubbers, K. (Hrsg.), Bilderwelten als Vergegenwärtigung und Verrätselung der Welt. Literatur und Kunst um die Jahrhundertwende, Berlin 1997, S. 75–89.

Kleeberg, B., Theophysis. Ernst Haeckels Philosophie des Naturganzen, Köln / Weimar / Wien 2005.

Naturphilosophie als Anschauungslehre – Haeckels Kristallseelen

Breidbach O., Zur Anwendung der Friesschen Philosophie in der Botanik Schleidens. In: Hogrebe, W., Herrmann, K. P. (Hrsg.), Jakob Friedrich Fries. Philosoph, Naturwissenschaftler und Mathematiker, Frankfurt 1999, S. 221–242.

Breidbach, O., Anschauliche Naturordnungen – Bemerkungen zu Ernst Haeckels Studien über die Kristallseelen. In: Christine Stahl (Hrsg.), Lebendiger Kristall. Die Kristallephotographie der neuen Sachlichkeit, Ostfildern-Ruit 2004, S. 25–34.

Epilog: Die Anschauung des Selbst

Breidbach, O., Die Materialisierung des Ichs, Frankfurt 1997.

Breidbach, O., Elitehirne. In: Theile, G. (Hrsg.), Anthropometrie, München 2005, S. 195–218.

Hagner, M., Geniale Hirne, Göttingen 2004.

Register

Kursiviert gesetzte Zahlen verweisen auf Abbildungen

Ägypten 187
Algerien 291
Allmers, Hermann 85, *88*, 289
Amici, Giovanni Battista 84
Amsterdam
    Börse 269

Baer, Ernst von 119
Bauer, Karl 201
Berlage, Henrik 269
Berlin 77, 84, 195
    Aquarium 52
    Sing-Akademie 249, *291*, 292
    Universität 289
Binet, René *76*, 229, 255, *260ff.*, 266
Blaschka, Leopold und Ludwig *270f.*
Blossfeldt, Karl 229, *266*
Bölsche, Wilhelm 59, *150*, 245, *246*
Brasilien 200
Brehm, Alfred 52, *57*
Breitenbach, Wilhelm 245, 265
Bretagne 291
Brohmer, Paul 251
Brücke, Ernst von 84
Burne-Jones, Edward C. *19*

Cambridge
    Universität 291
Capri 85, *86*
Carus, Carl Gustav 88
Ceylon *198f.*, 205, *207f.*, *274*, 291
Christiansen, Hans *61*, 229
Crary, Jonathan 70
Cuvier, George 203

Dalmatien 290
Darwin, Charles 21, 51, 58, 64, 75, 99ff, *100f.*, 118f., 195, 200, *201*, 232, 246, 250, 277, 289f.
Deutscher Monistenbund *siehe* Jena
Dobzhnsky, Theodosius 243
Down (Kent) 99
Dresden 271
Driesch, Hans 205
DuBois-Reymond, Emil 73

Edinburgh
    Universität 291
Ehrenberg, Christian Gottfried 63
England 246, 290
Ernst-Haeckel-Haus *siehe* Jena
Erster Internationaler Monistenkongress *siehe* Hamburg

Finnland 291
Flammarion, Camille *20*
Flechsig, Paul 195
Florenz 84
Föhr 78
Fries, Friedrich 64, 279
Fritsch, Gustav *62f.*

Gallé, Emile 229
Gegenbaur, Karl 63, 84, *85*, 88
Genf
    Universität 292
Gerlach, Joseph von *63*
Giltsch, Adolf 68, 253
Goethe, Johann Wolfgang *72*, 73, 101ff., 118, 137, 192, *201*, 232, 247, 257, 267, 277, 279

Haeckel, Charlotte (geb. Sethe) 289
Haeckel, Carl 289
Haeckel, Elisabeth 290
Haeckel, Emma 290
Haeckel, Walter 290
Hamburg
    Hagenbecks Tierpark 52, 56
    Erster Internationaler Monistenkongress 292
Hasenauer, Karl Freiherr von 61
Hauptmann, Gerhard 253
Hegel, Georg Friedrich 102
Helgoland 78, 289
Helmholtz, Hermann von 73, 196, 236
Hensen, Victor 197
Hilaire, Étienne Geoffroy St. 101
His, Wilhelm 133, 196f.
Hoppe-Sailer, Richard 231
Humboldt, Alexander von 51, 53, 102, 205
Huschke, Agnes 113, 290, 292
Huschke, Emil 113, 290
Huxley, Thomas Henry 88, 101

Indien 291
Internationaler Freidenkerkongress *siehe* Rom
Ischia 85
Italien 84, 197f., 200

Jahn, Ilse 196
Java *275*
Jena 63, *75*, 196, 206, 291
    Ernst-Haeckel-Haus *24*, *61*, *73*, *201*, *206*, 213, *254*
    Volkshaus 59
    Deutscher Monistenbund 61, *246*, 248f., 251, 292
    Großherzogliches Zoologisches Museum 88
    Phyletisches Museum *200*, 201, 250, *292*
    Universität 62, 84f., 88, 286, 289ff.
    »Villa Medusa« 102, 291f., *293*
    Zoologisches Institut 201, 248, 292

Kaiserlich Leopoldino-Carolinische Akademie der Naturforscher 88, 105
Kanarische Inseln 290
Kant, Immanuel 101
Kleinenberg, Nicolaus 136, *138ff.*
Koch, Robert 196
Kölliker, Rudolf Albert von 77, *78ff.*. 82, 137, 289
Koepping, Karl *257*
Korfu 291
Korsika 290
Koseritz, Karl von 200
Krause, Ernst *siehe* Sterne, Carus
Krupp, Alfred 249

Lamarck, Jean-Baptiste de 101f., 201
Lehmann, Otto 277, 282
Lem, Stanislav 285
Leuckart, Rudolf 88, *153ff.*
Leydig, Franz von 77, 88, 289
Liebknecht, Karl 249
Lilley, A.E.V. *19*
Linné, Karl von 100
Ludwig, Carl 84

Maurer, Friedrich 285f., *287*
May, Karl 205f.
Max, Gabriel *291*
Meckel, Johann Friedrich 118
Mendel, Johann Gregor 117
Merseburg 77, 289
Messina 25, 73, 78, 84f., *96f.*, 289
Midgley, W. *19*
Monaco
    Musée Oceanographique 268
Morris, William 17, *19*
Müller, Johannes 63, 68, 84f., 112, 289
Müller, Otto *62f.*
Murray, Sir John 212
Musée Oceanographique *siehe* Monaco

Neapel 78, 84
Nietzsche, Friedrich 103
Nizza 289

Olbrich, Josef Maria 257
Österreich 200
Oken, Lorenz 51, *53ff.*, 57, 59, 63, 101f.
Ostwald, Wilhelm 102, 249

Palästina 291
Paris
    Weltausstellung *76*

Pasteur, Louis 195
Phyletisches Museum *siehe* Jena
Plate, Ludwig 202, 251
Potsdam 77, 289

Rádl, Emauel 251
Rapallo *87*
Reinke, Johannes 249
Riegl, Alois 17, *18*
Rom 84
    Internationaler Freidenkerkongress 201, 251, 291
Romero, Silvio 200
Roux, Constant 268, *269*
Roth, Otto 52
Runge, Philipp Otto 253
Russland 291

Schallmayer, Wilhelm 249
Schelling, Friedrich Wilhelm Joseph 102
Scherer, Johann Joseph von 77
Schiller, Friedrich
Schleiden, Matthias Jakob 62f., *64ff.*, 68, 82, 149, 277
Schubert, Gotthilf Heinrich von 56, 57,
Schwann, Theodor 82
Seder, Anton *258f.*
Seebeck, Karl Julius Moritz 84
Semper, Gottfried 61
Sethe, Anne 105, 289f.
Sethe, Maria 103
Sing-Akademie *siehe* Berlin
Singapur 291
Sterne, Carus 245
Stettin
    Versammlung Deutscher Naturforscher 101, 290
Sumatra *198*, 291
Syrien 291

Talbot, William Henry Fox 70, *71*
Thompson, D'Arcy Wentworth 167, *168*
Toller, Albert August 52
Tur (am Sinai) 69, *189*

Uppsala
    Universität 292
Uslar-Gleichen, Frida von 102

Vaihinger, Hans 134
Velde, Henry Clemens van de 103
Verne, Jules 18
Versammlung Deutscher Naturforscher *siehe* Stettin
Villa Medusa *siehe* Jena
Virchow, Rudolf Luwig Karl 77, 82, *83*, 84, 195, 289

Wasmann, Erich 249
Weimar 102f.
Wells, Herbert George 18
Weltausstellung *siehe* Paris
Wien 84, 289f.
    Burgtheater 253
    Kunsthistorisches Museum 61
    Naturhistorisches Museum 60, 61
Wilson, Edward Osborne 243
Wöhler, Friedrich 277
Würzburg 82, 84, 289
    Julius Spital 84
    Universität 77, 84, 289
    Medizinische Fakultät 77

Zürich
    Universität 51

Naturwissenschaft
2
Dualismus
3
Spiritualismus

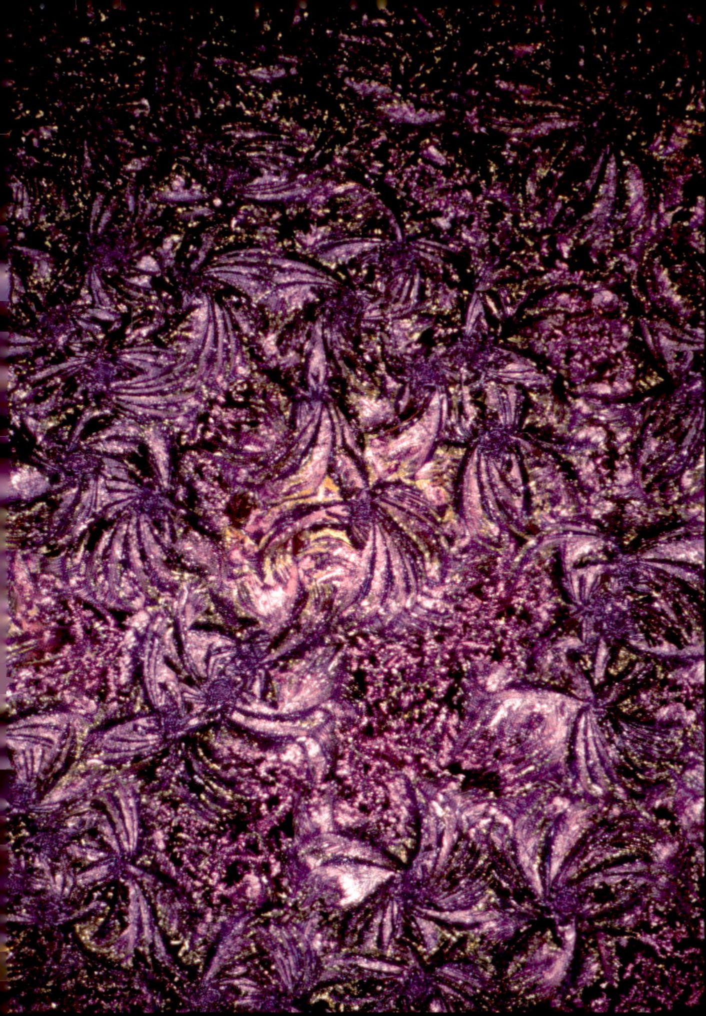

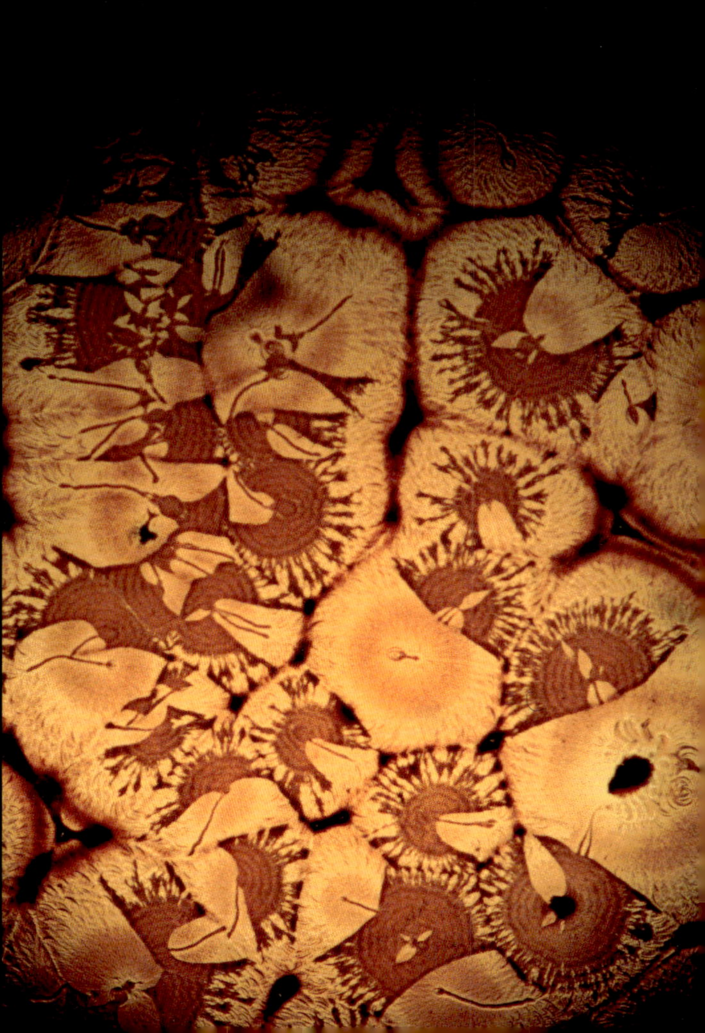

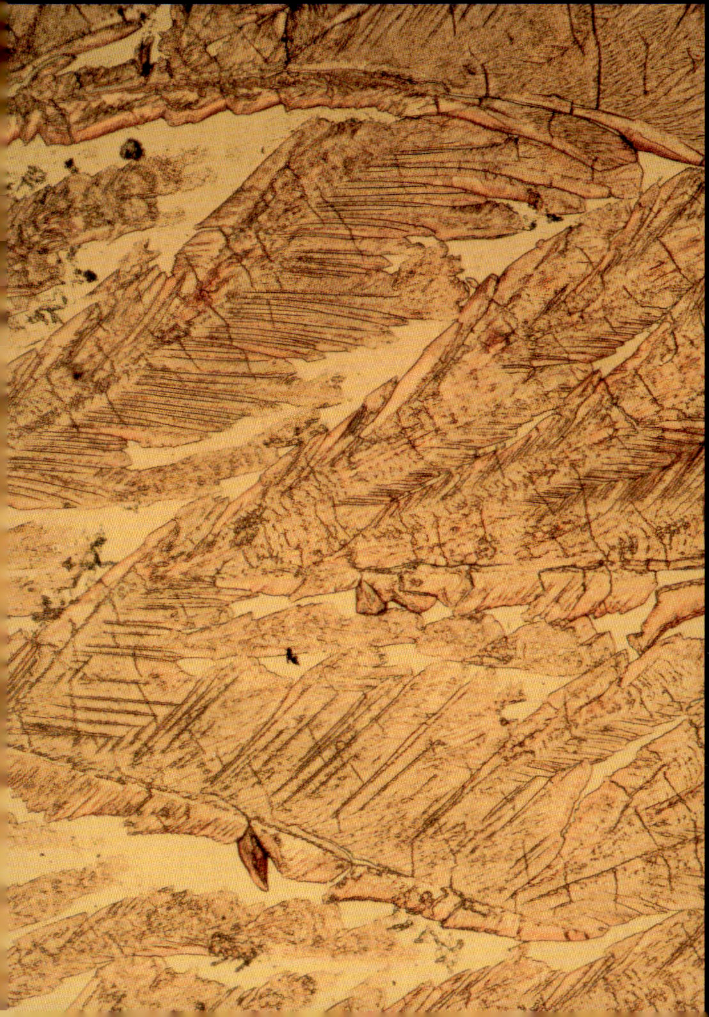

Abbildungsnachweis

Die Bildvorlagen wurden uns freundlicherweise vom Ernst-Haeckel-Haus, Jena zur Verfügung gestellt bzw. stammen aus dem Archiv des Verlags mit Ausnahme von:

© Marion Wenzel und K.D. Sonntag, Leipzig: Seiten 1–11, 26, 30, 134 rechts, 254, 288, 290 oben, 300/301
© Übersee-Museum, Bahnhofsplatz 13, 2800 Bremen; Foto: Gabriele Warnke: Seite 27 links
www.kaar.at: Seite 198 rechts
© Peter Naumann, Ammerbuch: Seiten 270/271

Alle Fotografien des Vorspanns sowie Abb. S. 300/301 stammen aus dem Interieur des Ernst Haeckel-Hauses, Jena

Frontispiz: Igelsterne, Tafel 60 aus »Kunstformen der Natur«, 1899–1904
Seite 288: Richard Engelmann, Büste von Ernst Haeckel
Seiten 302/303: Mikrophotographische Aufnahmen von Originalpräparaten Haeckels zu den *Kristallseelen*
Die Detailabbildungen vor den Kapiteln stammen ausschließlich aus dem »Challenger-Report«, 1887, siehe Tafeln S. 215–227.

Impressum

Die deutsche Bibliothek verzeichnet diese Publikation in der Deutschen Nationalbibliografie; detaillierte bibliografische Daten sind im Internet unter http://dnb.ddb.de abrufbar.

Prestel Verlag
Königinstraße 9
80539 München
Telefon +49 (0)89 381709-0
Telefax +49 (0)89 381709-35
www.prestel.de
info@prestel.de

Projektleitung: Eckhard Hollmann
Lektorat: Anne Schroer
Gestaltungskonzept: Ilja Sallacz, Agentur Liquid, Augsburg
Herstellung: Iris von Hoesslin, München
Lithographie: Fotolitho-Longo, Bozen
Druck: Druckerei Uhl, Radolfzell
Bindung: Buchbinderei Münzer, Badlangensalza

Printed in Germany
ISBN 3-7913-3663-0
978-3-7913-3663-3